ГУЗЕЛЬ ЯХИНА

ЭШЕЛОН НА САМАР- КАНД

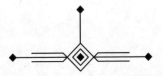

ГУЗЕЛЬ ЯХИНА

ЭШЕЛОН НА САМАРКАНД

 РОМАН

РЕДАКЦИЯ
ЕЛЕНЫ
ШУБИНОЙ

ИЗДАТЕЛЬСТВО
АСТ
МОСКВА

УДК 821.161.1-31
ББК 84(2Рос=Рус)6-44
Я90

Художественное оформление Андрея Бондаренко

На переплёте использована картина Александры Платуновой
"Беспризорники" (1926). Автор и "Редакция Елены Шубиной" выражают
благодарность Чувашскому государственному художественному музею
за предоставление оригинала изображения

Книга публикуется по соглашению с литературным агентством *ELKOST Intl.*

Яхина, Гузель Шамилевна.

Я90   Эшелон на Самарканд : роман / Гузель Яхина. — Москва : Издательство АСТ :
Редакция Елены Шубиной, 2021. — 507, [5] с. — (Проза Гузель Яхиной).

ISBN 978-5-17-135479-4

Гузель Яхина — самая яркая дебютантка в истории российской литературы но-
вейшего времени, лауреат премий "Большая книга" и "Ясная Поляна", автор
бестселлеров "Зулейха открывает глаза" и "Дети мои".
Ее новая книга "Эшелон на Самарканд" — роман-путешествие и своего рода
"красный истерн". 1923 год. Начальник эшелона Деев и комиссар Белая эвакуи-
руют пять сотен беспризорных детей из Казани в Самарканд. Череда увлекатель-
ных и страшных приключений в пути, обширная география — от лесов Поволжья и казахских степей к пустыням Кызыл-Кума и горам Туркестана, палитра
судеб и характеров: крестьяне-беженцы, чекисты, казаки, эксцентричный мир
маленьких бродяг с их языком, психологией, суеверием и надеждами…

УДК 821.161.1-31
ББК 84(2Рос=Рус)6-44

Содержание

I. ПЯТЬ СОТЕН
9

II. ВДВОЕМ
81

III. ЧЕРТОВА ДЮЖИНА
217

IV. ОДИН
287

V. ВЫЧИТАНИЕ И СЛОЖЕНИЕ
315

VI. И СНОВА ПЯТЬ СОТЕН
397

VII. ТРОЕ
465

Комментарии автора
499

Благодарности
508

Моему папе
Шамилю Загреевичу Яхину

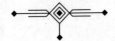

I. ПЯТЬ СОТЕН

Казань

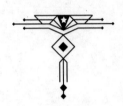

Четыре тысячи верст — ровно столько предстояло пройти санитарному поезду Казанской железной дороги до Туркестана. Но самого поезда еще не было — приказ о его формировании был подписан вчера, девятого октября двадцать третьего года. И пассажиров не было — их предстояло собрать по детским домам и приемникам: девочек и мальчиков, от двух до двенадцати, самых слабых и истощенных. А вот начальник у эшелона уже был: фронтовик Гражданской, из молодых, — Деев. Назначен только что.

— Дети, — сказал ему вместо приветствия командир транспортного отдела Чаянов. — Пятьсот душ. Доставить из Казани до Самарканда. Мандат и инструкции получишь у секретаря.

За годы в транспортном Деев сопровождал все, что могло передвигаться по рельсам, — от реквизированного зерна и скота до китового жира в цистернах, присланного дружественной Норвегией голодающему Поволжью. Детей однако — не приходилось.

— Когда выезжать?

— Хоть завтра. Соберешь состав — и лети, Деев, птицей лети! Дети — они долгой дороги не любят, скоро сам поймешь.

Вот и весь разговор — пара минут, не больше. Неясно лишь: что значило это странное "сам поймешь"? Но раздумывать было некогда. Долгие раздумья — для стариков, у них времени много.

Первым делом отправился к вокзальному начальству. Те обещали поскрести по сусекам и наскребли всего один вагон, зато — бывшего первого класса, некогда благородно-синего, а нынче уже бледно-серого цвета, с гобеленовой, лишь местами рваной обивкой салона, почти целыми зеркалами и просторным общим холлом, где при желании можно было вальсировать. Когда-то там располагалась дорожная библиотека и даже был установлен рояль, а теперь красовалась щербатая чугунная ванна (видно, перетащили из банно-прачечного отсека, да так и позабыли здесь). Смотрелась она в окружении пустых книжных полок и почерневших канделябров нелепо. Поморщился Деев, но вагон взял. Гобелены велел содрать к чертовой матери, канделябры — сбить. В купе вместо элегантных багажных сеток надстроить вторым и третьим ярусом нары. А ванну — оставить. Пробовал было затребовать к ней и печку-чугунку, чтобы детям было где согреть воду для мытья, но был обозван буржуем и идею с горячим водоснабжением отложил на потом.

Второй вагон пришлось ждать до завтра: пригнали с Красной Горки, где он стоял четыре года на задворках паровозного депо. Посмотрел на добычу Деев и аж передернулся: не простой это был вагон, а путевая церковь. Видно, потому и пылился так долго в отстойнике, что приспособить его под какие бы то ни было советские нужды затруднялись. Позеленелую бронзу с купола можно было, положим, снять, алтарь разобрать. А арочные окна под красными бровками куда денешь? А кокошники под крышей?.. Принял Деев и этот вагон. Одна радость: вместительный. "Во сколько рядов лавки городить будем?" — спросил башкан плотницкой артели, уважительно разглядывая высоченный потолок. "Давай в три!" — махнул рукой Деев. Пожалуй, влезли бы и все четыре, но карабкаться на самую верхотуру дети могли побояться.

Вагон-кухню прислали пару суток спустя, из-под Симбирска, — кургузую коробчонку на колесах, сбитую наспех из струганых досок и позже чиненную нестругаными, в заплатах из фанеры, с торчащей из слухового окна загогулиной печной трубы. Говорили, в симбирских тупиках еще с девятнадцатого года стояло много такого барахла, и что-то вполне могло сгодиться Дееву, но ехать туда с проверкой было недосуг.

Наконец, расформировали пришедший из Москвы пассажирский и пяток вагонов подогнали к деевскому эшелону, который путевые рабочие уже называли между собой "гирляндой" за разнообразие цветов и мастей. Вагоны — сплошь плацкартные, прокуренные и запакощенные насмерть — нуждались не в плотниках, а в обстоятельной уборке. Но Деев к тому времени так замучил вокзальное начальство требованиями (да всё "немедля!", "тот же час!" и "непременно!"), что в уборщиках ему отказали. Плюнул он, набрал пару ведер воды и принялся отмывать сам.

Тут-то она и появилась. Деев как раз пластался по мокрому полу, тряпкой выуживая из-под лавки груду семечковой шелухи, — а у са́мого его лица возникли два тупоносых пехотных ботинка. Поднял глаза выше: икры, тонкие, не в солдатских обмотках — в нежной чулочной шерсти.

— Убийца, — так начала разговор. — Почему канителитесь?

Опешил Деев. Еще выше глаза поднимает: юбка черная, узкая, а под сукном юбочным — острые колени.

— Пока вы тут пузом по полу елозите, умирают дети.

Он попытался вылези из-под лавки и сесть — тюкнулся затылком о лавочный край.

— Ты кто? — Перед женщинами Деев робел и оттого называл их исключительно на "ты", а себя держал гордо, с вызовом.

— Детский комиссар. Поеду с вами до Самарканда, если соизволите встать из лужи и приступить к выполнению приказа.

— Имя-то у тебя есть, комиссар?

— Белая.

Деев так и не понял, имя это или фамилия. Переспрашивать не решился.

Была она старше его, но не так чтобы в матери годилась. Скорее, в старшие сестры. Лицо имела красивое и строгое, хоть сейчас на плакат. Волосы — русые, коротко стриженные, кудрями во все стороны. А взор — начальственный, как у армейского командира. Под таким взглядом хотелось немедля вскочить и оправиться, но сдержался: не спеша пригладил чубчик (заодно смахнул со лба пару приставших подсолнечных шкурок), небрежно кинул тряпку в ведро (вода плеснулась через край и брызнула комиссару на ботинки) — да и остался на полу сидеть, эдак чуть развалясь.

— Тогда, может, с уборкой подсобишь, товарищ Белая? Или в хлеву повезем народ?

— Подсоблю, — ответила серьезно. — Только ночью, когда дети спать будут.

— А мы с тобой, выходит, не будем? — снахальничал Деев. И не хотел вовсе дерзить, да язык-дура ляпнул сам.

И тут же стыдно стало за нелепую эту сальность. Поднялся, отряхнул грязь с закатанных штанов и голых коленей. А когда распрямился — понял, что смотрит на гостью снизу вверх: комиссар Белая была выше на целых полголовы.

— Боюсь, Деев, спать нам не придется, — сказала, глядя в упор, и он рассмотрел наконец ее глаза — холодно-серые, в прямых ресницах. — До самого Самарканда — не придется.

Пару минут спустя он уже шагал рядом с Белой. Даже не шагал — строчил торопливо по мокрым от сеющего дождя путям, изо всех сил стараясь не поскользнуться и не пуститься бегом.

Она ступала широко, через шпалу, даром что ноги имела по-девичьи тонкие, а фигуру легкую, едва различимую под широкими складками бушлата, прихваченного в талии ремнем. Деев наблюдал стремительный ход ее квадратных башмаков и думал о том, что под ними непременно должны скрываться маленькие и узкие ступни. Споткнулся, чертыхнулся — отогнал неподобающую мысль.

— Они попробуют увеличить квоту — не соглашайтесь! — Белая говорила быстро, не трудясь повернуть голову к собеседнику, а словно стреляя фразами вперед, и ему пришлось ускорить шаг, чтобы расслышать указания. — Попробуют добавить больных под видом выздоравливающих — не соглашайтесь!

Деев никак не мог взять в толк, с кем ему не соглашаться. Иначе говоря, в кого так безжалостно стреляла словами комиссар?

— Начнут давить на жалость — валите все на меня. Так и скажите: мол, эта Белая такая принципиальная и бессердечная, не стовориться с ней никак, просто не человек, а камень…

— Но начальник-то эшелона я, — на всякий случай напомнил Деев.

— Начальник вы, — согласилась Белая. — А валите все на меня. А еще лучше молчите, я сама все скажу.

Вокзальными задворками вышли в город и скоро оказались в самом сердце его, где стоял на главной площади дворец из гранита и мрамора, с колоннами в три обхвата и окнами много выше человеческого роста — некогда Дворянское собрание, а ныне казанский эвакоприемник номер один. Сюда из ближних и дальних уголков Красной Татарии свозили детей, кого не хотели или не могли прокормить родители; отсюда и ожидалась львиная часть пассажиров деевского эшелона.

Вблизи, однако, приемник походил не на дворец, а на осажденную крепость. Подвальные окна его были заколочены досками — наглухо, местами в два слоя, — а стрельчатые окна первого этажа убраны листовым железом и фанерой. Беломраморные колонны — в густой сетке из трещин. Стены — испещрены выбоинами так обильно, что казались возведенными из необычайно рыхлого и пористого камня (Деев узнал эти щербины сразу: мелкие — от пуль, покрупнее — от снарядов). Здание глядело сурово и неприступно, словно вокруг еще бушевала Гражданская война. От кого же оборонялись засевшие внутри? Неужели от осаждающих учреждение детей?

А они валялись повсюду — на гранитной входной лестнице, на расстеленных вдоль стен газетах — дюжина или полторы маленьких грязных тел, укутанных в тряпье по самые брови и лениво-неподвижных под дождем. Деев наблюдал подобную картину не раз, но никогда не задумывался: отчего же дети лежат снаружи приемника, а не внутри?

По пологому скату для конных повозок Белая поднялась к парадному входу и постучала. Ответа — нет. Постучала еще раз, уже сильнее, подергала плотно закрытые двери — и вновь без результата. Встала на цыпочки и грохнула пару раз ладонью о покрывающую оконный проем фанеру — едва не поранила руку о гвоздь.

Крепость хранила молчание. Лежащие у подножия дети — тоже.

Никто даже не шевельнулся. Несколько пар глаз с вялым любопытством следили за действиями женщины, и лишь один пацаненок — мелкий, с коричневым от загара лицом, похожим на грязную картошину, — уселся поудобнее, чтобы не пропустить представление. К нему-то Белая и обратилась.

— Почему не открывают? — спросила запросто, по-дружески.

Ни тебе властного тона, ни командирского взгляда, удивился Деев. А ведь умеет комиссар по-человечески разговаривать!

Пацаненок помолчал немного, глядя мимо и вверх, откуда сыпались мелкие дождевые капли.

— Поздновато явились, — процедил нехотя. — Завтра уже приходите, с утра они добрее будут.

— Нам сейчас надо, — вздохнула Белая. — Может, есть еще какой способ… Помоги.

И снова ответил не сразу, будто слова долетали до него издалека.

— А мне что с того будет?

— Расскажу, как устроиться в приемник. Чтобы не под дверью тут христарадничать, штанами крыльцо протирать. А чтобы социальные сестры сами тебя под локоток взяли и внутрь провели, умыли, накормили и на паек поставили.

— Брешешь, — осклабился пацан мгновенно, показывая черные зубы.

— Сегодня в полночь на Устье облава: Деткомиссия и милиция будут чесать берег. Пойманных развезут по приемникам. Так что всем, кто хочет под крышу и на паек, быть на Устье до заката. А кто не хочет, пусть дует к чертовой бабушке и не путается под ногами. Усек? Передашь по своим.

Лицо-картошина смялось, недоверчиво поводя бровями и дергая ноздрями.

— Нож мне в сердце, гвозди в глаз! — Белая ударила себя сжатой рукою в грудь, словно вонзая кинжал между ребер, и лицо тотчас разгладилось, заулыбалось заговорщически. — А теперь помоги, — попросила Белая повторно.

Мальчишка встал — медленно, едва шевеля конечностями, будто двигаясь по речному дну, а не по суше, — и подошел ко входным дверям. Повернулся к ним спиной и, вмиг утратив всю свою ленивую плавность, яростно заколотил пятками и кулаками; молотил так истово, что тяжелое, крытое лаком дерево задрожало, а петли заскрипели.

— Шибче надо было колошматить, — пояснил, не прерываясь и чуть запыхавшись от громкой своей работы. — Их только упорством и возьмешь!

— Сказано, нет мест! — разнеслось через минуту откуда-то сверху, из окна.

Но мальчишка все колотил, не снижая напора, и скоро в одной из дверей щелкнул ключ. Пацаненок тотчас брызнул в сторону, и выскочившая из щели метла мазнула по воздуху.

— Вон отсюда, шантрапа! — показалась в открывшемся проеме необъятная женская фигура, помахивая метлой, как разящим мечом. — Вон, к лешему на рога!

— Что за цитадель вы тут устроили? — Белая говорила очень тихо и с такой угрозой, что у Деева захолодело в кишках. — Война давно закончилась.

— У кого закончилась, а у кого в самом разгаре, — не растерялась привратница. — Разнесут же учреждение! Не я виной, что их тут каждый день армия! И куда их всех?

Не говоря более ни слова, Белая сделала шаг вперед, и огромная женщина отступила, опустила метлу. Деев юркнул следом — в плотную темноту здания с наглухо заколоченными окнами.

—Товарищи, вы к кому? — привратница все еще возилась у двери, запирая последний из нескольких замков и не попадая во тьме ключом в скважину. — Куда же вы, товарищи? Эй!
А Белая уже устремилась по широченной парадной лестнице вверх — туда, где брезжил со второго этажа свет. Деев

поспешил было за комиссаром, но споткнулся обо что-то мягкое — едва не упал. И снова споткнулся. И снова чуть не упал. Темнота вскрикнула тоненько, а затем пропищала насмешливо:

— Товарищи!

Разглядеть что-либо во мраке было невозможно. Деев остановился, руками шаря перед собой — нащупал пару бритых макушек.

— Товарищи! — захихикало с другой стороны. — Куда же вы?

— На кудыкину гору! — откликнулось с третьей. — По кривому забору!

— Посмотреть на обжору!

— Или выпить кагору!

— Или слопать рокфору!

И вот уже сумрак наполнился голосами, смешками, вздохами.

— Налупить сутенеру!

— А еще — прокурору!

— А еще — полотеру!

— Без понта и фурору!

— Цыть! — рявкнула привратница где-то у подножия лестницы.

Напрягая зрение и ощупывая пространство перед собой, Деев ринулся за Белой — сквозь толпу мальчишек, рассевшихся на ступенях. Ладони его скользили по стриженым головам, голени — по чьим-то плечам и спинам. Больше всего боялся наступить на кого-нибудь, но детские тела были много быстрее — сами раздавались в стороны, открывая дорогу, как стая мальков рассыпается при виде приближающейся крупной рыбы.

Чем выше поднимался Деев, тем светлее делалось вокруг и тем плотнее становилась толпа. Скоро лестница разделилась на два рукава, каждый круто изгибался — один налево, другой направо — и вел на второй этаж. Здесь уже можно было разглядеть глаза — карие, рыжие, черные, синие, цвета травы, — они с любопытством таращились отовсюду. Пацанята были мелкие и стриженные как на подбор. У одного, кажется, не было уха; но, может, это только почудилось в потемках.

Второй этаж распахивался на две стороны просторным коридором. Широкие двери — когда-то ярко-белые, в золотых вензелях, а ныне облупившиеся до темного дерева — вели во внутренние пространства. Из глубины коридора уже спешила к гостям крошечная дама в очках, по виду сотрудница приемника. Но Белая — не дожидаясь женщины, а словно даже вопреки ее торопливости — распахнула центральные двери и решительно вошла внутрь. Деев, сгорая от неловкости, шагнул следом. Не одному же ему объясняться за нахальное вторжение?

Вошел — и обомлел: это был бальный зал. Сквозь огромные окна — почти все они имели целые стекла, и только некоторые были заделаны тряпками — щедро лился дневной свет. Потолок был высок необычайно — пришлось заломить шею, чтобы обозреть гигантскую многоярусную люстру размером с паровоз (лампочки-свечи разбиты все до единой, а бронзовые загогулины целы). От люстры волнами разбегались по потолку гипсовые цветы и черные трещины. Там же, в вышине, парил огражденный белыми перилами оркестровый балкон, от него тянулись вниз обшарпанные, но все еще изящные колонны.

Великое это пространство было забито ребятней до такой степени, что напоминало зал ожидания на вокзале. Подоконники устланы тряпьем и превращены в места для спанья; на каждом теснились по трое-четверо мальчуганов, иногда вповалку. Лежанками же служили и ящики, и чемоданы, и набитые чем-то мешки, и составленные вплотную и притрушенные сеном стопки книг — они тянулись по паркету длиннющими рядами (книги были дорогие, в обложках из кожи или нарядного картона, очевидно, собрания сочинений). Кому не хватило спальных или сидячих мест, лежали прямо на полу, покрывая его плотным шевелящимся слоем грязновато-бледных конечностей и тощих лиц.

На вошедших никто не обратил внимания: обитатели приемника глазели в окна, резались в карты, болтали, дрыхли, выкусывали вшей, просто таращились бездумно в потолок. Никогда еще Деев не видел столько детей, собранных вместе. От обилия голых пяток и одинаковых, стриженных наголо затылков зарябило в глазах. Гул голосов заполнил уши:

— Не впервой нам было собачатину лопать — бывальщина! И ничего, натрескались от пуза, не померли...

— Мать моя тогда при смерти была, ей уже земля коготки свои черные показала...

— Что ты, паря, меня исповедуешь?! Захочется — тебя не спросится. Мы уже пальцы мазаные, сплетуем — блоха не учует...

— О пресвятая дева, мати Господа, царица небесе и земли! Вонми многоболезненному моему воздыханию...

— Кормят-то и здесь паршиво: ешь — вода, пей — вода, срать не будешь никогда...

— Да твой Мозжухин против моего Дугласа Фэрбенкса — мышь против слона!..

— Когда станут меня драть, вспомню милым словом мать...

— Эх, говорю ей, сестрица, больно важно вы едите, ну прямо как Ленин...

— Товарищи! Вы от Наркомпроса?

Женщина в очках запыхалась от короткой пробежки (вблизи Деев увидел, что уложенные в пук жидкие волосы ее совершенно седые, а худоба организма уже не молодая, а старческая). Но Белая и не думала останавливаться — стремительно шагала между раскинувшимися по полу мальчишескими телами, вертя головой во все стороны.

— Моя фамилия Шапиро. — Женщина обогнала Деева и кое-как приспособилась к быстрому ходу Белой, затрусила рядом, пытаясь заглянуть в лицо странной гостье. — Заведующая Шапиро.

— Общая численность детей в приемнике? — Белая заговорила крайне суровым тоном, словно заранее обвиняя за любой ответ.

— Четыреста пятьдесят человек. — Заведующая на ходу сдернула очки и протерла о подол вязаной кофты, видно, надеясь через чистые линзы лучше рассмотреть пришелицу. — Но после обеда будет больше, ждем обоза с Елабуги.

— Из них здоровых?

— Смотря кого называть здоровыми. В лазарете и на карантине — сорок семь детей... — Лицо заведующей выражало все большее смятение, а дыхание становилось все резче от быстрой ходьбы. — Или вы от Наркомздрава?

Неправильно было заставлять пожилого человека так спешить. Понимала ли это Белая? Кажется, нет — не понимала. Или наоборот — понимала прекрасно?

— Из общего количества здоровых — сколько детей старше пяти лет?

— Около двух третей... Но позвольте... все же узнать... — Шапиро уже с трудом переводила дух. — Товарищ?..

Дееву стало стыдно.

— Белая, — представил он спутницу. — Комиссар Белая из Деткомиссии.

— Деткомиссия! — воссияла мгновенно Шапиро, позабыв про одышку. — Наконец-то вы о нас вспомнили! Мы же без вас гибнем, гибнем... Что вы же не предупредили? Я бы и цифры все свела, и перечень вопросов составила, чтобы не впопыхах...

— А вы не торопитесь. — Белая разглядывала окна и простенки между ними: дождь снаружи усилился, и по обшарпанной штукатурке уже бежали на паркет крупные капли.

Разглядывала не просто так: давала понять, что видит и порицает. Удивительная все же манера не только слова свои, но и жесты, и даже молчаливые взгляды превращать в укор! Не женщина — ехидна.

— Ну, во-первых, конечно, помещения, — начала Шапиро вдохновенно. — Вы же сами видите, в каких мы условиях! Они в Наркомпросе считают, что дали нам дворец — и все, дело сделано! А жить в этом дворце — как? Об этом они подумали? Учиться — как? А спать? А болеть? В таких условиях детям не место.

— И правда, — поддакнул Деев (уж очень хотелось помочь бедной заведующей). — Кровати-то где?

— В Дворянском собрании не спали, товарищ. — Шапиро назидательно мотнула головой. — Здесь балы танцевали и пиры пировали. Вот самая приличная наша кровать.

Она хлопнула ладонью по уличной скамейке, явно принесенной из какого-то парка: на ней копошилась куча малышни, укрытая шелковой скатертью с кистями — засаленной донельзя и давно утратившей цвет.

— А у меня что ни день, то новый обоз! И куда их селить, всех эвакуированных? — Шапиро трагически раскинула худенькие старушечьи ручки и мгновенно сделалась похожа на испуганного паучка. — А еще каждый день — подкидыши. Мы уже и объявление на дверь вешали: "Большая просьба всех младенцев нести сразу в Дом малютки!" И адрес указывали. Но мамаши пошли то ли неграмотные, то ли упрямые: каждое утро на ступенях — один-два кукушонка, а то все три…

Деев почувствовал на себе чей-то взгляд. Обернулся — через стекла многостворчатой балконной двери смотрели на него несколько гипсовых статуй; верно, их вынесли на балкон за ненужностью. У некоторых были отбиты носы. По неподвижным лицам статуй струилась дождевая вода.

— …А еще же каждый день — самоход, человек по десять-пятнадцать. Идут и идут, идут и идут. И ведь не только Татария идет — сюда и Чувашия идет, и Мордовия идет, и немцы из-под Саратова идут, на днях вот Калмыкия пришла. Подростка, положим, я не впущу. А малыша-трехлетку? Сердца не хватит отказать.

— Это вы от излишней сердечности окна железом заколотили? — Обойдя зал, Белая развернулась и энергично зашагала к выходу, словно была здесь хозяйкой и сама вела гостей по учреждению.

Неприятно было — аж челюсти хрустнули — от резкости тона и грубости поведения спутницы. Не детский комиссар, а фельдфебель на плацу!

— Ну зачем вы так? — Шапиро едва поспевала за Белой. — Первый этаж и подвалы нежилые вовсе, там даже скот держать нельзя: зимой на стенах иней с палец толщиной, а весной и осенью воды по колено. Окна-то без стекол, с самой войны. И камины не работают, и канализация забита. Вот если бы Деткомиссия помогла...

Странный протяжный звук прервал разговор: несся откуда-то сверху, из-под потолка — Дееву показалось в первый миг, что это сирена. Но нет, это ребенок выл — не плакал, а именно выл — отчаянно и долго, лишь изредка прерываясь для вдоха и поскуливая. Даже Белая остановилась и обернулась на звук. Заведующая, однако, только рукой махнула устало:

— Не обращайте внимания, это Сеня-чувашин. Скоро успокоится.

⚜

В ой не спадал — и пока гости покидали бальный зал, и пока шли по коридору, и пока заходили в соседнюю комнату. Шапиро прикрыла двери, чтобы звук не мешал, — голос проникал и сквозь стены.
Но едва попав в новое пространство, Деев позабыл про Сеню, так ошеломил его этот следующий зал. Вероятно,

когда-то это была парадная столовая. Сейчас ее населяли девочки. Здесь были те же самодельные лежанки — из книг, обломков мебели, картонных коробок, та же скученность и теснота, те же костлявые тела и босые ноги — уже не мальчишеские, а девчачьи. А над всем этим царила еда.

Потолок был расписан ярко и щедро, с какой-то чрезвычайной натуральностью. По периметру — виноградные листья, поверх красовались огромные, подсвеченные солнечными лучами гроздья. Тут же рассыпались и розовые яблоки, и почти прозрачные на свет медовые груши. По горам абрикосов и персиков порхали бабочки, а лимоны с наполовину снятой кожурой влажно блестели и едва не капали соком.

Стены — гигантские картины. Жареная дичь, бледно-розовые в разрезе окорока, устрицы, надщипанный хлеб и ополовиненные бокалы с вином — все это было немыслимых размеров и в прекрасном состоянии: ни трещины, ни плесень не брали это мощное изобилие — фрески сияли, будто написанные вчера.

Здесь было очень тихо: придавленные невероятным пространством, девочки лежали смирно, беседовали еле слышно (даже Сеня-чувашин перестал кричать). Деев заметил, как одна пыталась отколупнуть кусочек нарисованного мяса со стены, но не сумела: слой краски был толст и крепок, а девчоночий пальчик — слаб.

Хотел было задать вопрос, но только крякнул досадливо, осматривая раскинувшуюся над головой фруктовую тучу.

— Говорю же, нет помещений, — вздохнула Шапиро.

— А нельзя ли как-нибудь замазать эти… — Деев поморщился, подыскивая слово, — …художества?

— Чем? Углем? У меня и того нет.

— С помещениями понятно, — прервала их Белая. — Что еще беспокоит?

На гладком красивом лице ее Деев не заметил и следа волнения: комиссар взирала на бушующее вокруг кулинарное безумие и съежившихся под ним детей совершенно спокойно. Странное она все же имела душевное устройство: то вскипает на ровном месте, а то сухарь сухарем, словно и не сердце в груди, а кусок замороженной рыбы. Протекающие стены и забитые фанерой окна, значит, ее волнуют. А му́ки детей, живущих в окружении нарисованной еды, — нет?

— Во-вторых, конечно, питание, — с готовностью откликнулась Шапиро, указывая сухонькими лапками на живописные продукты. — Я все понимаю: разруха, голод, время тяжелое. Но зачем же мы их эвакуируем, если накормить не можем? Рубль в неделю на ребенка — где это видано? Чем я накормлю его на рубль? Мельничной пылью? Шелухой овсяной? А ведь его не только кормить нужно — еще и лечить, и согревать. Это уже в-третьих.

Она кивнула на камин в углу — широченный, из чугуна и мрамора, — у подножия которого валялось несколько обломанных веток и рваные газеты. В каминной пасти стояло жестяное ведро, куда из дымохода капала изредка вода — верно, от идущего снаружи дождя.

— Дворец… — Морщинистые щечки Шапиро зарумянились от возмущения, да и вся она, кажется, разгорячилась от этого разговора; кофта ее распахнулась, движения сделались размашистей. — Они в Наркомпросе подумали, сколько дров нужно, чтобы дворец этот хотя бы раз протопить? У нас зимой по бальному залу поземка кружит!

Внезапно Деев почувствовал, что озяб за проведенные в приемнике полчаса: пожалуй, здесь было ничуть не теплее, чем на улице. Написанные на потолке солнечные лучи — не грели.

— Ну, дрова-то стребовать легче, чем деньги или помещения. — Белая опять перешла на прокурорский тон.

— Просила! Всю бумагу на них извела!

— Значит, надо было не писать, а прийти в соцвос, к заведующему, и не выпускать его из кабинета, пока не даст пару обозов с дровами. Заточенный карандаш этой сволочи вот сюда приставить, — Белая ткнула себя пальцем в то место, где у мужчин обычно выпирает кадык, — а второй карандаш в руку ему сунуть: пусть подписывает! И пригрозить, что иначе в ЧК пожалуетесь — на его халатность и вражеское отношение к детям!

По какой-то особенной прозвучавшей ноте понял Деев: комиссар поступала так сама, и, возможно, не раз. Шапиро же только захлопала беспомощно близорукими глазками, не отвечая на смелое предложение, и лишь пару мгновений спустя продолжила, словно все еще надеялась на сочувствие:

— Далее, конечно, гигиена — ее у нас просто нет. Ни бани, ни дезокамеры — принимаем детей через ванну, одну на десятерых. И один же кусок мыла — на десятерых. А если вдруг чесотка? Или парша? Мне даже подумать страшно…

— Да перестаньте вы уже бояться и жаловаться! — Белая так возвысила голос, что Шапиро вздрогнула, а девочки испуганно уставились на скандалящих взрослых. — Придите в Наркомздрав и тресните кулаком по столу! И вывалите им на этот же стол пригоршню вшей покрупнее — как сувенир от немытых детей. Будут вам быстро и дезокамера, и мыло, и зубной порошок! — Она развернулась возмущенно и направилась к двери.

Всё делала, думал Деев. Всё это Белая делала: и кулаком стучала, и вшей на стол сыпала. А может, и не на стол — начальству этому несчастному за шиворот. С такой станется: не человек — гангрена в юбке. А он-то — дурак! — на ресницы ее пялился да на колени красивые. И угораздило же его попасть с ней в один эшелон!

— Это вы мне как член Деткомиссии советуете? — ахнула заведующая.

— Причем настоятельно! — Покидая столовую, комиссар не потрудилась придержать за собой дверь, и та чуть не хлопнула спешащую следом Шапиро по лбу. Деев едва успел подскочить — защитить старушку от удара. Будь его воля, он охотно бы треснул этой дверью Белую — по спине или даже по прекрасному высокомерному лицу.

А та уже летела по лестнице на третий этаж, едва не сбила с ног какого-то мелкого пацаненка.

— Раздайся, море, — говно плывет! — огрызнулся тот.

— Одно говно другому не равно! — мгновенно парировала Белая.

— Там нечего смотреть! — заволновалась Шапиро больше прежнего, и в голосе ее послышался испуг. — Только лазарет и карантинная!

Поздно: комиссар уже одолела пролет, каблуки ее уже стучали по полу — где-то наверху.

М**альчик был в малиновом камзоле с золотыми цветами и хрустальными пуговицами** — стоял в коридоре и пи́сал в ведро. Камзол был так велик, что подол смялся и складками лежал на паркете, а тощая мальчишеская шея торчала из ворота, как палка из бочки. Под красным бархатом белело голое совершенно тело — ни штанов, ни даже исподнего мальчик не имел. Справив нужду, он деловито подхватил полы одеяния, чтобы не волочились при ходьбе, и, шаркая, направился на свое место. Видневшиеся из-под камзольных бортов босые ноги его напоминали слоновьи — уродливо-толстые, потерявшие всякую форму конечности переступали медленно, с усилием, едва отрываясь от пола.

— Мы это богатство на оркестровом балконе нашли, вместе с париками и пудрой, — пояснила Шапиро, задыхаясь на подъеме (Дееву показалось, что она уже покачивается от усталости и треволнений последних минут). — Верно, от музыкантов осталось: дюжина маскарадных костюмов, а обуви — ни единой пары. Уж лучше бы наоборот. Но не пропадать же добру, вот и раздали детям… Или вы на ноги его смо́трите? Говорю же, здесь у нас лазарет.

Пространства третьего этажа были гораздо у́же и приземистей: в маленьких окнах виднелся нависающий сверху карниз, а до потолка Деев мог бы при желании достать рукой. Очевидно, здесь были когда-то подсобные помещения. В каждое вела низкая дверца.

Шапиро с Деевым заглянули в несколько палат (на пороге пришлось наклоняться, чтобы не задеть макушкой притолоку), пока в одной не обнаружили Белую: она не вышагивала по комнате, а лишь стояла недалеко от двери, внимательно рассматривая обитателей. Да и не получилось бы здесь шагать — слишком тесны были покои, слишком плотным слоем устилали пол детские тела.

Тела эти были причудливы. Некоторые части их — руки, плечи, ребра, ключицы, шеи — необыкновенно худы, с остро торчащими косточками. А некоторые — ступни, голени, бедра и животы — невозможно толстые, похожие на пуховые подушки. То же и с лицами: у кого — костлявые маски, а у кого и не лицо даже, а словно раздутая через соломинку жаба, в складках которой едва заметны щелочки глаз. Деев, конечно, видывал опухших (да и кто же на Волге их не видывал!), но чтобы столько разом, и одни только дети… Кто-то был гол, кто-то прикрыт бархатным камзолом вроде уже виденного. У некоторых на голове сидели расшитые золотом треуголки с перьями и завитые парики. Дети валялись на лежаках и на полу, переговаривались лениво, многие спали.

— По инструкции, конечно, опухших и увечных не положено брать, — забормотала виновато Шапиро, и Деев понял наконец причину ее смущения, — но эвакуаторы…

Что с них взять, тоже люди. Всякое случается, ошибаются: то младенца-сосунка привезут, то однажды девочку беременную из-под Мамадыша — хотя и тринадцати лет, а все же беременную…

— А вы расходы на содержание этих неположенных вычитайте у эвакуаторов из жалованья, — предложила Белая. — Вмиг перестанут ошибаться.

Шапиро только сгорбилась виновато, ничего не стала отвечать.

— Замолчи, — сказал Деев с ненавистью: не мог больше терпеть.

Сказано это было тихо и в спину обеим женщинам — вряд ли его услышали. Хотел было повторить громче, а еще добавить пару ободряющих слов заведующей, а еще взять Белую под локоть (покрепче взять, чтобы стало ей по-настоящему больно) и не дать больше рот раскрыть… но тут кто-то коснулся его ноги сзади — ласково, словно кошка хвостом обмела.

Оглянулся: девочка, лет четырех или восьми — такая тощая, что возраста не понять, — сидит на куче соломы в углу и тянет руку к вошедшим. Широко распахнутые глаза — белые, как два очищенных вареных яйца, — уставились на Деева. Ладонь сложена лодочкой, покачивается в воздухе. Слепая, понял он. Просит подаяния на звук.

— Тебе больше не нужно этого делать. — Деев присел на корточки рядом, погладил девочку по плечу и мягко опустил ее вытянутую руку к земле. — Тебя все равно здесь накормят.

— Не трудитесь, — обернулась Шапиро. — Мархум не понимает — ни по-русски, ни по-татарски. Ей кажется, что так она отрабатывает свой хлеб.

В от и весь наш дворец, — сказала Шапиро уже в коридоре, жестом приглашая к лестнице. — Теперь вы видели все. Пойдемте вниз, товарищи, я вас чаем напою.

Но спуститься они не успели — раздался знакомый надсадный вой, где-то совсем рядом — можно было принять его за звериный, если бы не короткие всхлипы и бормотания в промежутках.

— Сеня-чувашин? — догадался Деев.

Заведующая — отчего-то бледная, с застывшим лицом — кивнула коротко и отвела глаза.

— За ним гонится стадо вшей, — пояснила. — Во сне. Он от них убегает, а убежать не может. Ноги были сильно обморожены, и укусы насекомых теперь очень болезненны. Сеня, как просыпается, ловит этих вшей на себе, ловит, ловит... А как заснет, они его... Пойдемте же, товарищи! — В голосе заведующей слышалась какая-то обреченность. — Чай у меня отменный — морковный.

Белая посмотрела в полные тоски глаза Шапиро.

— Не надо нам чая, — сказала.

И пошла вдоль закрытых дверей прислушиваясь — в поисках той, за которой кричал Сеня.

Нашла, открыла.

А дверь эта вела не в комнату — на оркестровый балкон.

И лежали здесь не дети — скелеты детей: так померещилось Дееву, едва он вошел. На составленных рядом стульях были сооружены лежанки из тряпья. Поверх покоились кости — тоненькие, обернутые сероватой дряблой кожей. Такой же кожей были обернуты и черепа, и лица, которые состояли, казалось, из одних только огромных ртов и глазных впадин. Кости изредка пошевеливались: порой раскрывали бездумно глаза и покачивались вяло в своих ложах, а то лежали неподвижно, с полуприкрытыми веками. Несколько детей были устроены в больших плоских ящиках (по торчащим сбоку резным ручкам Деев узнал вынутые полки комода). Один ребенок — в фанерном чехле для контрабаса.

Это были лежачие — те, кто уже прошел через голодные обмороки, голодную горячку и голодный отек и кто голодал долго — не месяцы, а годы, — так что организм не умер от недостатка пищи, а истощился и истончился от постоянной ее скудости. Это были те, кого вряд ли уже можно было спасти. С потолка смотрели на них, улыбаясь, гипсовые амуры.

Здесь же лежал и Сеня. Он уже не кричал — таращился осовелыми со сна глазами куда-то в пустоту и дышал по-собачьи, широко раскрытой пастью. У него был бугристый череп в редкой рыжей поросли и несуразно большие уши, в беззубом почти рту лишь два верхних клыка блестели по сторонам от языка.

— Ваши эвакуаторы и лежачих привозят? — Белая говорила очень тихо, подергивая вмиг побелевшими ноздрями. — А вы принимаете? Ну просто ангелы милосердия все вокруг!

Шапиро стянула запотевшие очки с носа и, не отвечая, пошла поправлять Сенино покрывало — обрывок гобелена, на котором еще можно было разобрать узор из куропаток и охотничьих собак.

Снизу, из переполненного здоровыми детьми бального зала, неслись крики и хохот.

— Почему в таком странном месте? — Деев глянул с балкона — увидел, как мальчишки затеяли на паркете чехарду.

— Говорю же, нет помещений. — Заведующая гладила Сеню по бритой голове; без очков крохотное розовое личико ее казалось детским, только сморщенным.

— А лежачим уже все равно, — подытожила Белая с издевкой.

— Не надо так! — Деев почувствовал, как в животе заворочалась внезапно тошнота — не то от высоты балкона, не то от всего увиденного.

— Я понимаю, что нарушила все предписания. — Шапиро выпрямилась и медленно посадила очки обратно на нос. — И готова понести наказание. Но поймите и вы — вы же все-таки из Деткомиссии, а не из ЧК: куда их было девать? Не отправлять же обратным обозом в Елабугу или Лаишево! В рапорте по итогам инспекции прошу указать: все это было исключительно под мою ответственность и…

— Мы не с инспекцией, — перебила Белая, глядя заведующей прямо в лицо. — Мы собираем детей для переброски в Туркестан.

— Да-да, было такое письмо… — забормотала Шапиро недоуменно, а затем вдруг ойкнула тоненько, по-девичьи, и приложила морщинистую лапку к груди — поняла. — Зачем же вы все это устроили? Весь этот допрос и обход помещений… Всю эту экзекуцию… Почему сразу не сказали? — Глаза ее за толстыми линзами очков сделались огромны, верно, от возмущения, но Дееву показалось — от переполнивших слез.

— Мне нужно было самой посмотреть всех детей, содержащихся в приемнике.

— То есть моего заключения вам было бы недостаточно? — Заведующая прижала к груди и вторую ручку, выставила вперед худенькие плечики — с каждой секундой словно все больше сжимаясь и скукоживаясь.

— Нет. — Белая говорила уже спокойно и деловито, отбросив обвинительный тон. — Вы составили список детей на вывоз?

— Да, с небольшим запасом. И как раз хотела просить Наркомпрос…

— Увеличения квоты не будет, вычеркивайте сразу ваш запас. — Белая обвела взглядом балкон. — Прошу вычеркнуть всех, кто находится на третьем этаже, а также младенцев до двух лет и беременных девочек. Оставить только здоровых. И лучше — постарше.

— А если я не соглашусь? И приведу к поезду не четыреста детей, как указано в квоте, а четыреста десять? Неужели вы бросите их на перроне?

Комиссар не ответила, но в тяжелом взгляде ее явственно читался ответ.

— Очень вас прошу! В списке и правда только те, кто имеет шанс доехать, как мне кажется…

Белая молчала.

— Как же я могу — своей рукой вычеркнуть? — Шапиро так и стояла, со вжатыми в основание шеи кулачками, словно хотела задушить себя. — Немыслимый выбор…

— Не надо никого вычеркивать, — сказал Деев. — Мы возьмем всех. И мальчика в камзоле, и слепую Мархум, и Сеню-чувашина. И девочку беременную возьмем. И этих тоже. — Он кивнул на лежанки вокруг.

— Нет! — Белая развернулась к нему резко, будто ударить хотела.

— Да! — ответил Деев. — Я начальник эшелона. Готовьте бумаги на вывоз, — это уже заведующей. — Я подпишу.

Та только хлопала глазами, переводя растерянный взгляд с одного гостя на другого.

— У них обуви нет ни у кого, — прошептала севшим внезапно голосом, и ослабелые руки ее упали безвольно вдоль туловища. — Им хотя бы до вагона как-нибудь дойти, а уж в поезде доедут…

— И обувь найдем, — сказал Деев. — Найдем!

—Д**обрым хотите быть? — это Белая уже на крыльце ему сказала; даже не сказала — прошипела сквозь зубы. — Чутким? Хорошим со всех сторон?

— Хочу, — ответил Деев. — А ты не хочешь?

— Нет! — Она стояла у двери эвакоприемника, накрепко упершись квадратными башмаками в гранит, будто еще надеясь вернуться и решить вопрос по-иному. — Я хочу довезти как можно больше детей до Туркестана — живыми довезти! А лежачих — не довезу, только место в вагоне зря займу.

— Пусть лучше здесь умирают, значит?

Деев уже сбежал по лестнице вниз, но комиссар не двигалась с места — и он заметался по ступеням, не понимая, оставаться ли ему с ней или все же шагать дальше. Убегать, как зайцу от лисы, — не хотелось.

— Это логика выживания, Деев! Жестокая, но логика: помогать сначала тем, кого еще можно спасти.

— Их всех — можно! — Деев подскочил к ней вплотную, но никак не мог посмотреть на нее вровень, все время выходило снизу вверх. — Спасти — или хотя бы попытаться.

— Ценой жизни других, здоровых детей?

Он впервые видел у человека такие глаза: холодные и одновременно яростные. У волков такие видел, когда бросались на людей во время охоты. У человека — никогда.

— И как тебя только партия детским комиссаром назначила?! — Отчаянно махнув рукой, Деев слетел по ступеням и рванул прочь; но не выдержал, обернулся на ходу и крикнул еще, вдобавок: — Ты не принципиальная и не бессердечная, нет! И даже не камень! Ты, Белая, враг!

Комиссар стояла на крыльце — как вросла.

— До Самарканда, Деев, я ваш единственный и самый верный друг, — ответила негромко, но он услышал.

Ну и где ее взять, эту обувь? Пять сотен пар — что пять миллионов. Не было ни у кого такого богатства — ни в торговых лабазах, ни в закромах старьевщиков, ни в базарных рядах. Город ходил в башмаках с отваливающимися подошвами, латаных валенках, лаптях и чунях из пеньки. В дождь надевал поверх деревянные копыта — куски дерева на завязках — шагать по лужам. Добротная обувь на ногах встречалась редко и была либо добыта у спекулянтов на толкучке, либо выдана войсковым каптенармусом (немало хитрецов записалось на военную службу ради одних только крепких сапог). Вот и Деев получил свои ботинки — едва ношенные, всего-то на размер больше нужного, пусть и без шнурков, словом, сказка, а не ботинки! — в службе снабжения. Но даже на воинских складах не мог пылиться обувной запас для целого полка. Пять сотен пар доброй обуви можно было только одолжить — и только у военных.

До кремля Деев домчал быстро, будто не бежал по осенней грязи, а скакал во всю прыть: недавняя ссора прибавляла сил. Здесь, за белыми стенами древней крепости, жила военная академия — за этими стенами топтали землю, пришпоривали коней и маршировали по плацу пять сотен пар сапог, так нужных Дееву.

Но в кремль его не пустили. Часовой у ворот — дубина со штыком! — заупрямился: нет пропуска — нет допуска.

— Убийца ты! — вскипел Деев. — Пока мы тут с тобой белендрясы разводим, умирают дети. — И тотчас понял, что говорит словами Белой, разозлился пуще прежнего. — Сходи хотя бы доложи обо мне командиру!

А тот: не имею права покинуть пост.

— Криком кричать буду, — пригрозил Деев. — Орать как свинья недорезанная, звать этого самого командира твоего, пока не выйдет ко мне.

А тот: имею право вызвать милицию.

Плюнул Деев — и стал ждать. Ежился под крапающим дождем и сверлил взглядом часового, уютно укрывшегося в караульной будке, — хотел смутить. Но глаза то и дело соскальзывали ниже — на аккуратные, с любовью и тщанием чищенные сапоги служивого.

Думал о детях. А если и вправду — начнут умирать в пути?

Не начнут. Нужно только достать обувь — и дети перебегут из холодного каменного дворца в теплые вагоны. Деев закроет их в этих вагонах — на семь замков запрет, как самый ценный груз, — раскочегарит печки докрасна, чтобы лето в эшелоне наступило, — и помчит, пулей помчит в Самарканд. Каких-нибудь пара недель — и они в Туркестане.

А уж там — лето вечное. Там солнце жаркое, дожди ласковые. Там хлеб и рис. Там чудо-ягода виноград, от нее кровь быстрей бежит и румянец на щеках расцветает (сам не пробовал, но слышал). Там горы из орехов и сушеных слив, крупных, с детский кулак. И баранины вдоволь — для всех. Нужно только достать обувь...

Так и караулил ворота — на пару с часовым, до самой темноты. В крепость входили и выходили люди, по их торопливости и суетливости было ясно: не начальство. Въехал автомобиль, и по старательно протянутому из окна пропуску снова было ясно: и это не оно.

Начальство появилось уже вечером. В глубине кремля грохнул конский топот, и караульный разом вытянулся во фрунт, выпучил истово глаза. Вот оно, дождался, — понял Деев.

Из ворот вылетел конь. Верхом — кто-то большой, могучий, в форменном кителе. Не различая впотьмах нашивки на рукаве, Деев кинулся под копыта:

— Товарищ командир!

Часовой рванулся было оттащить наглеца, но всадник уже осадил коня, и тот загарцевал на месте, вздымая передние ноги и грозя проломить черепа всем вокруг.

— Товарищ командир! — Деев кружил вокруг танцующего коня, стараясь одновременно докричаться до всадника и ускользнуть от караульного, что неуклюже суетился тут же, с мешающим за спиной штыком. — Пятьсот детей! Погибнут, если не помочь!

Караульный настиг-таки Деева и, не зная, как обезвредить, обхватил сзади — словно девку лапал, бестолочь!

Локти оказались накрепко прижаты к телу, на спине повисла увесистая туша, не давая сдвинуться с места.

— Пятьсот детей! — надрывался Деев, перекрикивая топот копыт и стараясь вырваться из караульных объятий. — Им обувь нужна — позарез!

— Почему обратились ко мне? — Конный говорил спокойно, не повышая голоса — уверенный, что его услышат. — Откуда же у меня обувь?

— Не у вас — у ваших солдат! Пусть дадут нам взаймы сапоги — ненадолго, всего-то до вокзала дойти! Иначе застудятся дети по такому холоду! Босые они — все до единого…

— А вы предлагаете оставить босым весь корпус академии? — Всадник сидел на пляшущем коне очень прямо, держа поводья одной рукой, другую непринужденно свесив вдоль туловища (эдакую щеголеватую посадку Деев видывал не раз — у бывших офицеров царской армии).

— Так на один же только час!

— Ума лишились… — не воскликнул, просто поделился наблюдением конный. — А если в этот самый час — команда "к бою"?

— А если все они умрут от простуды — пятьсот детей? Три голодных года продержались, а сейчас умрут? — Деев выкрикнул и испугался собственных слов. — Им в Самарканд нужно, к солнцу и хлебу. Мне бы мчать их уже туда, на всех парах! А я вместо этого разговоры с вами разговариваю, время теряю… — Зыркнул зло на часового, который все еще сжимал его железной хваткой. — Мандат в нагрудном кармане. Показал бы, да руки заняты.

Всадник повелительно дернул подбородком, и караульный разжал объятия, запыхтел с сожалением.

— Вон у вас солдаты какие — сытые да сильные! — не удержался Деев, растирая помятые плечи. — Неужели часик в теплой казарме босые не пересидят?

Влез в нагрудный карман бушлата и предъявил мандат — выставил вверх развернутый документ.

Вряд ли в сумерках конный смог разобрать написанное, но наклоняться к бумаге или брать в руки не стал — погарцевал еще немного вокруг, разглядывая просителя со всех сторон, а затем скомандовал негромко:

— Явитесь в воскресенье — к шести утра, с телегой. Будете ждать здесь, у входа. Получите пятьсот пар сапог — под роспись. Вернете через два часа. Сопровождать воз и надзирать за происходящим будет кавалерийский взвод. При малейшем подозрении на кражу казенного имущества прозвучит команда "шашки наголо!".

Ответить Деев не успел — всадник дернул поводья, и застоявшийся конь резво скакнул вперед, загромыхал копытами вниз по мощенному булыжником Кремлевскому спуску.

Воскресенье было послезавтра. Вот так и назначили день отъезда.

С разу побежал в общежитие за вещами — заселяться в эшелон решил нынче же ночью, чтобы завтра не терять времени на суету. А хотелось побежать — к Чаянову. Хотелось — аж в груди жгло! — ворваться в начальственный кабинет и посмотреть Чаянову в глаза, по-мужски посмотреть, как ровне. И сказать: не наш она человек, Белая. Не по пути нам. Я, конечно, с бабой в эшелоне справлюсь, но крови она выпьет что твой упырь. И не моей ведь крови — детской. Ее к детям и подпускать-то страшно. А то, что должность у нее комиссарская, так это ошибка. Ответственно заявляю, товарищ Чаянов. Не жалуюсь, а именно заявляю.

Но как ни крути, а выходило, жалуется Деев.

Жаловаться на бабу было стыдно.

И потому к Чаянову не зашел. Только посмотрел на горящее окно его кабинета в вокзальном флигеле и зашагал дальше по сияющим в лунном свете рельсам и хрусткому щебню к задам отстойника, где ждал собранный в дорогу пустой эшелон.

Да пустой ли? Окна одного из вагонов светились бледно-желтым керосиновым светом.

Плотники заработались допоздна? Но все строительные работы были закончены еще до обеда: Деев сам прошелся по составу, проверяя крепость сколоченных нар, и подписал башкану артели наряд о выполнении работ. Нищие искали ночлег? Воры-гастролеры пережидали время до нужного поезда?

Нащупал в складках бушлата револьвер — ни портупеи, ни формы казанским транспортникам еще не выдали, и потому приходилось носить оружие по-простому, в кармане. Стараясь переступать бесшумно по шуршащему под ногами мелкому камню, подобрался к эшелону.

Снаружи в вагон было не заглянуть — окна располагались высоко, Дееву с улицы виден был только кусок потолочной обшивки. На потолке раскачивалась чья-то тень — мерно и широко, маятником.

Вынул револьвер. Медленно, затаив дыхание поднялся по железным ступеням к вагонной двери. Взялся за ручку и так же медленно потянул на себя. Выставив оружие вперед, скользнул в открывшуюся дверную щель.

Посреди освещенного керосиновой лампой вагона колыхались женские бедра: комиссар Белая мыла пол — в одном исподнем, чуть согнув колени и выставив кверху крепкие ягодицы. Исподнее было мужское, обрезанное наподобие коротких панталон, и почти целиком открывало ноги — стройные, как мальчишечьи, с едва обозначенными округлостями икр.

— Где вы ходите, Деев? — Почувствовав чужое присутствие, Белая распрямилась и утерла лицо тыльной стороной ладони. — Был же уговор: ночью чистоту наводить.

Лампа стояла на полу — для лучшего освещения фронта работ, — и фигура женщины была подсвечена снизу каким-то фантастическим театральным светом. Голые ноги золотились ярко, в мельчайших подробностях: колени — ямочки и бугорки — будто два детских личика; лодыжки — сухие и тонкие, хоть ладонью обхвати; а ступни — так и есть! — узкие, но не маленькие, как думалось Дееву, а длинные. Ему показалось даже, что он различает крохотные волоски на внешней стороне женских голеней. Торс Белой окутывала тень, а голова еле виднелась в сумраке вагона.

— Обувь искал. — Деев не знал, куда деть глаза. — И добыл! Послезавтра выезжаем.

— Быстро, — кивнула одобрительно и подошла ближе. — Мои советы помогли? Прижали к стенке начальника горснабжения и пригрозили пожаловаться в ЧК?

Дышала глубоко, успокаивая сбившееся от работы дыхание. А пахла — солью. Из неотжатой тряпки в руке женщины капала на пол вода.

— Глаза отво́дите. Неужели угадала?

— А ты оденься! — вспылил Деев немедля. — Тогда и не буду отводить.

И заставил себя уткнуться взглядом в ее грудь — вот тебе! Пялился нахально в распахнутый створ исподней рубахи — вот тебе! — не моргая, а нарочно даже выкатив глаза и чувствуя, как теплеют от стыда щеки. Все разглядел — и шею, и бугорки ключиц, и каплю пота в ямке между ними. И сам не знал, как исхитрился в эдакой темноте, а разглядел.

— Для вас я комиссар, а не женщина, Деев. — Белая подошла вплотную, и тело его подобралось, распрямилось в струнку, словно за волосы к потолку потянули, чтобы стать хоть на вершок повыше. — Тогда какая разница, в чем я? Или в чем вы? Разве не так?

Стать повыше — не получилось.

Белая разорвала тряпку надвое и одну половину кинула Дееву под ноги. Сама же вернулась к вымытому участку и продолжила уборку.

Работала быстро и ладно. Руки размашисто скользили по полу, спина упруго раскачивалась. Волосы колыхались в такт движениям, вспыхивая золотым облаком в мерклом керосиновом свете… Деев одернул себя — отвернулся.

Вдруг понял, что все еще держит в ладони револьвер. Стал засовывать обратно в бушлат, но никак не мог попасть в карман. Попал наконец. И тут же едва не сбил ботинком ведро с водой. Да что за напасть!

Он пульнул котомку с вещами на какую-то полку, сбросил бушлат и стал разуваться. Сбежать бы в соседний вагон и там наводить чистоту — да лампа одна. Даже в другой конец вагона не улизнешь — круг света невелик, придется толкаться задами на освещенном пятачке. Ну и потолкаются! Невелика задача — с наглой девкой пару часов полы драить. Закатал галифе по колено, а рукава гимнастерки — по локоть. Готов к уборке!

— А у меня неудача, — продолжала между тем Белая. — Начальник ваш, Чаянов, отказался вас с маршрута снимать. Сцепились мы с ним крепко. Я ему: слабоват, говорю, ваш Деев оказался — нервического склада, впечатлительный, как барышня. Не довезет…

Деев, как раз полоскавший свою тряпку в ведре, так и застыл — согнутый пополам, с мокрой ветошью в руках.

Перед ним уже недалеко маячили голые комиссарские ноги — отступая назад шаг за шагом и оставляя за собой чистые половицы.

— …А Чаянов мне в ответ: если кто и довезет — то Деев. — Ноги все ближе. — Хоть машиниста в пути заменит, хоть механика. И паровозы, говорит, знает, как отец родных детей. Я отступаю редко, но тут пришлось. — Ноги едва не у самого деевского лица, руку протяни — достанешь. — Вы что, и правда лучший?

Деев шваркнул мокрую ветошь на пол; крупные брызги — шрапнелью во все стороны.

Сорвал через голову гимнастерку, содрал галифе, отшвырнул в сторону — тоже остался в исподнем.

Схватил тяжелое ведро и с размаху жахнул из него всю воду — на вымытое. А заодно и на ноги, гладкие да бесстыжие. Жаль, одно только ведро было!

Волна раскатилась по вагону, окатила подставку керосиновой лампы — огонек не потух, лишь колебнулся слегка. Деев шлепнулся в ту воду на четвереньки и начал рьяно орудовать ветошью — перемывать за комиссаром.

Отвечать — не стал.

Белая постояла немного, глядя на Деева, и принялась помогать...

Керосинка светила исправно — и работали они исправно, более не прерываясь на разговоры. При мытье полов разница их в росте стала незаметна. Исподние рубахи были совершенно одинаковы, а штаны отличались только длиной.

В вагоне было тихо. Тени уборщиков падали на потолок, то скрещиваясь, то расходясь. От свежесрубленных нар пахло смолой.

С верхней полки свисал подол аккуратно разложенной юбки, поверх которой прилепился темный ком — мужская гимнастерка.

———

День перед отъездом был — бесконечный бой.

Деев, едва вздремнувший после ночной уборки, на рассвете был разбужен увесистым тычком в плечо. Глаза открывает — человек. Даже не человек — гора: плечи еле в проходе помещаются, голова макушкой потолок подпирает. А в руке у горы — чемодан фанерный с намалеванным посередине красным крестом.

— Доктор, — обрадовался со сна Деев.

— Нет, — покачал головой человек-гора. — Фельдшер.

Слово "нет" фельдшер Буг произносил чаще остальных. "Нет, плацкартные вагоны под лазарет не возьму — окна маловаты. А вот вагон-церковь — в самый раз". "Нет, лазарету не место в центре состава. Нужно переместить в конец". "Нет, с таких коек больные падать будут. Оснастить каждую привязочным ремнем".

Деев метался от эшелона к вокзальному зданию и обратно — требовал маневровку для перемещения вагонов (нашлась!), ремни для коек (нашлись! пусть и не ремни, а всего-то гужевые веревки), печку-чугунку для кипячения воды (и эта вдруг обнаружилась!), стол для операционной (реквизировали кухонный, из питательного пункта), одеяла для снятия озноба (с этим оказалось сложнее всего — добыть удалось только десяток багажных мешков из холстины)… Метался по путям, исполняя указания фельдшера, и гадал: сколько же тому лет?

Человек-гора был стар и могуч. Стриженные бобриком волосы его были седы; также седы и брови, и жесткая поросль в ушах, и пышные снопы усов под носом-картошкой. Бритые щеки и шея смяты морщинами. Спина — шириной в две деевские — ссутулилась с годами, хотя от этого не потеряла внушительности, а только обрела. Руки — здоровенные, с огромными кистями, по тыльной стороне крыты старческими пятнами — не висели вдоль туловища, а слегка приподнимались по бокам, будто изнутри Буга распирала какая-то сила. Военное прошлое читалось в облике фельдшера так же явственно, как и его невероятная мощь. А возраст — не читался: движения старика были быстры, глаза совершенно молоды.

— Давно на пенсии? — спросил Деев, когда они с Бугом, обхватив с двух сторон массивную чугунку, тягали ее по вагону в поисках удобного места.

Сам он уже успел раскраснеться и замокреть лицом, а фельдшер сохранял на удивление свежий вид.

— Давно, — согласился тот впервые за день. — С прошлого века.

Значит, было ему не меньше шестидесяти: военфельдшеры уходили на гражданку после двадцати лет службы.

— Мне семьдесят один, — усмехнулся Буг, смотря на озадаченного подсчетами Деева; затем облапил печь громадными ручищами, рванул вверх и перенес к соседнему окну — в одиночку. — Не бойся, внучек, до Самарканда не помру.

— Не внучек, а начальник эшелона!

Старик шлепнул ладонью по чугунному боку печки (здесь будет стоять!) и только улыбнулся в ответ, обнажая желтые зубы — крепкие, без единой щербины или темного пятна.

А снаружи уже ждал прикомандированный кашевар. Вот уж кому молодости хватало с избытком! Мальчишка-нескладуха — тощий, словно кочерга, и такой же черный: кожа смуглая, глаза и брови как углем намалеваны, вороные волосы дыбом. Не то вотяк, не то черемис, не то леший знает кто — сам объяснить не сумел, потому как по-русски не говорил вовсе, а только понимал, да и то с трудом. Звать — Мемеля.

— Ты стряпать-то умеешь? — пытал его Деев, тоскливо разглядывая нечесаную головеху поваренка и грязь под мальчишескими ногтями. — Кашу на пятьсот ртов сварганишь? А затируху из муки ржаной? А кавардак из гречи?

Мемеля кивал, старательно и часто, хлопая вытаращенными глазами. Только вот понимал ли?

Отпускать такого кашевара одного за провизией было нельзя — поехали в подотдел снабжения вместе. И не зря: не было в подотделе ни гречи, ни ржаной муки, ни другого продовольствия по списку требования.

— Чем я в дороге детей кормить буду? — грозно дышал Деев на конторщика за прилавком. — Нет по списку — выдай что есть!

— А ничего нет! — лениво отбрехивался тот, корча скучную рожу. — Ты один, что ли, на весь город — с голодающими детьми?

Деев и сам не заметил, как перемахнул за прилавок. Глядь — а уже держит конторскую крысу за грудки и в рожу ту скучную едва носом не уткнулся.

— Выдавай, говорю, — шепчет на ухо, — пока в ЧК на тебя жалобу не накатал…

На том и сошлись. Вместо гречи было дадено Дееву пшено; вместо муки — овсяные отруби; вместо хлеба — просо и горох. Еще досталось кукурузы немного и ржаных поболтков, а соли и жмыха подсолнечного — вдосталь. Деев сам шуровал по полкам в поисках утаенных сокровищ — масла, кофе или вяленой рыбы, — но такого богатства на складе не водилось.

Как не было ни ножей, ни мисок с ложками. Взамен пришлось принять полковые кружки из олова, с гравировкой в виде скрещенных штыков и надписью "За отличную стрельбу", — этих было несметно. Кашу из них можно было не есть, а пить, про супы-кисели и говорить нечего — всё ж лучше, чем ладонями из котла хлебать! Кружки были еще царские, но гербовый орел имелся только на дне и такой мелкий, что напоминал крошечную кляксу, на которую вполне можно было не обращать внимания.

Все это время Мемеля жался у стены, застенчиво кивая — Дееву, конторщику-подлецу, ящикам со звякающими внутри кружками, — похоже, поваренок был весьма робкого нрава и малость дурковат. Вот уж повезло Дееву с кадрами!

— Хоть раз пригорит каша — ссажу на первом же полустанке, — пригрозил обреченно, когда на пару с Мемелей таскали добычу в ожидающий воз.

Пригрозил, хотя и знал: никого он не выгонит и никого не ссадит, потому как помощников у него — чуть.

Мемеля с готовностью тряс башкой, соглашаясь. Затем забрался на телегу и принялся ласково гладить мешки с крупой, нашептывать им что-то успокоительное на своем языке.

Не успели подвезти к вагону-кухне и разгрузить добытую провизию — прибыли социальные сестры. Явились не по одной, а целой стайкой: одиннадцать сотрудниц — в три раза меньше, чем требовалось для такого эшелона. Но больше в Наркомпросе не было — очевидно, Дееву полагалось быть благодарным и за это.

Морщинистые лбы, изогнутые коромыслами рты, шишковатые пальцы — сестры были суровы на вид и молчаливы. Эту строгость и преклонные годы женщин Дееву хотелось бы принять за опытность и обрадоваться, но не вышло: все сестры были новобранцы.

Бывшая горничная. Чиновничья жена, чей муж сгинул в беспокойном семнадцатом. Овдовевшая попадья. Разорившаяся портниха. Башкирская крестьянка, потерявшая в Гражданскую всю семью и дом. Волостная библиотекарша, что перебралась в город с началом голода, потому как волость ее наполовину вымерла, а книги были растащены и сгорели в печах…

— Социальные работники есть? — безнадежно спросил Деев, прогуливаясь вдоль выстроившихся у состава в ряд новоприбывших и оглядывая их выцветшие платки и потертые шляпки.

Ответа не услышал.

— Учителя?

Нет ответа.

— Сестры милосердия?.. Сиделки?.. Нянечки?

Одна из женщин сделала шаг вперед, и Деев умолк на полуслове. Как не заметил он раньше эдакую паву? Казалась она моложе остальных — еще далеко до сорока — и красива так, что в первую минуту знакомства хотелось не говорить с ней, а только любоваться. Темные глаза и брови, и белизна лица, и прекрасная полнота тела — все это шло одно к другому необыкновенно. В голове завертелось невесть откуда пришедшее, нелепое: "персидская княжна".

— Я имею представление об устройстве человеческого организма, — сказала. — Первую помощь ребенку или взрослому оказать смогу.

По мягкости произношения было слышно: татарка. Значит, княжна не персидская — татарская. Деев сглотнул пересохшим горлом и постарался придать голосу наибольшую начальственность:

— Медичка?

— Ихтиолог.

— Кто? — по-детски растерялся он.

— Специалист по изучению рыб.

Деев понял, что хлопает глазами, — в точности как Мемеля. Оторвал взгляд, откашлялся, свел брови, угрюмо оглядел остальных. И сестры глядели на него — угрюмо.

— Училась в университете Цюриха, на факультете естественных наук, — продолжала княжна. — Биологию изучала углубленно.

Деев не знал, где этот Цюрих — в Германии или в Голландии. И какие именно науки именуют естественными, не знал тоже.

— За ранеными ухаживала?

48

— Нет. Работала в Казанском ботаническом саду. Моей задачей было создание экзотической коллекции для аквариума.

— Какой коллекции? — вновь не сдержался, переспросил.

И рассердился, что переспрашивает уже который раз — как идиот. Умела же эта женщина загадками говорить, других дураками выставлять!

— Экзотической. Иными словами, редкой. Морские коньки, рыбы-клоуны, рыбы-бабочки… — карие глаза внезапно сделались ласковы и мечтательны, — …мавританские идолы, императорские ангелы…

— Что ж тебе не сиделось-то в саду этом ботаническом вместе с ангелами, идолами и императорами?! — не стерпел Деев. — Что ты ко мне-то в эшелон пришла — место чужое заняла? Если б не ты, может, Наркомпрос санитарочку бы какую прислал, или аптекаршу, или сиделку! Все одно лучше, чем рыбачку…

— Нет больше ботанического сада, — ответила спокойно. — Лошади съели.

— Какие лошади? — опешил он.

— Там был расквартирован кавалерийский полк — в восемнадцатом. И лошади съели все растения-экзоты — вместо сена. А что не съели, то пустили на растопку в девятнадцатом.

— Господи, а рыбоньки твои как же? — ахнула одна из женщин.

— Рыбоньки?! — разъярился вконец Деев. — А ну, слушай мою команду, товарищи сестры! Разбиться по двое — и по вагонам! Помещения подготовить для приема детей. Свои спальные места отгородить занавесками. Керосин для ламп и уголь для печей — получить. А болтовню — отставить. Марш!

Женщины встрепенулись, засуетились, залопотали между собой, разбиваясь на пары. Минута — и разбежались по вагонам. Вот как с ними нужно: не рассусоливая, погрозней!

Одна лишь княжна стояла на прежнем месте, словно и не слышала приказа. Дождалась, пока вокруг никого не осталось, и подошла вплотную к Дееву.

В ее блестящих черных волосах, разделенных пробором ровно посередине и уложенных позади головы в узлы и косы, он заметил седые пряди.

— Не изводите себя так, — сказала мягко, глядя в глаза. — Женщины справятся с детьми, на то они и женщины. У меня тоже был сын, так что укачать ребенка или накормить — смогу.

Это самое "был" произнесла по-особому, и Деев не решился ей пенять, что ослушалась команды.

— Звать как?

— Фатима Сулейманова.

Так и есть, татарка.

— Кроме татарского, какими языками владеешь, Фатима?

В эшелон ожидались очень разные дети — знание чувашского или черемисского было бы полезно.

— Арабским, французским, — начала перечислять, — еще немецким, конечно. В университете посещала курс древнегреческого, но факультативно и всего один год...

— Ладно, — сокрушенно махнул рукой Деев. — Иди, Фатима, устраивайся. Завтра вставать рано.

Она развернулась и пошла вдоль состава — с такой прямой спиной, будто несла свой кургузый чемоданчик не в руке, а на голове. Ноги в разбитых ботинках ставила на землю аккуратно, как ставят балерины в кинематографе.

Деев смотрел на ее ветхое пальто, явно с чужого плеча, на нитяные чулки, гармошкой собравшиеся у лодыжек, — и думал о том, что по возрасту она могла бы быть его матерью.

$\Longrightarrow\!\!\!\Longleftrightarrow\!\!\!\times\!\!\!\Leftarrow\!\!\!\Longleftarrow$

Старик на восьмом десятке жизни, стайка пожилых клуш и бессловесный дурачок-повар — вот она была, деевская дружина. Вот кто был назначен поддерживать его и помогать в многодневном пути: содержать в чистоте "гирлянду" и ее пассажиров, кормить их, лечить и оберегать. Вот кому вверял Деев детские жизни — вверял, сам того не желая. И за кого должен был отвечать как за самого себя.

Была еще ехидна-комиссар, но та с утра куда-то запропастилась. Деев подозревал, что улизнула она спозаранку не просто так — верно, отправилась в дом мальчиков на Воскресенской, откуда также ожидались эвакуированные. Туда полагалось бы сходить и Дееву, но разве оторвешься от суматохи у эшелона?

Белая явилась пополудни. Деев увидел ее из окна вагона — спокойную, деловитую, шагающую по путям с вещмешком за спиной, — и внутри шевельнулось внезапно теплое и радостное чувство: при всей суровости комиссар была надежна как штык.

— Вы уже добыли дополнительный вагон? — спросила вместо приветствия, распахивая дверь купе. — Где же вы разместите всех, кого так милосердно согласились принять вчера — и кого непременно обещали довезти до Самарканда?

Радость пропала тотчас.

— По двое-трое лягут, не баре. — Деев как раз дописывал срочно понадобившийся вокзальному начальству акт — принимал сформированный санитарный поезд в количестве восьми вагонов, включая походную церковь и полевую кухню.

— Лягут, — согласилась Белая. — А ночью попадают с верхних полок и руки-ноги переломают, а то и хребты.

$\Longrightarrow\!\!\!\Longleftrightarrow\!\!\!\times\!\!\!\Leftarrow\!\!\!\Longleftarrow$

Деевский карандаш замер на бумаге, не добежав до конца строки. Комиссар была права: случиться такое могло, и вполне вероятно.

— О чем же вы думали, когда обещания раздавали? — продолжала тихо и уже знакомым Дееву прокурорским тоном.

Добыть еще ремней и на ночь привязывать спящих на верхних полках, как привязывают беспамятных больных в лазарете? Ни веревок, ни канатов на вокзальных складах не имелось — Деев сам поутру выгреб все запасы по требованию фельдшера.

— Добрым быть — это вам не обещать с три короба. Не вздыхать и не слезы ронять над бедными лежачими. Это вам не душу свою жалостливую напоказ выставлять! — говорила негромко, но лучше бы криком кричала. — Добрым быть — это думать обо всем. Опасаться — всего. И предусмотреть — все. Добрым быть — это уметь надо. Уметь отказать. Приструнить. Наказать...

Уложить детей на полу? И застудить в первую же ночь. Отдать им два штабных купе — Деева и Белой — и лечь на полу самим? Двух купе не хватит для размещения нескольких десятков пассажиров.

— ...А душу свою сердобольную — в карман поглубже запрятать, чтобы не торчала. Иногда быть добрым — это казаться злым!

Что-то треснуло негромко — карандаш в руке переломился пополам.

Белая так и стояла в дверном проеме, не заходя внутрь и глядя на застывшего Деева.

— Не ломайте имущество, — сказала, наглядевшись. — Дом мальчиков согласился на уменьшение квоты. Так что повезем пятьсот детей — как и планировали, без превышения.

Полсотни мальчиков-сирот остались в дождливой Казани ждать зимы, уступив место полусотне инвалидов из эвакоприемника.

Деев со стуком положил обломки карандаша на недописанный акт и тяжело посмотрел на Белую.

— А вы уж до завтрашнего утра постарайтесь больше никому ничего не обещать! — Комиссар хлопнула за собой купейной дверью, и из прикрепленного на створке большого зеркала уставилась на Деева его собственная физиономия — с торчащими желваками и сжатыми в нитку губами…

Ругаться в кутерьме дел было некогда. Да и нечего было Дееву сказать. Он хлопотал до ночи — в поезде и вокруг него; в кабинете Чаянова и на привокзальных лабазах; в депо, где готовился к выезду паровоз для эшелона; в брехаловке, где перекуривали ремонтники, — хлопотал и думал о незнакомых мальчиках из дома на Воскресенской.

Он не знал их лиц и имен — и хорошо, что не знал. Не мог перед ними оправдаться — да никто и не требовал оправданий. Не мог ничего обещать — да и чего стоили обещания перед лицом грядущей зимы? Деев мог только стараться — стрелой домчать состав до Самарканда и так же быстро домчать обратно, пока безымянные мальчики пережидают холода в залах, где по полу кружит поземка. А затем — если зима не кончится, поезд не расформируют, Деева не снимут с маршрута, а мальчиков не отправят в приемные семьи — затем он возьмет их первыми. Слабый довод, но другого у Деева не было.

А еще он думал о детях, которых узнал вчера, — о пацаненке с одним ухом, о слепой Мархум с белыми глазами, о мальчугане в бархатном камзоле, о Сене-чувашине. Думал и понимал, что оставить их в приемнике не сумел бы. И понимал, что боится, до холода в животе боится: не окажется ли Белая права? Одно слово, характер у него — тряпка…

Так, в хлопотах и мыслях, Деев не заметил, как стемнело. Этот безумный день — нескончаемый бой за печки, уголь, керосин, провизию, тазы и половники, лопаты и ведра, бинты и веревки, мешки, котелки, за лучший паровоз в депо и за самого непьяного машиниста — все это было кончено и осталось позади. Наступала ночь, последняя перед отъездом.

Но ни оставаться в купе, ни тем более заснуть Деев не мог. Обойдя состав и по нескольку раз предупредив каждого о предстоящем раннем подъеме, он помаялся еще немного, потоптался в темноте у штабного вагона. А затем ухватился за поручни — одни, вторые; после — за подвесы для ламп; уперся ногами в торец соседнего вагона, подтянулся — и взлетел на крышу.

Жесть — скользкая от сырости и холодная; но Дееву гулять по верхам не привыкать. Он пробрался ближе к центру вагона и сел, прислонившись к трубе отопления.

Ночь была уже черна. Справа от Деева тянулись едва поблескивающие линии рельсов, за ними — огни вокзального здания, а дальше и вовсе мелкие — городские огни. Слева, за ивовой порослью и комочками подсобных домов, угадывалась необъятная ширина Волги. Над головой дышало ветром и влагой октябрьское небо.

Висевшая в воздухе сырь легла Дееву на лицо и плечи, грозила вот-вот обернуться моросью. Он обнял колени руками и решил упрямо сидеть, пока не покажется в этом сумрачном небе хотя бы одна звезда.

Эшелон под ним не спал: блеклые квадраты света падали на землю справа и слева от каждого вагона. Тихо звякало что-то в полевой кухне — видно, Мемеля драил без устали вверенную ему посуду. Фельдшер Буг, заложив руки за спину и хрустя щебенкой, отправился гулять по путям и пропал в темноте. Две сестры осторожно спустились на улицу — но не с той стороны, где вытоптанная земля и просторно, а с другой, где бурьян и кучи мусора, — и, перешептываясь и пересмеиваясь, курили тайно от всех.

А затем, уже докурив и отсмеявшись, одна из них запела негромко. Песня была протяжная, ласковая, и Дееву хотелось, чтобы женщина пела громче, но кричать через ночь и пугать не стал. Ветер уносил половину слов, а вторую Деев едва ли знал, потому что пела сестра по-татарски, — но удивительным образом понимал.

Спи, мой мальчик,
Спи — и просыпайся мужчиной.
Уже оседлан конь и натянута тетива.
Времена зовут тебя. Народы — ждут.

Дееву остро захотелось, чтобы поющей оказалась Фатима, однако в темноте лица женщин было не различить.

Дорогам — быть истоптанным тобой.
Врагам — быть истребленными тобой.
Скорее спи — и просыпайся мужчиной.
О мой мальчик!
Сердце моего сердца, мой возлюбленный сын!

И в небе — ничего не различить: ни тучи, ни светила, ни единого лунного луча. Долго ли сидеть еще, ожидая загаданную звезду? Деев ежился и пялился вверх, в черную небесную вату, — ждал.

Сапоги — одна тысяча штук, пять сотен левых и пять сотен правых, — шуршали по брусчатке. В темном утреннем городе этот шорох раздавался громко и заполнял собой всю Рыбнорядскую, все прилегающие улочки и проулки. Заглушал высокие голоса муэдзинов на минаретах, шаги редких прохожих. Пять сотен пар ног шаркали по мостовым камням, не в силах оторвать подошвы от земли.

Кавалерийский сапог был так велик, что некоторые дети могли бы поместиться в нем целиком — с головой утонуть в гигантском голенище. И потому шагали медленно, подхватив доходящие чуть ли не до подмышек сапоги руками, — процессия едва волоклась по улице, растянувшись длиннющей кишкой. Иногда кто-то кувыркался на землю, споткнувшись о выступающий булыжник, и тогда вся кишка замирала и терпеливо ждала, пока взрослые не помогут упавшему, — сами подняться в таком снаряжении дети не могли.

А взрослых помощников было совсем немного: вел процессию Деев, замыкала Шапиро, несколько сотрудниц эвакоприемника суетились по бокам. Были еще конные, но этим спешиться было бы затруднительно. Сидели в седлах молчаливые и строгие, уткнув подбородки в воротники шинелей. За спиной у каждого маячила винтовка, с пояса свисала шашка в ножнах. Из-под шинели торчали голые ступни.

Дееву казалось, кавалеристам стыдно за свою теплую амуницию перед детьми, одетыми в рваное и ветхое, укутанными в обрывки гобеленов и штор. Сам он был рад, что не ехал сейчас верхом, а топал вместе со всеми. Жаль только, своими ботинками поделиться ни с кем не мог.

Позади тащилась подвода с лежачими: больных уложили рядком поперек воза, плотно прижав друг к другу, как дрова в поленнице, и все они влезли, еще и место для пары малышей осталось. Телегу, на которой приехали утром сапоги, также отдали под малышню — годовалых и двухлеток.

До вокзала добирались невыносимо долго. Уже поутрело, уже улицы наполнились пешеходами и трамваями, уже дали — сначала по одному, затем по два, затем по три гудка — городские заводы, а кишка из детей все ползла и ползла. За ней образовался шлейф из беспризорников — приходилось отгонять их, чтобы не совались в ряды; это отвлекало взрослых, замедляя и без того черепаший ход процессии. Уже давно истекли два часа, отпущенные Дееву.

Он то и дело с опаской поглядывал на конных — а вдруг прикажут разуваться посреди дороги и заберут армейское имущество? — те были невозмутимы. Начал было подгонять шагающих, чтобы топали шибче, — старшие только огрызались в ответ ("И без того вспотели костылять!"), а младшие послушно прибавляли шаг, но тут же запинались и падали. Вспотел и Деев, несмотря на злую утреннюю прохладу, — то ли от всей этой беготни, то ли от волнения за данное и невыполненное слово.

Наконец доползли до вокзального здания. Теперь только перебраться бы через пути к задам отстойника, где ожидал эшелон (пешим самостоятельно, а больным и малым на руках у взрослых), затем распихать всех быстренько по вагонам, и — спасибо за помощь, товарищи кавалеристы, счастливо оставаться!.. Да не тут-то было.

Дети не могли шагать через рельсы. Обутые в огромные сапожищи, они спотыкались о шпалы и увязали в щебенке. Ведомый Деевым отряд кое-как перебрался через пару путей и забуксовал — ровно посередине полотна из многочисленных стальных линий и деревянных поперечин. Ребята постарше как-то еще шкандыбали вперед, матерясь, а малыши повалились направо и налево, кувыркаясь друг через друга и выскакивая из великой им обуви. Деев и Шапиро заметались, словно квочки у выводка птенцов, поднимая упавших и потерянную обувь, сбивая расползающихся детей в кучу, — но поднятые через пару шагов снова летели на землю. Уставшие от долгого перехода задние ряды не желали ждать, напирали, вылезали на полотно — и тоже валились с ног. Ни остановить колонну, ни повернуть назад было уже невозможно — она растеклась по рельсам вширь и растянулась через все пути, от главного перрона и до путевых задворок.

Загудел подваливающий справа маневровый. Слева забасил паровик — зашипели тормоза, сталь завизжала о сталь, и черное паровозье рыло нависло где-то вверху, совсем близко. Деев только и успел — прыгнуть к нему, подняв руки и загородив собой детей, — а оно все басило, надвигаясь и обдавая волнами тепла и влаги.

— Дура! — орал, высунувшись из окна, красный от ярости машинист. — Убери малят!

Но паровоз уже остановился — и Деев, только отмахнув рукой в ответ, опять бросился к своим…

Паровику пришлось подождать. И маневровке, и паре дрезин с путевыми рабочими. Все машины и механизмы замерли на путях, уступая дорогу детям.

"Гирлянда" стояла на прежнем месте, но подход к ней был затруднен: соседнее полотно занял товарный эшелон, которого утром еще не было. Меж двумя составами образовался длинный проход — по нему детям и предстояло достичь вагонов.

А в начале прохода будущих пассажиров ждала Белая. Ждала не одна: тут же стоял невесть откуда взявшийся стол с гнутыми, лакированными некогда ножками (судя по всему, реквизировали из станционной рюмочной); на нем — стопы бумаг, придавленные обломком кирпича, чтобы не унесло ветром. Рядом сидел на перевернутом ящике фельдшер Буг в белом халате поверх кителя и замерли в ожидании сестры — выстроившись в линейку, с одинаковыми напряженными лицами, и только одна примостилась за столом с карандашом в руке.

— Это что еще за писчая контора?! — Деев, основательно замокревший от беготни по рельсам, первым добрался до "гирлянды".

Позади пыхтели старшие дети — самые выносливые и длинноногие; за ними ковыляли ребята помладше, а малыши плелись в самом конце процессии, подгоняемые Шапиро и ее коллегами. Замыкали толпу кавалеристы сопровождения.

Комиссар едва взглянула на него — и закричала вдруг так зычно, что между вагонами задрожало и зазвенело эхо:

— Товарищи дети, подростки и переростки! Меня зовут комиссар Белая…

Деев аж вздрогнул от силы комиссарского голоса. А подростки и переростки — нет.

— Комиссар-комиссар, проводи на писсуар! — немедля загорланил один в ответ — одноухий, кого Деев приметил еще в приемнике.

Белая только посмотрела на наглеца пристально — как припечатала взглядом.

— Даю приказ! — продолжила. — В затылок друг другу стр-р-р-ройсь! По одному, не толкаясь и не бранясь, к доктору подходи! Рубахи задир-р-р-рай!

— Как это "по одному"? Мне сапоги сдавать пора! — вознегодовал Деев. — Я командиру академии обещал!

Солнце уже поднялось над привокзальными тополями — вовсю ползло по блеклому небосклону: судя по всему, минуло девять часов, а то и с четвертью. Но Белая лишь положила ладонь на деевское плечо и сжала со значением: обожди, не до того сейчас. Плечо потеплело, словно горчичник наложили. Деев уставился на женские пальцы, обхватившие его рукав: пальцы были длинные, с ровными и розовыми ногтями.

— А сама-то задерешь? — не унимался одноухий. — Я бы глянул, что у тебя под рубахой спрятано!

И вот уже проснулись другие пересмешники — загоготали, заулюлюкали, присвистывая:

— Мне бы не врача, мне бы калача!
— Не хочу лечиться, а хочу мочиться!
— Дайте помочиться, а не то случится!

— Умолять не стану, — голос у комиссара был жесткий, как мужской. — Кто не желает — становись в сторонку. Все бузотеры, квакалы и спорщики, все задиралы и забияки — сюда! — Она сняла руку с деевского плеча (а плечо-то продолжало гореть!) и ткнула пальцем куда-то в начало "гирлянды", рядом с полевой кухней. — Все гордецы и ослушники — сюда же! Останетесь в городе.

Обращалась будто бы и ко всем, но смотрела только на одноухого — смотрела, не отрываясь и слегка откинув высокую голову, словно еще более увеличивая и без того немалый свой рост.

А тот пялился на нее — нахальными и взрослыми совершенно глазами, ярко-голубыми на буром лице. Тельце у пацаненка было костлявое и кургузое, а ноги столь кривые, что казались едва не короче туловища. Ему могло быть лет десять, а могло — и все четырнадцать.

— Остальные, когда сядут по вагонам, получат обед. Товарищ кашевар, что у нас на обед? — Белая шарахнула кулаком по кухонной двери, та послушно отъехала в сторону — показался Мемеля в грязно-белом колпаке и с кастрюлей в руке, замычал что-то невнятное.

— Слыхали? — со значением подняла брови Белая. — То-то же!

При виде кашевара и кастрюли ребятня заволновалась, загудела возбужденно.

— Хиловат поваренок, не сдюжит! — продолжали ерничать старшие, но уже слышно было по звонким их голосам — рады.

— Кашу пусть заварит, и погуще! — просили сзади. — Нам каша — родная мамаша!

— А махорка после обеда полагается? — все еще ломались первые ряды.

И видно было: сдерживаются из последних сил, чтобы не помчаться опрометью к фельдшерскому столу на осмотр, а затем — по вагонам.

— А марафет? — не унимался одноухий, норовя пере-
кричать остальных. — Без марафету — жизни нету! А с марафетом... — взял паузу, как опытный актер, и окинул
победительным взглядом сотоварищей, — ...с марафетом
и ты, комиссар, за бабу сойдешь!

Первые ряды грянули хохотом. Шутка полетела дальше
по толпе, передаваемая из уст в уста и сопровождаемая
смешками и всликами.

— Грига, стыдно! — Подбежавшая Шапиро бросилась
к одноухому, тряся ладонями и словно желая заткнуть дерзкий рот, а Грига только склабился довольно.

— Отчего же, — возразила Белая, высоко поднимая руку
и унимая раззадоренную толпу. — Вопрос по существу. —
Она пошла вдоль рядов, быстро и внимательно заглядывая
в глаза всем хихикающим. — Отвечаю: ни марафета, ни
кокса, а также антрацита, кикера, муры, нюхары, мела,
муки и соды в эшелоне не будет. А у кого заведется — тот
полетит из вагона вон. Даже тормозить не станем — выбро-
сим нюхача на ходу, и все!

— А ежели мы не хотим на ходу выбрасываться? — Грига Одноух все еще сиял улыбкой.

— Тогда иди первый, — предложила Белая во всеуслы-
шание. И тут же добавила, пока тот не спохватился: — Или
цыца попёрла?

Грига, продолжая улыбаться, сплюнул на землю — ис-
кусно сплюнул, не закрывая губ и не разжимая зубов.
Поразмышлял, театрально закатив глаза к небу, и — лениво, едва перебирая ногами — направился к смотровому
пункту.

Фельдшер Буг, даже сидящий, казался рядом с хилым
пацаньим тельцем горой. Грига со скучающим видом за-
драл рубаху и выкатил тощее пузо — позволил покрутить
себя в разные стороны, предъявляя ребристые бока, пе-
стрые от синяков и ссадин разной свежести. Когда Буг положил могучие лапы на мелкую Одноухову голову для ос-

мотра глазниц и зева, тот, казалось, и вовсе пропал из виду. Но скоро вынырнул — с противоположной стороны стола. Осмотр был пройден.

— А теперь выкладывай контрабанду, — приказала Белая. — А вы, сестра, — это одной из женщин, — помогите.

Непонимающе вытаращив и без того большие зенки, Одноух вывернул наизнанку карманы ветхой куртяйки и помахал ими, словно крыльями: пусто. Под одобрительный хохоток зрителей попытался вытрясти что-то из единственного уха: пусто. А затем — никто и сказать ничего не успел — спустил штаны и, ухватившись ладонями за тощие голые ягодицы, развел в стороны и повертелся старательно — вот, мол, полюбуйтесь, и здесь пусто! Первые ряды заверещали от восторга, а задние заволновались, загалдели вопросительно — им было плохо видно.

Сестра — видно, получившая указания от Белой, — попыталась было обыскать бесстыдника, но тот завизжал поросенком:

— Щекотно! Пусть меня лучше комиссар шмонает, у нее опыту больше!

— Что в сапогах? — Белая подошла к смотровому столу, но встала сбоку — чтобы не закрывать наблюдателям обзор.

— А ты к нам прямиком из Соловков? — ухмыльнулся Грига. — Или еще где шмаляла?

Вынул из сапога черную от грязи голую ногу и водрузил на стол поверх разложенных бумаг — аккурат под нос ошарашенной сестре. Пошевелил пальцами: мол, вот что у меня в обуви — и ничего больше! С ноги упала на документы жирная вошь и поползла по бумаге.

— Там целая военная академия босая ждет! — спохватился Деев. — Обувь надо возвращать — сейчас же! Долго мы тут будем в раздевалки играть?

Не отвечая, Белая наклонилась стремительно и выхватила из-под Григи пустой сапог. Пацан дернул изменившимся лицом и метнулся было за сапогом, но лежавшая на столе нога подвела: не удержался, плюхнулся на землю. А Белая уже доставала из глубоких сапоговых недр тряпичный кулек — замотанный в обрывки ветоши и газеты самодельный резак. Подняла его над умолкнувшей толпой и постояла так пару мгновений, чтобы все рассмотрели хорошенько. Затем кинула на стол. И только после этого посмотрела со значением на Деева, взглядом отвечая на недавний вопрос.

— Оружие в нашем эшелоне только у одного человека, — сказала с нажимом. — Деев, покажите.

Он достал из кармана револьвер и поднял над головой — высоко поднял, как только что делала Белая. И подержал в воздухе, как она. В толпе уважительно засвистели.

А Грига Одноух вставал с земли, но это был уже совсем не тот Грига: яркие глаза его потухли и спрятались под ресницами, голова утонула в ссутулившихся плечах, тельце из мелкого стало и вовсе крошечным. Даже не отряхивая грязи с перепачканной одежды, он дрыгнул обутой ногой — и второй сапог полетел, кувыркаясь, в сторону Белой, но не долетел и шлепнулся у ее ног.

— Или нож — или эшелон, — сказала Белая твердо.

— Это не просто нож, — Грига бормотал еле слышно, с придыханием. — Это Зекс. Мы с ним три года вместе.

Брови и губы его дрожали, подбородок сморщился жалобно — никаких четырнадцати ему не было и в помине, а может, не было и десяти.

— Второй вагон, — подытожила беседу Белая. — Сестра, проводите.

И отвернулась от Григи.

— Не имеешь права имущества лишать. — Тот все топтался позади нее, маленький, жалкий, приклеившись взглядом к лежащему на столе резаку — не в силах покинуть любимого Зекса. — Неправая ты, комиссар.

— У нас дела, как в Польше, — произнесла Белая веско, даже не поворачивая головы и громко, чтобы всем слышно было, — тот прав, у кого хер больше.

— Это у тебя, что ли? — горько спросил Одноух ее равнодушную спину.

— У меня, — ответила комиссар.

Не Григе ответила — замершим в ожидании зрителям.

— Директорша, миленькая! — вдруг заголосил Одноух тонким голосом, и на лице его проступило настоящее страдание. — Шапирка, золотая наша! Как мать прошу вас, возьмите у нее мой нож и берегите его! Вы добрая женщина, вы детей спасаете — и Зекса моего спасете! А я после Туркестана вернусь — и перво-наперво к вам, за Зексом!

Белая кивнула разрешительно, и бледная от чувств Шапиро взяла нож — неловко взяла, за лезвие, едва не поранившись, — и опустила в свой потрепанный ридикюль...

Дальше все покатилось быстро. Очередь потекла к фельдшерскому стулу с заранее поднятыми рубахами и высунутыми языками. Заточки, гвозди и бритвы посыпались на стол. Сестры забегали вдоль эшелона, разводя детей: мальчиков помладше — в один вагон, постарше — в другой, девочек — в третий. Изредка фельдшер вздыхал озабоченно и кивал Шапиро — та забирала и отводила в сторонку детей, чей вид не понравился Бугу: эти несчастливцы оставались в Казани, им была дорога в городскую больницу.

Белая носилась в узком проходе меж двумя составами — переставляла младших вперед, подбадривала уставших, отражала пацаньи шутки и сама отпускала остроты, отдавала приказы, кричала, махала руками — летала, как большая птица. Лицо ее было вдохновенно и счастливо.

Деев таскал на руках малышню с оставленных на привокзальной площади телег через пути, к "гирлянде". Ему помогали кавалеристы: не слезая с седел, они брали из деевских рук ребятишек — неумело брали, оттопырив локти и держа детские тела на весу наподобие штыков, — и нежно сжимали босыми пятками лошадиные бока. Едва умеющие шагать через рельсы, лошади переставляли копыта медленно и плавно — не шли, а плыли по путям, неся всадников и их диковинный груз.

Плечо, которого мимолетно коснулась Белая, все еще теплело. На ползущее к зениту солнце Деев старался не смотреть.

Когда все годовалые и двухлетки были уже в эшелоне — их решили везти в штабном вагоне, в самых мягких купе и поближе к ванной, — настала очередь лежачих. Главная хитрость была в том, чтобы перетаскать их в состав, не показывая Бугу: тот не знал, что ожидаются лежачие; Деев не решился рассказать, опасаясь твердого фельдшерского "нет". Не знал Буг и того, что поселить больных Деев задумал в лазарете.

Потому носил их сам, не доверяя кавалеристам. И — контрабандой: по пути к "гирлянде" нырял на обочину, в заросли ивняка и навалы щебня, чтобы подобраться к составу с тыльной стороны. Обходил эшелон со спины, бежал быстро и тихо — не приметили бы с площадки осмотра, — сзади забирался в лазаретный вагон. Аккуратно раскладывал детей по койкам — девочек налево, мальчиков направо — и спешил за следующими.

Были они легкие, как бумажные. И прохладные на ощупь, как ящерицы. В их невесомых почти уже телах не было силы: дети едва умели поднять свесившуюся руку или ногу, удобнее повернуть голову. Их можно было таскать в охапке, по двое или трое, но Дееву это казалось неправильным. Носил по одному, бормоча без устали: "Каша будет скоро. Скоро будет каша. Скоро, скоро, скоро будет каша…" Дети не отвечали. На лица старался не смотреть — не мог выносить этот взгляд, который у всех лежачих был одинаков: по-старчески мудр и совершенно равнодушен. Дети не должны так смотреть. Никто не должен.

При виде каждого ему хотелось зажмуриться — и стыдно было перед собой: не чудовищ же носит! Заставлял себя хоть иногда взглянуть на ребенка — прямо в усталые его и бесстрастные глаза взглянуть — и улыбнуться ободряюще. Выходила не улыбка, а гримаса: губы отчего-то перестали слушаться.

Тело его взмокло до последней складки, будто мешки с зерном тягал, но то был не горячий и чистый утренний пот от возни с малышней, а холодный и вязкий, несохнущий. И в животе тоже ворочалось холодное и вязкое. И пальцы стали ледяные, словно заразился от лежачих чем-то холодным.

Только сейчас, беря в руки эти маловесные организмы, Деев осознал, насколько они хрупки. Кости детей казались ломкими, как хворост. Кожа — нежной, как паутина. И боязно было любого неловкого движения: как бы не сломать тоненький хребет, не проткнуть нечаянно ребра. Пугало все: как дети открывали глаза (не случилось ли чего?) и как закрывали (откроют ли вновь?), если дышали громко (им худо?) и если тихо (дышат ли вообще?), когда лежали неподвижно и когда шевелились…

Некоторые — разговаривали. Поначалу Деев радовался столь явному признаку жизни, а позже перестал.

— Я сегодня мед ела, — сообщила по пути одна из девочек тихим и отчетливым голосом.

— Ох как хорошо! — обрадовался Деев. — Кто же тебя угощал?

— Три фунта наела, — продолжала та, словно не слыша вопроса. — А вчера все четыре. А третьего дня пять фунтов осилила. Я бы и больше наела, да воск в зубах вязнет.

Деев смотрел на тонюсенькие лапки, скрюченные и прижатые к груди, на черные глазищи под невероятно густыми щетками бровей, на сжатый в узелок рот — и думал, что девочка и правда похожа на пчелку. Весила она фунтов тридцать, не больше.

— И патоки целую бочку выпила.

Деев нес ее и кивал молча: боялся, что при разговоре голос дрогнет.

— Ты здесь главный? — Девочка посмотрела на него очень ясным взглядом.

Он кивнул опять.

— Кормить будешь?

Кивнул.

— Меду дашь?

— Сначала каши, — сказал Деев. — Скоро, Пчелка, скоро будет каша…

Прозвища возникали сами. Не спавшая толком вот уже две ночи и оттого мутная слегка деевская голова — будь она неладна! — выстреливала эти нелепые клички, как только он брал на руки очередного ребенка: Долгоносик — мальчишка с длинным шнобелем, который один только и виднелся на крошечном и костистом лице; Циркачка — девочка, чья кожа так обвисла, что напоминала мешковатое, не по размеру цирковое трико; Утюжок — пацаненок с тяжелой нижней челюстью и впалыми, всегда закрытыми глазами… Стыдно было этих дурных и обидных прозвищ, но голову-то — не отстегнешь!

Сеню-чувашина решил нести последним — этот мог закричать и выдать Деева раньше времени. Но сегодня мальчик был на удивление тих: всю дорогу от приемника лежал молча, не спал, иногда лишь дергался мелко, собирая с тела насекомых — настоящих и вымышленных. А затем — съедал.

Деев понял это, уже когда тащил Сеню к эшелону: тот продолжал искаться и на руках у Деева. Сил у мальчика было немного, и оттого движения — экономны и точны: двигались только руки — перемещались рывками по телу, вверх и вниз, цапая добычу; лицо при этом оставалось безучастным, голова не поворачивалась. Поймав насекомое, Сеня отправлял пальцы в рот и плотно обхватывал губами. Через мгновение дергалась шея, посылая пойманное в пищевод, а руки вновь опускались к туловищу.

— Не надо, — не стерпел Деев. — Не ешь их.

Сеня возразил печально:

— Тогда они меня съедят.

— Кашу будешь есть, — забормотал Деев свое заклинание. — Каша будет скоро, скоро будет каша...

Когда все лежачие уже покоились в лазарете, Деев без стука толкнул дверь полевой кухни и запрыгнул в сумрачное пространство ящиков, мешков и кастрюль.

Мемеля возился за разделочным столом — шинковал собранные на вокзальных задворках ежевичные листья, что годились для заваривания в чай или вместо чая.

— Кашу на обед сваришь, — приказал Деев. — Сейчас не начинай. Воды вскипяти и жди, иначе на запах пол-Казани соберется, выехать не дадут. А как тронемся, сразу же крупу в тот кипяток бросай. И вари мне, товарищ Мемеля, такую кашу... такую кашу... такую, чтобы...

Деев не нашел подходящих слов и только потряс перед поваренком накрепко сжатым кулаком: жилы на кулаке вздулись, а костяшки побелели.

— Вот какую!

Спрыгнув из полевой кухни на землю, Деев обнаружил, что половина ребятни рассажена по местам. Фельдшер Буг безостановочно заглядывал в отверстые зевы, сестры сновали вдоль эшелона, как ткацкие челноки, — неповоротливая и крикливая детская масса рассасывалась по вагонам.

Уже стоя на вагонных ступенях, дети сбрасывали сапоги (их собирали в большую кучу и время от времени оттаскивали на привокзальную площадь, в ожидающую телегу) и одежное имущество эвакоприемника: покрывала из гобеленов, шали из скатертей, одеяла из штор, маскарадные камзолы и треуголки — все это было казенное и выбывающим не полагалось. В ведение Деева дети поступали босыми и почти раздетыми.

А народа у поезда не стало меньше: наползли со всех сторон беспризорники, набежали взрослые — и горожане, и деревенские. Надеялись, что разгружают провизию (и можно поживиться укатившимся яблоком или оброненной галетой); или что загружают уголь (и можно отгрести себе хоть горстку); кто просился в попутчики (хоть на тормозной платформе до Сергача дотрюхать); кто норовил пристроить ребенка в эшелон. Все толпились у вагонов — тянули шеи и возбужденно галдели. Тут же теснились и конные — имели приказ наблюдать до возврата последней пары сапог.

Из депо уже давно подкатили паровоз — он пыхтел и дымил отчаянно, то и дело погружая происходящее в серые и белые клубы: облака плыли по узкому проходу меж вагонов, иногда с головой накрывая людей и оставляя видными только плечи кавалеристов и лошадиные морды.

Из такого вот облака и нарисовался скоро всадник — не в простой буденовке и серой шинельке, как отряд сопровождения, а в каракулевой папахе и щегольском черном кителе. Командир академии, лично.

Деев, как увидел, аж дышать перестал. Поднял глаза к небу: солнце — в зените.

Нагнулся, будто шнурок на ботинке поправить, и тотчас — нырком, ползком — под вагонную сцепку, на тыльную сторону: пока паровая дымка в воздухе растворялась — растворился и он.

Командир его не видел — ехал медленно вдоль эшелона, разглядывая суету у вагонов. Ни с кем пока не заговаривал, но по всему ясно: кого-то искал. Не кого-то — Деева.

А Деев разглядывал командира, вернее, ноги его коня: присев на корточки, полз гуськом вдоль задней стороны состава, наблюдая из-под колес неспешный перебор конских копыт и не понимая, как же ему быть и что делать.

В прятки играть? Глупо и безответственно. Да и сколько можно вокруг поезда хороводить?.. Выйти и показаться? Отнимет начальство задержанные сапоги как пить дать — и останется половина ребятни босая у эшелона…

Так и следовали Деев с начальством вдоль состава — он с одной стороны, оно с другой: мимо тендера с углем и крошечного вагона-кухни; мимо длинного штабного вагона с еще заметными отметинами первого класса; мимо пяти пассажирских вагончиков и одной церкви (она же лазарет). Здесь эшелон заканчивался, а Деев так ничего путного и не придумал. И тут конские ноги встали.

Стояли минуту, затем вторую — послушно стояли, едва перебирая копытами: возможно, всадник разговаривал с кем-то, сидя в седле. Или задумался, куда направиться дальше. Или…

— Вот вы где, — послышался негромкий голос сверху, где-то совсем рядом.

Деев поднял глаза: на открытой вагонной площадке стоял и внимательно смотрел на него командир академии.

— Здравствуйте, товарищ, — глупо сказал Деев; он все еще сидел на корточках, меж навалов щебня и мусора, руками опираясь о землю, как мартышка в зоосаде.

Поднялся, вытер грязь с ладоней. Поправил ремень, обстучал ногу о ногу, стряхивая с обуви пыль. Затем схватился за поручни и запрыгнул на площадку — к ожидающему гостю. Вытянулся смирно и замер, готовый к упрекам или серьезному взысканию.

Стыдно было так, что горело не только лицо — и корни волос, и затылок, и даже взмокшая от напряжения деевская шея пылали нестерпимо. Больше всего хотелось зажмуриться, но не разрешил себе: уставился начальству в глаза, даже моргать перестал.

Лицо у командира было породистое и надменное. Усы — ровные, словно кистью наведенные, с подвитыми кончиками. А осанка — корсетная. Этот был — из *бывших*, из *благородий*. Этот — всегда держал слово.

— Товарищ комакадемии… — начал было Деев и умолк, не зная, как оправдаться.

А командир — не слушал.

— Это вам, — сказал сухо, доставая из кармана и протягивая небольшой тряпичный сверток. — Мне уже вряд ли потребуется. А вам в пути — наверное.

Деев развернул: в сложенном несколько раз носовом платке лежали два серебряных креста — два Георгия, третьей и четвертой степени.

— На лекарства или питание, — продолжил командир, глядя уже не на Деева, а куда-то вдаль, на ползущую к фельдшерскому столу толпу детей. И добавил после паузы, совсем тихо: — Постарайтесь не продешевить.

Деев только кивнул в ответ: все слова казались сейчас пустыми и лишними.

Командир постоял еще немного, помолчал. Затем щелкнул языком еле слышно — у вагонных ступеней мелькнул темный круп: конь пришел на зов хозяина. Тот вспрыгнул в седло — прямо с вагонной площадки, не коснувшись земли.

— Вот еще что, — обронил, будто между делом и только что вспомнив. — У вокзала стоит подвода с пятью сотнями исподних рубах. Это для ваших пассажиров. Распорядитесь разгрузить.

Пять сотен рубах — богатство невероятное, немыслимое. У Деева аж дух захватило.

— Да я сам перетаскаю! — закричал он; кричал, а улыбка ширилась на лице и мешала произносить слова. — Спасибо вам, товарищ комакадемии! Огромное пролетарское спасибо!

— Не мне! — ответил тот резко, уже готовясь натянуть поводья. — Солдаты сами решили. Я был против того, чтобы оставлять академию без белья.

Деев счастливо рассмеялся в ответ — как последний дурак. Смеялся не тому, что дети одеты будут (хотя и это было ох как хорошо!), а тому, что есть на земле братство — истинное братство незнакомых, но близких людей.

— Они нестираные, — предупредил всадник. — С себя снимали, только что.

Сжал ногами конские бока и тронулся прочь.

— А сапоги-то! — всполошился Деев запоздало. — Нам бы еще час-другой — и всё!

Но прямая командирская спина уже удалялась, покачиваясь…

Позже Деев таскал охапками рубахи — мятые, грязно-белые, залатанные и заплатанные, чудные совершенно рубахи, — и каждый раз, неся через пути новую охапку, опускал в нее улыбающееся лицо. Пахло махоркой, крепким мужским потом, водкой, хлебом, кислой капустой. И рыбой пахло, и дегтярным мылом, и керосином, и дымом.

А еще Дееву казалось, что рубахи были теплые. Нет, не казалось: они и правда — грели.

В два пополудни медицинский осмотр и рассадка по местам были окончены. Возбужденные мордочки отъезжающих гроздьями светлели в окнах вагонов, унылые физиономии не допущенных к поездке — этих было с дюжину — маячили тут же: дети ждали Шапиро, которая все бегала по составу и твердила напутствия сестрам и бывшим подопечным. И кавалеристы ждали Шапиро — чтобы проводить оставшихся до привокзальной площади, посадить на телеги и только после забрать обувь.

И собравшиеся посторонние чего-то ждали — не расходились, а толпились все гуще. Беспризорники сновали по обеим сторонам поезда, то и дело пытаясь проскользнуть внутрь; машинист уже спровадил двоих из тендера — те закопались в уголь и затаились до отправления, — а другую парочку Белая сковырнула из-под штабного вагона. Тех же, кого шуганул Деев, — из тамбуров, с крыш и тормозных площадок — было без счета.

Мамаши с младенцами кружили тут же, выискивая сестер с лицами подобрее, и совали тем детей:

— Возьми ребеночка! Мой — легкий, а ест и вовсе чуть!

— Моего возьми! Он тихий!

— Моего! Моего!..

Мужики топтались у состава, наблюдая и рассуждая.

— За деньги детей-то спасают? Или даром?

— Так даром разве что делается?..

— Куда везут-то? В Китай, к окияну с рыбой?

— В Америку, говорят! Там тоже окиян имеется…

— Детей начали увозить. Может, война?

— Да хоть бы и она! В войну хоть не голодали.

— Даешь войну, граждане!

Гомон стоял — как перед отправкой Первого московского с главного перрона.

— У-у-у-у-у! — басил паровоз, пробуя голос и перекрывая все прочие — от гудка закладывало уши.

Деев сновал по вагонам и раздавал рубахи. Решил одеть всех своих сейчас же, не дожидаясь отъезда: паровое отопление работало, но кочегарило едва-едва — без одежды и одеял дети мерзли. К тому же экипированных в белое пассажиров можно было без труда отличить от зайцев-беспризорников, так и норовивших затесаться в какое-нибудь купе.

Два десятка рубах — самым маленьким пассажирам и калекам — в штабной вагон, где командовала Фатима. Почти по сотне — в каждый из плацкартных. Оставшиеся — пара дюжин — в лазарет, лежачим.

Туда Деев пошел уже под конец раздачи. Зайти внутрь не успел — на вагонных ступенях его встретил фельдшер Буг с застывшим лицом и сурово поджатыми губами.

— Это как же понимать? — спрашивает.

А у самого ноздри ходуном ходят, как у испуганного коня.

— Как хочешь, так и понимай! — насупился Деев.

— Нет! — Буг стоял на ступенях — огромный, широкий, полностью загораживая проход и нависая над мелкорослым Деевым как туча. — Нет! Лежачих брать нельзя.

— А не бери! — огрызнулся Деев.

До отправления оставались малые минуты: ссадить пассажиров — не успеть. Да и куда их ссадишь? Не на землю же класть, под ноги толпящимся зевакам?

Ткнул стопу рубах фельдшеру в живот — держи, мол! — а тот будто не замечает.

— Я за полвека мертвых перевидал, как ты — живых, — говорит. — И вижу, ясно вижу: эти — не жильцы.

— Ты только скажи, что нужно! — Деев снова тычет рубахами в плотное фельдшерово пузо, и снова без результата. — Лекарства какие, молоко, яйца, рыбий жир… Мед, наконец! А я буду искать. И найду! Это я когда для себя — тряпка. А когда для других — зверь!

Молчит фельдшер, только пыхтит в ответ.

— У меня и деньги есть! — вспоминает Деев про спрятанные в карман серебряные кресты.

И опять фельдшеру в живот рубахами — тык! Да разве такую гору перешибешь…

— Однажды они просто перестанут просыпаться, — севшим голосом произнес Бук. — Не будет ни криков, ни корч, ни заметных глазу страданий. Все случится тихо и незаметно. Сначала не проснется один, затем второй, третий… Первые — еще до Арзамаса. Кто-то — у Самары или Оренбурга. До Самарканда не доедет никто.

Деев смотрит на посеревшее от усталости лицо фельдшера, на резко обозначившиеся морщины — и впервые верит, что тот перешагнул за семьдесят.

— Мы будем хоронить их у железной дороги, — продолжает Буг тихо. Опять гудит паровоз, заглушая всё и вся, но Деев слышит каждое слово ясно, будто звучащее внутри головы. — Прикапывать землей, чтобы собаки не поели, — по ночам, прячась от остальных детей. Ты будешь рыть могилы, а я — подносить умерших.

Гудок ревет — бьет по ушам.

— Ты обязан их спасти, — говорит Деев, не дожидаясь, пока паровоз умолкнет, уверенный, что Буг поймет. — Это приказ.

Кладет стопку рубах фельдшеру под ноги — прямо на ступени кладет, пыль и грязь, — и идет вон.

А паровоз басил — как с ума сошел. Из трубы рвался к небу плотный столб дыма вперемешку с искрами, по бокам шипели и расползались белые облака. Матери прижимали к себе младенцев, но те пугались механического рева — рыдали. Некоторые женщины все еще норовили сунуть орущее дитя кому-нибудь в поезде — стоящие на вагонных площадках сестры только кричали строго и махали руками. Им свистели в ответ беспризорники — рассерженные, что не удалось прибиться к эшелону. Встревоженные шумом кавалерийские лошади вставали на дыбы и тоскливо ржали.

Деев проталкивался через весь этот гомон, крик, плач и гул в начало состава, к штабному вагону, где уже мелькала яркая фуражка начальника станции, — тот готовился дать сигнал к отбытию.

— Сынок! — ухватил его кто-то за рукав. — Спаси!

Женщина — с изможденным лицом старухи. У груди — завернутое в алую пеленку дитя. Вцепилась намертво в деевский локоть и тянет к нему младенца:

— Возьми ребеночка, сынок! Помрет же! Хоть куда возьми — хоть в Китай, хоть в Америку эту треклятую! Спаси!

Деев попытался высвободиться из цепких женских пальцев, но они — как железные, держат капканом.

— Ах-х-х-х-х! — зашипело по перрону новое облако, укутывая Деева и женщину.

Состав дрогнул едва заметно, от начала и до конца его пробежало громкое лязганье: паровоз натянул сцепки.

— Тронулись! — заорали тут же впереди. — Пошли! Пошли-и-и-и-и!

Деев никак не мог сбросить с себя чужую пятерню. Со всех сторон его толкали чьи-то твердые плечи и спины, и он их толкал, пробиваясь вперед. А на локте — словно гиря трехпудовая — женщина: все ближе, ближе, уже совсем рядом, дышит в щеку горячим и нестерпимо горьким своим дыханием, вжимает в Деева младенческое тельце, вот-вот повиснет на его шее и уронит под ноги толпе.

— Да помоги же, товарищ! — закричал Деев в сердцах одному из кавалеристов, что оказался рядом. — Не видишь? Черт знает что творится!

А тот — осёл на коне! — вместо того, чтобы цапнуть настырную бабу за загривок и позволить Дееву уйти, выхватил шашку.

Сталь свистнула в воздухе — женщина прянула назад.

— Сдурел ты, что ли?! — Деев схватил коня под уздцы, и кавалерист застыл, с поднятой к небу шашкой, не зная, как быть дальше.

Но колеса уже стукнули по рельсам, и Деев только отмахнул рукой досадливо и побежал к штабному вагону.

— Возьми ребеночка, сынок! — надрывалась позади отставшая женщина. — Возьми! Возьми! Возьми!..

Он бежал мимо волнующейся толпы — мимо раскрытых ртов и поднятых рук — под нескончаемый громозвучный рев. И неясно было, басит ли это паровоз или глотки всех этих людей исторгают единый, заглушающий все вопль.

Рука протянулась из штабного — длинная и сильная рука. Деев ухватился, и рука вздернула его, подтащила к вагонным ступеням. Прыг! — и вот он уже стоит на площадке рядом с Белой, а ладони их скрещены накрепко, словно в рукопожатии.

— Знаете, сколько в эшелоне детей? — спрашивает она, прижимая губы к самому его уху, чтобы перекрыть стоящий вокруг шум. — Пять сотен — ни единым больше или меньше! Иной раз и захочешь — не подгадаешь, а тут...

И улыбается ему — впервые со дня знакомства. А он — не может улыбнуться в ответ. И хотел бы, да не улыбается!

Дрожит под ногами махина вагона. Лязгают рельсы. Здание вокзала, деревья, эшелоны — все плывет медленно и утекает назад. Густые облака пара летят по-над землей, все плотнее закрывая от Деева остающуюся на перроне толпу.

И вдруг из белой ваты этой возникает фигура: кто-то бежит за паровозом — стремглав бежит, изо всех сил. Баба!

Бьется на ходу длинная юбка, задираясь выше колен и обнажая тощие ноги в громадных башмаках. Летит по ветру седая наполовину коса. А на руках у бабы — младенец в алом.

Поезд набирает ход — с каждой секундой все быстрее. И баба бежит — все быстрее. На бегу протягивает к поезду руки с ребенком. Не кому-то протягивает — Дееву.

На него она смотрит, за ним бежит. Деев стоит, вцепившись в поручень, не в силах отвести взгляд от женщины. Она бежит отчаянно, как раненое животное, словно рвется от настигающей смерти. Лицо — изношенное и бледное — так искажено, что кажется: еще миг — и у бабы разорвется сердце.

Быстрее, еще быстрее, и еще быстрее — и вот уже лицо ее рядом с вагонной площадкой, чуть не в ногах у Деева. Глаза — вытаращены дико. Рот — раскрыт. Тянет к нему младенца — на прямых и костлявых руках: забери же ребеночка!

Деев сцепил зубы, сжал обеими ладонями поручень — того и гляди переломит! — и трясет мелко головой: нет, не могу, прости, прости!

А она тут возьми и положи дитя на вагонную ступень.

Алый сверток — под ногами у Деева, на трясущейся металлической решетке, под которой бежит-мелькает земля. Деев и не понял ничего — рука сама этот сверток схватила. Глядь — он уже висит на поручне одной рукой, другой прижимает к себе младенца.

А баба? Нет ее, пропала. То ли заметил Деев краем глаза, как она кувыркнулась и полетела под откос, то ли почудилось. Но женщины больше не было видно — нигде. Да и ничего уже не было видно — все укутывал белый, косматым крылом волокущийся за эшелоном пар.

Деев распахивает пеленку. Внутри корчится от еле слышного плача крошечное дитя — красное и морщинистое: новорожденный.

Хлопает вагонная дверь — это Белая, ничего не говоря, уходит внутрь.

Младенец на руках у Деева щурится слепыми еще глазами и вертит башкой. Тянет во все стороны раскрытые губешки — ищет материнскую грудь.

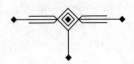

II. ВДВОЕМ

Свияжск — Урмары

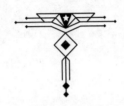

Деев был простой человек и любил простые вещи. Он любил, когда говорили правду. Когда вставало солнце. Когда незнакомый ребенок улыбался сытой и беззаботной улыбкой. Когда женщины пели и когда мужчины. Любил стариков и детей — любил людей. Любил ощущать себя частью громады — армии, страны, да и всего человечества. Любил класть ладони на паровозный бок и кожей слушать работу механического сердца.

А не любил — раны и кровь. Не любил, когда убивают, своих ли, чужих, все одно. Не любил голодать и смотреть, как голодают другие. И слово "суррогат". Опухших и лежачих. Скотомогильники и кладбища.

Иными словами, Деев любил жизнь и не любил смерть.

Но так уж вышло, что все отпущенные ему годы он барахтался в этой смерти, как муха в молоке, не умея выбраться; и все товарищи его барахтались, и вся молодая Советская страна. В детстве, приемышем паровозного депо, — выживал едва-едва, ночуя на шпальном складе и по утрам отдирая от шпал примерзшие к дереву волосы. В отрочестве, подмастерьем ремонтной артели, — колготился за тарелку супа, то бодрясь, то падая в голодные обмороки. В юности, уже солдатом Красной армии, — убивал, и много. В молодости, продармейцем, — опять убивал.

В последнее время на просторах родины смерти было так много, будто она и была в стране хозяйка, а вовсе не советская власть. Смерть принимала разные обличья: эпидемии, голод, лютые зимы, лютая бедность, лютый бандитизм. Лютовало оттесняемое на задворки республики белое воинство, пока не было уничтожено. Лютовала своя, Красная армия. Лютовали крестьяне-бунтовщики, не желая сдавать зерно государству. Лютовали продотряды, забирая в деревнях "кровь вместо хлеба". Свирепствовали болезни: тиф сожрал три миллиона граждан, "испанка" — еще три. Свирепствовал голод: тридцать пять губерний — девяносто миллионов человек — который год стенали непрерывно "хлеба!". И пусть газеты уже докладывали робко, что голод побежден, в Поволжье знали — еще нет; и на Украине знали, и на Урале, и в Крыму.

Отчего так выходило, Деев не понимал. Отчего смерти и боли всегда было вдосталь, а жизни — чуть?

Стараясь разобраться, он воображал огромные весы — наподобие тех, что стоят в портах для взвешивания грузов, — и мысленно раскладывал по гигантским чашам свои воспоминания: на одну — о печальном и болезненном, на другую — о светлом.

Первая чаша заполнялась мгновенно. Вот он сам, юный и испуганный, всю ночь таскает убитых однополчан и складывает в кучу; затем стягивает с них амуницию, сапоги и даже исподнее (обувь и одежда в армии — на вес золота!); в одиночку роет яму и сваливает туда голые тела, переживая об одном: холодно же, замерзнут в земле. А рассветное солнце красит окоченелые трупы желтым и розовым, пытаясь оживить… Вот полыхает облитый керосином хлеб на ссыпном пункте: не пуд и не два, а многие пуды золотых некогда зерен обугливаются вмиг — исчезают в пламени и устремляются к небу столбами черного дыма… Вот военные катера утюжат Волгу и плавающих в ней солдат, мозги и кровь мешаются с волнами, и вода рдеет ярко, и багрянеет прибой…

Вторая чаша весов также полнилась, но медленно и скудно. Улыбки, ласковые слова, красота речного заката — разве могло это перевесить пожар из хлеба или рев катеров, рассекающих человеческую плоть? Чаша добра и радости всегда оказывалась неизмеримо легче.

Да и леший бы с ней, с радостью. Ведь люди созданы не для радости или удовольствия. Но и — не для смерти. Люди созданы просто для жизни. Человек рождается потеть от работы, хрустеть яблоками, ходить босиком по траве, браниться, мириться, любить кого-то и кому-то помогать, строить, чинить — вот для чего. Не лежать голышом в братской могиле с дыркой в черепе. Не крошиться на сто кусков под винтами военного катера. Человек рождается — быть.

Откуда взялась в Дееве эта упрямая вера — не знал. Но она была главное, что имел. И пусть не понимал он многих вещей, пусть многого боялся и характер имел слабый, пусть воображаемые весы ходили ходуном и никогда не достигали равновесия, но этой веры было не отнять. Ею и спасался.

Оттого и работу свою нынешнюю любил страстно. По бумагам числился в транспортном отделе, экспедировал составы и грузы; на самом деле — сражался с голодом. Впервые сражался, не убивая. Вовсе не зерно доставлял он в голодные губернии, не масло и не скот, а — жизнь. Не врачебные экспедиции сопровождал в глубинки, а — саму жизнь. И теперь, сидя в штабном купе санитарного эшелона, Деев перемещал пять сотен пассажиров не из одной точки маршрута в другую — он увозил детей от вероятной смерти туда, где, возможно, ждала их жизнь.

Деев никому не сказал, что провизии в эшелоне — на три дня пути. При скудном пайке — на четыре. При нищенском — на пять.

А кому скажешь? Белая, узнай об этом, ссадила бы всех калек-лежачих на казанский перрон и глазом не моргнув.

Фельдшер того и гляди сам бы на вокзале остался. Не было у Деева в пути товарищей — одни противники. Словно не одно дело делали, а воевали друг с другом.

Вот и уезжал из Казани — как в пропасть прыгал. На шее — пять сотен детей: четыре сотни мальчиков и одна — девочек; из них два десятка малышей-малолеток и столько же лежачих; инвалидов и опухших — еще две дюжины. Да сосунок пары дней от роду (в складки алой пеленки Деев не заглядывал — было ли дитя мужского или женского пола, не знал). Либо исхитрится Деев их прокормить — либо нет. Либо приземлится на дне пропасти, цел и невредим, с невредимым же грузом на шее, — либо нет.

Везти этот груз — сперва на запад, по приволжским лесам, до Арзамаса. Затем на юг и восток, до Аральского моря. Потом опять на юг: через пустыни Кызыл-Кума и Голодную степь, до самого Ташкента. Оттуда обратно на запад — мимо хребтов Чимгана и Зерафшана, до Самарканда.

Две недели. Четыре тысячи верст.

Все было у Деева: и эшелон, и тендер с углем, и даже собственный лазарет. И мандат с печатями был, и револьвер в кармане. Еды только — не было.

Не добудет ее Деев — и дети умрут. Поголодать можно пару дней, но пару недель без пищи здоровым ребятам не выдержать, больным и лежачим — тем более. А если заминка в пути — поломка паровоза или иное происшествие? Две недели легко обернутся тремя…

А ведь выйдет — Деев сам виноват, кругом, во всем. Что взял инвалидов на место здоровых детей. Что отправился в дорогу без должного питательного фонда. И даже в том, что младенца в красной пеленке с собой прихватил. Неужели же надо было оставить умирать на оркестровом балконе Сеню, Пчелку, Долгоносика, Утюжка? Или задержать отправку поезда в ожидании продуктов — на день, два, неделю, месяц? Или сбросить с вагонной ступени на землю сосунка… Но — кому объяснишь? Перед кем оправдаешься? Никому. Ни перед кем.

Кто-то должен был вывезти детей из голодного города. Взять на себя — на шею себе повесить, на совесть свою положить эти пять сотен детских душ — на все время пути. Деев и взял. И только теперь, сидя в штабном купе санитарного эшелона, осознал, как сильно боится — до ломоты в скулах. И выбора у него теперь нет. Он должен прокормить этих детей — ужом извиться, расшибиться в слякоть, а прокормить.

Не купе, а будуар в доме терпимости! На стенах — цветы. На обивке диванной — опять цветы. На потолке и то целая лужайка распустилась. Канделябры из стен узорчатые. Столик для письма лаковый. Занавески бархатные, в густой бахроме из шелка. А у столика — пуф-табурет на львиных ножках с цветочной, конечно же, обойкой, прикручен к полу накрепко — не отодрать.

До отправления изучать обстановку было недосуг: закинули Деев с Белой вещи — он в одно купе, она в соседнее — и разбежались по делам. Сейчас же он смотрел на все эти лепестки-бутоны и чуть не задыхался от их обилия и кучерявости. Открыл спрятанную под столом створку — в нише сверкнуло что-то светлое, изящное. Ваза? Ночной горшок. Этот не в цветах — в райских птицах. Хлопнул Деев с досады дверцей, а делать нечего: вот оно, обиталище на полмесяца пути.

Два штабных купе — одно для начальника эшелона, второе для комиссара — остались нетронуты плотниками во время переделки. Когда-то это были семейные апартаменты: каждое помещение имело выход в коридор, между собой же они соединялись деревянной дверцей-гармошкой. От мысли о бывшем предназначении этой дверцы у Деева теплели щеки. Пожалуй, не станет он ею пользоваться, а ходить к Белой будет через коридор, как все остальные, — если вообще будет. Лучше пусть она сама к нему ходит: все же Деев — начальник эшелона. И стучит перед этим пусть — негромко, уважительно, — как и полагается при входе в начальственный кабинет…

Подпрыгнул пару раз на пружинном сиденье, проверяя упругость дивана. Отер ладонью запотевшее окно: за стеклом плыли паровозные облака, сквозь них мелькала потемневшая от дождей сосновая зелень. Провел рукою по скользкой на ощупь ткани обоев. И сам не заметил, как оказался у гармошки.

За створками — тишина. Где-то в коридоре сквозь грохот колес и лязганье металла слышно младенческое тявканье (сразу после отбытия Деев отдал кукушонка Фатиме, чтобы укачала и успокоила). И поскрипывание вагона слышно, и чуханье паровика далеко впереди. А комиссара — не слышно. Обдумывает, как избавиться от мягкосердечного командира? Уже строчит жалобу?

Щелк! Створки сложились резко и отъехали в сторону, едва не ударив Деева по приложенному к дверце уху. В проеме — Белая.

— Давайте договариваться, Деев, как нам дальше жить, — говорит. — Вместе жить. Ехать не близко, пару недель в пути промаемся. Без договора — никак.

Сконфуженный, он попятился в сторону, и комиссар без колебаний шагнула внутрь, как к себе домой.

— Вы человек мягкий, даже трепетный. — Она решительно заняла середину дивана, откинулась на спинку и по-хозяйски закинула ногу на ногу. — Вам к детям нельзя.

Не желая ютиться на диванном уголке или стоять перед комиссаром, как провинившийся ученик перед учителем, Деев потоптался немного на месте, а затем опустился на пуф у приоконного столика. Пуф был низкий, пружины под обивкой ходили ходуном — того и гляди сбросят: ноги пришлось расставить шире, а руками упереться в колени, да так и сидеть раскорякой перед удобно расположившейся Белой.

Та оглядывала усыпанные растительностью потолок и стены — без любопытства, но с равнодушным удивлением, словно впервые наблюдая подобное дурновкусие. Щелкнула пальцем по качающейся мерно занавесочной бахроме, дернула чуть презрительно густыми и длинными своими бровями. Неужели же у нее в купе по-другому?

— Зато ты у нас железная. — Деев ерзал на табурете, стараясь найти удобное положение.

— И потому беру детей на себя. Ссоры, неурядицы, жалобы, шалости — всю эту суету предоставьте мне. В это не лезьте. Остальное ваше: везите нас, кормите, лечите… — Продолжая изучать интерьер, Белая распахнула бесцеремонно дверку под столом — ярко вспыхнули райские птицы на белом фаянсовом боку. — …командуйте, наконец! Уговор?

Эх, не догадался Деев ночной горшок сразу детям отнести!

— Я думал, ты только шашкой махать умеешь. — Приспособившись кое-как к подвижности пружинного сиденья, он выпрямил спину и постарался вернуть лицу значительное выражение. — А ты вон дипломатию развела… Почему ко мне переменилась?

— Вы — человек искренний и горячий, — ответила просто, без промедления.

Признание это прозвучало из уст комиссара столь неожиданно, что Деев опять едва не потерял равновесие.

— Это лучше, чем лицемер или хапуга. К тому же вы не самый большой дурак из тех, кого я видела. А видела я дураков — достаточно.

Губы Деева, начав складываться в смущенную улыбку, застыли — вышла не улыбка, а кривая мина.

— С теми же сапогами — хорошо придумали…

Дождался похвалы? Хотел было вспомнить в ответ, как умело Белая поутру рассадила детвору по вагонам, — да не успел.

— …Словом, умишко у вас небольшой, но шустрый, — подытожила комиссар. — Вы мне подходите. Притремся.

Вот так разговор! Не то доброе сказала, не то обругала — поди разбери. В точности как Деев на своем дурацком пуфе корячится — не то сидит, не то падает, не то муку мученическую терпит.

— Что-то я никак в толк не возьму, — мотнул головой, — хвалишь ты меня или как?

— А вам непременно надо, чтобы хвалили?

— Мне надо, чтобы ты со мной обращалась по-человечески! — не вытерпел Деев и вскочил с пыточного табурета. — У тебя же изо рта не слова идут — чистый яд. Я — начальник эшелона. Вот и говори со мной как с начальником.

Глупо вскочил — запетушился, как подросток. Но садиться обратно на пуф мóчи не было. И потому остался стоять перед сидящей Белой: оперся рукой о стол для солидности, плечи круче развернул.

— И уговор у нас с тобой будет другой, — заявил. — С детьми ты управляешься ловко, признаю. И управляйся дальше, и командуй ими сколько угодно — только на моих глазах. Все будем делать вместе: и кашу раздавать, и ссоры разнимать. Куда ты — туда и я! Вдвоем! — Хлоп ладонью по столу — как припечатал — для большего веса. — Вот так.

В купе было тесно, и стоящий Деев навис над Белой, едва не касаясь коленями ее скрещенных ног. Вагон раскачивался на ходу, и деевское тело покачивалось вместе с ним — то чуть приближаясь к женщине на диване, то удаляясь. Ее, однако, такая геометрия разговора не смущала — смотрела на него хоть и снизу, а с прежним высокомерием:

— Хотите всех в кулаке держать? Все знать — про каждого ребенка, каждую сестру и самую распоследнюю вошь в поезде? Для этого у вас не хватит времени. — Говорила спокойно и с прохладцей — просто рассуждала, перебирая варианты и не считая нужным скрывать течение мыслей от собеседника. — Или хотите подловить меня на чем-то и нажаловаться — убрать с рейса? Для этого у вас не хватит ума... Или хотите приударить за мной, Деев? А для этого не хватит характера.

Деев старался сохранять невозмутимость, но чувствовал, что лицо предательски меняется с каждой новой фразой. Отвернуться же и показать свою слабость было нельзя — так и стоял перед женщиной, весь напоказ, как актеришка на сцене.

Не угадала комиссар. Не шашни крутить и не мстить хотел Деев, и не власть свою командирскую над всеми показать, а — научиться: разговаривать с нахалятами, как Белая, укрощать их и управлять ими, шмонать, шутить — всему хотел научиться. И поскорее. Потому что тайна его неминуемо откроется: Белая узнает, что эшелон вышел в дорогу с запасом провизии на три жалких дня. Тогда-то и начнется настоящая борьба: или сама комиссар с маршрута соскочит, или Деева спихнет. Как бы то ни было, долго в одном эшелоне им не ехать.

— Я согласна. — Белая рывком поднялась, чуть не упершись грудью в выкаченную грудь собеседника, и протянула руку для пожатия. — Делаем все вдвоем. Вы командуете эшелоном, я — детьми.

Он вложил свою ладонь в горячую комиссарскую. Хватка у Белой была крепкая, мужская. А кожа — мягкая, как у ребенка.

— И вот вам первая моя команда. — Она сжимала его руку все сильней и сильней, будто хотела расплющить деевские пальцы или оторвать. — Больше никого в поезд не подсаживаем — никаких младенцев, лежачих и иже с ними. Посадка закрыта — до Самарканда.

Деев смотрел ей в глаза, не морщась и никак иначе не выдавая своей боли. И даже встряхивать побелевшими пальцами не стал, когда комиссар наконец отпустила руку. Усмехнулся только:

— Правильно тебя утром пацан одноухий мужиком назвал.

А она усмехнулась в ответ:

— Так нам в эшелоне без мужиков-то никак нельзя…

И добавила после паузы, почти ласково:

— …товарищ начальник.

На первый обход отправились тотчас — не дожидаясь, пока сварится каша и займет все мысли ребятни.

Белая шагала впереди, Деев едва поспевал следом; заходили в вагон стремительно, ни слова не говоря суетящимся сестрам, и пробирались сквозь ребячьи крики и толкотню в середину — останавливались там, в проходе, чтобы видно их было со всех сторон. Ждали. Через минуту гомон стихал, сотня детских мордочек оборачивалась к пришедшим: малышня стягивалась к начальству и толпилась рядом, ребята постарше рассаживались по ближним лавкам или свешивались с третьего яруса, из-под самого потолка.

Как так получалось, Деев понять не мог, но одним только своим присутствием — резкостью движений, высотой роста, строгостью черт — Белая притягивала к себе взгляды детворы. А кто кочевряжился и нарочно отворачивался к окну, не желая смотреть на вошедшего комиссара, тому никуда не деться было от ее голоса: говорила она громко и внятно, перекрывая гроханье колес, — будто вколачивала фразы в детские головы.

— Вы едете в санитарном поезде Советской Республики, — гремело по вагону. — Едете в теплый и хлебный Туркестан. Не потому, что вы такие хорошие. А потому, что советская власть заботится обо всех своих детях, даже самых конченых и пропащих.

Лица пассажиров светлели в полумраке неосвещенного пространства, словно подсвеченные белыми рубахами, глаза тревожно лупились на обходчиков, лбы сминались смятенными складками.

— Остаются в этом эшелоне только те, кто соблюдает правила. Правил этих ровно пять. Я произнесу их сейчас единственный раз. Слушайте и запоминайте. Повторять не буду. А ссаживать за нарушение — буду. И буду безжалостно.

В перерывах комиссарской речи слышно было лишь громыхание состава — да-да! да-да!.. да-да! да-да!.. — как одобрительное поддакивание.

— Правило первое. — Здесь Белая обычно брала паузу, и Дееву казалось, что в это мгновение слушатели переставали даже дышать, боясь пропустить хоть слово. — Правило дома. Эшелон — ваш дом. Дома не воруют, не срут под лавку, не бьют окна и не мажут углем потолок. Не ломают мебель, не крушат стены, не жгут двери. В доме поддерживают чистоту и уют, наводят красоту и сберегают тепло. Это ясно?

Хорошее правило, соглашался про себя Деев. Плацкартные лавки — крепкие, хоть мужиков здоровенных вези (а что соломы для мягкости не успели постелить, то не беда, на жесткой постели сон слаще). Отхожие места — просторные, стенкой отгороженные, с большой дырой в полу: не промахнешься. Окна — законопачены наглухо. И даже чудо инженерной мысли — батареи — теплятся вдоль стенок, не давая вагону остыть. Чем не дом?

— Правило второе — правило брата. Все, кто едет с вами в эшелоне, на время пути — ваши братья. Родные братья! Братьям не гадят и не пакостят — не сыплют стекло в постель, не подкладывают иглы в обувь, не поджигают матрасы во время сна. Над братьями не измываются — не заставляют их пить грязь или мочу, лизать чужие ноги. Не устраивают им *ноченьку* и *верти-вола*. Да, с братьями спорят и дерутся, но не до крови. Да, с братьями играют в карты, но не на еду. Братьям не ссужают деньги и хлеб. Братьям помогают — во всем. О братьях заботятся, их опекают и оберегают. Их любят, как самих себя. Ясно это?

Никто не отзывался и даже не кивал, но в сосредоточенных взглядах и застывших от напряжения лицах читалось: ясно, и еще как.

И Дееву казалось: в одинаковом исподнем — кому доходило до колен, а кому чуть не до пят — пацанята и правда похожи на разновозрастных братьев. Просторные рубахи скрывали мальчишечьи тела, кривизну ног, их костлявость или болезненную опухлость, синяки и шрамы, отметины болезней. А торчащие из воротов шеи у всех были — тощи. Сидящие на этих шеях головы — у всех бриты наголо.

— Третье правило, самое короткое. Правило сестры: кто обидит сестру — хоть мизинцем, хоть словечком, — вылетит вон.

Ребячьи взоры обращались на социальных сестер, которые, как и дети, изумленно внимали комиссару. Смущенные всеобщим вниманием, те суровели и вздергивали подбородки. А Белая не торопилась продолжать — выжидала, пока ребятня наглядится на женщин и обдумает хорошенько все сказанное.

Каждый вагон опекали две сестры, и только в штабном, с малолетками, хозяйничала одна Фатима. Пары подобрались забавные: библиотекарша и крестьянка, портниха и попадья. Распределялись не на авось, а с умом: чтобы было у напарниц хотя бы два языка на двоих — русский

с татарским, русский с башкирским, чувашским. Теперь же
Деев смотрел на сестер и хмурился от сомнений: им бы
между собой договориться суметь, не то что с детьми…

— Следующее правило — правило начальника эшелона…

Пять раз слышал Деев за сегодня эту фразу — во всех
пассажирских вагонах, — и каждый раз в этот самый миг
у него пересыхало горло: сотня детских взглядов одновременно вонзалась в него — с волнением и немым вопросом.
К счастью, говорить не требовалось: вещал нынче только
один человек — Белая.

— …А правило такое: все приказы взрослых исполня-
ются — тотчас и без болтовни. Скажет фельдшер пить мик-
стуру — разеваете клювы и глотаете лекарство. Скажет сестра мыть отхожее место — хватаете тряпку и бежите драить говенную дырку. Скажет Деев ходить на карачках
и лаять по-собачьи — встаете раком и начинаете тявкать.
В ту же секунду! Только так.

Обращенные на Деева взоры ребят наполнялись уко-
ром, словно нелепое приказание уже было отдано. Тот же
стоял истуканом, набычившись и закаменев скулами, едва
в силах дождаться следующего пункта.

— А теперь главное правило, последнее. — Здесь комиссар умолкала надолго и переводила пристальный взгляд
с одной морды на другую, выискивая самые дерзкие глаза и возводя растущее напряжение в наивысшую степень. — Правило комиссара Белой: чем меньше в эшелоне
народу, тем легче. У нас мало еды, мало угля, почти нет лекарств и одежды. И потому никого здесь не держу. Больше
того, я очень хочу и жду, чтобы вы нарушали правила. Жду
с нетерпением. — Найдя самые нахальные глазищи, она
вперялась в них и более не отводила взор. — Нарушьте правило, хотя бы одно, — и я ссажу вас. Не пристрою в приемник по пути и не передам Деткомиссии, а просто ссажу на
первой же станции — голыми, без еды. Выданная в начале

пути рубаха останется в эшелоне. Паек ваш не пропадет, остальным больше достанется. — Комиссар вновь оглядывала всех, словно собирая взгляды воедино, и обрывала речь. — Это всё.

И без промедления шагала дальше, в следующий вагон. Вслед неслись вопросы, но было их немного — ошарашенные пассажиры приходили в себя. Отвечала на ходу, едва поворачивая голову:

— Нет, бани в поезде не имеется. В море будем купаться, в Аральском, когда доберемся…

— Да, воды у нас вдосталь, пить можно от пуза…

— Нет, кашевару помощь не нужна. Кого застану в кухонном отсеке — посажу на голод…

Пока обходили пассажирские вагоны, поспел обед — и Мемеля засновал по составу, разнося ведра с дымящейся кашей. Каждому вагону — по два полных ведра да несколько грохочущих связок с оловянными кружками вместо тарелок.

Это было кстати: Деев с облегчением подумал, что на обход лазарета можно отправиться позже, чтобы не мешать пассажирам трапезничать. Предстоящую встречу с Бугом и неминуемо тяжелый разговор хотелось оттянуть — чем дальше от Казани, тем лучше.

Вид пшена и его весьма аппетитный запах (сумел-таки поваренок дельно заварить!) привел детей в состояние веселого буйства: улюлюкали, скакали по лавкам, отвешивали друг другу затрещины — но скоро безо всяких указаний выстроились в очередь и к месту раздачи подходили важные, строго по одному. Еду принимали из рук сестер с благоговением: сложенными в несколько раз подолами рубах обертывали горячие нестерпимо кружки, обнимали ладонями, прижимали к животам — и расползались по лавкам. Сидели там, скрестив по-турецки голые ноги и едва не сложившись пополам — словно укутывали всем телом свою кружку: сначала грелись о нее, обжигаясь и улыбаясь при этом, затем — по щепотке — отправляли пищу в рот.

Ешьте, думал Деев, ешьте досыта. Больше каши не будет. Похлебка будет, затируха будет и баланда из ботвы с крупою, а такой вот рассыпчатой каши, такого вот расточительства — нет…

Налюбоваться картиной не успел — из девчачьего вагона прибежала сестра, запыхавшаяся, с широкими от растерянности глазами:

— Товарищи, у нас бунт!

Деев с Белой влетели в бунтующий вагон — а там тихо, словно и нет никого. Гремят колеса, скрипят на ходу вагонные сцепки, и — ни вздоха, ни слова произнесенного. Будто и не сидит по лавкам — в три яруса, от пола и до потолка — сотня девчонок в солдатском исподнем на голое тело. Забились в углы, сжались в комочки, обхватив колени костлявыми руками. Зыркают на взрослых из-под насупленных бровок и — молчат. Рядом с каждой — кружка, полная густого, исходящего нежным паром пшена. Нетронутая.

Девочки отказались есть — все до единой.

— Товарищи дети, как это понимать?

Молчание в ответ.

— Вы чего-то боитесь? Кто-то обидел вас? — Белая пошла по отсекам, заглядывая на верхние полки и наклоняясь к нижним, чтобы поймать взгляды детей, — не удавалось: мордочки сминались испуганно, жмурились или утыкались в колени, не желая глядеть на комиссара. — Это каприз или идейная забастовка? Вы чем-то возмущены или протестуете? Если протестуете — против чего?

Прошла вагон от одного конца до другого, так ни с кем и не встретившись глазами. Только сестры — обе крупные, крепкие, как великанши среди малышни, — таращились на комиссара безотрывно и с надеждой.

— Кто зачинщик?

Сестры жмут плечами: нет таковых.

— Ну а кто здесь самый бойкий и прыткий?

Опять жмут плечами: не поняли пока что.

Деев рассматривал бастующих и не видел среди них ни бойких, ни прытких, ни даже мало-мальски веселых: девчурки — сплошь понурые и квелые, одна другой бледнее. Многие с тифозной стрижкой — коротенькой шкуркой вместо волос. У одной кожа оспой выедена, как дробью простреляна. У другой — круги под глазами, иссиня-лиловые. У третьей, показалось, улыбка. Пригляделся — заячья губа.

Присел на лавку — как раз возле той, чьи глаза будто чернилами обведенные, — а малютка от него шарахается, в стенку вжимается; ногой при этом неловко брыкнула — опрокинула свою кружку. Две горсти ярко-желтого пшена вывалились на лавку — как две горсти золота. Остро пахнуло горячим и вкусным, у Деева аж слюна прилила. Девчонка же — не шелохнется: пялится на рассыпанные крупяные комочки, а в каждом глазу набухает по огромной слезе.

А глаза-то вовсе не бунтарские — жалкие и голодные.

— Как зовут? — спросил тихо, чтобы не испугать.

И бровью не повела — будто не слышала.

— Зозуля, — ответила за девочку оказавшаяся рядом сестра. — То ли имя, то ли козья кличка, поди разбери. Фамилии в документах и вовсе не было… А за такую вот кучку пшена, — указала на рассыпанную кашу, — у нас в деревне еще год назад убили бы.

— Розданную еду не трогать, — громко скомандовала Белая. — Охранять до нашего возвращения. Если забредет пацаньё из соседнего вагона — гнать взашей.

Кивнула строго одной из девочек: за мной! Кивнула и Дееву с Зозулей: вы тоже — за мной! И направилась в штабной вагон. Наедине хочет поговорить, догадался Деев, — допросить бунтовщиц по одной.

Зозуля как поняла, что ее уводят к начальству, и вовсе скукожилась, сморщилась личиком. Но сопротивляться не стала: молча вылезла из укрытия — рассыпанную по лавке кашу обползла аккуратно, не задев ни крупинки, — и почапала за комиссаром. Деев зашагал вслед.

Вагонные проходы были некогда выстланы коврами, от которых теперь остались одни ошметки. Остатки эти у Деева хватило ума не трогать: во время оснастки эшелона приказал аккуратно приколотить каждый гвоздями — и теперь босые дети скакали по этим ковровым островкам, чтобы не заморозить ноги о холодный пол. Зозуля не скакала — шлепала равнодушно по деревянному настилу, ссутулившись и уткнув подбородок в грудь. Просторная рубаха волоклась по полу. Кости хребта выпирали шишками — едва не дырявили кожу. Стриженая голова — черный ежик с лохматыми иглами — казалась непомерно большой для тощей шеи: того и гляди оборвется.

— Побеседуйте-ка с ней по душам, — шепнула Белая на ухо Дееву. — Искренне, как вы умеете.

— Я? — опешил тот.

А Белая уже скрылась у себя — с другой девчонкой.

Зозуля осталась в коридоре. Мелкая, она едва доходила ростом до дверной ручки, но по серьезности личика Деев дал бы ей лет восемь-девять. К тому же она сильно горбилась: распрями спину — сразу стала бы выше на полголовы.

Распахнул дверь, приглашая войти, — шмыгнула внутрь купе. Присела на краешек дивана, как птичка на жердочку, руки на колени пристроила, голову на грудь свесила и замерла. Лица не видать, а только макушку в торчащих вихрах да бурые от грязи ручонки с короткими черными ногтями. На одной наколка: голубок.

И вновь стоял Деев в своем временном жилище, не зная, куда присесть. На диван опускаться не стал, чтобы не испугать гостью, и на пуф садиться тоже не захотел — так и остался стоять, прислонившись к ребру стола и скрестив на груди руки.

О чем беседовать с упорно молчащей девчушкой — не понимал. Ее бы сейчас укутать потеплее, накормить пожирнее и кипятком отпоить, а не пытать вопросами.

— Говорить-то умеешь?

Макушка колышется еле заметно: умею.

— А ну скажи что-нибудь.

Сквозь шум колес Деев едва различает короткий звук — не то вода плеснула, не то кошка мяукнула.

— Что? — наклоняется он ближе к лохматому темечку. — А ну еще раз, громче!

Зозуля покорно повторяет — и Деев наконец разбирает два слова: "Не бей".

И хотел бы выругаться — а нельзя! Хотел бы прикрикнуть — "Да кто ж тебя бьет, дурища?! Тебя же кашей-рассыпухой пичкают, за которую в деревнях убивают!" — а тоже нельзя. Стерпел, смолчал. По-другому решил начать.

— Давно скитаешься? — спрашивает; ответа не дожидается, сразу продолжает: — Можешь не говорить, сам вижу — давно. Все вижу. И пятки твои загрубелые — не первый год без башмаков шлёндаешь. И пальцы на ноге кривые — то ли копытом отдавили, то ли тележным колесом. Что тифом болела, вижу. Что с вокзальной шантрапой якшалась. Что анашу куришь и вино пьешь. И что голодная ты до обморока, тоже вижу. Ты же это пшено вареное глазами жрала, так хотелось проглотить. А не проглотила. Почему?

Сидит девчурка, будто закаменела. Или бормочет что-то под нос? Прислушался — а та опять за свое: "Только не бей".

"А вот побью!" — немедля захотелось рявкнуть. Будешь дальше настырничать и в голодовку играть — сам побью, вот этими своими руками! И потрясти растопыренными ладонями перед нахохленной макушкой — для острастки. И тут же стыдно стало своей невоздержанности — так стыдно, что себя самого впору поколотить. Не на Зозулю злился. А на кого? На себя, что не умел с малолеткой справиться? Отвернулся к окну, вцепился в ребро стола. Молчи, приказал себе. Дознаватель из тебя никудышный.

На стекле дрожали брызги дождя, а за стеклом плыли, покачиваясь, черные деревья. Эшелон тащился медленно, давая в час не более десяти верст, и можно было разглядеть каждую просеку и каждый перелесок. Приказанский лес — прозрачный по осени, едва разбавленный желтизной берез и зеленью сосен, — тянулся и тянулся бесконечно. А над ним, чуть не касаясь древесных крон, тянулись белые облака — не то спустившиеся с небес, не то поднявшиеся из паровозного жерла.

Зозуля не издавала ни звука, и Дееву в какой-то миг показалось, что она исчезла — стекла́ бесшумно на пол и просочилась в дверную щель. Повернулся проверить, на месте ли гостья, — и оторопел.

Девочка лежала на диване — голая. Неподвижное лицо ее было безучастно и глядело в потолок. Впалая грудка размером с куриную расчерчена бугорками узких ребрышек, с двумя темными пуговками сосков. Костистые ручки послушно вытянуты вдоль тела. Ноги — и не ноги даже, а обтянутые кожей мослы, — раскинулись в стороны, чуть приоткрыв мелкие складочки женской плоти. Скинутая рубаха топорщилась в углу дивана, заботливо приткнутая в щель между сиденьем и стенкой — чтоб не упала между делом и не испачкалась.

Скосила глаза на Деева, глядит робко: правильно ли все сделала?

— Это что? — не понял в первое мгновение тот.

Понимание пришло не сразу, а накатывало постепенно, горячими волнами. Ожгло сперва внутренности, затем шею и загривок, а он все пялился недоуменно на бледное девчачье тельце в крупных мурашках от прохлады — все пытался разгадать смысл этой странной картины. И только когда обжигающая волна вступила в голову — понял вдруг и аж задохнулся.

Хотел гаркнуть — а не может: горло свело. Схватил девчоночью одежду, шваркнул аккурат во впалое пузо — одевайся живо! — и выскочил вон.

Лицо пылало так, что впору голову на улицу выставлять — под ветер и дождь. Ухватился за раму коридорного окна и стал рвать вниз — не поддается. А от сопротивления — только горячей внутри становится. Тянет Деев раму книзу и знает, что откроет вот-вот, откроет непременно — или выбьет кулаком дурацкое стекло…

— Оно же заколочено.

Обернулся: позади — Белая.

А и правда, рама-то гвоздями забита, основательно, по всему периметру.

Комиссар смотрит на Деева странным взглядом, но удивляется не его глупому поведению, а какой-то своей, глубоко поразившей ее мысли.

— Знаете, почему девочки голодают? — спрашивает. — Они думают, каша отравлена.

— А? — никак не может прийти в себя Деев.

— Они думают, мы убиваем детей, а после продаем их тела американцам.

— Как… — Голос еще не слушается, приходится откашляться и повторить: — Как — продаем?

— Довольно дешево. — Белая говорит спокойно, четко выговаривая каждое слово. — Русских мальчиков по двадцать рублей. Татарских — по пятнадцать. Чувашей и мордву — по десятке. И девочек — всех по десятке, независимо от национальности.

Дверь комиссарского купе приоткрыта. Допрошенная Белой малышка выглядывает из щели на мгновение, зыркает на взрослых покрасневшими от слез глазами и ныряет обратно.

— Кто пустил слух?

— Этого они вам не скажут, — Белая безотрывно смотрит за мокрое от дождя заколоченное окно. — Никогда.

Деев и сам не понял, как оно случилось, — но через мгновение уже оказался в девчачьем вагоне, рыскал между лавок и кричал так, что, верно, машинистам в паровозе было слышно.

— ...Каким таким американцам?! — бушевал он. — Да как только мозги ваши цыплячьи до того додуматься могли?! Как только языки ваши повернулись такое друг другу передавать?! — Звуки лились из гортани свободно и чисто, словно не бранился, а песню горланил. — Приказываю всем отставить глупости и лопать обед! Правило номер четыре — правило начальника эшелона! Исполнять немедля!

Бунтарки пучили от страха глаза и распахивали рты, как рыбы на суше. У некоторых катились по щекам слезы и сопли, но плакать в голос не смели и даже всхлипнуть не смели — так и сидели с мокрыми лицами. Да что там! Сестры — и те по углам разлетелись, как ветром посдувало.

Одна только Белая не растерялась: схватила первую попавшуюся кружку с кашей и — хлоп! — опрокинула себе в руку, стала деловито есть прямо с ладони, губами подхватывая рассыпающиеся крупинки и облизывая пальцы. И вторую кружку затем — хлоп!

Увидел это Деев — и тоже кружку себе в ладонь: хлоп! Еда не лезла — до того был зол, — но запихивал в себя, глотал не жуя, едва шевеля челюстями и свирепо вращая глазами. Непрожеванная крупа драла глотку, комом вставала поперек пищевода. А он упрямо вторую кружку — хлоп!

Девочки сперва наблюдали растерянно, как взрослые уминают их паек, а затем — словно по команде — принялись наворачивать сами. Кто сыпал из кружки прямо в рот, кто опускал в кружку лицо и хватал губами, кто, как комиссар, наваливал кашу в ладонь и лопал из горсти…

Через минуту трапеза была окончена.

Все пять пассажирских вагонов — накормлены.

Слухи будут сопровождать эшелон всю дорогу. Ни единого раза Деев не дознается, кто был придумщиком или откуда пошел гулять тот или иной слушок. Самый стойкий слух — об "американском эшелоне" — разгорится и затухнет не единожды. Якобы гуляет по железным дорогам России состав из сотни вагонов, битком набитых сладкой кукурузой, шоколадом и тушенкой. А провизии в нем так много, что раздают на каждой станции — и меньше не становится. А раздают не всем — только тем, кто согласится выучить на американском языке длинную считалку и произнести три раза подряд не сбившись, стоя на одной ноге и ни разу при этом не сморгнув. А считалка та не просто тарабарщина — клятва верности американскому королю. Пожалуй, за щедрый харч можно бы такую присягу и принести. Тем более что где он, за какими морями-горами тот неведомый король?!

Печальный слух — о смерти Ленина — вызовет немало слез, особенно у девчонок. Мол, нет больше с нами вождя мирового пролетариата, умер давно. А что газеты сводки о его здоровье печатают, так все глупости и "утки". На самом-то деле лежит уже дедушка Ленин в хрустальном гробу, а гроб тот подвешен на золотых цепях в самой высокой башне Московского Кремля. Охраняют тот гроб, сменяя друг друга, товарищи Троцкий, Калинин и Дзержинский, а верная Крупская сама вставляет каждому караульному в уши пропитанную воском вату, чтобы не оглохли от звона курантов.

Слух о нападении Китай-царя оставит детей равнодушными — поболтают немного и успокоятся: до Туркестана, куда направляется деевская "гирлянда", китайцы дойдут вряд ли, а любимых родственников в России, за которых пришлось бы переживать, ни у кого из пассажиров не имеется.

Некоторые толки будут столь нелепы, что впору расхохотаться, — но придется опровергать и их. То Деев — настоящий вампир, каких показывают в кинематографе: ночами выпускает длиннющие клыки, шастает по вагонам и пьет кровь непослушных пассажиров. То Деев — английский шпион. То Деев — это сам Фритьоф Нансен, который привез в голодающую Россию миллион пудов еды, выучил здесь русский язык, а теперь взамен вывозит обратно за границу миллион детей — на корм белым медведям, что тоже живут впроголодь на своем Северном полюсе.

Почему-то про Белую такие разговоры ходить не будут — только про Деева.

Откуда возникали эти небылицы, он так и не поймет. Возможно, странные и страшные фантазии необходимы детям — как замена сказок, в которые они не верили.

М ладенцу нужно молоко, — сказала Фатима.
Кукушонок, поспавший на ее руках пару часов, давно уже проснулся и орал на весь штабной, разевая беззубый рот и надувая огромные слюнявые пузыри. Сосунок был крошечный, хилый, а пасть у него — огромная.

Под ногами у Фатимы толкались еще пяток малолеток: обитатели малышового вагона расползлись по купе и коридорам, как мураши, с любопытствующими рожицами обнюхивая и облизывая все, что попадалось на пути; самые робкие же сбились у юбки воспитательницы и вцепились накрепко, образуя подобие живого неповоротливого шлейфа. Потому перемещалась Фатима теперь медленно, соразмеряя длину своего шага с нестройными шажками десятка крошечных ног, а младенца качала аккуратно, чтобы не ударить локтем кого-то из своей свиты. На круглом и прекрасном лице ее Деев не заметил и следа раздражения или усталости — напротив, оно помолодело за последние часы. Словно эта женщина всегда была такая — облепленная детьми, с детьми на руках и с детьми вокруг. Все в ней осталось прежним: и осанка, и мягкость движений, и теплый взгляд, — и одновременно все изменилось: это была другая Фатима — земная, сильная, безустанная. Успевала везде: похлопывать сосунка, улыбаться вцепившимся в нее малышатам, следить за другими детьми, разговаривать с начальством.

— Любое молоко, — продолжала спокойно, будто не извивался у нее на руках ревмя ревущий младенец. — Коровье, козье, человечье.

— Пшеном не обойдемся? — глупо спросил Деев.

— Не молоко ему нужно, а дом малютки, — возразила Белая. — Но ближайший — в паре дней ходу. До тех пор либо он от крика посинеет, либо мы. Да и не возьмут его там: эвакоэшелоны детей забирают из приемников, а не обратно раздают. Куда дитё сбывать будем, товарищ начальник?

И ведь, казалось бы, права она: сосунку не место в эшелоне. Но тогда где же ему — место? В уездном доме ребенка, где осенью из каминов хлещет дождь, а зимой на стенах иней с палец толщиной и каждое утро на ступенях у входа пополнение? В придорожной канаве, куда улетела, кувыркаясь и ломая ноги, его мать?

Фатима, ловко перемещая малыша из одной руки в другую, высвободила его из мокрой насквозь пеленки. Дитя оказалось мальчиком. Не давая голому ребенку остыть, она прижала его к своему полному телу — и тот мгновенно обхватил ее морщинистыми лапками, погружаясь в женские грудь и живот, как в перину. И столько отчаяния и жизненной страсти было в этом движении, что у Деева погорячело внутри.

Стало неловко от интимной картины — желая занять глаза и руки, поднял сброшенную на пол алую тряпку, развернул. А то и не пеленка вовсе — знамя: по окантованному желтым шнуром кумачу раскинулись вышитые крупно буквы "Смерть буржуазии и ее прихвостням!".

— Агитацию отстирать и повесить на стену, — скомандовал, аккуратно складывая флаг в пустующую ванну. — Молоко будет. До тех пор что хочешь, Фатима, с дитём делай, хоть пляши с ним, хоть песни пой по-древнегречески, а чтоб не синел.

— Это кого ж вы в пути доить собрались? — усмехнулась Белая. — Встречных машинистов?

Отвечать ей не стал. Расстегнул гимнастерку, стянул через голову; исподнюю рубаху тоже стянул и кинул Фатиме — для голыша: пусть будет у Кукушонка белая одежка, как у остальных детей. Было в этом что-то настоящее и правильное, словно белой рубахой своей принимал Деев младенца в эшелон окончательно. А еще правильнее было то, что сам он теперь остался без исподнего, — как и пять сотен незнакомых ему братьев-солдат из Казанского кремля.

Вдруг понял, что стоит полуодетый, а женщины внимательно смотрят на него. Не в глаза смотрят — на деевские голые руки и плечи: Белая — оценивающе, как доктор на медосмотре, а Фатима — печально и ласково, по-матерински. Ох, бабьё! Даром что одна университетка, а вторая комиссар…

Щеки отчего-то потеплели, словно не спутницы бесстыже пялились на мужское тело, а он сам — на женское. Но некогда было глупости разводить — пора было идти в лазарет, под строгие очи фельдшера.

Натягивал гимнастерку, приглаживал растрепавшийся чубчик — собирался с духом. А фельдшер возьми да и явись сам: глаза мрачнее мрачного, в руке полведра каши.

— Что ж ты, — говорит, — внучек, от меня бегаешь? Там целая рота не кормлена. Пшено лежачим нельзя, глотки и без того суррогатом ободраны. Где же обещанные масло и яйца?

Губы у лежачих были сухие и бледные, в трещинах и белых пузырях. В такой рот страшно было и ложку вставить, а ну как порвешь (хотя ложек в эшелоне никаких и не было). Носы — острые, с запекшейся корочкой вокруг ноздрей. Глаза — прикрыты.

Дети лежали по лавкам, уже укутанные в одеяла — багажные мешки. Рядом с темной холстиной личики их казались бумажно-белыми. Кое-где на мешках синели большие двуглавые орлы и фиолетовые печати: "Московский телеграф", "Почтовое ведомство Санкт-Петербурга", "Тифлисская железная дорога". Мешок Сени-чувашина был заграничный — усыпанный незнакомыми буквами, прочитать которые Деев не умел: *"Coffee de Costa Rica"*. Наблюдать имперские гербы и чужеземные надписи на телах советской детворы было неловко, но что поделаешь.

Пространство бывшей церкви было щедро отделано деревянными завитушками в золотой краске, и льющийся из арочных окон свет играл на позолоте, разбрасывая вокруг россыпи желтых бликов: по детским телам и лицам, по свежеструганым нарам, по некогда кухонному, а теперь уже операционному столу, по белому халату фельдшера и по тряпичной загородке в алтаре, за которой прятался фельдшерский топчан.

— Я, между прочим, полное право имел сойти с маршрута, — угрюмо сообщил Буг, как только они оказались в лазарете.

Так точно, кивает Деев устало. Имел.

— И от этого права не отказываюсь! Не подписывался я один целый санаторий заменять. Лежачим только и место в санатории! С кухарками, диетсестрами, няньками и врачами-профессорами.

Опять кивает Деев: так точно, принял к сведению.

— И потому ставлю условие: все мои требования выполнять неукоснительно. Ответственности за больных на себя не беру, все они — на твоей совести, внучек. Но помочь — попробую.

Соглашается и с этим Деев.

— Для начала выдай молока. И яиц побольше, для гоголь-моголя. Масла пока не прошу, посмотрим, как желудки работают. Если есть рыбий жир, выдай и его, начну давать по капле. И мяса, конечно, постного — белок истощенному организму жизненно необходим. Еще мыла мне хозяйственного и парафина — пролежни смазывать.

Морщится Деев, а нечего делать — кивает. Мол, выдам, конечно, выдам. Скоро.

— Мне сейчас нужно! Их же кормить восемь раз в сутки, а лучше чаще. Нет молока с яйцами — выдай, что имеешь, из спецпайка.

Молчит Деев и даже не кивает уже. Не признаваться же, что никакого спецпайка нет и в помине, а на кухонном складе в достатке лишь отруби да подсолнечный жмых. Про парафин с мылом — и говорить нечего.

— У тебя что, и мяса нет? — не верит фельдшер. — И муки, и сметаны? Нет рыбы? Нет какао или шоколада? Сахара, на худой конец? Никакого спецпитания — нет?

Это когда ж ты последний раз видывал шоколад со сметаной?! — хотелось Дееву закричать. Обычные люди уже и слов таких не помнят, не то что вкуса! Что ли, ты прямиком с луны в эшелон свалился?! Но не закричал, сдержал себя.

— Как же ты их взял, внучек? — Буг смотрел на Деева, будто впервые видел. — На что надеялся? Чем кормить собирался — духом святым?

— Давай мы им пока пшена нажуем, — предложил Деев.

— Что ж ты за дурак такой? Ты же их всех, считай, уже убил. Сам убил.

Надо было, значит, в приемнике их оставить умирать?! Где рубль в неделю на ребенка?! Где сплошное спецпитание — пыль мельничная да овсяная шелуха?!

— В деревнях так сосунков кормят, — настаивал Деев. — Мелко-мелко зубами перетрем и сплюнем в рот каждому.

— Могильщика из меня решил сделать? — Буг расстегнул пуговицы белого халата, а пальцы-то не слушаются, еле справляются. — Не выйдет. Я лечить привык, а не хоронить. Я схожу — на следующей же станции.

— Нет, — покачал головой Деев. — Не сходишь. Потому что я тебе все добуду. Шоколад не обещаю, а масло и яйца — наверное.

— Еще и хвастун! — справившись наконец с пуговицами, Буг вытащил из-под операционного стола свой чемодан и начал складывать туда халат; складывал аккуратно, но белые рукава никак не желали умещаться в фанерные недра — выпрастывались упрямо, не давая закрыть чемоданную застежку.

И тут раздается сдавленный смешок: хихикает мальчуган, что все это время бездумно пялился в потолок; и теперь продолжает пялиться, не меняя выражения лица и даже не разжимая губ, а откуда-то из утробы его несутся еле слышные звуки. Смеется не над взрослыми, а чему-то своему, потаенному. За это Деев еще утром дал ему прозвище Тараканий Смех. Разговаривать мальчик уже разучился, а смеяться — еще нет.

— Если добуду — останешься в эшелоне?

— Не останусь.

— И пойдешь под трибунал! Задание по спасению голодающих детей приказываю считать боевым. Бегство из эшелона приравниваю к дезертирству.

— Я, внучек, с военной службы на пенсию ушел, когда ты еще не родился. И приказам вот уже четверть века не подчиняюсь.

— Ну и черт с тобой! — обиделся Деев. — Можешь на ходу спрыгнуть, если неймется. Иди поищи себе эшелон побогаче! Где какао в серебряных чашках подают и сахар золотыми ложками размешивают. Условия он мне будет ставить, империалист… Сам детей накормлю! — уже не говорил, а кричал во весь голос, невзирая на преклонный возраст собеседника и белые седины. — И сам довезу! Все у меня доедут до Самарканда, все до единого!

Взял отставленное ведро с кашей, зачерпнул полкружки и принялся кормить детей.

Задумал было перетертое пшено сплевывать в кружку и выпаивать этой жижей больных, но дело не пошло — они будто уже и пить разучились: не успевали вовремя разжать челюсти или, наоборот, сомкнуть; кружка звенела о зубы, месиво текло по лицам, не попадая в глотки.

Решил по-другому кормить — как младенцев.

Начал с Пчелки. Подолгу жевал вареную крупу, катая мучнистую массу языком по нёбу; затем брал бережно в руки костлявое Пчелкино личико и наклонялся к нему. Губами раскрывал запекшийся девчачий рот — медленно, затаивая свое дыхание и ощущая на щеках чужое, — языком раздвигал Пчелкины зубы и ждал, пока вязкая кашица перетечет из него в ребенка. Прохладные чужие губы сжимались еле заметно — девочка глотала. Хорошо, думал Деев. Отрывался от детского рта и жевал новую порцию, вновь припадал к Пчелкиным губам. Хорошо.

Думал о том, что ни разу еще не целовал в губы — ни девку, ни женщину. А теперь выходит — целовал.

И Пчелка, выходит, теперь тоже — целованная. Хорошо. Еще думал о том, что раздобыть в пути молока для младенца — задача хитрая, а уж масла и яиц — почти невозможная. Но где-то, в этом большом и недобром мире, должны же быть и молоко, и масло, и яйца — хотя бы пара фунтов, пара десятков. Не может быть, чтобы не было. Хорошо. Еще думал, что если хватит у Буга ума, то сойдет он не на ближайшей станции, где притормозят они для заправки водой и песком, а дождется большого транспортного узла — оттуда уехать проще. Это значит, еще чуток побудет фельдшер с детьми и, может, проснется в нем совесть…

Затем кормил Циркачку и Долгоносика.

Стучали колеса. Хихикал тихо о чем-то своем Тараканий Смех. Изредка вскрикивал Сеня-чувашин, то просыпаясь, а то снова впадая в забытье. Фельдшер Буг сидел на табурете, наблюдая за Деевым. Когда Циркачку стало рвать непереваренной кашей — принялся обмывать ей лицо и следить, чтобы не задохнулась.

Желудки остальных детей приняли пищу — Деев накормил еще Суслика, Сморчка и Чарли Чаплина. Остальных не успел — эшелон загрохотал по мосту через Волгу, приближаясь к станции, а Деев придумал, где достать спецпитание. Мысль была отчаянная, даже безумная, но других не имелось. Он сунул фельдшеру ведро с остатками каши и, ни слова не говоря, выскочил вон.

Крошечная станция называлась Свияжск. Одноименный городок располагался в отдалении, в нескольких верстах, — на берегу Волги и впадающей в нее Свияги. При станции имелись пара домиков, кубовая с кипятком для пассажиров и паровозная колонка.

— Здесь переночуем, — объявил Деев машинисту, когда длинный рукав колонки уткнулся в паровозью морду и задрожал под напором воды.

— У меня маршрутная еще на сорок верст! — возмутился тот. — Ты же сам утром кричал, чтобы мы птицами летели.

— Кричал, — согласился Деев. — А теперь передумал.

Слушать, как машинист его костерит, не стал. Спрыгнул на землю и зашагал по едва приметной тропинке в город.

— У тебя же детей голодных — армия! — надрывался машинист ему вслед. — Их-то зачем тут мурыжишь, полоумный?

Правильное это было слово: полоумный. А вернее сказать, и вовсе без ума. Потому как шагал Деев туда, куда здравомыслящие люди не ходят. И делать собирался то, что можно было назвать полным безрассудством. Белой ничего рассказывать не стал — она и не знала еще, что Деев самовольно остановил состав на половине дневного пути.

Благоразумие сейчас было лишним: никто в трезвом уме не взялся бы искать в Поволжье яйца или сливочное масло, сметану или сахар. Вот уже несколько лет эти слова существовали не как названия продуктов, а как воспоминания о прошлой жизни. Масло не ели — о нем мечтали. Конфеты не ели — о них рассказывали детям. А ели — суррогаты.

Лучший суррогатный хлеб получался с просом, овсом и отрубями. Очень даже неплохой — со жмыхами всех сортов. Вовсе невкусный — со мхами и травами: крапивой, лебедой, корнями одуванчика, рогозом, камышом и кувшинками. Вредными суррогатами считались конский щавель, акация, липовая стружка и солома — даже свиньи не жаловали соломенную муку. Еще в хлеб толкли желуди и мягкое дерево — липу, березу, сосну, — но есть древесный хлеб умели не все. И кровяной хлеб готовить умели тоже не все.

На базарах торговали избоиной*, бусом**, ботвой и битыми воронами. Редко — молоком или рыбой, картошкой, семенами подсолнечника, ягодами. Спекулянты промышляли деликатесами — льняным маслом и кукурузной мукой.

Сам Деев не помнил, когда последний раз ел сливочное масло. Возможно, как раз в этих самых краях, под Свияжском, в первый год войны: схроны крестьян тогда еще были полны припасов и устроены незамысловато, где-нибудь в амбарном подполе или колодце на задворках картофельного поля, так что обнаружить их мог и ребенок.

Пока шагал до города — смеркалось; вошел туда уже затемно. Городок был мелкий, как игрушечный, — лепился на гребне могучего холма, чуть стекая по склону к Волге, — и Деев решил идти в самое сердце Свияжска, на вершину. Где располагалась цель его похода — не знал, но был уверен, что найдет, — ночь ему в помощь: там, куда направлялся Деев, по ночам не спали. И не ошибся — еще издали различил на самом высоком пригорке двухэтажный особняк купеческого вида, с просторным мезонином и балконом во всю ширь. В окнах ярко горел свет. Улицы вокруг были черны и тихи — особняк парил над городом, как светило в небесной выси.

Взбираясь по мостовой вверх, Деев уловил в темноте едва слышные звуки — всхлипы и плач. Разглядеть плачущих не смог: не то бабы, не то старики, не то и вовсе какие-то тени. Понял одно: было их немало — жались к деревьям и уличным заборам, с приближением Деева умолкали, а пропустив, стенали вновь. Чем ближе к особняку, тем меньше их было. На пустыре же около сияющего здания не было никого. Оставшиеся позади всхлипы почти растворились в тишине, но не окончательно — дрожали в воздухе, как дальний комариный писк.

---

* Остатки от семян в маслобойном производстве; то же, что и жмых.
** Мучная пыль на мельнице, обычно идущая на корм скоту.

В глубине дома раздался выстрел, затем второй — где-то далеко взбрехнула в ответ разбуженная собака и снова умолкла. И комариный писк умолк, словно срезало.

Деев поднялся на крыльцо, потянул на себя тяжелую дверь и шагнул внутрь. Доставать револьвер было нельзя, и даже руку держать на заветном кармане — тоже нельзя. Он выставил растопыренные ладони вверх — а ладони-то влажные, будто водой омытые, — и огляделся, в любую секунду готовый выкрикнуть заготовленную фразу: "Свои! Не стрелять!"

Стоял в тесной прихожей с обшарпанными стенами, где прямо поверх обнажившейся дранки были намалеваны краской огромные слова: "Смерть врагам народа — корниловцам, каппелевцам…" Конец надписи терялся в темноте подвала — туда спускались крутые ступени, оттуда же доносился гул голосов. Другое крыло лестницы вело на второй этаж, где, кажется, тоже кто-то был. Охраны не имелось. Деев подумал немного и медленно двинулся по ступеням вверх.

Скоро оказался у двустворчатой двери; одна створка чуть приоткрыта, из образовавшейся щели бьет свет и пахнет жженым порохом. Сама створка крепкая, дубовая — такую револьвер не пробьет, а только если пулемет. Деев пристроился за ней — чтобы не торчали из укрытия ни плечи, ни поднятые к потолку руки, — собрал в кулак холодную от пота ладонь и осторожно постучал.

Тишина в ответ.

Постучал вновь. Не дождавшись отклика, легонько толкнул отошедшую створку — та со скрипом отворилась, открывая большое пространство: много электрического света, много порохового дыма. Из этого света и дыма смотрели на замершего Деева две черные дыры — два револьверных ствола.

— Закройте дверь, пожалуйста, — попросил из глубины комнаты вежливый голос. — Вы мешаете.

На ослабелых ногах Деев шагнул в помещение. Раскрытые ладони по-прежнему держал вытянутыми вверх.

Бывшая купеческая гостиная выглядела так, будто ее основательно потряс какой-то великан: населявшие ранее комнату многочисленные предметы — картины, зеркала, жардиньерки — в беспорядке валялись по углам, опрокинутые или поставленные на попа. Мебель была сдвинута с мест и теснилась причудливым образом: обеденный стол подпирал раскрытое фортепиано, козетки въехали в лишенный дверок буфет. Все вещи и поверхности устилали бумаги: кипы канцелярских папок, тетрадей и отдельных листов покрывали пространство толстенным слоем, который оживал и трепетал при малейшем движении воздуха.

В комнате было трое. Один — с головою черной и обильно кучерявой, как бараний бок, — развалился на кушетке, уютно составив ноги на лежащие рядом настенные часы с вывалившимся наружу маятником. Второй — с далеко торчащими в стороны огненно-рыжими усищами — сидел в выдвинутом на середину кресле и целил револьвером в Деева. Рядом, едва помещаясь в таком же кресле, восседал и третий — огромный, лысый — и тоже целился.

— Доброй ночи, товарищи, — произнес Деев тихо (губы от волнения пересохли, но голос не дрожал). — Я начальник эшелона, везу голдетей* в Самарканд. Есть лежачие, много. Им нужны яйца, масло и молоко.

— Вы ошиблись, товарищ, — все так же вежливо ответил Баранья Башка. — Это не питательный пункт. Это свияжское отделение ЧК.

— Я знаю, куда пришел. — Очень хотелось сглотнуть и увлажнить горло, но зев был сухой и шершавый, как наждак. — А вы знаете, у кого в этом городе есть укрытые продукты.

* Голдети — голодные дети (привычное для того времени сокращение).

Грянул выстрел. Взвизгнуло и вздрогнуло где-то совсем рядом, справа, — пуля вошла в дверной косяк. И тотчас, почти без перерыва, — второй выстрел — в другой косяк, слева.

Пара бумажных листков слетела с буфета и закружилась по выщербленному паркету.

Деев стоял неподвижно. Сердце колотилось в животе, в горле и даже в кончиках вытянутых кверху пальцев. Глаза и нос щипало едко, но опустить хотя бы одну руку и отереть лицо ладонью не решился.

Двое в креслах, не дожидаясь, пока рассеется дым, опять взвели курки: Огненные Усы — откровенно забавляясь ситуацией и с любопытством ощупывая гостя хитрющими глазами, Лысый — равнодушно, с какой-то барской ленцой в движениях, глядя даже и не на Деева, а куда-то мимо. Этот — главный, понял Деев. Этот все решает.

— Да, мы знаем, у кого в этом городе имеются резервы. — Баранья Башка словно и не заметил стрельбы. — А вы что же, раскулачивать их пойдете? — Ни капли ехидства не было в голосе, а одна только участливость. — Сей же час или дождетесь утра?

— Утром я уезжаю. — Деев изо всех сил напрягал пальцы рук, чтобы не тряслись. — И у меня нет солдат сопровождения. Прошу вас помочь мне экспроприировать у зажиточных слоев населения спецпитание для голодающих детей. Прямо сейчас.

Огненные Усы громко прыснул, надувая щеки и брызгая слюной, — и без того узкие глаза его сделались и вовсе крошечными, а усы встопорщились, закрывая пол-лица. Он давился смехом, дергая плечами и мелко тряся бритым черепом; наконец уткнулся сморщенным лицом в кулак с зажатым револьвером да так и замер, слегка постанывая от переполняющих чувств. Лысый же, наоборот, словно и не слышал дерзкую деевскую речь — сидел в кресле, огрузнув, положив могучий подбородок на могучую же грудь и устало прикрыв глаза; необъятная шея его хомутом лежала поверх кителя.

Кажется, оба были нетрезвы.

Меж кресел Деев заметил шахматный столик. Вместо фигур на клетчатой доске стояли хрустальные бокалы, некоторые — полны.

— Да-да, прямо сейчас, — понимающе закивал Баранья Башка. — То есть мы должны сию же минуту оставить наши дела, поднять спящих солдат, вломиться в дом к какому-нибудь мироеду и реквизировать у него для вас дюжину яиц и фунт масла?

— Дюжины будет мало, — ответил Деев. — Яиц нужна хотя бы сотня, а масла — фунтов десять, не меньше.

Не в силах более сдерживаться, Огненные Усы захохотал, запрокинув голову к потолку и обнажая до десен коричневые зубы. Рукой с револьвером пытался утереть проступившие на глазах слезы — оружие вихлялось во все стороны.

— Хвалю-у-у-у-у… — скулил он, заходясь от хохота. — Хвалю наглеца-а-а-а…

— А будить никого не нужно. — Деев старался не смотреть на револьвер, ствол которого плясал так недалеко, указуя то в лицо Деева, то в живот. — И раскулачивать тоже. Нужно просто прийти в дом — вы же знаете к кому, — сейчас прийти, ночью, когда сонные все и не соображают ни черта. Прийти и сказать, чтобы отдавали запасы. Что сейчас наступил самый край. Они вам поверят и послушают — сами всё отдадут.

Снова жахнул выстрел. В углу что-то застонало и задребезжало многоголосо, а Огненные Усы уставился недоуменно на дымящееся оружие: выпущенная им пуля ранила фортепиано.

От грохота очнулся Лысый — немедля вздернул кисть кверху и тоже: жах! И снова дрогнуло рядом с Деевым — еще одна пуля вошла в косяк.

При каждом выстреле желудок Деева сжимался ледяным комом — кажется, сжимался и сам Деев, все более горбясь и скукоживаясь. Заметил, что поднятые руки держит уже не по сторонам, а почти перед лицом — будто защищаясь от пальбы.

— Какой же это край? — невозмутимо продолжал беседу Баранья Башка. — Край будет в декабре, когда зимняя заготкампания начнется. Что нам кулачье зимой сдавать будет, если мы их сейчас выпотрошим?

— Да вы же их знаете! — Деев изо всех сил напрягал спину, чтобы не согнуться крючком перед хозяевами, и оттого голос его звучал сдавленно, как простуженный. — Через пару месяцев тайники и схроны опять битком набьются. Кулак — он живучий, он же едой обрастает, словно зверье шерстью: сколько ни брей, все равно лохматый.

— Послушайте, откуда вы такой взялись? — Заинтересованный разговором, Баранья Башка даже привстал с кушетки, чтобы лучше разглядеть окутанного клубами дыма гостя. — Нахальный, настырный и всё про всё знаете!

— Отсюда, из-под Свияжска — я здесь воевал.

Дееву почудилось, что револьверные стволы опять глядят на него двумя черными дырами, — но нет: это Лысый, приподняв складки набрякших век, вперился в Деева немигающим взглядом. Грузное лицо Лысого было неподвижно как булыжник и столь же гладко: ни единого волоска не имелось на пористой коже, ни даже бровей или ресниц. На крупнобугорчатой лысине блестел пот. Очень медленно Лысый вложил оружие в кобуру (попал не вмиг, а со второго-третьего раза); упершись в подлокотники, под натужный скрип кресла поднял свое большое тело и перенес вес на широко расставленные ноги — да так и застыл, чуть покачиваясь, посреди комнаты. Смотреть продолжал на Деева — безотрывно.

Остальные тотчас засуетились.

— Партия! — непонятно выкрикнул Баранья Башка, распахивая балконную дверь — впуская свежий воздух в помещение. И далее, Дееву: — Товарищ, пересчитайте, пожалуйста! Вам ближе.

Не поняв, чего от него хотят, Деев обернулся растерянно — и обнаружил странную картину: на разбитом пулями дверном косяке от самого верха и до низу английскими булавками были приколоты мухи — обыкновенные серые мухи. От некоторых остались только вмятины в дереве. Некоторые, хотя и пронзенные булавками, все еще были живы и даже подергивали конечностями. Видимо, здесь проходило состязание в меткости.

— Шесть попаданий, — подсчитал Деев, касаясь левого косяка. — А здесь три, — касаясь правого.

Баранья Башка зааплодировал, не то чествуя победителя, не то давая сигнал заканчивать. Огненные Усы, сокрушенно постанывая, цапнул с шахматной доски полный фужер и опрокинул в глотку: судя по всему, он сегодня проиграл. Вернуть посуду на стол не сумел — фужер скользнул из неверной руки и хрястнул на пол, где плясали хороводом потревоженные сквозняком бумаги.

А с улицы уже неслись возбужденные голоса, ржание коней. За дверью, на лестнице, топотали шаги.

— Товарищ начотделения! — настойчиво позвал голос из дверного проема. — Привезли.

Лысый, едва качнув черепом и по-прежнему не отрывая глаз от деевского лица, двинулся к выходу. Движения его были медлительны и тяжелы, как у паровоза в минуту отправления; под сапожищами стонал паркет.

Приблизившись, он обложил огромными лапами деевскую голову и притиснул к ней свою: лоб ко лбу. Дышал горячо и влажно — крепчайшим самогоном: Деева словно в бочку первача окунули. Мясистые губы Лысого открылись, намереваясь что-то произнести, долго шевелились, как пара вытащенных из раковины улиток, и наконец выдавили:

— Когда... воевал... здесь?

— Летом восемнадцатого. — Деев задыхался в объятиях, но говорить старался быстро и внятно. — Оборона Свияжска и освобождение Казани от войск генерала Каппеля.

— Часть?

— Вторая пешая.

— Кто... командовал... армией?

— Войсками правого берега — командарм Славин. Левого — комбриг Юдин.

Воздуха в легких не осталось — одни спиртовые пары. Голова — в тисках железных ладоней, а тиски — все крепче, крепче...

— Кто из них... взял... Казань?

— Из них — никто. Взятием Казани руководил специально прибывший из Москвы наркомвоенмор Троцкий.

Охватившие Деева тиски рванули голову куда-то вверх — земля ушла из-под ног, в глазах плеснуло черным, губы залепило чем-то обжигающим и скользким. Это же скользкое наполнило рот, зашевелилось где-то на нёбе и достигло зева — распирало Деева изнутри, проникая все глубже и не давая вдохнуть. Неужели всё? Кончено? Такая она, смерть?

И вдруг отпустило: ноги нащупали пол, в глазах посветлело — одарив сослуживца долгим и смачным поцелуем дружбы, Лысый ослабил хватку.

— Катера... помнишь?

— Хотел бы забыть — не могу. — Деев едва переводил дух. — Снятся иногда.

Катерами заутюжили в восемнадцатом сорок бойцов-красноармейцев, кто пытался бежать из Свияжска во время боя. По приказу товарища Троцкого расстреляли перед строем — свои же однополчане расстреляли, — а затем сбросили в Волгу и заутюжили в кисель.

— А мне — каждую ночь снятся. — Лысый даже заговорил быстрее, не то размяв губы допросом, не то взбодренный воспоминанием. — И много у тебя детей в эшелоне?

— Пять сотен.

— Что ж так мало просишь?! — Лысый ухватил боевого товарища за плечи и легонько встряхнул — Деева голова едва не хрястнула о косяк. — Да и просишь-то — не так! Не яйца надо просить, а кур. Не молоко, а корову. — Гигантской лапой легонько цопнул деевский чуб и взъерошил, журя, — и вновь голова едва не треснулась о стену. — Детям — ничего не жалко! Детям — всё!

Прощально хлопнул бывшего соратника по плечу и затопал по ступеням вниз — лестница заныла, как от боли. Баранья Башка, окинув Деева внимательным взглядом, скользнул вслед.

— А лекарства есть? — обернулся Лысый на спуске. — Об этом что молчишь? И лекарства дам. Всё дам!.. Завтра утром доставят, к поезду, — донеслось уже снизу. — Жди.

И Дееву бы — за ними, вон отсюда, опрометью. Но не тут-то было: в комнате еще оставался третий хозяин. Огненные Усы, ухмыляясь во всю пасть, протягивал гостю два полных фужера. Поняв, однако, что тот к выпивке не расположен, опрокинул в себя, уронил на пол и, давя башмаками хрустальные осколки, проковылял на балкон. На ногах держался едва — того и гляди выпадет и сломает шею.

Деев только и хотел не дать человеку пропасть: тоже выскочил на балкон, чтобы успеть ухватить пьяного за полу. А тот уже и сам Деева ухватил, револьвер ему под ребра сует — глубоко, до самых печенок.

— Откуда вы знали, что начальник отделения — ваш сослуживец? — шепчет в ухо. — Вы же только что прибыли.

Деев не мог вспомнить, успел ли Огненные Усы зарядить оружие. Может, и успел — и зарядить, и курок взвести.

— Я не знал, — честно признался он.

Дуло, кажется, раздвинуло кишки и уперлось в хребет — вот-вот проткнет насквозь. Больно — не продохнуть.

— То есть вы просто так, в чужом городе, явились в ЧК и потребовали масла с яйцами?

А глаза-то у дознавателя трезвые совершенно.

— Да, именно так.

— Подождите-подождите… Ну а если бы не оказалось тут вашего товарища по фронту? Или если бы он не поверил вам? Или если бы не растрогался и не согласился дать что нужно? Тогда — что?

— Я бы не ушел, пока не дали, — снова честно признался Деев.

Твердый ствол отстраняется от него — и вновь можно дышать.

— Ну вы и хват! — хохочет восхищенно Огненные Усы; черты лица его стремительно мягчеют и оплывают, взгляд опять заволакивает пьяной дымкой. — Удивительно, что вы всего лишь командуете эшелоном, — это с вашим-то характером!

— Так это я для других только хват.

— А для себя? — подначивает Огненные Усы и, пошатнувшись, таки едва не падает за перила.

— А для себя мне ничего не нужно! — Деев успел подхватить пьяного, но тот уже и вовсе не стоит на ногах: оседает, стекает на пол и, прислонившись плечами к балконной ограде, просовывает бритый череп наружу.

— Слушайте, а идите работать к нам в ЧК? — слышен из-за перил его заплетающийся голос. — Нам нужны такие как вы…

А внизу перед зданием — телега с людьми, все раздеты до исподнего, со связанными руками. Солдаты-конвоиры — со штыками. В темноте поет-звенит пронзительный комариный писк — женские всхлипы и вздохи, — но самих плачущих не видно. Зато гладкое темечко Лысого видно прекрасно — блестит в лунном свете, как намащённое. Лысый стоит на крыльце и наблюдает за разгрузкой обоза.

— Работы-то много! — сокрушается Огненные Усы, покачивая торчащей с балкона головой. — Ох как много…

Затем его рвет, обильно и долго.

Облегчив желудок, нащупывает рядом с собой оброненный револьвер, вставляет ствол меж зубов, нажимает спуск — сухой щелчок: барабан — пуст.

— Все на мух расстрелял… — шепчет огорченно, вбирая голову обратно и поднимаясь на ноги. — На мух, а?! — уже не бормочет, а кричит с веселой злостью. — На мух!

Сует оружие за ремень. Выбивает хлопками запылившиеся брюки, отряхивает грязь с колен и ладоней, приглаживает пятерней бритую макушку. Заключает мрачно:

— Ничто меня не берет — ни водка, ни пуля.

И, окончательно позабыв про Деева, идет вон — стремительным и ровным шагом.

Кэшелону Деев вернулся уже за полночь. Голова была тяжелая, словно камнями набита. Неудержимо клонило присесть или прислониться к чему-либо, но Деев понимал — нельзя: остановись на мгновение — и провалишься в сон.

“Гирлянда” стояла на путях беззвучная и темная, с погашенными окнами, и только в штабном надрывался осипший Кукушонок. Его баюкала Фатима: тянула песню — ту самую колыбельную, что пела еще в Казани, — а в перерывах между куплетами увещевала и журила нежно. Называла младенца почему-то Искандером.

Деев постучал в комиссарское купе — негромко, опасаясь разбудить Белую и одновременно надеясь застать бодрствующей, — но там никого не было. Прошел по всему поезду, от начала и до конца, проглядел все отсеки со спящей ребятней — и обнаружил комиссара в самом хвосте: Белая и Буг, сидя на вагонной площадке и прихлебывая кипяток, не то вели малословную беседу, не то молчали.

Лазарет был отцеплен от состава: жгуты и цепи, соединявшие его с предыдущим вагоном, лежали на земле.

— Спелись, да? — Деевские губы едва шевелились от усталости, и голос прозвучал сипло, как у больного.

— Вы отстранены от командования, — сухо произнесла Белая, не удивившись его возникновению из ночной темноты. — Дальше эшелон поведу я. Лазарет с лежачими остается на станции, вместе с фельдшером, — ждать обратного паровоза в Казань. Вам предписываю также вернуться в Казань. А по пути составить объяснительную с описанием причин совершённого должностного преступления.

Слова, слова — они сливались в тугое гудящее облако, что наплывало на Деева и лезло в уши, обволакивало мозг.

— Отправиться в многодневный путь без продуктового фонда — такого в моей жизни еще не было, — продолжало гудеть облако голосом Белой. — Обещаю, что буду лично ходатайствовать о максимально строгом наказании для вас.

— Не будешь, — только и хватило сил сказать. — Утром приедет спецпитание.

— Бог пошлет?

Ни угрозы, ни язвительный тон уже не могли пробить нахлынувшее изнеможение — у Деева не было сил ни оправдываться, ни возражать. Лишь поднял с земли сброшенные сцепки и накинул обратно на тарели — примотал-таки лазарет к эшелону. Вот так.

А когда Буг с Белой привстали со своих мест, намереваясь поспорить, выставил из кармана револьвер — единственный и последний аргумент. Вот так.

— Спокойной ночи, — выдавил.

— Отягощаете вину вооруженным сопротивлением.

— Спокойной ночи, — повторил негромко и прислонился спиной к скрепленным тарелям, всем своим видом показывая: с места не сойду.

И не сошел. Комиссар с фельдшером скоро разошлись, решив отложить разборки до утра. А Деев остался — сторожить сцепки.

Можно было присесть на шпалы и покемарить, или прикорнуть на вагонных ступенях, или даже вернуться в купе и поспать пару часов до рассвета — никуда бы он не делся в ночи, этот лазарет. Но Деев стоял, упрямо подпирая тарели, — хребтом ощущая овивающие их канаты и цепи, — как врос.

Кажется, иногда он подремывал. Но дремота была вязкая, тяжелая — не облегчала, а крепила усталость. Каждый раз вытягивал себя изо сна, как за волосы тащил. Все мерещилось, что трогается поезд и уезжает, оставляя на станции Деева и лазарет со спящими больными. Или что тянут лазаретный вагон обратно в Казань, а с ним и прилепившегося Деева, — и все дома, и столбы, и деревья плывут мимо, возвращая странников к исходу…

Да мерещилось ли? А ведь и правда — плыло вдоль эшелона дерево, огромное, в желто-зеленых листьях. И престранно плыло — не стоймя, как положено деревьям, а лежа, словно качаясь на волнах предрассветного тумана; раскидистые сучья царапали землю и скрежетали противно по вагонным стеклам. Бред, бред! Он тряс мутной от бессонницы головой, но дерево не исчезало, а становилось все явственнее. Длинная ветка протянулась к Дееву и огладила по лицу. На ветке дрожали зеленые плоды: яблоня.

Ошалевший от столь ясного видения, он выскочил на перрон. Дерево, срубленное под самый корень, вез автомобиль: ствол придерживали сидящие в кузове солдаты, а крона волоклась по земле. Заря едва брезжила в небе, но уже и в скудной утренней мгле было видно: яблок — немерено.

— Собрать не успели, так привезли, — извинился Баранья Башка, выпрыгивая из авто. — Куда продукты сгружать?

Не находя слов от изумления, Деев указал рукой на полевую кухню — и солдаты лихо взметнули яблоню на крышу, чем-то привязали: кухонька почти исчезла под сенью могучего растения.

Сонные дети наблюдали за операцией, припав носами к окнам, все до единого — с раззявленными ртами. Взрослые высыпали на улицу и окружили авто, но заговорить с чекистами не решались — так и стояли молча, остолбенело, наблюдая за разгрузкой даров.

Кроме яблок привезено было несколько объемистых мешков, набитых столь туго, что содержимое их перемешалось: картошка с брусками сала, овес в разбитых яйцах, а сушеные ягоды облепили воблу. И это закинули к Мемеле. В другом увесистом мешке странно звенело; заглянув, Деев обнаружил груду фаянсовых осколков — куски расписных чашек и блюдец; видно, в мешок смахнули чайный сервиз, а то и пару. И это к Мемеле, потом разберемся. А еще приехали корзины с квочками: куры сидели в плетенках плотно — не пошевелиться, некоторые чуть не задохнулись по дороге и едва дышали. И этих к Мемеле! И бутыль молока — туда же! И кринки со сметаной...

— Как вы это делаете? — спросила Белая, когда автомобиль чекистов покинул станцию и исчез в клубах тумана.

— Не знаю, — пожал плечами Деев. — Повезло.

— Товарищ начэшелона! — прибежал наблюдавший издалека машинист. — Даешь команду раскочегаривать машину?

— Даю, — кивнул Деев. — И не жалей угля. Смотри у меня, чтобы птицами летели!

И они полетели — через пару часов, когда паровоз был разогрет, а дети накормлены густым киселем из отрубей с яблоками. Лежачим был дан гоголь-моголь — пара глотков молока, взбитого с яйцом и щепоткой муки каждому.

Деев этого не видел — уже спал в своем купе, уткнувшись носом в цветочную обивку, не сняв бушлата и не скинув башмаков. Рука и нога свесились к полу, в бедро уперся спрятанный в кармане револьвер, грудь кололи диванные пружины — и было ему хорошо. Сон его был сладким и легким — но порой прерывался нечаянной мыслью или звуком: то станет жаль, что среди подарков не оказалось меда для Пчелки, то охватит беспокойство, что скиснет быстро молоко...

В штабном было тихо: малышня сыта, и даже Кукушонок умолк, накормленный. А Фатима отчего-то продолжала петь, и Дееву было приятно, словно пела она для него. Голос доносился из коридора еле слышно, но приподняться и раскрыть купейную дверь сил не было — так и плыл по сонным волнам, ведомый ласковыми звуками, то погружаясь в дрему, то выныривая.

Мужские имена — зола, кроме твоего.
Мужские лица — рябь на воде.
Мужские голоса — ветер в горах,
Кроме одного — твоего, Искандер.

Кто был ей тот Искандер? Сын? Муж? Возлюбленный? Колыбельная была материнская, но в тихом голосе поющей звучала такая страсть, что Деев поверил бы в любое объяснение.

Будто и колеса теперь стучали по-иному: *ис-кан-дер... ис-кан-дер...* И пар из клапанов шел с особым свистом: *ис-с-с-с-с!..* И вопил истошно гудок: *исканде-э-э-э-эр!*

Не надо мне дочерей — ни одной и ни дюжины.
И других сыновей — не хочу.
Нет места для них — ни в сердце, ни в голове.
Все наполнено тобой,
Как наполнено водой морское дно.

Эшелон летел по черному лесу, рассекая туманные облака и изрыгая такие же. Утренняя влага ложилась на железные бока вагонов, каплями ползла по стеклам, умывая и сами окна, и светящиеся в них детские лица.

На крыше полевой кухни среди могучих яблоневых ветвей сидел Мемеля и собирал яблоки. Он уже заполнил плодами все порожние мешки и корзины — яблоки все не кончались. Это нежданное изобилие заставляло его часто смеяться, жмурясь и ловя губами встречный ветер. А в перерывах веселья сострадание к погубленному дереву велело плакать, и гладить шершавую кору, и шептать извинения.

Я бы выклевала звезды с неба и проглотила солнце —
Лишь бы не наступило утро расставания.
Но тебя заставить спать вечно — не могу.
А потому — спи и просыпайся,
Просыпайся мужчиной.

В самом конце состава на вагонной площадке стоял фельдшер Буг и смотрел на утекающие вдаль рельсы и шпалы. И сосны утекали от него, и березы, и поросли малины по краям железной дороги, и тропы, и овраги, и куски серого неба в лужах — утекало всё. За его спиной в лазаретных глубинах ждали дети; и белый халат ждал — вновь вынутый из чемодана и аккуратно разложенный на топчане. И надо было идти туда, конечно, и надевать халат, и быть при детях — но так свежо и нежно было это утро и так зыбок мир, окутанный туманом, что Буг продолжал стоять.

Я — птица, утонувшая в морских волнах.
Я — звезда, упавшая в колодец.
Я — рыба, ползущая по песку.
Вот кто я без тебя, мой возлюбленный сын.

В штабном — в самом его дальнем углу, на нарах, за ситцевой занавеской — лежала Фатима. Лежала не одна — у груди ее вольготно раскинулся спящий младенец. Из его приоткрытого и будто улыбающегося рта катилась по щеке светлая струйка — сытая отрыжка. Женщина свернулась вокруг ребенка — завернулась одеялом, обернулась коконом — и пела свою бесконечную колыбельную. В паузах между строф прижималась к младенческой макушке — целовала и ее, и детские виски, и лоб — горячо и часто.

"Спи, мой мальчик, — увещевала Фатима. — Спи и просыпайся мужчиной…"

Деев послушно спал.

✦

Блеклое октябрьское солнце еще не достигло зенита, а Деев уже поднялся на ноги. Тело побаливало от бессонницы, и голова была несвежа, но знал — скоро организм разойдется и забудет про усталость. Спать было некогда: обещал Белой хлопотать вдвоем — исполняй.

В купе комиссара уже не было, и он хотел было искать ее по составу, но что-то в обиталище Белой толкнуло войти и оглядеться внимательно. Впервые Деев рассматривал соседнее купе при свете дня и ничего особенного в нем не нашел: диван был широк, приоконный столик полирован, а занавески — бархатны. Лишь пару мгновений спустя понял, отчего застыл в недоумении: здесь не было цветов-лепестков. Помещение было отделано мореным дубом и тканями бордовых тонов — ни тебе бахромы на портьерах, ни росписи на потолке, ни канделябров с завитушками. Очевидно, Дееву досталось женское купе, а комиссару — мужское. Крякнул он, а ничего не попишешь — не заводить же спор из-за эдакой ерунды.

✦

Нашел Белую в кухонном отсеке — осматривала хозяйство. Говорить ничего не стал, присоединился к инспекции молча; лицо при этом смастерил посерьезнее, чтобы с первого взгляда было ясно, кто тут начальствует. Разбредшиеся по вагону куры лупили на Деева круглые зенки и с квохтаньем шарахались в стороны.

— Кур с кухни убрать, — командовала Белая. — Разместить в штабном, в отсеках отопления. Из яблоневых сучьев срубить насесты. Корзины набить соломой и устроить гнезда. Загаженные птицей полы выскрести песком.

Каждую фразу повторяла по нескольку раз. Для ясности втыкала палец во все называемые предметы, а в паузах между указаниями посылала Мемеле выразительные взгляды. Тот, дрожа от усердия подбородком, бросался тотчас исполнять каждый приказ, но доделать начатое не успевал: команды сыпались на нечесаную голову повара одна за другой, и он крутился волчком по тесному кухонному пространству, едва не падая с ног от рвения.

— Форменные колпак и фартук отстирать до белизны. И шею поварскую отмыть! И грязь из-под ногтей!

Не справится дурачок, размышлял Деев. Забудет, перепутает: вместо фартука выстирает кур, а колпак набьет соломой… Но сомневался зря: еще до полудня печные чуланы штабного вагона — два закутка, в которых размещались батарейные печи и дрова, — превратились в птичники. Несушки расселись по яблоневым веткам — во много ярусов, от пола и до потолка, облепили теплые печи и дровницы; некоторые норовили забраться повыше или выглянуть в окна — срывались и шлепались на пол; штабной наполнился кудахтаньем и птичьими криками. Любопытная малышня попыталась было подружиться с курами, но птиц заперли на ключ — не столько от малолеток, сколько от взрослого пацанья, что наверняка захочет разжиться свежим яичком.

И форма поварская была скоро выстирана, и отмыты кухонные полы. Оставшийся после сооружения курятника яблоневый ствол порублен на дрова. Все дары свияжских чекистов подвергнуты учету: ни письму, ни счету Мемеля обучен не был, а потому по совету комиссара нацарапал мелом на дощатых стенах изображения продуктов — яиц, кринок со сметаной, кружек с крупой — и напротив каждого рисунка старательно изобразил количество палками, так что кухонька теперь напоминала несколько пещеру, расписанную древним человеком.

Следовало признать: Белая нашла подход к бестолочи-поваренку — гораздо лучше, чем начальник эшелона. Когда комиссар с Мемелей принялись обсуждать ужинное меню (при наличии продуктов решено было кормить пассажиров щедро — дважды в день, утром и вечером), Деев хотел вмешаться в разговор, но не стал: невелика важность — о баланде толковать. Справляется комиссар — и хорошо, пусть.

А справлялась та умело. Спецпитание для лежачих велела таскать в лазарет лишь после того, как будут накормлены пассажирские вагоны, и только в ведре с плотно закрытой крышкой — чтобы запахи не возбуждали ненужные толки и зависть. О любом, кто осмелится сунуть нос на кухню вопреки комиссарскому запрету, докладывать немедля; нарушителя ждало наказание голодом. Беременной девочке назначила двойной паек.

Разобравшись с кухней, отправились по вагонам. Этот обход — вопреки вчерашнему — Белая вела тихо, стараясь не мешать протекающей в составе жизни: заговаривала только с сестрами, по возможности вызывая их в тамбур или уединяясь в печном закутке. Указаний раздавала много, но также и расспрашивала, слушала. Слушал и Деев — мотал на ус.

Определили график влажной уборки жилых отсеков и отхожих мест — не реже одного раза в сутки. Ведро для мытья полов имелось одно на всех — договорились использовать его по очереди, передавая из вагона в вагон. Отдельного же помойного ведра в эшелоне не было, и из гигиенических соображений решено было употребить для уборки сортиров небольшую церковную купель, обнаруженную в закромах лазарета, — позеленелую от времени, лишенную подножия и основательно мятую, но без дыр.

Надежды организовать в дороге баню не было (такую роскошь не всегда могли себе позволить даже оседлые детские учреждения), а вот на стирку и дезинфекцию белья где-нибудь под Арзамасом или Оренбургом Деев очень даже рассчитывал. Значит, следовало подготовить рубахи — вышить на каждой порядковый номер. А низкорослым детям не мешало бы подрубить исподнее, чтобы не волоклось по земле и не ветшало. Это все поручили бывшей портнихе, у которой имелась пара катушек с нитками и иголка — единственная на эшелон. Саму иглу — как большую и общественно значимую ценность — решено было хранить воткнутой в обрывок тряпки; обрывок содержался в пустой латунной гильзе, а гильза — в истертой коробке из-под пороха.

Библиотекарше, прихватившей с собой в дорогу томик Лермонтова, определили вечерами устраивать по вагонам часы чтения. Пролистнув затрепанную книжонку, Деев не нашел в ней ничего дельного — сплошные лобзания и вздохи, — но и контрреволюции не обнаружил. Впрочем, выбора не было: книжка в эшелоне тоже единственная. Пусть дети слушают, разрешил Деев. Крепче будут спать.

Чиновничья вдова очень кстати вызвалась ежедневно устраивать уроки хорового пения — идею одобрили. Не мешало было бы занять детей еще чем-нибудь — ручным трудом или политическим просвещением, — чтобы меньше маялись от безделья, но за неимением педагогических работников ограничились поэзией и музыкой.

Крестьянка, также желая быть полезной, предложила пошептать над каждым ребенком заговор на сохранение здоровья, однако эту инициативу Деев с комиссаром отклонили.

— Не заговоры больным нужны, а мясо, — вздохнул Буг, когда ему рассказали про шептунью. — Для воссоздания утраченных телесных сил детям необходим белок.

— Вопрос к начальнику эшелона, — усмехнулась Белая. — Он у нас за чудеса ответственный.

— Вот пусть вам знахарка мяса и наколдует! — вспыхнул Деев. — И меда бочку. И мануфактуры на платье заодно. И чтобы завтра же очутились в Самарканде — сытые, одетые и здоровые!

Но огрызался и сам уже понимал: зря. За сутки пути лежачие из тихих сделались и вовсе бесшумны: на нарах — ни звука, ни вздоха, ни самого мелкого движения. Вагон покачивало и потряхивало на ходу, и плоские тела детей в одеялах из мешковины также слегка покачивало и потряхивало — словно лежали в мешках не человеческие организмы, а куски картона. Деев наклонился к одному изголовью — дыхания не слышно.

— После завтрака устали, спят, — объяснил фельдшер. — Им чашку гоголь-моголя переварить — как нам с вами поле вспахать.

А комиссар спокойно окинула глазами нары, ни на ком не задержавши взгляд, и по тому, как быстро перевела разговор на проблемы здоровых детей, Деев понял: для Белой лежачие — уже не живые.

Обсудили, какие дары достались лазарету от щедрот свияжского ЧК: среди корзин и свертков с провизией обнаружилась также объемистая торба с лекарствами. Фельдшер докладывал о подарке, то хмурясь, то не в силах сдержать ухмылку — содержимое торбы напоминало украденное в спешке вором-недотепой: пилюли, мази и инструменты самого разного свойства лежали вперемешку; колбы побились, хрупкие фармацевтические весы погнулись, а травные сборы высыпались из кульков, образуя совершенную мешанину. И если каким-то средствам еще можно было найти применение (свечи против геморроя использовать для смазывания пролежней, к примеру), то некоторые препараты оказались полностью бесполезны — как бальзам для ухода за усами или вакцина от бешенства. Похоже, в торбу попросту сгребли все, что обнаружили на аптечном прилавке, — не разбирая и не особо заботясь о сохранности. Включая чьи-то поношенные очки, пачку чистых лекарственных этикеток и аптекарские нарукавники. Самым странным предметом оказался человеческий череп — крепкий, бело-желтый, с иноземной этикеткой *"Broeninger-Apotheke. Hamburg"* на внутренней стороне затылка. Череп Деев приказал выкинуть, а этикетки оставить — какая ни есть, а бумага.

Оговорили, как защитить полученные богатства от набегов любопытствующих: Белая предупредила, что совсем скоро — возможно, уже сегодня во время медосмотра — пацаны из пассажирских вагонов улизнут из-под опеки воспитателей и заявятся в лазарет пошнырять-пошукать. Было решено, что на время обхода сюда будет приходить дежурить одна из сестер — охранять имущество.

Еще предупредила Белая, что непременно объявятся в составе симулянты — начнут корчиться в муках и изображать различные недуги, имея целью исключительно лечь на больничную койку и отведать лазаретного пайка, поэтому верить судорогам и коликам не стоит, а только неоспоримому проявлению болезней: сыпи, жару и прочим явственным признакам…

Как генерал перед сражением, Белая стремилась предусмотреть все маневры противника и терпеливо наставляла подчиненных. И седовласый фельдшер, и сестры, и дурачок Мемеля — все признавали ее главенство. Да что там! Даже Деев, проведя с ней последние сутки, готов был согласиться: сама баба — язва, стерва и змея, а комиссар из нее — лучше не сыщешь.

Один только имелся в ней изъян, с которым Деев не хотел и не мог смириться: вся ее энергия, умения и умственные силы были — для здоровых детей. Для тех, кто наверняка доберется до конечного пункта, а значит, вложенные старания не пропадут зря, как не пропадут деньги расчетливого капиталиста, вложенные в надежный банк. Лежачим же от комиссара — ни взгляда внимательного, ни мысли заботливой, ничего. Равнодушием или душевной скупостью это назвать было никак нельзя — пожалуй, впервые в жизни Деев наблюдал человека, столь страстного в работе. Тогда как это можно назвать?

— Я достану мяса, — сказал он уже на выходе из лазарета.

Не фельдшеру сказал и не комиссару — себе.

— После того, что случилось утром, я вам почти верю, — отозвалась Белая.

И в голосе ее не было насмешки.

У Тюрлемы, аккурат на заправке водой, локомотив забастовал — и машинист засуетился вокруг замершего на путях паровика с перекошенным от дурного предчувствия лицом. Полетел вестовой клапан, его требовалось пришабрить — работа несложная, но кропотливая и требующая времени.

Машинист забрался под будку, бормоча ругательства, а Деев жахнул с досады кулаком о паровозный бок: задержка была некстати — до ночи могли бы еще полсотни верст пройти! И застыдился тотчас, огладил машину примирительно. Ударить паровоз — хуже, чем собаку пнуть: животное может огрызнуться или куснуть в ответ, а машина — нет.

Скоро у "гирлянды" образовались люди: мешочники с бурыми от многодневной пыли рожами, беженцы с баулами, всякая беспризорная братия. Не просили ни о чем, не нагличали — просто расселись в отдалении, вытянули шеи, таращили с мольбой глаза: а не найдете ли хоть малость еды? А не возьмете ли с собой хоть на перегон? Подобная картина непременно возникала на любой станции, где эшелон останавливался более чем на четверть часа: паровозов на чугунке было мало, а кочующих по стране — тьма.

Мемеле строго-настрого приказано было не покидать кухню во время стоянок; даже открывать свой набитый мешками и благоухающий яблоками вагончик запрещено. Во избежание всяких недоразумений у кухонной двери всегда лежали топор и острая рогатина, которую поваренок сам и смастерил, а в кармане имелся выданный Деевым железнодорожный свисток (свиристел так пронзительно, что у детей уши закладывало). В опасной ситуации кашевару полагалось драться с нападающими насмерть и свистеть, призывая подмогу — начальника эшелона и фельдшера.

Оглядев собравшихся у эшелона и не увидев среди них отъявленных бандитов, Деев отправился побродить по станции. Мысль о мясе гвоздем сидела в мозгу. А еще — о молоке: прокипяченные полведра стояли в самом прохладном углу кухоньки и предназначались исключительно для Кукушонка, но ясно было, что скоро скиснут — дня через два или три, но скиснут непременно. И что потом? Опять в ЧК на поклон идти? Во второй раз могло и не повезти, как в первый. А могло и вовсе не повезти — да так крепко, по-настоящему, что и представлять не хотелось.

Тюрлема полнилась людьми, словно и не деревенька лежала позади остановочной платформы, а целый город: куда ни посмотри — татарские халаты, русские тулупы, киргизские чапаны — рваные, темные от дождя и грязи, меж собой едва различимые. И лица едва различимые: серые, голодные, злые. Кто спит, кто бдит, кто молится тоскливо, разложив молельный коврик на земле. Марийки сидят на тюках, раскинув поверху широкие юбки, как солохи на самоварах, и отгоняя от себя уличное пацанье, — огольцы, черные от солнца и паршивые донельзя, слоняются по станции голодной стаей. Босой башкир тащит арбу с голыми детьми — те прижимаются друг к другу и прикрываются обломками досок. А вокруг Тюрлемы и заполонивших ее усталых людей — огромное стадо повозок и дымки костров: беженцы добрались до железной дороги, разбили лагеря и ожидают счастливого случая — посадки на попутный поезд. Путь у всех один — на запад, к столице.

Нет, искать на станции мясо было делом безнадежным — здесь поедено было все и наверняка: кошки с собаками, суслики, саранча в степи. Только вот насчет молока появилась у Деева одна мыслишка…

Он прошелся по деревянному перрону — не нашел, что искал. Оглядел все скамейки станционного сквера — и там не нашел. А заглянул в домик ожидания — и обнаружил: баба, дебелая и рыхлая как стог, с молодым еще и гладким лицом; спереди топорщатся могучие груди, позади переметный мешок, на руках — сверток с младенцем. Сидит угрюмо меж людей и качает молчащее дитя — монотонно, будто зерно толчет; не озирается, не выглядывает никого — видно, странствует без мужа.

Насупил Деев брови построже, плечи пошире развернул. Подошел к женщине и встал рядом — как стеной навис:

— Куда следуешь, гражданочка?

— До Москвы, — обмерла та.

Глаза ее забегали по деевскому форменному бушлату, по галифе и армейским башмакам — округлились от испуга. Затрясла губами, а сказать ничего не может и бледнеет стремительно — словно стирают с лица все краски.

— Пройдем-ка! — Деев кивнул и не оборачиваясь направился к выходу.

Баба затрепыхалась следом.

— Гражданин контролер... — В дрожащем голосе ее явно слышались подступающие слезы. — Гражданин вокзальный начальник... Гражданин чекист...

Прошли через платформу, прохрустели по щебенке через путаницу стальных путей — и только на задворках станции, за стоящим одиноко вагоном, Деев опять повернулся к женщине. Бледная, с трясущимися щеками и ресницами, она смотрела на него покорно и с мольбой — словно корова на бойне.

— Титьку покажи, — приказал Деев сурово.

— М-м-м? — только и смогла промычать от страха и недоумения.

— Ну?!

Выкатив донельзя ошалевшие глаза — того и гляди выпадут! — баба переложила кулек с младенцем в одну руку, другой распахнула меховую тужурку, залезла в створ платья и вытащила на свет грудь — круглую и пышную, как каравай, усыпанную веснушками, в буграх голубых вен. На Деева уставился алый сосок размером со сливу, на кончике тотчас набухла и задрожала белая капля. Указательным пальцем Деев подхватил каплю и отправил в рот — на языке стало сладко и жирно.

— Вторую, — приказал он.

Баба достала вторую грудь.

Снял пробу и удовлетворенно кивнул: годное молоко.

— Довезу тебя до Арзамаса, — это он уже по дороге бабе рассказывал, шагая к "гирлянде". — Взамен будешь кормить мое дитя. Сначала давать титьку моему — чтобы от пуза наедался, до отрыжки и сонных глаз, — и только потом своему. Хоть раз увижу, что недокормила моего или своего вперед пустила, — ссажу. Поняла?

Баба семенила вслед, благодарно мотая головой и слегка задыхаясь — не то от быстрой ходьбы, не то от нежданной удачи.

— А если дитя не возьмет? — затревожилась, уже залезая в штабной вагон.

— Кого не возьмет? — не понял Деев.

— Титьку мою — если не возьмет?

— Ну, тогда и я тебя не возьму!

Но Кукушонок грудь взял. Изголодавшийся по женскому молоку, он впился в бабий сосок, едва уместив его во рту, и остервенело заработал щеками. Торопливые глотки́ его были громкие, со стоном; молоко пузырилось и текло по младенческому подбородку. Изредка, захлебнувшись, рычал с досады и еще крепче вцеплялся в нависший над ним источник пищи.

Осторожно, не мешая Кукушонку насыщаться, баба высвободила и вторую грудь — приложила своего ребенка. Так и сидела — раскинув на стороны полные свои руки, как два крыла: в каждой — по младенцу. Могучие груди светились в полутьме вагона, лицо сияло блаженно и царственно.

Деев стоял рядом, не в силах оторвать взгляд от женщины, и чувствовал кислый хлебный запах ее тела. Думал было попенять ей, что рано начала кормить свое дитя, — но так огромны были ее телеса и так щедро дарили пищу сосункам, что сдержался.

И комиссар стояла рядом и смотрела — от этого было и неловко, и душу трогало: Деев и стыдился (за себя? за бесстыжую бабу?), и хотел бы продлить эту минуту, словно превращала она его с Белой в соучастников чего-то важного и сокровенного.

А Фатима не смотрела: едва поняв, что Деев нашел кормилицу, отошла к дальнему окну вагона и замерла с безучастным лицом — пережидая, пока ее Искандер поест. Затем забрала у бабы отяжелевшего, сонного младенца — и не спускала с рук до самого вечера…

И колыбельную этой ночью — не пела. Деев, привыкший засыпать под ее ласковый голос, долго вертелся на диване, пытаясь успокоиться. И паровоз уже был починен, чтобы спозаранку отправиться в путь, и дети накормлены, и пополнены запасы угля. Но — не спалось. Стоило прикрыть веки, как перед глазами вырастала огромная баба: нагая, вся составленная из пышных складок и могучих холмов, истекающая жирным молоком.

Проворочавшись час или два и измученный упорными фантазиями, Деев запалил керосиновую лампу и отправился искать Фатиму, чтобы просить ее спеть. Пробрался по спящему вагону к ее нарам, отгороженным занавеской, поскребся тихо о строганое дерево. Не услышав ответа, приоткрыл завесу.

Фатима спала, свернувшись вокруг Кукушонка. Ворот платья ее был расстегнут, и младенец жевал пустую грудь, как соску, — при каждом движении крошечных челюстей кожа тянулась и морщинилась. Устав сосать, Кукушонок выплюнул сосок — серый и бесформенный, похожий на комок шерсти, — и забылся сном.

Деев опустил занавеску и, стараясь ступать бесшумно, пошел прочь, в свое купе.

———

Нет, заснуть после такого было решительно невозможно!

Он ворочался на диванных пружинах, то вскакивая и решая прогуляться по верхам эшелона (но снаружи лил дождь), то укладывая себя обратно и заставляя лежать бревном, — но уже через минуту обнаруживал себя опять на ногах. И все казалось Дееву, что за стенкой, в соседнем купе, тоже не спят — мерещились тихие звуки, проблески света под дверью. Представил, что комиссар строчит в блокноте. Или прилегла подумать, распустив для удобства ремень и прислонившись к стене. А стенка-то — тонкая, чуть не фанерная; значит, лежат их с комиссаром тела так близко, как никогда еще Деев с женщиной не лежал… Вовсе стало невмоготу.

Встал и постучал осторожно: не спишь?

— Сами знаете — открыто, — ответила бодрым голосом.

Он раздвинул гармошку — а в комиссарском купе темнота, хоть глаз выколи. Слышно только дыхание Белой — оттуда, где диван. Замер Деев на пороге, не смея войти и не понимая, что делать дальше.

— Поговорить захотелось?

Деев кивнул. Понял запоздало — кивки в темноте не видны; но молчание его уже так затянулось, что отвечать было глупо; решил просто кашлянуть в ответ, серьезно и со значением.

— Говорите тогда, — потребовала строго.

И вовсе смешался Деев. О чем с ней было говорить, с гордячкой? О том, что провизии в кухонном отсеке хоть и стало больше после Свияжска, а все равно небогато? Что лежачие слабнут с каждым часом? Что даже Деев, с его изворотливым умом и азартностью, не умеет придумать, где добыть для больных мяса?

Струи дождя ударяли часто в металлическую крышу вагона и в стёкла — дождь нарастал.

— Ну расскажите что-нибудь про себя, в конце концов. — Белая зашевелилась, видимо, приподнимаясь на локтях.

А что ей было рассказывать? Что одолевает его маета — и разум, и тело не знают покоя уже которые сутки? И гложет что-то — большое, сильное, от чего не может он смотреть спокойно ни на Белую, ни на Фатиму, ни на кормилицу? Что не может больше спать, а только перемогается дремотой, и оттого мысли его сделались острее, а характер — дурнее?

— Ладно. — Комиссар поворохалась еще немного, видно, устраиваясь поудобнее. — Раз не знаете, о чем говорить, расскажите мне, Деев, что вы делать будете, когда коммунизм наступит?

Вот так спросила! Сразу — и о самом заветном. Можно было придумать что-то красивое и отбрехаться, соврать. Но — не захотелось мараться. Деев присел на свой диван, вдохнул поглубже и честно ответил в темноту:

— Женюсь.

— Всего-то?

— Так я не просто женюсь, — обиделся Деев. — Я — на персиянке. Привезу ее из этой самой Персии, скину паранджу — вот, скажу, будь свободна! И забудь навсегда про свое феодальное прошлое.

— Зачем же так далеко ехать? В советском Туркестане девушек в парандже — миллионы, если уж вам непременно понадобилась восточная жена.

Проем гармошки был широк, и Деев отчетливо слышал каждое слово Белой, словно находились они в одном купе, а не в соседних. И шорох ее одежды, и малейший скрип дивана различал. И даже то, что на последних словах она улыбнулась.

— Так они же и без меня уже — свободные! Зачем я им сдался? Пока мы до коммунизма доживем, они про паранджу эту средневековую и думать забудут!

— А вам, значит, непременно нужно быть героем — освободителем и спасителем? Думаете, без этого вас никто не полюбит?

Ох, язва сибирская! Он ей — душу наизнанку. А она в эту душу — желчью.

— Не любят вас женщины, а, Деев? Вы их любите, а они вас — нет.

И хотел бы возразить — пусть не вслух, а только в мыслях, — да нечем. Не было в жизни у Деева женщин. Ни матери не было, ни сестер или теток. Полюбовниц — и подавно. Когда-то были жены мастеров из паровозного депо — летом, принеся мужьям обеды, они купались в затоне, а маленький Деев прятался и наблюдал круглые их тела из-за камышовых зарослей. Потом была проститутка с Мокрой улицы в Казани, куда наведывался уже юношей, — добрая, старая и бородавчатая, она ласково звала его кочерыженькой за мелкий рост и общую неказистость. А потом была — война. Вот и все его женщины.

— Ну а ты сама? — разгорячился Деев. — Скажи, Белая, ты сама-то хоть раз — любила мужчину? По-настоящему чтобы, до боли в животе… — Хотелось забежать к ней, запалить керосинку и поднести поближе к надменному комиссарскому лицу, заглянуть в глаза. — Ну хоть немного, хоть несколько денечков — любила?

На ответ не надеялся — думал, расхохочется или насмешничать станет. И вдруг:

— Да, — говорит (спокойно и серьезно говорит, и ясно по голосу: не врет). — Много лет. Сильно.

— И что? — Деев даже растерялся от этой внезапной откровенности.

— Он меня обманул.

— Бросил тебя?

В нем поднялась внезапная волна возмущения: нельзя, невозможно было представить эдакую гордейку оставленной. Только она могла насмехаться, изводить, бросать. Жаловаться начальству, мыть полы полуголой. Только ей было дозволено — всё.

— Это был портрет. Висел в пекарне при монастыре. Приютские помогали там. И я каждый день на него смотрела. — Белая говорила коротко, подолгу умолкая в промежутках, и каждая пауза грозила обернуться молчанием; но нет, речь комиссара текла и текла в темноте — толчками, как выходит вода из подземного источника. — Мальчик с голубыми глазами и дивными золотыми волосами. Я не знала, кто это. Все детство смотрела и мечтала, что вырасту — и найду его.

Деев не умел понять, каково это — любить холст, покрытый мазками краски. Но возникшее в нем возмущение сменилось облегчением: была в этой истории какая-то правильность — не могла комиссар любить земного мужчину, а только что-то эдакое, недоступное другим.

— Нашла?

— Не успела. Его расстреляли вместе с родителями — еще до того, как я вышла из приюта. — Здесь наступила столь длинная пауза, что Деев хотел было уже спросить, что дальше, но Белая вздохнула тяжело и закончила: — Это был портрет цесаревича.

— Фью-у-у-у-у... — присвистнул огорошенно. — Так ты монархистка, что ли?

— Дурак вы все-таки, Деев. Я уже год как в партии была, когда узнала, кого любила. Случайно увидела фото в газете. Пришла в пекарню с этой газетой, сличила: точно — он, великий князь Алексей Николаевич Романов.

— И что ты сделала с портретом-то? — Деев аж подпрыгнул на диване от чувств. — Я бы ножницы взял и покромсал в труху все эти глаза-кудри. Или в печи бы сжег, вместе с рамой, не пожалел!

— Я написала отношение в ЧК: "В пекарне Зачатьевского монастыря три года спустя после великой революции все еще висит портрет наследника престола..."

— Ну и? — Нестерпимо хотелось пробраться к ней и сесть рядом, но боязно было разрушить разговор.

— Это всё, — оборвала резко.

И умолкла.

Деев не решился настаивать и тоже послушно умолк. Верно, следовало бы встать и прикрыть гармошку, вновь разбивая пространство надвое, но он этого не сделал —

наоборот, лег тихонько, желая, чтобы и женщина осталась лежать, и возникшая между ними сокровенность не была бы нарушена. Повернулся лицом к разделяющей стенке и упрямо пялился в черноту, представляя, что с другой стороны в стенку эту смотрит лицо засыпающей Белой.

Слушал дыхание женщины, которое постепенно становилось ровнее и глубже. Слушал шорох дождя по окнам. А в шорохе этом хотелось ему различить знакомые строки, но выучить колыбельную Фатимы еще не успел и потому вспоминал отрывками:

...Я бы выклевала звезды с неба
И проглотила солнце —
Лишь бы не наступило утро расставания...

Перебирал в уме черты лица Белой — и обнаружил внезапно, что знает их все. И руки ее помнит, и волосы, и как встряхивает головой, откидывая пряди со лба. И пуговицы на створе рубахи, до единой, и штопку на чулке. Да что там! Все, что под рубахой и чулками, все, что возникло перед ним той ночью, в пустом еще вагоне, освещенное золотым керосиновым светом, — видит.

...Нет места ни для кого — ни в сердце, ни в голове.
Все наполнено тобой,
Как наполнено водой морское дно...

Попытался представить Белую маленькой девочкой — и не смог. Зато вспомнил себя — маленьким. Не любил Деев свое детство. Не любил — потому что неизменно утягивали эти воспоминания в былую беспомощность и тоску: в жуть перед грядущей зимой, в бесконечный голод и сиротское одиночество — во все, что был бы рад позабыть, да не мог. Вот и нынче накатило. И утащило в те годы, когда, не насытясь бедным ужином, сосал перед сном стибренные из мастерской гайки.

...Я — птица, утонувшая в морских волнах.
Я — рыба, ползущая по пустынному песку.
Вот кто я без тебя, мой возлюбленный сын...

Матери не умеют любить. Сосцы их сочатся молоком, глаза готовы лить слезы при виде страданий своего ребенка. Но не называть же молочную или слезную жидкости — любовью? И овца, и верблюдица, и омерзительная летучая мышь — все они выкармливают потомство, обучают и оберегают от хищников, порой гораздо лучше матерей человеческих.

Человеческие матери — единственные в природе — ковыряют свое чрево спицами и пьют ядовитые зелья для умерщвления зреющего плода. Они пытаются защитить детей от оспы, давая в бане вдыхать толченые струпья оспенного больного, и этим сводят в могилу. Лихорадку и холеру лечат заговорами и кровопусканием — порой насмерть. Заикающимся детям отрубают кончик языка — оставляя немыми. В голодный год кормят потомство песчаной похлебкой и глиной, стремясь насытить, но заражают при этом тифом. Это ли есть любовь?

Любовь — иное. Любовь — это знание и воля. Редкие люди обладают и тем и другим — и потому истинная любовь к детям доступна немногим. К этим немногим относилась и Белая. Она знала, когда и от чего прививать ребенка, чем кормить и лечить, чему и в какой мере учить, как отличить морально дефективного от педагогически запущенного, а запущенного — от практически здорового.

Волю же товарищ Белая имела такую, что хватило бы на двух мужчин с лихвою: ее не трогали ни младенческие слезы, ни капризы ребят постарше, ни подростковое вранье и фокусы.

Большая любовь Белой не ограничивалась одним конкретным чадом, а распространялась на сотни и тысячи советских малышей, кого суровое время оставило без крова и родительского попечения. Да и не было у Белой своих детей: организм ее был устроен так, что мужское семя не причиняло ему урона — все отношения с мужчинами протекали без неприятных последствий. Это свое телесное свойство Белая ценила выше всего.

А самым сильным душевным своим качеством считала умение перелистывать страницы — способность переходить от одного жизненного этапа к другому, не испытывая сомнений и боли.

Революции Белая не заметила: в тот год она, выпускница приюта для девочек Зачатьевского монастыря в Москве, достигла взрослости и, чувствуя в себе душевную тягу к воспитанию детей, осталась в приюте трудницей. У монахинь уже многому научилась и могла бы работать наравне со старшими сестрами, но требовалось принять постриг — к этому юная Белая готова не была: ее энергичной натуре претила монотонность монастырской жизни, а безликая одинаковость ряс вызывала отвращение.

Ее собственная революция случилась двумя годами позже. В девятнадцатом на окруженное красно-белыми стенами подворье въехали трое конных. Сидели в седле прямые, строгие, словно облитые черной кожей, и Белая не сразу поняла, что все трое — женщины. Но почувствовала: вот он, момент, когда переворачивается жизненная страница. Насельницы, бледные от испуга, брызнули со двора, крестясь и прикрывая рты краями апостольников. Белая же стянула с головы платок, заткнула за пояс и, простоволосая, пошла навстречу гостьям: принимать лошадей. Платок больше не накидывала никогда: вечером того же дня была принята социальной сестрой в образованный из монастыря детский приемник Наркомпроса и переоделась в мирское. Монахинь и послушниц уплотнили — выселили из сестринского корпуса в хозяйственные постройки, с разрешением обслуживать детский городок. Белая же — на правах сотрудницы советского учреждения — осталась жить в своей келье. Навещать сестер на задний двор не ходила. И к своим приютским воспитанницам не ходила тоже: они перешли под крыло государства, были присмотрены и накормлены — более в любви Белой не нуждались.

А вот остальная детвора Москвы — нуждалась. Каждый день в приемник поступали десятки беспризорных детей. Всех следовало осмотреть в медицинском пункте, отмыть в банном отсеке, накормить, головы обрить и обработать флеминговской жидкостью, одежду выстирать и выпарить в дезокамере. Только после этого — беседа с комиссией и первичная сортировка: больных — в лазарет, дефективных — в реформаторий или трудовой дом. Оставшихся — на вторичную сортировку: кого — домой (москвичей сопроводить и передать на руки родителям, пришлым купить билеты на пароход или найти попутчика-оказию), а кого — по детским домам и коммунам.

Вот оно было, пространство любви! Дети, покрытые вшами и паршой, с окосевшими от анаши глазами, беззубые, кашляющие и смердящие, попадали в приемный покой — в крепкие руки Белой, — чтобы выйти измененными: очищенными. Она мылила жесткие от грязи головы остервенело, со страстью. Брила — пока черепа не начинали блестеть. Одежду парила трижды, не жалея дров (а когда завхоз попытался было укорить ее в расточительности, улучила момент — и бросила его куртку в кишащую насекомыми кучу грязного барахла у дезобака, затем спросила: "Так сколько раз парить будем?"; больше претензий с его стороны не было). А если кто из пацанов, недовольный суровостью обращения, позволял себе крепкое словцо в ее адрес, Белая отвечала десятью: она молниеносно усвоила и босяцкий жаргон, и революционную лексику и пользовалась новыми языками лихо, как мочалкой или машинкой для бритья. Никто из новых сотрудников не верил, что она выросла при монастыре.

Через три месяца стала начальником приемника — к тому времени Зачатьевский монастырь с легкой руки беспризорников уже стали панибратски именовать Зачмоном, а сама Белая носила суконную блузу навыпуск, перетянутую в талии ремнем, и кожаную фуражку, купленную на сухаревской толкучке, с аккуратно открученной кокардой. Эта фуражка — черная, с высокой тульей, издалека напоминающая клобук, — мелькала по всей Москве. То среди мусорных баков близ "Мюра и Мерилиза", где беспризорники роились, как пчелы в сотах. То между обшарпанных колонн Красных ворот: строение было полым внутри и давало приют многим бездомным. То на Казанском вокзале, где в одном из тупиков стоял вечно переполненный ребятней вагон-приемник. То в здании Наркомпроса на Чистопрудном, где недавно открылся адресный стол для воссоединения беглых детей с родителями. В Ермолаевской ночлежке. В исправдоме на Шаболовке, при фабрике жестяных изделий. В Якиманском арестном доме. Во Владыкинском концлагере — недалеко от Бутырской тюрьмы, на берегу реки Лихоборки. В знаменитом Доме Кырлы-Мырлы на Староконюшенном (по документам — детский дом и школа имени Карла Маркса), где действовала станция художественного воспитания для одаренных детей…

Начала встречаться с мужчинами. Встречи были до оскомины однообразны и не вызывали у Белой ничего, кроме раздражения. Будь ее воля, она сократила бы эти свидания до тридцати-сорока последних и главных минут, ради которых и устраивалась многочасовая дребедень: прогулки, походы в кинематограф, катание на лодках и прочее. Но мужчин такая прямота смущала — приходилось терпеть. Больше двух-трех раз не встречалась ни с кем.

Через полтора года — как опытного и идейного социального работника — ее пригласили в комиссию по улучшению жизни детей при ВЦИК. Белая согласилась: переполнявшая сердце любовь к детям была столь велика, что стены Зачатьевского стали ей тесны. Да и Москва была уже маловата. Любви Белой ждала ребятня в самых отдаленных городах и селах Советской Республики.

И вновь перелистнулась страница — и вновь легко: февральским утром тысяча девятьсот двадцать первого года детский комиссар Белая села в вагон спецэшелона и отбыла с Саратовского вокзала в многомесячную экспедицию по детским учреждениям советского Юга и Кавказа. Бывшие коллеги по Зачмону узнали о ее переводе от нового начальства. Командировка длилась почти год, с одним коротким приездом домой для отчетного доклада. Ни во время этого приезда, ни позже Белая не ходила в Зачатьевский — незачем.

Ее пути и маршруты определялись теперь не личными интересами, а исключительно государственными: она шла по стопам советской власти. Когда отгорала в той или иной земле Гражданская война, а красные флаги окончательно и бесповоротно поднимались над городскими управами и избушками сельсоветов — появлялась Белая. В бессменной кожаной кепке, перепоясанная ремнями и портупеей, на которой вместо кобуры висел планшет с полудюжиной заточенных карандашей, она шагала стремительно — по белым астраханским пескам, по желтой калмыцкой степи, по жирной земле Ставрополья. Шинель ее развевалась, как мантия, в руке мелькал посох — в длинных переходах без посоха никак. Иногда ехала — на осле, на верблюде, редко на автомобиле. В кавказских предгорьях села на коня — другого способа одолеть склоны и перевалы не было. Инспектировала сиротские дома Владикавказа и Тифлиса,

Кисловодска и Сухума. Проверяя условия детской жизни, забиралась в дальние аулы и кишлаки. К концу двадцать первого исходила и описала все южные края и пределы Красной России — от Каспия и до Черного моря (вот только Персидскую Советскую Республику исследовать не успела — та захлебнулась в политических распрях и пала).

К ожидающему на железной дороге эшелону — в Батуме, или Дербенте, или Майкопе, или Баку — Белая возвращалась из экспедиций как домой. Поездные купе и стали ее домом: то мягкие, первого класса, с шелковой обивкой на просторных диванах, а то клетушки общих вагонов, кое-как отгороженные деревянными стенками и с деревянными же лавками для спанья. Тягот не замечала — ее служение было чистым и пылким, не допускавшим и мысли об отдыхе или телесном комфорте.

Путевая жизнь упрощала, а порой и вовсе отменяла условности: мужчины появлялись в купе Белой ненадолго (стоянки бывали коротки) и исчезали без следа. Свидания, сжатые до часа, до получаса, до четверти часа, чувства, сжатые до предела и оттого яркие сверх меры, — маленькие и необязательные радости кочевого бытия. Старалась выбирать мужчин постарше — за тридцать, а то и за сорок: эти не были склонны ждать продолжения или немедленно после встречи предлагать вступление в брак. Она могла бы и вовсе обходиться без мужчин: потребности ее организма были скромны. Но краткие пересечения с плотским и примитивным лишь подчеркивали высокий смысл остального существования.

Дети! Едящие из выгребных ям, спящие в древесных дуплах и бочках из-под сельди, живущие стаями по заброшенным станицам, охотящиеся на сусликов и собак — их были сотни и сотни. Все нуждались в ее защите, всем она была нужна — больше собственных матерей, родивших и бросивших на произвол судьбы. Наконец-то Белая осознала масштаб, которым измерялась переполнявшая ее душу любовь: она одна была способна заменить тысячу матерей, а может, и десяток тысяч. Она была готова раскинуть руки — от устья Волги и до Днепра, — чтобы собрать всех бездомных и бесприютных, отмыть их, накормить и укрыть от непогоды. А также — от жадности и порочности взрослых: заведующие ночлежными и воспитательными учреждениями на окраинах огромной страны нередко обворовывали детей, избивали, толкали в проституцию.

Белая жалела, что на поясе ее болтался не револьвер, а лишь пяток исписанных карандашей: некоторым социальным работникам полагались не наставления, а немедленная пуля в живот. Эта ярость давно уже зрела в душе, но осознала ее Белая ближе к середине экспедиции. Случилось в Пятигорске. Она вошла в местный приют, по обыкновению не здороваясь с начальством, начала обход и нашла детей на кухне — ползающими по полу и хлебающими суп горстями из общего котла: заведующий распродал всю казенную мебель и посуду. Тут же села писать рапорт в ЧК — за неимением стола и стульев прямо на подоконнике. Заведующий, обильно истекая по́том от страха, покружился было вокруг, увещевая, а после умолк — и аккуратно выложил на тот же подоконник два золотых червонца. Убрать руку не успел — Белая оторвала карандаш от планшета, где строчила отчет, и всадила в распластанную пятерню. Свинячий визг раненого и брызги крови на окне — этого было мало, непростительно мало за воровство у детей.

С той поры ярости своей не скрывала, наоборот — давала волю: язык ее стал злее, голос — громче и раскатистей, кулак мог ударить по столу, а карандаш — больно ткнуть собеседника под ребро. Ярость эта праведная стала для Белой — второе крыло, наравне с любовью.

Дважды в нее стреляли: в Лорийских горах и в олеандровой роще под Адлером; оба раза мимо. Дважды же бросали камнем в купе, разбивая стекло. Один раз пытались похитить. Угрожали — много раз, и не сосчитать. Белая не боялась: истинная любовь не знает страха. Она без устали черкала в планшете, а затем часами телеграфировала и телефонировала — докладывала, бранясь до хрипоты и требуя денег, питания, учебных пособий, профессиональных кадров, открытия новых учреждений, укрупнения существующих. И ехала дальше, дальше, все дальше… Каждый день — новый фронт. Каждый день — новый бой. Она сражалась за всех сирот и беспризорников степей, гор и морских побережий, веруя в их спасение и изо всех сил приближая его. Это была — жизнь. Это было — счастье.

В декабре двадцать первого, едва вернувшись из южной командировки в Москву и отчитавшись перед ВЦИК, Белая получила новый приказ — отправиться в Поволжье. Цель экспедиции: "Доложить о степени голода в регионе и возможных мерах по спасению детей". Картина происходящего в Советской Республике уже вырисовывалась из докладов с мест, но верилось в эти цифры с трудом: "Охвачены голодом 25 миллионов человек, треть из них — дети". Главным очагом голодной эпидемии виделись берега Волги.

Белая знала о голоде не понаслышке. В восемнадцатом с питанием в столице стало худо, и сестры в Зачатьевском неделями варили лебедяную кашу: сначала с картофелем и овсом, а когда запасы картофеля иссякли — со щавелем и просяной мякиной. Тогда же столичные рынки наводнили спекулянты самого разного вида и калибра, обвешанные пыльными мешками, — в мешках была еда. Угрюмые, со впалыми щеками, ходили москвичи по базарным рядам и выменивали дорогие некогда вещи — часы, золото, столовые приборы — на пару фунтов муки или ведро моркови, приехавшие откуда-нибудь из-под Рязани или Владимира. А вместе с мешочниками объявился и всякий сброд: нищие, попрошайки, воры. Просили не денег — хлеба. И крали не деньги — хлеб. Еда стала дороже денег, еда сама стала деньгами.

Несытно было и на Кавказе. В недавней поездке Белая видела семьи, ужинавшие одной травой. Лепешки, в которых не было ни щепоти муки, — сплошное сено и рубленая ботва с овощами. Детей с мягкими костями — ногами-кренделями. Хутора и деревни, оставленные жителями, что ушли искать лучшей доли. Везде была жизнь — бесхлебная, тощая, впроголодь.

А в Поволжье?

Предполагалось, что по Московско-Казанской железной дороге Белая проедет до Шихран и оттуда совершит несколько экспедиций в районы Чувашии, включая столичные Чебоксары. Далее проследует до Волжска, откуда изучит марийские глубинки. Затем двинется в Казань и проедет по Татарии, а в завершение маршрута спустится к Симбирску и Самаре (для полноты картины было бы полезно спуститься ниже — до Саратова или даже Астрахани, — но такое турне решено было отложить до лета, когда откроется навигация по Волге). Раз в три дня от комиссара ожидали телеграфных сообщений о ходе командировки, в конце каждой недели — сводный отчет по прямому проводу. Мандат на поездку выдали в секретариате ВЦИК — отпечатанный на трех листах плотной бумаги и снабженный такими подписями, что уже один их вид должен был распахивать все двери и открывать все пути. Несмотря на это, путешествие грозило растянуться на месяц-полтора: по слухам, железная дорога на востоке работала с перебоями, поезда двигались медленно.

Слухи оказались сильно преуменьшенными: поезда не двигались медленно, а вовсе стояли. Как умирающие животные, чернели на путях паровозы — под Перовом, Шереметьевом, Подосинками и Раменским — Белая виде-ла полузанесенные снегом стальные туши из окна купе. Те немногие, что еще могли ползать, тащились по рельсам едва ли быстрее шагающей лошади и волокли за собой немыслимой длины эшелоны — по шестьдесят, по семь-десят вагонов, — причем сцеплены между собой эти вагоны были то обрывками цепей, то проволокой, то истершими-ся морскими канатами, а то и вовсе каким-то немысли-мым тряпьем. В пути вагонные тарели колотились друг о друга, издавая скрежет и лязг не менее оглушительный, чем грохот колес по рельсовой стали, — так что слышны эти ползучие поезда были издалека. На глазах у Белой один такой эшелон потерял хвост: состав ушел вперед, а пяток задних вагонов оборвался и, вихляясь, покатился по рельсам самостоятельно; катился долго — пока не исчез за горизонтом.

Большинство же эшелонов было обезглавлено: стояло на путях без паровозов. Чем ближе к станциям, тем больше безголовых составов теснилось по рукавам и боковым вет-кам. На подъезде к городам — Воскресенску, Коломне, Ряза-ни — эти составы заполняли все окружающие пути. Со стен вагонов орали надписи: "Задержка продовольствия — это смерть!", "Дорогу — хлебу для голодающих!" Надписи покрывало инеем и заметало снегом.

Да и некому было читать воззвания — казалось, людей на чугунке нет вовсе. Уже давно железная дорога была под запретом для пассажиров — перевозила только продоволь-ствие и паровозное топливо. Тех смельчаков, кто все же осмеливался сесть на тормозную площадку и прокатиться до ближайшей остановки, ждало пять лет лагерных ра-бот — поэтому зайцев на путях не водилось. И никого не водилось — ни провожающих, ни носильщиков, ни торгов-цев снедью. Только охрана — окоченевшие до неподвиж-ности, запорошенные белым фигурки щерились иглами штыков на редких платформах. А машинерия, казалось, работает без участия человека; и сталь, и бронза, и олово, и медь, шестерни и колодки, рессоры и поршни — все это колотится и грохочет устало, скрипит и лязгает само; давно заведенный, механизм еще стучит — едва-едва, вот-вот готовый остановиться.

До Рязани ехали неделю. До Рузаевки — еще одну. Ни грозный мандат, ни телефонные звонки в центр не помогали: эшелон сутками простаивал на запасных путях, ожидая паровика. Живых паровозов не было. Больные же локомотивы чинить некому — не было механиков (кто в солдаты ушел, кто за хлебом на юга подался). А были механики — не было металла для починки (также горнов, наковален и прочего инструмента). А если бывал починен паровоз — то не было машиниста (кого в Гражданскую убило, кто забастовал или сгинул). А если и был машинист — не было топлива (реквизировали у населения, обкладывали дровяной повинностью — и все равно не хватало). А было топливо — некому было расчищать пути от снега (оголодавшие работники не имели сил махать лопатами в мороз, а порой и просто зимней одежды)…

— Требую исправный паровоз! — привычно твердила Белая начальнику очередной станции где-нибудь в Рыбном или Торбееве. — Если не дадите — вас арестуют!

— Дам, — покладисто соглашался тот. — Первую же готовую дровянку — дам! Едва из депо нос покажет — сразу же и забирай. Значит, тебя завтра отправляем, а эшелон с кукурузой американской для Казани — на запасной ставим, пусть ждет. А, комиссар?

— Черт с тобой, — сдавалась Белая. — Отпускай сначала кукурузу.

Кукуруза уезжала. А на станции оставалась еще добрая сотня заметенных снегом вагонов: с мукой овсяной и гречишной, с маслом подсолнечным и льняным, с хлебом… Так и ехали.

За три недели добрались до Шихран. Отсюда эшелон уходил дальше на восток, а вагон детского комиссара оставался в отстойнике: после экспедиции в Чувашию вагон рассчитывали цеплять к попутным составам и таким образом перебрасывать из одной точки маршрута в другую.

На вокзале Белая зашла в управление — доложить в Москву о прибытии в намеченный пункт. Прямой провод, однако, был занят: изнуренного вида молодой человек докладывал — не то в Чебоксары, не то еще куда в центр — бесконечные цифры: бубнил тонким голосом, близоруко водя пальцем по измятому листку и по многу раз терпеливо повторяя одно и то же, — видно, связь была нехороша и на том конце линии постоянно переспрашивали. Белая не сразу поняла, о чем идет речь.

— …Сто восемь. Да-да, по Тархановской волости — сто восемь. Нет, сто семь — это по Муратовской. Значит, по Тархановской — сто восемь умерших. Повторяю: сто восемь умерших… Далее. Хормалинская волость. Голодает — девятьсот сорок. Девять, четыре, ноль — девятьсот сорок… Опухло — двести девяносто. Не сто, а двести девяносто. Повторяю по слогам: две-сти де-вя-но-сто! Это опухших, да-да, все верно… Умерло — шестьдесят ровно. Да-да, шесть десятков умерших — мертвых тел, значит… Далее. Шемуршинская волость. Голодает — одна тысяча тридцать. Не просто тридцать, а одна тысяча тридцать… Опухло… Слышите меня? Хорошо. Значит, идем дальше. Опухло…

За Шемуршинской последовала Кошелевская волость. Затем — Шамкинская, Ядринская и Чебаевская. Убеевская и Болдаевская. Тойсинская и Тораевская… Белая не смогла дождаться, пока молодой человек закончит диктовать, — начеркала на листке из планшета несколько строк и велела телефонистке отправить депешей во ВЦИК.

У крыльца вокзального зданьица уже поджидали секретарь местного детотдела Яшкина и красноармеец сопровождения, чьего имени Белая так и не узнала. Тут же стояли и готовые в дорогу сани: заранее было договорено, что двинутся сразу в глубинку — по деревням и селам, — не тратя времени на осмотр Шихран, где близость железной дороги обеспечивала некоторое благополучие. Тотчас же погрузились — поехали.

Яшкина — с бледным до голубизны лицом и блеклыми глазами, вся обмотанная какими-то платками и шалями, — постоянно зябла, несмотря на объемистый тулуп и валенки доброго войлока. Смотрела вечно в землю, говорила мало и неохотно — не то по унылой природе своей, не то от какой-то общей немощности, которая сквозила во всех ее жестах и интонациях. Солдат же с возницей по-русски не говорили вовсе. Поездка, судя по всему, предстояла немногословная. Тем лучше, решила Белая, тем внимательнее и беспристрастнее будет ее взгляд.

Ехали несколько часов — по унылым белым полям, окаймленным лесами. Ни единого зверя или птицы, ни даже следов их не заметили: снега вокруг лежали твердые, гладкие, не тронутые лапой волка или лисы. Сверху на ватном небе висели ватные же облака.

К полудню въехали в село. Поняла это Белая, обнаружив по сторонам от дороги большие, в два человеческих роста, сугробы — под ними прятались дома. Ни крыш, ни фундаментов, ни стен видно не было — все укрывал снег; одни лишь окна таращились из-под нависших с карниза ледовых наростов — будто глаза из-под платка. Здесь было тихо, как в поле. И не пахло ничем, как в поле: ни дымом, ни навозом, ни стряпней, ни иным человеческим духом.

Яшкина предложила найти сельсовет, но Белая — по давно уже выработанной привычке начинать обход без начальства — спрыгнула с саней и направилась в первый же встречный двор. Едва раскрыла заледенелую дверцу ворот — утонула в сугробе и набрала снега в сапоги, но все зря: изба пустовала. И следующая изба. И следующая.

— Да куда ж вы меня привезли? — не выдержала наконец. — Может, брошенная это деревня?

Не поднимая глаз, Яшкина покачала головой. Затем указала на полуразвалившиеся ворота через дорогу — к ним вела цепочка следов.

В этом дворе и впрямь ощущалось присутствие человека: над печной трубой дрожало прозрачное облачко — не то дыма, не то просто тепла; крыша была очищена от снега, но как-то странно — местами, по низу ската. Подойдя ближе, Белая поняла: очищали не просто так — снимали солому.

Саму солому Белая нашла уже внутри избы: мелко порубленная, она ворохами валялась на столе. Тут же стояла ручная мельница — два каменных жернова, положенные один на другой, — очевидно, рубленую солому измельчали в муку. И стоял чугунок, полный какой-то жижи, — из него торчали ветки и колючки. Чугунок был теплый. Эти ветки с колючками — варили?

Белая обвела взглядом комнату. Серые бревна сруба, проложенные паклей. Мебель нестроганого дерева. Мелкие окна, обметанные инеем так сильно, что едва пропускают свет. В углу — светлая громадина печи. А с печи смотрят на Белую несколько пар глаз — смотрят равнодушно и безотрывно, не мигая.

Дети. Четверо или пятеро, Белая никак не может пересчитать наверно. И возраст не понять: года по три-четыре или по восемь-десять? Без единой нитки одежды, они лежат на полатях плотным комком тощих рук и ног, раздутых животов с торчащими пупками, полуоткрытых ртов и спутанных волос. Вошедшая следом Яшкина что-то спрашивает по-чувашски — грязные лица вздрагивают в такт, глаза одновременно обращаются к ней, но губы не шевелятся для ответа.

— Где ваши родители? — Белая подходит к печи и протягивает руку к человеческому комку — очень медленно, раскрытой ладонью вперед, чтобы не испугать. — И одежда — где? Вы голодны?

Лохматые головы колышутся на длинных шеях — следят за приближающейся пятерней. Из комка вытягивается навстречу лапка — крошечная, бледно-желтая, похожая на цыплячью — и цапает чужую руку за запястье, тянет к себе.

И вдруг один рот раскрывается широко и обнимает губами большой палец Белой — начинает сосать, как соску. Тотчас же раскрываются и другие рты — присасываются к оставшимся пальцам. Сухие шершавые язычки, мелкие зубы — на каждом пальце Белой: пять голов, толкаясь костлявыми скулами, сосут ее руку. Глаза прикрыты, ноздри напряжены, дыхание учащается и свистит — оно одно только и слышно в доме.

Ей удается не закричать. Так же медленно Белая тянет руку обратно к себе — дети покорно разжимают челюсти, отпускают. Тихо чмокают губы, от них тянется пара ниток слюны, повисает в воздухе — наконец рвется.

— Их надо накормить. — Белая вытирает мокрые пальцы о шинель. — И одеть. Непременно.

— Да-да, — трясет головой Яшкина, глядя в пол. — Скажем в сельсовете.

В других избах им встречаются только следы людей. В одной — груда жженых говяжьих костей на столе, порядком обглоданных. В другой — три собачьи головы в котле, залитые водой, очевидно, приготовленные для варки холодца.

— А люди-то куда подевались? — никак не может понять Белая.

— Так в сельсовете и спросим, — пожимает плечами Яшкина.

Всю дорогу она сохраняет на лице такое вялое и бесстрастное выражение, что Белой хочется порой ударить ее, от души хлестануть по щекам. Только вряд ли это поможет: судя по всему, Яшкиной от природы свойственна душевная тупость, она даже побои от начальства перенесет с той же покорностью и равнодушием.

Белая упрямо шагает дальше, вперед — к длинному дому без ограды и палисадника, с высоким крыльцом и большими окнами. У двери натоптано порядком, с крыши сбита наледь — приметы жизни налицо. И правда, сквозь окна, крытые инеем лишь наполовину, Белая замечает людей, много людей: целый класс детворы сидит за партами и прилежно водит перьями в тетрадях, а учитель у доски что-то объясняет, помахивая указкой. Эта мирная картина до того странно смотрится посреди вымершей, наполовину занесенной снегом деревни, что Белая, не в силах оторваться, припадает лицом к оконному стеклу — постоять пару минут, понаблюдать милое и привычное.

Вот только отчего в школе так темно? Просторная комната освещена одной лишь лучиной — в наступающих сумерках света едва хватает, чтобы разглядеть лица. Как же дети пишут в полумраке? Почему не макают перья в чернильницы? Почему учитель не стоит перед классом, как положено, а сидит на стуле, да еще прислонясь затылком к стене? Почему глаза закрыты? Почему указка стучит по доске, на которой ничего не написано?

Белая входит в класс. К ней поворачиваются лица — и широкие необычайно, с припухшими веками и раздутыми щеками, из-за которых едва видны глаза, и очень узкие, с обтянутыми кожей скулами и огромными дырами глазниц. Взгляды у всех — усталые и сонные до отупения. Школьники одеты в тулупы и шубы, некоторые — в шапках. Учитель — в нелепом пальто канареечного цвета, кажется дамском.

— Вы приехали, — отчего-то шепотом произносит он по-русски, и его отекшее безобразно лицо озаряется радостью. — Я говорил детям, я обещал — и вы приехали. Какое счастье...

— Здравствуйте, — говорит Белая. — Я из Москвы, из Деткомиссии.

— Вы можете открыть ее прямо сегодня? — опираясь на указку, учитель встает со стула и, тяжело шаркая, ковыляет к Белой (а валенки у него — с разрезанными голенищами, чтобы опухшие ноги влезали). — Прямо сейчас — можете? Мы же каждый день занимаемся — до темноты, вы сами видели. И ждать уже нет сил…

— Что открыть? Где?

— Столовую. Вы же столовую приехали открывать? Столовую при школе? — Учитель все пытается застегнуть пуговицы допотопного пальто, натянутого поверх нескольких кофт и свитеров, но пальцы не слушаются.

— Нет, — качает Белая головой. — Я просто с инспекцией.

— Не шутите так! — От волнения сил у учителя прибавляется, и пальцы наконец справляются с последней пуговицей у горла. — Мне сообщили в КОНО, и вполне официально, что первые столовые всегда будут при школах — но только при действующих. Иначе для чего же мы тут сидим — всю осень и зиму?

— Простите, — говорит Белая. — Столовой пока не будет. Идите домой.

Учитель долго смотрит на нее, тряся одутловатой физиономией и сутулясь с каждой секундой все больше, словно на глазах уменьшаясь в росте. Пальто его сминается в поперечные складки — складывается большой желтой гармошкой.

— И вы идите домой, дети! — обращается Белая к школьникам.

Те по-прежнему сидят, очевидно, не понимая ни слова по-русски; у ртов распускаются и пропадают мелкие облачка пара. Некоторых уже сморил сон — лица, потеряв всякую осмысленность, свесились на грудь, глаза прикрылись.

— Скажите же им, чтобы шли домой! — оборачивается Белая к учителю.

Но тот уже взгромождается обратно на свой стул, как старая курица на насест. Застегнутое пальто сдавливает распухшую шею, и он вновь расстегивает ворот. Затем внезапно лупит с размаху указкой куда-то назад и вверх — лупит не глядя, но метко попадает в самый центр доски: от звонкого шлепка задремавшие было ученики суматошно дергают головами, таращат пустые глаза.

— Уходите. — Учитель прислоняется к стене и прикрывает веки. — Не мешайте вести урок.

Белая окидывает взглядом парты: вместо тетрадей перед учениками — клочки газет. У некоторых в руках зажаты не перья — сучки. Чернильниц на партах — ни единой.

Белая кивает извинительно и выходит вон, аккуратно затворив дверь.

— Хорошо, — говорит она ожидающей снаружи Яшкиной. — Идемте в сельсовет.

Находят домик совета быстро: он стоит на пригорке, на главной улице села, и снег вокруг вытоптан обильно — людскими ногами, конскими копытами и полозьями саней. Изба — ладная; окружающий забор — высокий и крытый козырьком: видно, прячется во дворе немалое подсобное хозяйство. С улицы же виден лишь ветряк домашней мельницы: огромные крылья висят над подворьем, как черный крест. Окна совета темны, но темнота шевелящаяся, живая: там дрогнет занавеска, тут мелькнет за стеклом какая-то тень — верно, внутри берегут керосин или свечи, не зажигая до ночи.

В самом доме стоит крепкий людской дух: пахнет потом, дыханием множества ртов и немытыми волосами. Человеческой речи не слыхать, но по шевелению воздуха вокруг, по идущим со всех сторон слабым волнам тепла Белая понимает: люди! Иногда из темноты доносятся звуки человеческого присутствия: то вздох, то всхрап, то хриплый кашель — клокочущий, откуда-то из глубины живота. Зрение скоро привыкает к царящему внутри мраку — глаза начинают различать происходящее, наконец видят обитателей села. Как же много их вокруг!

Отчего-то все они слеплены в гроздья — по пять, по восемь, а то и по дюжине тел: никто не сидит и не лежит отдельно, сам по себе, а только — вместе. Тесно — как в связке — сидят по лавкам женщины, обняв друг друга и замерших на коленях младенцев. По полу кучкуются мужики: развалились под окнами, у стола, в агитационном уголке — тела, и опухшие уродливо, и высохшие до костей, лежат вповалку, как поленья в дровнице. Печку облепили старики: приклеились щеками, плечами и спинами к беленому боку, разложили по нему белые же бороды, припечатали сверху морщинистыми руками — не видать самой печи, ни пяди, ни полпяди, а только покрывающую ее старую плоть. Все — молчат. Все — дышат, расходуя силы не на пустой разговор или телесную суету, а только на обогрев избы. Изредка кто-нибудь отделяется от своей группы и, вяло шевеля конечностями, тащится к ведру с водой; напившись, возвращается и прилипает обратно.

Почему все они сбились сюда, в совет? Это что — собрание?

Ответ дает председатель сельсовета: он обнаруживается чуть позже — входит, приволакивая ноги, шаркающей походкой опухшего. Вынимает из запертого на ключ сундука керосиновую лампу — зажигает. Из закрытого на амбарный замок подпола достает пару поленьев — подкидывает в печь. Если керосин с дровами не прятать, поясняет, мигом растащат по домам, даром что квелые. Столичным гостям поначалу радуется живо и смотрит с надеждой, но, узнав в них всего лишь инспекцию, тотчас утрачивает всю свою радость и оживление.

Да, объясняет: живем сообща, всем миром, уже который месяц. Да, дрова у многих кончились, а заготовить сил нет — вот и тянется народ в совет, к теплу. Ведь и одежда зимняя мало у кого имеется, потому в холода на улицу ходят не все. Еды давно уже нет — ни у кого. Скот и птицу забили еще осенью, собак с кошками тоже, мышей с ящерицами переловили. Что едят люди? Дрянь всякую едят: выкапывают из-под снега траву, толкут и варят ветки. Хвою собирают, шишки, мох. Желуди еще мелют и вываривают в семи водах. Кто подурнее — те уже камни глотают, варят похлебку из песка. Пытались толочь дерево, но есть не смогли. Один, правда, истолок и съел дубовую квашню для теста — та пахла хлебом. Ждем весну, ждем тепла и свежей травы. А больше весны ждем грузов из центра. На хлеб не надеемся, но, может, гороху подвезут или жмыху подсолнечного. Не знаете, будут ли грузы в этом году?

Белая вспоминает сотни вагонов с продовольствием, замерших на железной дороге в ожидании паровозов. Качает головой: не знаю.

Да, понимающе кивает председатель. Нам ведь и не надо много — детей бы накормить. Кто еще в люльке — те быстро умирают, не мучаются. А вот кто на ноги встал — им труднее. Грызут себе пальцы, до костей обгладывают. Тянутся жевать что ни попадя — ремни, веревки, старые лапти — и задыхаются, не умея проглотить. Болеют разным: тифы, цинга, червяки во рту. У кого — язвы по всему телу незаживающие. Ведь и лазарет на селе есть, а без толку: не выздоравливают дети в голод. И взрослые не выздоравливают. Может, закрыть этот лазарет до лета, не расходовать понапрасну дрова?

Белая вновь качает головой: не знаю.

И я не знаю, соглашается председатель. Дрова сейчас на вес золота. Кроме сельсовета и лазарета, топим еще хлев на окраине — там держим спятивших. С голода народ быстро ума лишается. Утром еще был человек с рассуждением, а вечером глядь — уже дурень: воет, на соседей бросается, детей своих съесть грозит. Таких запираем отдельно, чтобы безумием других не заражали. Может, не давать им больше дров? Поберечь для лазарета?

Спасибо вам за разговор, говорит Белая, поднимаясь и кивком приглашая за собой разомлевшую в тепле Яшкину. Мы поедем, нам до ночи еще в соседнюю деревню добираться.

Да, с готовностью мотает председатель головой. Езжайте тотчас, по ночам шастать опасно. Может, и арестованного с собой прихватите? Все одно к Цивильску едете, сдадите там в милицию. Нам его держать негде: в лазарете или сельсовете — боязно, все-таки преступник, а в хлеву со спятившими он и сам боится. Сами не повезем — ради него одного обоз гонять не станем. А из оказий только вы и случились за этот месяц.

Нет, говорит Белая, уже садясь в сани. Преступника не возьмем.

Он и не злобный вовсе, убеждает председатель, наоборот, человек с сердцем. Двух дочек малолетних не мог прокормить — задушил их периной, чтобы не мучились. А до того уже и могилу вырыл, и гроб самодельный заготовил, один на двоих. Схоронил — и с кладбища прямиком сдаваться пришел. Вот какой человек!

Поехали скорее, командует Белая вознице. Поехали же! Ну!

И они едут — через крытые синими сумерками улицы, мимо черных домов, угрюмо глядящих из-под снега. Мутно-рыжие огни сельсовета на пригорке с простертым к ним мельничным крестом виднеются еще долго — даже с края села.

Когда проезжают околицу, из стоящего на отшибе темного строения раздается рев: два голоса воют, низко и страшно, почти в унисон. Хлев со спятившими, понимает Белая. Скоро к их голосам присоединяется третий: этот не воет — рыдает и повторяет одно и то же, на все лады.

"Что он кричит?" — спрашивает Белая у Яшкиной. Та поясняет сонно: "Бейте в набат".

Выезжают в поле. Черные снега простираются вокруг, от горизонта и до горизонта. Белой дыркой в небе зияет луна. Две светлые полосы — едва наезженный санный путь — ведут к следующей деревне.

— Бейте в набат! — надрывается голос. — Бейте! Бейте! Бейте!

Белой хочется немедленно лечь на дно саней — залезть под овчинные подстилки, зарыться в сено, зажмуриться и заткнуть уши, — но пересиливает себя, даже не ежится.

— В наба-а-а-а-а-ат! — несется над пустынными полями. — А-а-а-а-а-а!..

За неделю были осмотрены еще несколько деревень. Если бы Белая не отмечала в планшете скрупулезно, где они бывали и что видели, то могла бы поклясться, что заезжали в три или четыре. На самом деле — в одиннадцать. Одиннадцать деревень с заковыристыми чувашскими именами — совершенно одинаковые и на первый взгляд, и при более внимательном знакомстве.

Везде — до боли похожие картины: опустелые дома, сбившиеся в одну избу люди. Уродливая худоба или уродливая толщина тел, покорность и безучастность во взглядах. В остывающих чугунках — камни, земля и гнилая трава. Поля — без озимых. Хлева — без животных. Амбары — без еды. Больницы, где не лечат. Школы, где не учат...

К концу недели Белая утратила способность впечатляться: не поражали уже ни обезображенные голодом и болезнями живые, ни закоченевшие на морозе мертвые. Тогда же узнала и причину странной вялости спутницы. Уже на подъезде к Цивильску заметила, что Яшкина ритмично бормочет под нос какие-то слова.

— Молитесь? — спросила угрожающе, глядя в глаза.

— Да, — спокойно ответила та, впервые с начала пути не отводя взгляда. — О сыне и дочери. Сегодня девятый день как отошли...

В уездном Цивильске Белой предстояло отдохнуть сутки — вымыться, выспаться хорошенько, отчитаться перед Москвой, — а затем двинуться дальше, к Чебоксарам. Ей дали лучший номер в лучшей гостинице города, просторный, с собственным (хотя и не топившимся) камином и расписным — в облаках и ангелах — потолком.

Но Белая не могла ни сесть в ванну с горячей водой, заботливо приготовленную горничной, ни упасть в застеленную свежим бельем кровать. Едва войдя в номер, она, даже не скинув шинели, села за стол — да так и просидела всю ночь. Лампу не зажигала, к накрытому здесь же и укутанному салфеткой ужину не притрагивалась. Надо было писать отчет — не слишком длинный и не слишком короткий, без истерики излагающий факты и дающий конструктивные предложения, — но нужные слова не шли.

Впервые в жизни Белая была бессильна: и звонки, и рапорты, и самые отчаянные телеграммы — без пользы. Всех увиденных детей — не накормить и не согреть. Невозможно — даже самым пылким порывом души — растопить укрывающие рельсы снега, расчистив дорогу эшелонам с хлебом. Или оживить локомотивы на паровозных кладбищах. Или воскресить павших в Гражданскую машинистов.

Там, в оставшихся позади деревнях, Белая впервые видела смерть близко. Там, в населенных умирающими школах, больницах, сельсоветах, жизнь только притворялась, что была. На самом же деле приметы обманывали: под личиной жизни уже давно скрывалась смерть. И Белая стояла перед этой смертью — один на один, лицом к лицу, — не представляя, что ей делать дальше и как жить.

Уже на рассвете, измяв и исчеркав полдюжины листов, Белая отправилась на почту, надеясь по дороге привести в порядок мысли и найти подходящие для донесения слова.

Местный почтамт — крошечный одноэтажный домик на углу главной площади, весь утыканный столбами и опутанный проводами, — уже работал. Белая притулилась у единственной конторки и под сочувственными взглядами почтовой служащей еще с полчаса писала и вычеркивала, писала и вычеркивала. Каждый раз, пробегая глазами новый вариант сообщения, безжалостно вымарывала признаки излишней чувствительности: "страшный", "жуткий" или "катастрофический", "погибают" или "мрут как мухи". А в каждом следующем тексте эти слова немыслимым образом выскакивали вновь, словно не Белая водила карандашом по бумаге, а кто-то другой, упрямый и несговорчивый. Наконец кое-как составила депешу, протянула почтальонше.

Но отправить послание не успели: дверь с грохотом распахнулась, и в помещение ввалилась дышащая паром лошадиная морда с обросшими инеем ресницами и гривой, а следом, стуча копытами, припорошенный снегом лошадиный круп с раздувающимися боками. На лошади сидел мужик в лохматой шапке: огненно-красные с мороза нос и щеки, вместо бороды — сосульки.

— Куда?! — заверещала служащая.

Но мужик уже спрыгнул на пол, уже выпростал руку из меховой рукавицы — откуда-то в его костлявых пальцах обнаружился револьвер и уставился служащей в бледное от возмущения лицо.

— Рапорт мне в Чебоксар подать, — произнес еле слышно, сиплым от простуды голосом.

— Очереди жди. — Мотнула почтальонша подбородком в сторону Белой.

— У меня важнее. — Мужик щелкнул курком и закашлялся сильно, тыльной стороной прижимая руку с револьвером ко рту.

Почтальонша поморгала коротко — и села покорно за телеграфный аппарат, провела пальцами по барабану с бумажной лентой, готовясь к работе.

— Вчера полагалось отправить, да не сумел я. — Мужик, прокашлявшись, облокотился о почтовый прилавок, небрежным жестом смахнул с бороды на пол тающие сосульки; затем достал из-за пазухи сложенный в несколько раз листок и развернул. — Ты уж постарайся, сделай по-быстрому. На том конце ждать не любят.

И начал читать свистящим от напряжения шепотом.

— Рапорт в чебоксарскую ЧК. Сообщаю, что за последнюю неделю в селе Абеево Цивильской волости умерло девять человек, из них пятеро отравились: ели падаль из могильника — выламывали из мерзлой земли залитые карболом коровьи туши и ели. Мертвые тела сложены к другим трупам, в амбар. Прошу прислать солдат для копания общей могилы. Сами жители копать отказываются ввиду отсутствия сил. Родился один младенец — мертвый. Если считать с ним вместе, то умерло не девять, а десять человек. Прошу дать указания на будущее: причислять ли мертворожденных к умершим? А также: причислять ли к умершим новорожденных, проживших несколько дней или часов? Все время путаемся. Иных происшествий не случилось. Председатель совета Абдулов.

Трещали клавиши телеграфа. Лошадь переступала копытами и шумно дышала, затем принялась лизать лакированную конторку — верно, хотела пить.

— Все? — спросила служащая, отстучав последние слова.

— Все. — Абдулов стянул малахай (под ним обнаружилась шишковатая лысина), прижал к груди и мотнул головой, не то благодаря, не то легонько кланяясь женщинам. Затем нахлобучил шапку, распахнул дверь и вскарабкался в седло. Лошадь нетерпеливо трясла башкой — тянулась на улицу.

— У вас же в Абееве свой телеграф есть, — сказала почтальонша в спину Абдулову.

— Украли вчера, — просипел тот не оборачиваясь, уже из дверного проема. — К вам теперь с рапортами ездить буду.

Дверь захлопнулась. На полу остались мокрые следы — от валенок и копыт.

За окном подвывало — начиналась вьюга.

— А лошадь-то была зачем? — спросила Белая.

— Так оставь ее снаружи — уведут же, глазом не моргни, — дернула плечом почтальонша. — Ну, давайте вашу депешу.

— Нет, я лучше продиктую. — Белая скомкала набросок отчета и спрятала в карман.

Продиктовала быстро, без единой запинки.

— Председателю Деткомиссии — лично в руки. Секретно. Срочно. В связи с катастрофическим — я подчеркиваю, катастрофическим — положением дел в Чувашии прошу вашей санкции на изменение целей экспедиции. А именно: прошу разрешения прервать намеченный маршрут и использовать выданный мне мандат для принятия мер здесь. Предполагаю собрать эвакуационный эшелон, чтобы вывезти на нем из Чувашии в Москву максимальное количество погибающих детей. Далее планирую использовать этот эшелон на регулярной основе для переброски чувашских детей в Москву, Петроград и хлебные губернии — до тех пор, пока голод не будет побежден. Ожидаю вашего одобрения. Детский комиссар Белая.

Одобрение было получено. Целый год Белая жила в поездах, соединявших Чувашию с Москвой. Ее усилиями в чувашских городах было открыто четыре новых детских дома, заработали полтора десятка дополнительных питательных пунктов и одна передвижная столовая — для снабжения отдаленных сел и деревень, эвакуировано почти шесть тысяч голодающих детей.

Ни до марийских, ни до татарских, ни до башкирских сел Белая в тот год так и не доехала. Ни до Самарской губернии, ни до Симбирской, ни до Саратовской или Астраханской.

А в следующем — тысяча девятьсот двадцать третьем году — доехала. Продолжала жить в поездах, которые становились все длиннее и многолюднее. Детей перебрасывала уже не в столицу или Петроград — те трещали от наплыва беженцев, — а в более теплые и сытые края. Эшелон с казанскими детьми был шестнадцатым за последние десять месяцев. И первым — в Туркестан.

Мясо, мясо, мясо… Деев думал о нем всю ночь. Был готов пойти и купить пару фунтов за серебряные кресты, что с Казани лежали за пазухой, но базаров на станциях не было и в помине. Был готов подсадить в эшелон спекулянта за любую освежеванную тушу — собачью, лисью, барсучью, — но и спекулянтов на чугунке не водилось.

Помахать мандатом и экспроприировать чью-нибудь кобылу-доходягу? Не у кого: повозок вдоль железки тянется тьма, но каждую тащит не скотина — человек.

Помахать револьвером и украсть? Не хватит совести. Да и опять же: у кого?

В стране мяса не было — ни в колхозах, ни у крестьян-единоличников, ни даже у прижимистых кулаков. Калмыцкие степи, когда-то полные овечьих отар, опустели, и коровьи пастбища на полях Приволжья, и холмы Татарии с Башкирией, некогда темные от пасущихся табунов.

Гужевые кони и верблюды, волы и ослы с началом Гражданской были реквизированы для нужд фронта, а после окончания — пущены под нож. Декрет Совета народных комиссаров об обязательной сдаче скота на мясо исполнялся строго: мясные разверстки приходили суровые — и сурово же исполнялись разросшейся основательно продармией. Наряды приходили на всё: баранину, свинину, конину, говядину, козлятину, в охотничьих краях — на медвежатину и оленину, кое-где даже на зайчатину — для владельцев борзых собак (впрочем, эта инициатива провалилась и привела не к исполнению заготплана, а к массовому отстрелу тех собак).

После замены разверстки продналогом стало и вовсе невмоготу, начался голод. Крестьяне громили пункты сбора скота и ссыпные пункты. Болели холерой и тифом, пухли. Жгли дома коммунистов, сельсоветы, выходили на голодные бунты. Ворожили на щедрый приплод и на воскрешение наследника. За кражу куска сала или горсти потрохов могли убить — самосуды стали быстры и жестоки. Пили самогон: умирать пьяными казалось легче. Тихие и робкие начали испускать дух, а бойкие и отчаянные — резать последнюю животину, оставлять хозяйство и пускаться в скитания по стране. "Известия" напечатали статью под заголовком "Какое вкусное и лакомое блюдо суслики!".

Деев бы не отказался от сусликов, но и этих было — не достать. Не было нигде мяса: государство забирало его в первую очередь как самый ценный источник питания, наравне с хлебом. И Дееву ли не знать, как строго с продотрядов спрашивают за недостачу мясного плана: нехватку меда или картошки простят, нехватку мяса — никогда.

Дееву ли не знать, как трудно охранять отчужденную скотину: корова не зерно, молча на полу лежать не станет, а непременно будет рваться наружу, к рыдающей за стенами общественного хлева бывшей хозяйке. Поэтому караул порой приходится выставлять двойной: наружный — для отгона людей, внутренний — для удержания животных.

Дееву ли не знать, как сложно перегонять добытые в заготкампанию стада: фуража им — достань; теплый ночлег — обеспечь; по морозу или палящему солнцу — не гони. Оголодавшие свиньи так и норовят отгрызть уши-хвосты овцам или козам, а те — окотиться в неподходящий момент.

Дееву ли всего этого не знать!

Дееву ли не знать…

Дееву ли…

Колотились колеса, гнали состав по волжским лесам. А в голове у Деева колотилась мысль — отчаянная, даже безумная. Похоже, только безумные мысли и посещали его голову в последнее время. Похоже, только безумные мысли и имели нынче цену.

Деев знал, где имеется мясо. И знал также, что добыть его — невозможно.

Дееву ли этого не знать!

Дееву ли не знать…

Дееву ли…

На подъезде к Урмарам он выскочил из штабного на тендерную площадку, прохрустел по угольным кучам к паровозу и забрался в будку локомотива. И так бледно было при этом его лицо, так остры от напряжения скулы, что машинист ни о чем расспрашивать не стал — только подвинулся, уступая место у обзорного окна.

Не доезжая до станции, Деев скомандовал остановку — состав тормознул.

Деев спрыгнул на землю и вручную перевел стрелки, открывая эшелону путь на едва приметный отвилок — в сторону от основного полотна, в лес.

После добычи провизии под Свияжском авторитет начальника вырос, команды его исполнялись быстро и без ворчания. Но столь явное самоволие — дело серьезное, возможно, даже подсудное. "Не сойду с маршрута", — уперся машинист.

А Деев и возражать не стал: забрался в будку, перевел реверс, открыл регулятор — и "гирлянда" сошла на боковую ветку мягко, как по маслу. После вернул стрелки в исходное положение и увел эшелон поглубже в чащу. Машинист лишь мотал сокрушенно головой и крестился — тайком от начальника, отвернувшись к пылающему в топке огню…

— Буг, ты роды принимал? — спросил Деев чуть позже, в лазарете.

— Бывало, — изумленно поднял брови тот.

А изумляться было чему. Начальник эшелона, едва начав разговор, принялся ходить по вагону: не глядя на собеседника, мерил широкими шагами коридор — туда-сюда, туда-сюда — быстро и безостановочно.

“Гирлянда”, наоборот, стояла — где-то в глубине леса, окруженная могучими чувашскими соснами. Деревья подступали к вагонам, касались ветвями окон. Дохнул ветер — тяжелые иглы заскребли по стеклам, шишки ударили по крыше.

— Покажи-ка инструмент. — Деев, продолжая шататься меж нар, энергично тер щеки растопыренными пальцами; кажется, все члены его переполняло неудержимое волнение, и он подчинялся этому чувству, не в силах справиться с ним или хотя бы умерить.

Буг бережно достал из-под операционного стола свой фанерный чемодан и подаренный чекистами мешок, а Деев возьми да и вытряхни содержимое обоих на столешницу (фельдшер и охнуть не успел). Разворошил звякающую груду лопаток, ножниц, пилок, металлических груш — вытащил деревянный футляр длиной в полторы ладони, напоминающий букву Г:

— Вот эта штуковина подойдет.

— Это не для родов, — уточнил Буг. — Это катетер.

— Да хоть конфетер-котлетер! — И, засунув отобранный предмет в карман галифе, Деев кивнул фельдшеру повелительно: за мной.

Тот хотел было натянуть белый халат — куда там! — Деев сорвал халат с фельдшерских плеч, зашвырнул подальше; потянул за локоть, вздыхая досадливо: пошевеливайся уже!

— А дезинфекция? Скальпель? — Фельдшер сопротивлялся, пытался собрать хоть что-то в пустой чемодан. — И щипцы не помешают, если роды тяжелые…

— Слушай, Буг! — Деев на миг остановился и поднял на фельдшера глаза — блестящие, как у лихорадочного больного. — Ты заказывал мясо для лежачих? Тогда помогай — без вопросов!

Только вот без вопросов — не получалось.

— Делать-то что, внучек? — не выдержал Буг, когда они уже довольно долго шагали по усыпанным хвоей шпалам: первым строчил Деев, широко размахивая сжатыми в кулаки руками; в спину ему дышало могучее фельдшерово тело.

Лес вокруг не кончался, а становился гуще и темнее. Ближе к рельсам подступали сосны, тянули к людям растопыренные лапы. Упавшие деревья топорщили в небо корневища, каждое выше человеческого роста (коряжин было много — видно, в эти края местные за дровами не наведывались).

— Молчать, — пояснил Деев на ходу. — Что бы ни случилось — молчать. И рожу корчить посуровее. Рожа нужна такая, чтобы от одного ее вида молоко кисло.

Фельдшер продолжал недоуменно пыхтеть, и Деев добавил для ясности:

— Вспомни, как ты на меня тем утром смотрел, когда лежачих в лазарете обнаружил. Помнишь? Вот так и смотри!

— На кого? — опять не понял Буг, оглядывая пустынную местность — лишь стая ворон голосила хрипло где-то над лесом.

— На всех! — огрызнулся Деев.

Злился не на спутника, а на место это гиблое, где однажды уже бывал и видеть которое не желал бы никогда. Злился на ворон — понимал, отчего вопят. И на себя злился — что тащит доверившегося товарища за собой, как слепого котенка в колодец. Да если бы Деев и захотел — не смог бы рассказать о деталях будущего предприятия, сам представлял их смутно. Знал только: шагают они, казалось бы, по сухому лесу в ясный день, а на самом деле — по топкому болоту темной ночью. Неверный шаг — и сгинут. Но в этот раз Дееву было не справиться одному. А только — вдвоем.

— Вот, — достал он из галифе медицинский футляр и вложил в карман фельдшерских брюк (ткань оттопырилась, обтягивая угловатый предмет, по очертаниям вполне напоминающий револьвер). — При случае распахни тужурку, чтобы конфетер видно было. Небрежно так тронь его ладонью, будто невзначай, по привычке. Только часто не тереби — подумают, что угрожаешь.

— Мы что, на грабеж идем? — Фельдшер ощупывал непривычный предмет на бедре, приноравливаясь к его присутствию.

Говорил ровно, как о погоде спрашивал. Лежачих в вагоне испугался, значит, а на разбой сходить — нет? И Деева охватила благодарность за это спокойствие и готовность к любому поступку. Все же хорошо, что рядом военный человек.

— Место, куда мы идем, ограбить невозможно, — вздохнул в ответ. — Туда целые деревни ходили, да не с конфетерами, как мы с тобой, а с вилами-обрезами.

— И что?

— А ничего!

Скоро рельсы уперлись в частокол, составленный из высоких строганых стволов. Заточены бревна были остро, карандашами, а пригнаны плотно — ни единой прорехи не светилось в заборе. Только над шпалами, где висели большие двустворчатые ворота, имелась узкая щель — туда могла проскочить кошка, но никак не человек.

Рядом с воротами срублена охранная вышка. Не то в шутку, не то всерьез к ее балкам приколотили пару коровьих черепов — пожелтелых и треснутых, но все еще с рогами, — и сейчас черепа внимательно глядели на вышедших из леса черными дырами глазниц. А с вышки глядел ствол винтовки.

Деев тотчас же вздернул руки вверх. Фельдшер — следом.

— Мы к начальнику ссыпного пункта! — крикнул Деев охраннику-невидимке; тот скрывался за ограждением смотровой площадки, один суконный шлем торчал наружу да ствол ружья.

Ствол дернулся нетерпеливо, прогоняя непрошеных гостей обратно в чащу.

— Я с эшелоном, эвакуирую голдетей в Самарка…

Чоп! У самых ног взорвался маленький фонтан из хвои — пуля вошла в землю на шаг от башмаков.

— Девятое марта! — возвысил Деев голос. — Передайте начальнику всего два слова: девятое марта!

Винтовка не двигалась, по-прежнему указывая штыком на пришлых.

— Да ты новенький, что ли?! — заорал уже во всю глотку Деев, тряся возмущенно поднятыми ладонями. — Здесь даже вороны про девятое марта знают!

Ствол втянулся под навес. Кажется, что-то происходило там, внутри вышки или внутри укрепления, но снаружи ни разглядеть, ни расслышать.

Деев постоял минуту, другую — винтовка продолжала маячить на вышке, но больше в гостей не целилась — и опустился на рельсы. Сидеть на холодной стали было неуютно, но он велел и Бугу присесть: пусть охрана видит, что визитеры чувствуют себя вольготно и не робеют.

— А что случилось девятого марта? — тихо поинтересовался фельдшер, устраиваясь рядом.

Деев только зыркнул на спутника: что же ты не уймешься никак, дед?! Велено тебе — молчать!

Ждали долго, едва не отморозили зады. Желая унять расходившиеся нервы, Деев еле заметно тряс коленками —

попеременно то правой, то левой; этого охране видно не было. Еще можно было уйти — встать сейчас и спокойно уйти в сосняк, за крепкие древесные спины. Бугу объяснить, что предприятие не удалось. Машинисту велеть молчать о случившемся. Вернуть состав на маршрут, вечером быть в Шихранах. Никто ничего не поймет. Никто и не узнает ничего…

Створка ворот скрипнула и приоткрылась — приглашала войти. Вот и всё. Или — туда, за частокол, под прицел винтовок и треклятое вороньё карканье. Или — опрометью в лес.

Они поднялись — фельдшер быстро и с облегчением, а Деев неспешно, изо всех сил замедляя движения и этим скрывая охватившую тело внезапную дрожь. Основательно обстучали себя по ягодицам, то ли отряхивая налипшую хвою, то ли разгоняя застывшую кровь. И направились внутрь, под пристальным взглядом черепов.

Лица у всех были спрятаны — повязаны платками, — открытыми остались только глаза. Сверху каждый надвинул кепку с широким козырьком, убрав под нее пряди со лба, так что разобрать цвет глаз или волос было затруднительно. И даже одежда мужчин была неотличима: пиджаки, куртки, штаны, сапоги — все было покрыто слоем белой пыли и оттого казалось одинаковым.

Люди эти — а было их много, дюжины и дюжины, — безостановочно трудились: таскали увесистые мешки, приседая под их немалой тяжестью; вели повозки с лошадьми, груженные этими же мешками, — пространство внутри укрепления напоминало гигантскую муравьиную колонию. От мешков-то и поднималась пыль: белесые облачка вспухали при каждом движении, словно мешки были живые и дышали.

Пылью были обсыпаны и амбары — огромные, рядами уходящие вдаль и образующие что-то наподобие деревни, и ограждающий забор с частыми охранными вышками, и сама земля. Даже воздух здесь казался гуще — терся о ноздри при вдохе и оседал на нёбе едва ощутимым привкусом.

Очень хотелось откашляться, но показать слабину хоть и в этой малости было нельзя. Деев зыркнул на Буга — держись, дед! — тот уже морщился и дергал носом, имея явное намерение чихнуть.

Их вели по территории трое местных, с повязками на лицах и охотничьими ружьями на плечах. Глядели из-под кепок, словно из бойниц, — ни выражения глаз не понять, ни даже определить направление взгляда. И другие работники, отрываясь на миг от своего труда, глядели вслед гостям — тоже как из бойниц. От этих явных, но одновременно и невидимых взглядов делалось неуютно: Деев и Буг с их открытыми лицами шли будто голые среди одетых.

Местные были неразговорчивы — то ли по сути своей, то ли из-за прикрытых повязками ртов. Ни единого раза Деев не заметил, чтобы люди перекрикнулись или сблизили головы, обмениваясь парой слов. Работали усердно, не нуждаясь в указаниях: каждый знал, что делать. И даже те, кто утомился и присел на корточки перекурить, отдыхали молча — не коллективно, а по одному; самокрутками затягивались аккуратно, чуть приподымая угол платка над углом рта, все это непременно — у ведра с водой, куда после летел окурок.

Человеческого голоса не было слышно и в деревне, а только шаги, бряцание упряжей, скрип колес, скрип деревянных лестниц, по которым затаскивались в амбары бесконечные мешки. Может, принимали сюда одних только молчаливых и бирюков? А может, и вовсе обрубали работникам языки?

Иногда всхрапывали кобылы. Часто кричали вороны, этих была — туча. Тощие, взъерошенные, они скакали по крышам, опускались на облучки телег и лошадиные хомуты, всюду суя наглые клювастые головы в надежде поживиться. На коньке каждого амбара корячилось по пугалу, но птиц было не испугать: садились чучелам на распростертые руки и злобно долбили по бóшкам — битым горшкам (Деев заметил, что одно чучело было одето в поповскую рясу, еще одно — в драный донельзя фрак).

Чем дальше шагали, тем больше становилось ворон и тем громче делались их крики. И воздух все больше густел: предметы виделись через белесую дымку, теряли ясные очертания.

Деев обвел языком губы — как муки нализался. Покосился на Буга — загорелые щеки фельдшера уже тронуло светлым налетом. А глаза — округлились от вопросов; прячет взгляд под лохматыми бровями, супится старательно, но за версту видно: впервые человек на ссыпном пункте. Молчи, дед. И хмурься, хмурься позлей — не к теще на блины явился! Потому как на ссыпном пункте гостей не бывает — нерадушное это место и взглядов чужих не любит. И каждый пришедший для хозяев — как заноза на языке. Вон дозорные на вышках замерли чурками — хоть и прикрыты лица, а понятно, что на гостей пялятся, винтовки крепче сжимают. Вон у стен амбарных вилы прислонены — одни, вторые и третьи, — хотя сена никакого здесь нет и в помине. А у конвойных, что Деева с фельдшером ведут, кроме ружей за спиной, еще и по ножу охотничьему в голенище…

Вышли на большой пустырь, примыкающий к частоколу, — видимо, прошагали укрепление насквозь и оказались на противоположной стороне. Пожалуй, это место можно было назвать главной площадью: отсюда разбегались во все стороны ряды амбаров, здесь же располагались контора правления и пара жилых избушек — узнавались по остек-

ленным окнам и красным флагам на крышах. Из открыто-
го чердачного оконца торчала чья-то темная морда. Не морда — пулемет.

В центре площади высились три огромные горы —
издалека могло показаться, песка или мелкого камня, но
Деев-то знал: отборного зерна. Одна гора пшеничная, вторая ржаная, а третья овсяная. Каждая размером с амбар.
Ручейки зерен медленно струились по склонам, источая
мучнистую пыль, и горы были окутаны парящей в воздухе
мукóй, будто светились бело и мутно. Чем дальше от гор,
тем бледнее становилось это свечение, но ясно было: вот
он, главный источник белой пороши.

Тут уж фельдшер не сдержался — охнул. Деев только
глазами в товарища стрельнул: что ж ты подводишь меня,
дед?! То ли еще будет.

На краю площади поблескивали железнодорожные
пути; от входа, через который гости проникли в укрепление, рельсы тянулись по всей территории, распадаясь на
несколько рукавов, а затем снова собирались в единое полотно, которое убегало за широкие ворота. Ворота эти то
открывались, впуская по одному груженые возы, то закры-
вались, преграждая путь ожидающим снаружи. Показалось, там теснится немало подвод и слышны голоса, но разглядеть картину не удавалось — воротные створки захло-
пывались быстро, едва не защемляя задки въезжающим
телегам.

На каждую такую въехавшую телегу тотчас впрыгивали
местные (про себя Деев еще в прошлый свой приход окре-
стил их "мучными людьми"), по-обезьяньи ловко переки-
дывали привезенные мешки на гигантские весы и, черка-
нув что-то в планшетках на поясе, вываливали содержимое
к подножию одной из трех гор; кто высыпал, а кто воро-
шил — и рукой, и чуть не носом, — проверяя качество до-
ставленного хлеба. Пыльные клубы поднимались от сыпь-
лющегося зерна, как пар от кипятка. После разгрузки воз

разворачивался и через те же ворота покидал укрепление, уступая очередь следующему.

Горы быстро прирастали. С противоположной стороны дюжина работников ссыпáла привезенное зерно обратно в мешки и, рассекая мучной туман, разносила по амбарам.

Ошалевшие от обилия хлеба вороны метались над площадью и безостановочно орали, но опуститься и клюнуть хотя бы зернышко не смели. Стая была велика, и казалось, само небо кружится хороводом над хлебными горами и хрипло вопит. Поднятый вороньими крылами ветер лохматил парящие над землей пыльные облака и гнал по улицам, вдоль амбарных стен. Время от времени местные вскидывали ружья — грохал выстрел, черное птичье тельце падало на горный склон, орошая его кровью и осыпая перьями. Не снимая сапог, стрелявший заходил в хлебную насыпь, поднимал добычу, стряхивал прилипшие зёрна. Кровь и перья никто не выбирал. Стая, плача, бросалась прочь — на ее место прилетала из леса другая.

Как ни строжил Деев спутника взглядом — не помогло: фельдшер замедлил шаг и встал, завороженный видом несметного хлебного богатства. Стоял у подножия желтой горы — на самом проходе, где сновали с мешками мучные люди, — и молча глядел на змеившиеся по склонам пшеничные струи. Остекленевшие глаза его не меняли выражения, а лицо словно высыхало стремительно: лоб затянуло морщинами, губы сжались и впали под усы, подбородок выдвинулся вперед.

Деев едва удержался, чтобы не дернуть спутника за рукав, прерывая неуместную зачарованность, — но трое конвойных тоже замедлили шаг и встали. Кажется, именно сюда они и вели непрошеных гостей.

— Откуда вам известно про девятое марта? — раздалось позади негромко.

Обернулись — человек в такой же, как у всех, белесой одежде и с таким же платком на лице стоял у них за спиной и теперь рассматривал их в упор. Его бы и вовсе не отличить от остальных, если бы не окружающие: рядом с ним охранники выкачивали грудь и тянули подбородки вверх, а простые трудяги, наоборот, приседали и бегали быстрее.

Буг вздрогнул, очнувшись, но взгляд имел все еще рассеянный. А Деев будто только этого вопроса и ждал.

— Тем годом служил в продармии, товарищ начпункта! — рапортовал четко. — Казанский продотряд номер сто девятнадцать. Мы были откомандированы в Чувашию для увеличения собираемости. — Не мигая, Деев таращился в щель меж лицевой повязкой и головным убором собеседника, но разглядеть глаза в тени кепочного козырька не мог и оттого точно с пугалом бездушным разговаривал. — Девятого марта квартировали неподалеку. Наш отряд прислали на подмогу, когда все началось.

Не кивая и никак иначе не проявляя интереса, человек зашагал медленно вокруг дышащих пылью гор — инспектировал приемку: поворачивал обернутое платком лицо то к разгружаемой телеге, то к весам, то к суетящимся при виде его работникам.

Деев тронулся следом — не вплотную, но и не слишком отставая, не спеша, но и без лишней робости, — словно был приглашен к совместной прогулке. Краем глаза следил за конвойными — те предупредительно кучковались в стороне.

— Сейчас перевелся в экспедиторы, — продолжал докладывать в спину собеседнику. — Везу эшелон голдетей в Самарканд. Лежачих — целый вагон.

Приемщики так усердствовали при виде начальства, что работа их несколько разладилась: порция ржи по недосмотру была высыпана в гору без должной проверки. Начпункта присел у того места, поворошил рукой, перебирая семена.

Что-то неуловимо странное было в том, как двигал он правой кистью. Приблизившись и заглянув ему через плечо,

Деев понял причину: кисть у начальника ссыпного пункта была железная.

Металлические пальцы были выкованы умело: каждый чуть отстоял от другого и загибался дугой, образуя подобие перчатки, а оканчивался заостренным железным когтем. Такой конечностью можно было действовать и как рукой, и как инструментом — вилами или крючками. Только с размером вышла осечка: железная кисть получилась чуть больше живой.

— Зачем пришли? — спросил Железная Рука, просеивая рожь коваными пальцами.

Вот она была — решающая минута.

Деев набрал побольше воздуха в грудь и выдохнул — как в воду нырнул:

— За излишками, товарищ начпункта.

Крупные серые семена струились меж пальцев-крючков. Зерно было и впрямь отборное — обычно такое не пускают в помол, а сохраняют на посев.

— Какими такими излишками? — не сразу откликнулся Железная Рука.

Но по тому, как иначе прозвучал его голос, было ясно: всё он понял.

— Мясными, товарищ начпункта, — Деев старался говорить бодро, а лицо сохранять простым и открытым, словно просил о сущей малости, но сам-то знал: за такую вот малость прикопают их с фельдшером где-нибудь в сосняке, под коряжиной, и вся недолга. — Зерновых не надо, только мясные. И только за одну ночь — сегодняшнюю.

— На нашем пункте излишков не водится. — Железная Рука дернул кистью, сбрасывая с ладони собранный хлеб.

— Они везде водятся, — улыбнулся Деев.

Постарался дружелюбно, по-свойски, а вышло криво и натужно. Уже запоздало хватился, что ухмылка может быть понята как насмешка, но собрать обратно губы не сумел — их словно растянули на нитках в стороны. Так и стоял, осклабившись Петрушкой, и пялился на Железную Руку, пока тот не поднялся с корточек и не подошел вплотную.

Тут-то Деев и разглядел начальственные глаза — по-монгольски раскосые, сверху приплюснутые мешками век, а снизу подпертые мясистыми скулами, что буграми торчали над туго повязанным платком.

— Будьте здоровы, — прозвучало из-под платка.

Железная Рука отвернулся и направился к домику правления.

— Товарищ начпункта! — Деев припустил следом. — Мне ж не себе, а детям лежачим!

Семенил за начальством, а сам поглядывал на конвойных — те насторожились, но еще не успели понять, что делать. И на остальных мучных поглядывал — некоторые прервали труды и наблюдали за происходящим, опершись на черенки воткнутых в зерно крепких лопат.

— У них рты суррогатами изранены, зубы шатаются! — торопился рассказать, пока собеседник не скрылся в правлении. — Есть ничего не могут, а только пить. Им бы отвару мясного или мяса постного, через сито пропущенного…

Железная Рука обернулся и легонько свистнул — конвойные бросились к Дееву.

А Деев бросился ко входу в контору: обогнал Железную Руку и перекрыл дверной проем, загородил собственным телом и поднятыми руками — вроде и сдаваясь, а вроде и продолжая спор.

— Иначе не довезу — помрут без мяса! — Искал взглядом узкие глаза начальника, но тот лишь отворачивался досадливо, поджидая спешащую подмогу. — А кроме как на сборном пункте, мяса нигде нет, сами знаете! Зачем же вы это мясо по всему краю собираете, если детям даже излишков не достается? Вы же здесь партией назначены, чтобы страну от голода спасать, — вот и спасайте! — И сам не заметил, как от увещеваний перешел к призывам. — Вы же сейчас для этих детей — наиглавнейший человек, важнее всех нянек и докторов, важнее родителей и самого господа бога! Только вы и можете — спасти!

Зря он сюда бога приплел, но язык-дура молол сам, не спросясь у головы.

Вся площадь уже наблюдала за крикливым пришельцем: и мучные трудяги, и бабы на разгружаемой телеге. Может, и хорошо, что свидетелей разговора оказалось так много? И что среди свидетелей этих не только местные?

Конвойные сковырнули упиравшегося Деева — аккуратно, даже руки за спину не заломив, — и подтолкнули прочь, за амбары; видно, желали проучить не прилюдно, а с глазу на глаз. Накостыляют — не страшно, мелькнуло в голове. Да только ли накостыляют?

Хлопнула дверь — Железная Рука скрылся в избе.

— Я ж понимаю, вы излишки эти не себе в карман кладете! — Фортка в доме была открыта, и Деев еще надеялся докричаться до начальника через окно. — Вы их и не видите даже, товарищ начпункта! Вы только догадываетесь, что излишки есть, а кто их пользует — и знать не знаете!

Со всех сторон Деева окружили твердые плечи, груди, подбородки, выдавливая с площади вон, — за ними не видно было уже ни конторы, ни хлебных гор, ни остальных людей. Он пытался вырваться из оцепления — как в ловушке барахтался, постепенно смещаясь все дальше на задворки. Сильный тычок под ребра выбил воздух из легких, заставил согнуться. Деев был готов уже ко второму удару — по спине или затылку, — когда знакомый голос произнес рядом:

— Нет! Бить никого не надо.

Нападающие разомкнули оцепление и обернулись: позади стоял второй гость — седой здоровяк с бычьей шеей и по-бычьи же насупленный. Распахнув тужурку и положив ладонь на выпирающий из кармана штанов тяжелый предмет, он глядел на дерущихся и чуть подергивал белыми усами, как зверь перед схваткой.

У Деева была пара секунд, пока местные не разобрались, что к чему.

— А что крыша у вас протекла в седьмом амбаре — тоже не знаете? — Заорал надсадно, чуть не срывая голос и обращаясь все к той же открытой форточке. — Что от этого треть хлеба сгнила и пришлось ведомости переписывать, цифры подгонять — тоже не знаете? Что до сих пор — до середины октября — хлеб в открытую храните, под всеми дождями и ветрами, — и об этом не слышали? — Деев заметил, что бабы на телеге крестятся испуганно, а мучные переглядываются, и загорланил пуще прежнего. — Что в глубинном хранилище крысы зерно пожрали и…

Окно в доме стукнуло — распахнулось.

— Слушайте-ка вы, всезнайка… — высунулся из оконного проема человек в исподней рубахе.

Головного убора и повязки на лице уже не имел — Деев только по голосу и узнал Железную Руку. Редкие сизые волосы его стояли дыбом — замялись под кепкой; на коричневом от загара лице очками белела мучная полоска; белыми же оставались и брови с ресницами. На шее болталось мокрое полотенце.

Конвойные при виде начальства вытянулись на месте. Деев, потирая ушибленный живот, проковылял поближе к окну.

— Вы что, на испуг меня берете? — спросил Железная Рука тихо.

Ни юлить, ни дальше корчить смельчака было нельзя.

— Как можно, товарищ начпункта? Я же сейчас кричу все это, а сам боюсь до смерти, аж челюсти сводит, — так же тихо признался Деев. — У меня и руки от страха трясутся, и внутри трясется все, будто лихорадка напала. Вы же нас, если что, как вшей раздавите, и пикнуть не успеем.

Я, когда все это орал, одного только хотел — чтобы вы меня услышали.

Каким же облегчением было наблюдать лицо собеседника во время разговора! Хоть и престранное это было лицо: под раскосыми глазами торчал картошина-нос и пучились пухлые губы, а по низу круглой морды щетинилась русая борода — словно верх головы нашли в киргизских степях, а нижнюю часть отыскали в верховьях Волги. Белые от муки брови с ресницами добавляли нелепости и одновременно жути.

Желая ближе разглядеть настырного гостя, Железная Рука подался к Дееву, положил кованые пальцы тому на загривок и потянул к себе. Холодные крючки обхватили шею — вот-вот сомкнутся кольцом и сдавят глотку.

Монгольские глаза придвинулись так близко, что слились воедино: огромное узкое око таращило на Деева черный зрачок из-под белесых ресниц. Не мигая и даже не дыша, Деев таращился в ответ — словно душу свою наизнанку выворачивая до последней складки. Не было у него от ока никаких тайн. Однако и сам он про это око знал всё, получше каждого на ссыпном пункте.

Металлические пальцы скользнули с горла — отпустили. Око раздвоилось, вновь обернулось двумя привычными человеческими глазами, покрасневшими от пыли.

Живой ладонью Железная Рука потер веки, стирая мучную маску. И по этому медленному движению видно было: устал человек, и очень сильно. Сейчас и надо было говорить — в эту короткую минуту перед отдыхом, когда повязка с лица уже сброшена, а окно еще открыто, — говорить напрямую, из самой души, как думается.

— Мы к вам пришли от безысходности и от большого отчаяния, — тихо произнес Деев.

Прикрыв ресницы, человек счищал полотенцем белую полоску с лица. Гостя не гнал. А значит, слушал.

— А еще потому, что вы — человек. Не может человек пять сотен детей на смерть отправить. А не дать им сейчас мяса — все равно что убить.

Хотелось положить руки на подоконник, чтобы случайный порыв ветра не захлопнул раму. Но нельзя — спугнешь минуту.

— Случается, что даже хороший человек убивает — на войне или когда кулаки на ссыпной пункт напали, — продолжал Деев. — Вы старше меня и лучше моего про то знаете. Я тоже убивал, и в Гражданскую, и не только. Но детей — не убивают. Это против жизни.

И вдруг — закончились слова. Казалось, так много всего на сердце и можно говорить часами; но оказалось — так мало. Человек слушал, обтирая полотенцем лоб и щеки, а Дееву-то и сказать больше было нечего — вся его душевная смута и большой страх уместились в пару куцых фраз.

— Может, мы для того и должны их спасти, — добавил последнее, — вместо тех, кого убили…

И умолк.

Человек вытер белое с бровей, собрал налипшие комья с ресниц и глазных углов. Краешком ткани вычистил уши и ноздри. Пришлепнул вздыбленные волосы.

Орали над площадью вороны — как рыдали.

— Чего конкретно хотите? — спросил наконец Железная Рука.

— Одну ночь в сборном хлеву! — выпалил Деев. — Не снаружи, не в доме охраны — в самом хлеву. — Слова вернулись мгновенно и бойко вылетали из-за зубов. — А уж там — как повезет. Все излишки за ночь — наши. С рассветом уйдем — задами, через пути, как пришли. Никому не расскажем, никогда. Слово фронтовика.

Железная Рука только посмотрел на гостя устало — и во взгляде этом Деев прочитал согласие.

— И еще! — Теперь, когда самый главный ответ был получен, можно было уже не миндальничать: Деев ухватился за подоконник, будто желая выдрать его из избы, и зачастил, торопясь высказать все просьбы. — Нам на эту ночь охрана нужна. Вы уж не обижайтесь, товарищ начпункта, но местные нас не полюбили, животом чую. Велите прислать троих покрепче из приезжего продотряда. Откуда нынче продотряды?

Начпункта, уже не глядя на просителя, хотел было закрыть окно, но деевские пальцы помешали.

— Из Питера есть? — Деев не убирал защемленные пальцы с рамы; было больно — терпел, даже не морщился.

Кажется, угадал он с Питером. По правде говоря, и угадывать было нечего — питерский пролетарий колесил нынче по всей России, мозолистыми кулаками выбивая провизию из неразумного крестьянства.

— Ну вот, значит, питерских! — тараторил Деев в сжимавшуюся оконную щель. — Эти никому спуску не дадут!

И только после убрал руки.

Створка тотчас захлопнулась. Дернулась внутри занавеска.

Деев отошел от окна и присел на завалинку начальственного дома. Здесь и решил пережидать до вечера: около правления, на виду у всей площади, казалось безопасней.

Рядом опустился фельдшер. Хотелось похвалить его или сказать пару ободряющих слов — хороший ты оказался товарищ, дед! — но Деев только посмотрел на спутника благодарно.

Мучные давно уже вернулись к работе: приемка зерна шла своим ходом — телеги безостановочно въезжали и выезжали со двора, зерновые горы дышали мукой.

Конвойные, что все время выжидали в отдалении, потоптались еще немного и скрылись в соседней избе — видно, следили из зашторенных окон.

— Прибьют нас нынче ночью, внучек, — вздохнул Буг, поудобнее устраиваясь на лавке и поправляя выступающий из кармана конфетер.

Дееву вспомнились монгольские глаза, красные от бессонницы и пыли.

— Нет, — мотнул головой упрямо. — Не прибьют.

Поднял руки к лицу — они до сих пор тряслись.

П ро седьмой амбар, где крыша течет, откуда знаешь? — Это фельдшер уже к вечеру спросил, когда небо налилось темнотой, а в лесу закричали первые ночные звери.

Смеркалось. Они все еще сидели на завалинке у конторы — и все еще целые.

Приемка зерна окончилась. Мучные попрятались куда-то, вороньи стаи разлетелись по лесам; было непривычно тихо. Хлебные горы светлели на сумрачной площади, как сделанные из сахара; источали не свет — муку́.

Не время сейчас было для беседы — в самом сердце укрепления, по соседству от железнорукого начальника, вблизи от карауливших конвойных. Но и молчать который час, вглядываясь в каждую тень и отовсюду ожидая подвоха, терпения не осталось.

— На любом ссыппункте какая-нибудь крыша да течет, — отозвался Деев. — Может, и не в седьмом тут вода, а в пятом или во втором. Но в каком-то — непременно. И крысы где-нибудь завелись, половину зерна пожрали — тоже непременно.

— А питерская охрана чем лучше местных головорезов? — не унимался Буг.

— Тем и лучше, что пришлые еще освоиться не успели. Куда, по-твоему, ночные излишки деваются? В чей карман и за чью необъятную пазуху? У кого мы с тобой сегодня ночью приварок из-под носа потащим?

Буг помолчал, попыхтел в темноту. А затем возьми да и спроси о главном, снова:

— Ну а девятого марта что все-таки случилось?

И что ты за трепло такое, дед, хотелось Дееву выругаться. Не ровён час шлепнут нас, как комаров, — а ты всё любопытствуешь, интерес свой тешишь!

Но не ругнулся. Фельдшеру в эшелоне такое сказать можно, а боевому товарищу — нельзя. И соврать боевому товарищу — тоже нельзя.

— Деревня сюда пришла, — ответил минуту спустя. — Хотели вернуть свое зерно, мол, разверстка всё забрала, сеять нечего.

И тотчас встала перед ним толпа — сотня человек, не меньше: орут, чертыхаются, плачут, молитвы вопят. Кто вилами деревянными трясет, кто — образами. А кто подурней — грудными детьми. "Товарищи! — взывает к ним партийное начальство. — Милые! Идите по домам!" Куда там! Ворота вышибли, замки с амбаров посрывали…

— Большая вышла перестрелка? — продолжал допытываться Буг.

Тебе-то оно зачем, дед?! Тебе-то зачем знать, что вышла не пальба, а еще и похуже? Когда с одной стороны ружья с пулеметами, а с другой — грабли, косы и колья из плетней…

— Не перестрелка, — пояснил Деев нехотя. — Пожар.

— Так зерно разве горит?

Если керосином полить — отчего ж ему не гореть?! Полыхает и небеса коптит! И мешки горят, и амбары, и сами хлебные горы…

— Деревенские тогда к путям прорвались, — пришлось рассказать. — Там цистерна стояла с керосином. Они как поняли, что зерна не дадут, — керосин тот стали ведрами таскать. И — на амбары, на амбары! Ну и… сто тыщ пудов хлеба за ночь как не бывало.

— Боже мой, — выдохнул Буг. — Сто тысяч пудов…

Разозлился Деев на такую чувствительность. И захотелось ему не деликатничать — выложить фельдшеру всё как есть, начистую. Что сгорел девятого марта не только хлеб в амбарах. И лошади на местной конюшне сгорели, и скот в сборном хлеву, и мучные, кто в амбарах тех замешкался. И бунтовщики сгорели — но эти хотя бы не заживо. Их пострелями, дед, — всю деревню, до единого человека. Лежали они меж полыхающих амбаров вперемешку с упавшими пугалами, неподвижно, и горели. Смердело — что в твоем аду: жженым зерном и жженым же мясом. Но ведь что удивительно, дед: избы все выгорели дотла, а частокол с вышками остался, едва подкоптился. Это — как?! Ссыппункт назавтра уже работал. Весь день сюда возы с зерном заезжали, а обратно выезжали — с трупами. Вороны в тот день страх потеряли, бросались на телеги и на ходу горелое мясо рвали…

Но Буг больше не спрашивал — только сидел, обхватив руками седую голову, и шептал беспрестанно: сто тысяч пудов… сто тысяч… сто тысяч…

Надоело Дееву причитания слушать.

— Счастье, что тогда на складах всего сто тысяч было, — сказал жестко. — Знаешь, сколько пудов этот пункт вмещает?

Фельдшер смотрел на него — в темноте видны были только сведенные белые брови и белые же усы, поникшие скорбно.

Деев потянул немного, усиливая будущее впечатление, а затем веско произнес:

— Миллион.

И Буг замолчал.

Питерцы явились к ночи — плечистые, усатые. Все — с открытыми и загорелыми лицами. Двое — с винтовками, один — с лихо торчащим из-за ремня маузером. Три богатыря.

Повели далеко, на задворки укрепления, где располагался сборный хлев — небольшой, голов на двести. Судя по всему, срубили его на всякий случай — чтобы имелся на ссыпном пункте еще и скотный приют: хоть на ночь перегоняемое стадо заводи, а хоть заодно с хлебом в Москву-Петроград отправляй — удобно.

В хлеву дежурила мучная охрана — несколько мужиков с закрытыми лицами валялись на топчанах у входа. Гостей пропустили, но ни здороваться, ни предлагать сидячее местечко не стали. Вместо этого — ночью, при свете керосинок, вдруг — принялись чистить свое оружие. Деев насчитал у хозяев четыре обреза, три револьвера и один дамский пистолет. Охотничьи ножи в голенищах и топоры — не в счет.

— Одолжите керосиновую лампу, товарищи, — попросил Деев.

Хозяева не отвечали, но и не возражали — и он медленно подошел к топчанам, медленно взял одну керосинку. Держал руку на кармане с револьвером — не доставал тот револьвер и даже в глаза охранникам не глядел, просто касался пальцами оружия на бедре. Заметил, что и фельдшер придерживает свой конфетер так же осторожно. И питерцы придерживают — но эти без деликатности, в открытую, дерзко улыбаясь. Дерзко — это хорошо: значит, не успели с местными сговориться.

Освещая дорогу, Деев отправился изучать хлев. Длинное и темное пространство было разрезано вдоль узким проходом — от входа на одной стороне и до выхода на другой. А каждая половина состояла из нескольких загонов, где сейчас топтались, сонно дыша, обитатели — на деевское счастье, этой ночью их было много. Коровы, овцы, козы, опять коровы — тощие, мосластые, но живые. А некоторые из них — стельные. Эти-то и были нужны. Это и был тот самый пресловутый излишек, ради которого шли работать на сборный пункт. Не учтенный в бумагах новорожденный теленок фунтов на девяносто живого веса — нежнейшее мясо, потроха, кости на холодец и шкура на продажу. Или ягненок — весом полегче, но каракуля на целую шапку. Да хоть бы и козленок — семье на сытный ужин, а младшенькому на шубку. Да хоть бы и яиц десяток, если собрали по разверстке не скотину, а птицу.

Абы кого, с улицы, сюда на работу не брали — а только своих, только проверенных людей. Новых рабочих мест было мало — отсюда не увольнялись. Правда, сотрудники сборных пунктов и гибли чаще, от шальной пули или шального серпа в живот, — работа была прибыточная, но опасная, как в армии. Видно, и мучные охранники были друг другу не чужие люди — то ли братья, то ли сватья-кумовья, а то ли бывшие фронтовые соратники; потому и беседы вести им нужды не было — понимали друг друга с полуслова.

Деев шерстил хлев, как борзой пес в поисках подстреленной дичи: заходил в загон и рыскал меж костлявых спин и рогатых морд с низко опущенной лампой — искал отяжелевшее брюхо. Быстро смекнувший про всё фельдшер помогал: оглаживал хребты, успокаивая полусонную скотину, а заодно выискивая на ощупь какой-нибудь раздобревший круп. Чмокал и цокал языком при этом, как заправский конюх.

В сытое время коровье стадо могло и озлиться на чужаков — затоптать или забодать. Но в голод животные слабели и делались покорны. Одни только свиньи шалели с голодухи, поэтому свиней держали отдельно. В этом хлеву их не было.

Обшарили всё — нашли трех телок на сносях и одну котную овцу.

— Верил бы в бога — помолился, чтобы нынче ночью хоть одна отелилась, — сказал Деев.

Случиться такое могло вполне — коровы были тяжелы основательно, распухшие вымена их висели едва не до земли. Буг заглянул каждой под хвост, провел пальцами по торчащим соскам.

— Вот эта, — уверенно сказал, указывая на одну.

Корова едва держала вес распирающего ее плода на тощих ногах и с тоской глядела в землю. Морду отворачивала и шарахалась ото всех как полоумная. Пожалуй, дед был прав: на нее и нужно было ставить.

В дальнем углу Деев давно приметил отгороженный закуток — туда и отвели избранницу под пристальными взглядами мучной охраны. (Подобные закутки появлялись на каждом сборном пункте — для отселения тех, кто мог произвести излишки. Заботились не о животных, а о том, чтобы излишек образовался непременно и поскорей: на длинном перегоне или в толчее общего загона уединиться для отела было сложно, в персональном помещении растелиться легче.)

Устроили в закутке стельную. Устроились рядом сами — на какой-то доске, спинами прислонившись к стене хлева. И питерцы расположились неподалеку.

И стали ждать.

Ночь выдалась прохладная, но полторы сотни животных ртов надышали тепла. Шло тепло и от навоза, что устилал пол в несколько слоев: нижние слои затвердели и защищали от земельного холода, а верхние, еще мягкие, па́рили, обогревая хлев.

Вздыхала и переступала ногами скотина, под копытами чавкал коровяк. Пересмеивались тихо о чем-то своем питерские богатыри. Где-то далеко, на входе, бряцали ружья мучной охраны.

Время шло.

Лампу Деев прикрутил, экономя керосин, — язычок пламени размером с детский ноготь едва разбавлял темноту. В густой темноте этой слабо проступал усатый профиль деда и выпуклости бревен. В крохотное смотровое окно, наполовину прикрытое задвижкой, виднелся кусок неба — цвет его постепенно менялся: от серого к синему, а затем и вовсе к чернильному.

Сейчас-то и было время для серьезного разговора или беседы по душам. Но говорливый до этого фельдшер молчал: крепко его прибила цифра в миллион пудов.

— Слышь, дед, — не выдержал и зашептал Деев. — Ты на войне за кого был — за красных или как?

Буг не отвечал, только сопел громче.

— Ясно…

— Ничего тебе не ясно! — открыл наконец рот. — Да за красных я был, за красных!.. Но не сразу.

— Перебежчик, выходит. Политический хамелеон.

— Я политикой не занимаюсь. Я людей лечу.

— А тебе что же, все равно, кого лечить?

Говорить в голос было нельзя — шептали, в напряженные моменты переходя на сипение и свист.

— Все равно. По правде говоря, лечить бы мне лучше зверей. Меня в военной академии уже сколько лет место ждет — лошадиным доктором, в кавалерии. А я, старый дурак, все при людях, при людях…

— Что же тебе, конь милее человека?

— Во сто крат! Ветеринар кобылу выходит — и та живет себе дальше, на радость хозяину, и назавтра опять сама под пули не лезет. А человек — еще как! Зачем я его латаю и штопаю, если завтра он сам же первый — в бой? Глядь — уже убит. Зачем я ему сегодня ногу пилю — без морфия, на живую, — если завтра в обоз бомба попадет и его разорвет?!

И так — всю жизнь. Значит, и лечение мое было зря, и сам я тоже был зря…

— А лошадь кавалерийская, стало быть, от пули не гибнет?

— Гибнет. Но не по собственному желанию или собственной глупости — потому и жальче ее.

Стельная корова ударила копытом, и они притихли на минуту. Но оставить важную тему было нельзя, и скоро Деев засипел снова:

— Всю жизнь людей спасал — а туда же, жаловаться!

Отклика не было долго, и Деев решил уже, что Буг задремал посреди разговора. Хотел было толкнуть собеседника, но тот сам подал голос:

— Знаешь, для чего я в эшелон записался? Устал от войны. И от смерти устал. Думал, здесь-то — дети, радость, жизнь. Ни тебе пуль, ни осколков, ни рваных ран. Думал, здесь-то уж точно буду не зря. А тут такое…

— Ишь ты, радости ему захотелось! — не удержался, сьерничал Деев. — Нервического ты склада, товарищ Буг, впечатлительный как барышня. Радоваться при коммунизме будем.

— Я не доживу. А очень хочется — не радости даже, а просто доброты.

— Глаза-то разуй пошире! Везде доброта. В сапогах дети пришли на вокзал, не босые, — доброта. В рубахах едут, не голышом, — опять доброта. И едут же в Туркестан — едут, а не в приемнике мрут, — снова тебе доброта! Мешки со спецпитанием, куры в корзинах, яблоня на крыше — всё доброта! Мало?

— Неправильная она, твоя доброта, внучек. Шиворот-навыворот.

— Мозги у тебя шиворот-навыворот! — от негодования деевский шепот сорвался в шипение. — Добрым быть — это тебе не слезы лить над бедными лежачими! А погрузить их в вагон — голыми, без еды — и отправиться в Туркестан!

Добрым быть — это молока им в пути добыть и мяса! И довезти до Самарканда — всех, до единого!

— И мы с тобой сейчас, выходит, добрые? — спросил после длинной паузы Буг.

Не просто спросил — с подковыркой. Но Деева ехидством не возьмешь.

— Выходит, так!

— И человек этот, с железной рукой, кто разрешил нам тут излишками разжиться, — тоже добрый?

Опять спрашивал — как издевался. А Деев отвечал всерьез.

— Выходит, так!

— А девятого марта — что же он тут устроил, этот добрый человек? Когда он с тобой о том разговаривал, у него же спина закаменела, едва рубаху не порвала. Не про зерно сгоревшее он при этом думал, а про другое — такое, о чем даже и спрашивать не хочу, и знать.

А отчего же не хочешь-то, дед, подмывало спросить. Про то многие знают — и ничего, живут. Начальник ссыпного пункта здесь — самый обычный, не злее остальных. Ты же остальных-то не видывал! И девятого марта случилось не светопреставление, а подавление антисоветского бунта. Тогда по России бунтов полыхало — не счесть…

— И что с людьми теми сталось, которые девятого марта сюда с вилами пришли, — продолжал бубнить фельдшер в тишине, — против добрых питерских богатырей из продотряда, с винтовками и пулеметами, тоже не спрашиваю и знать не хочу.

А ты бы спросил, дед! А я бы тебе ответил, что были это не просто деревенские, а бабы. Дед, это был бабий бунт. Мужиков-то два года как по деревням не осталось — кого белые забрали, кого красные, а кого ЧК в заложники замели. И пришла девятого марта на ссыпной пункт сотня баб. Девки, старухи, молодухи на сносях — все пришагали. Дуры! Дуры набитые! У них дома дети малые по печам, по люлькам. А они — сюда. То и сталось, что получили они по заслугам — по глупости своей великой.

— И чем ты, внучек, добрый человек, здесь в тот день занимался, тоже не спрашиваю, — гнул Буг свое. — Ты же, когда сюда по лесу шагал, трясся весь, как от горячки. А когда мне про тот день рассказывал, аж почернел.

А ты бы и это спросил, дед! Что же ты боишься-то всего, как вша окопная! Ты же военный человек! Спроси — и я отвечу. Отвечу, что стрелял. Да-да, стрелял, как и остальные товарищи. Стрелял в баб. Они в тот день с ума сошли — не словно с ума сошли, а по-настоящему, взаправду сошли с ума. Я же видел их глаза и знаю, о чем говорю. Они были не люди, а стадо. Они бы нас разорвали. Мы поначалу не могли стрелять, никто — они сами, первые, на нас бросились. И стали рубить — косами, серпами. Ты видел когда-нибудь женщину, которая косой срубает мужику голову? Мы сперва прикладами защищались, потом штыками. Я хотел убежать в лес. Многие хотели. Но частокол высокий, не перемахнешь, а у ворот давка. Вот и бултыхались мы внутри этого частокола, как в котле, — с бабами секлись.

А потом они нашли цистерну с керосином. Плескали в нас тот керосин — ведрами. Амбары уже горели. И тут уже штыком не обойдешься: или стреляй, пока до тебя с этим ведром не добежали, или гори. Все стали стрелять. Я тоже. А женщин было много! Я хотел, чтобы все это поскорее закончилось, и потому много стрелял.

А назавтра нас отправили в ту деревню — собирать ребятню и развозить по детским домам. Всех собрали, всех развезли. Никто не умер, даже сосунки живы остались.

Я все сделал, исполнил все приказы. А потом закинул на плечо свой мешок и, никому не сказав, ушел в Казань. Шагал неделю, по лесам и снегам. Пришел к себе в общежитие, лег на кровать и пролежал еще неделю. Даже в нужник не отлучался. Мне принесли ведро и поставили к ногам, чтобы я не ходил под себя. А я боялся этого ведра — и выкинул в окно. На восьмой день встал и пошел к Чаянову — проситься в транспортный…

— Такую доброту и называю — шиворот-навыворот, — подытожил фельдшер. — Такой доброты не хочу. Хочу настоящей, чистой.

И я хочу, дед! А ведь и правда, хорошо было бы встретить чистую доброту! Круглую со всех сторон и не испакощенную грехами предыдущей жизни. Пусть бы нашелся такой человек, хотя бы один на земле, кто никогда не сотворил бы ни единого злого поступка. И шел бы этот человек по миру, творя только добрые дела, а остальные бы глядели на него и грелись о его добродетель. Но нет таких людей. И доброты этой чистой нет. А мечта о ней — есть. С ней и живем.

Доброта вокруг другая — косая и грязная, как наши с тобой измазанные в навозе башмаки. И творят ее грязными руками — те, кто убивал и воровал. По тебе, дед, все они выходят нехороши. А по мне — добрые. Потому что мечтают об этой чистой и несбыточной доброте — иначе не было бы у нас ни эшелона, ни лазарета, ни ночи этой в хлеву. Вот и вышло, дед: спорили мы с тобой крепко, чуть не подрались, — а сошлись на одном…

Буг сопел, терпеливо дожидаясь ответа.

Под утро Деев изнемог. Светлел постепенно кусок неба в смотровом оконце над головой: из чернильного выцвел в серо-синий, затем в серый, затем подернулся рыжиной и желтизной. А корова все не телилась. Всю ночь вздыхала мучительно и шумно, дергала копытами, топталась по навозу. Но — не телилась.

Деев рвался к стельной. Ожидание мучило его, пересиливая все прочие чувства и мысли, и чуть не каждую минуту тянуло заглянуть в закуток. Ни разу Деев не видел, как появляются "излишки", — как телится корова или котится овца. Новорожденных животных наблюдал, но уже после того, как они выскакивали из материнского чрева и становились добычей продармейского начальства. И потому боялся пропустить момент, когда потребуется его помощь. А еще больше боялся, что отёл нынче не состоится.

То в беспокойных вздохах коровы слышались ему новые нотки: а не схватки ли начались? То задумал посветить ей под хвост и проверить: не торчит ли уже наружу телячья морда? То взбрело в голову непременно дать животному воды: всю ночь мается, бедолага, без сна — может, пара глотков облегчит мучения и ускорит ход событий.

— Сиди, внучек, — приказал Буг. — Не мешай природе.

А вдруг не один у нее телок в животе, а двойня? Уж больно велико брюхо. Потому и страдает несчастная, что толкаются внутри нее телки́, мешая друг другу. Целая двойня, и каждый бы из близнецов фунтов на девяносто — ох и хорошо бы вышло!.. А вдруг телок у нее — уродец двухголовый? Случается и такое, сам не видел, но рассказывали. И если так — самой такое чудище не родить, а только со вспоможением… А вдруг он хвостом вперед идет? Или в пуповине запутался и вовсе из матери вылезти не может? Надо бы прощупать ее, дед…

— Сиди, беспокойная душа! Сиди.

Да фельдшер ты или нет?! Кто тут у нас ветеринаром быть хотел, чуть не плакал?! Давай, делай что-нибудь! Это уже по твоей части! А если не умеешь, тогда я сам возьму и…

— О-о-о-о! — выдохнула корова откуда-то из самого нутра.

Зачавкала навозная жижа — тяжелое коровье тело опустилось на пол и забило по грязи копытами.

— Теперь, — скомандовал фельдшер.

Деев крутанул фитиль керосинки вверх — пламя взметнулось и облизало стеклянные ламповые бока, дохнуло копотью, человеческие и коровьи тени колыхнулись по бревенчатым стенам. Торопливо Деев понес источник света в заветный закут, где уже лежала на боку стельная, выкатив глаза и задрав к потолку напряженный хвост.

Голова коровы то опускалась в хлюпающую грязь, а то поднималась и тянулась куда-то — Дееву показалось: к ним, к людям. Он повесил керосинку на косо сбитую дверцу и замер на мгновение, не зная, что предпринять, но тут же и сообразил: повторять за дедом.

Фельдшер еще на пути к стельной успел закатать рукава, а теперь плюхнулся на колени перед распростертой на полу коровьей тушей — как раз там, где подрагивал изогнутый дугой хвост, — и вставил собранные лодочкой ладони под этот хвост. Далеко вставил — Дееву показалось, едва не по локоть, — а достал их обратно уже не пустыми: в каждой что-то было — что-то темное и прямое, уходящее в корову. Телячьи ножки. Мосластые, крытые шерстью, с острыми желтыми копытцами на концах, они вытягивались медленно — хотя Буг тянул изо всех сил, упираясь коленом.

— Помогай же! — крикнул сдавленно.

Деев понял, что все еще стоит столбом — пялится на раскоряченных перед ним деда с роженицей. Кинулся туда же, в коровяк, и тоже ухватился за эти ножки, теплые и скользкие, и тоже принялся тащить — они поддались немного, а затем еще немного, по вершку выдвигаясь из разбухшего коровьего зада. А верхом на них выдвигалось еще что-то — похожее на тупой башмак с глазами: морда теленка. Глаза эти — крупные, человеческие совершенно глаза — не мигая смотрели на Деева.

А он смотрел на теленка: по волоску, по волоску высвобождался тот из материнского нутра — сперва висячие лопухи ушей, затем шейка, грудка. Густая слизь покрывала все тельце, и в слабом керосиновом свете рождаемый блестел, как стеклянный. Эта же слизь лилась из широких телячьих ноздрей; Деев заволновался, что звереныш не сможет дышать, но вытереть ноздрястую морду не мог — все еще тащил телка за ноги наружу.

Фельдшер пыхтел с натуги, едва не заглушая всхлипы коровы. Та откинула башку назад и вращала глазами, ее торчащий буграми таз делался все шире, все больше раздавался в стороны — крупный телок чуть не разрывал мать; а когда показалась из нее мохнатая телячья холка — р-р-раз! — и выпрыгнул едва не за секунду. Деев и охнуть не успел — его сильно толкнуло в грудь и усадило на землю, а в руках оказалось горячее и скользкое, шерстяное, тяжеленное: новорожденный лежал на коленях у Деева, раскинув по полу передние и задние ноги, мордой уткнувшись в деевское плечо. Огромный, упитанный — фунтов сто, не меньше!

— Клади его, — велел Буг. — Клади же, надорвешься.

Деев только мотнул головой упрямо — ну уж нет! — а затем наклонился и прижался губами к мокрому темечку: излишки мои дорогие!

Но лицо его уже отталкивала другая морда: корова, поднявшись на ноги, тянулась вылизать рожденное дитя. И Деев позволил: с рук телка не спустил, но дал матери поскрести наждачным языком по телячьей шкурке. Корова лизала истово, иногда касаясь рук и шеи Деева краем языка (по ним будто теркой шкрябало), — чистила детенышу морду, и бока, и пах, и снова морду; и скоро Деев обнаружил рядом со своей щекой частое дыхание теленка — тот раздышался. Рот поначалу держал открытым (со свесившегося языка капала на Деева теплая телячья слюна), а затем прикрыл и засопел сквозь ноздри.

Буг слегка раздвинул новорожденному задние ноги, а затем потрепал буренку по загривку:

— С сынком вас, мамаша!

Корова легонько толкнула сына носом в бок — пора вставать! — и тот заволновался, заелозил скрюченными копытцами по грязи, затряс лобастой головой, словно понимал и немедля хотел исполнить материнский приказ.

И Дееву пора было вставать и идти с Бугом вон со ссыпного пункта: пока возились с отёлом, снаружи вполне могло рассвести. Хотел он глянуть в смотровое оконце и по цвету неба понять время — но взгляд уткнулся во многие другие взгляды: у ограды закутка давно уже стояли и наблюдали за происходящим все, кто ночевал в хлеву. Мучная охрана смотрела мрачно — на теленка в руках у Деева и на самого Деева. А питерцы, наоборот, весело — на саму охрану.

— Спасибо за лампу, товарищи, — сказал Деев, крепче прижимая к себе телка.

Товарищи не отвечали. Обрезы держали за плечами, а руки — на воткнутых за пояс револьверных рукоятках.

Снаружи и правда уже рассвело: узкие лучи света пронзали темное пространство хлева. Скоро проснутся и повылезут изо всех щелей остальные мучные, и лучше бы гостям уйти из деревни до этого часа — их время давно уже вышло.

Не выпуская новорожденного из объятий, Деев кое-как поднялся — одному бы никогда не справиться с такой увесистой тушей на руках, но Буг подсобил, придержал; хотел было и вовсе забрать теленка (огромному фельдшеру нести тяжелую ношу было сподручней), но Деев не отдал. Взвалил на плечи, опять же с помощью Буга, так что передние телячьи ноги свисали с одного плеча, задние — с другого, прижал эти ноги к себе накрепко и двинулся прочь.

Питерцы открыли ему дверь ограждения. Эти ребята не стращали никого и не играли, а просто держали оружие в руках — в открытую, без обиняков. Белозубые улыбки их сияли в предрассветном сумраке, и в улыбках этих Деев прочитал готовность и желание стычки — засиделись мóлодцы в продотряде. Когда Деев ковылял мимо, один лихо подмигнул ему: не трусь, братишка! Деев хотел подмигнуть в ответ, но лицо перекосилось от натуги, и ответного дружеского сигнала не получилось.

Переставлять башмаки было тяжело — скользили по навозу. Да и телок подергивался тревожно, чуя разлуку с матерью; мускулы его были еще слабы и не умели производить слаженные движения, оттого на плечах словно кисель бултыхался. Кисель весом едва не с Деева.

А он топал к выходу из хлева: медленно, шаг за шагом. Рядом с ним шагал фельдшер — но не лицом вперед, а спиной: глядя на всех, кто двигался следом, и придерживая конфетер на бедре. И питерцы шагали спинами вперед, ощерившись двумя винтовками и маузером. Преследователи замыкали ход — то ли угрожая всерьез, то ли просто стращая и желая этими неприятными минутами отомстить за уведенный из-под носа излишек. Не обгоняли и не окружали гостей, хотя могли бы. И требований никаких не выдвигали. Неужели — обойдется? Неужели — выпустят с мясом?

Когда покидали строение, корова-мать заголосила — заревела низко и горестно, оплакивая украденного сына. Затряслась под ударами деревянная загородка — желая нагнать похитителей, корова билась грудью о стены закутка. Один мучной сплюнул досадливо и остался в хлеву усмирять животное — одним противником стало меньше.

Вышли из хлева. Достигли железнодорожных путей. Вдоль рельсов двинулись к задворкам мучной деревни — ко входу, через который гости проникли в укрепление.

Деев слушал хрустящие в утренней тишине шаги и гадал, откроют ли ворота. А если и откроют — уж не там ли, в густом сосняке, и настигнут их гонители? Пожалуй, это был самый верный способ разделаться с нахальными пришельцами. Самый тихий и самый неприметный.

Остаться с телком на территории, под охраной питерцев, а фельдшера послать в эшелон? И кого он приведет в качестве подкрепления — сестер с Мемелей? Нет, разбивать их и без того крошечную дружину — нельзя.

Не ходить сейчас к воротам, а отправиться к домику правления — просить защиты у Железной Руки? Не обрадуется он тому, что излишки в начале трудового дня всей площади напоказ выставят. Да и кто знает, что у него нынче за настроение.

Попросить питерцев привести товарищей из продотряда? Эти за подмогой не пойдут — слабость свою признавать не захотят.

Как ни крути, а выходила им с фельдшером одна дорога — по рельсам в лес. И уж если случится в лесу том схлестнуться с мучными, то одно Деев знал точно: теленка не отдаст. В револьвере шесть патронов: на всех противников не хватит, но на тех, кто первый к добытому мясу руку жадную протянет, — вполне.

Ворота открыли быстро и без единого вопроса — видно, часовой был предупрежден (Железной Рукой или мучной охраной?).

Деев с Бугом вышли с территории укрепления. Питерские мо́лодцы — следом. И мучные — тоже следом.

Деев с Бугом зашагали по рельсам прочь. Питерские — следом. И мучные — тоже.

Едва вышка часового с прибитыми на ней коровьими черепами скрылась за деревьями, Буг произнес одними губами: "Сейчас начнется".

Клацнули затворы винтовок — это питерцы готовились к стычке.

Деев на ходу нырнул рукой в карман и вытянул револьвер. Придерживал теперь телячьи ножки у груди, не обхватывая их ладонью, а сжатым в руке оружием. Стрелять решил по животам, наповал. Что творится за спиной, видеть не мог, но продолжал перебирать ногами по шпалам.

Знал: остановись он или хотя бы замешкайся немного, нарушив сложившийся ход их странной колонны, — и это станет сигналом к началу схватки.

Но колонна затормозила сама: и фельдшер, и питерские защитники отчего-то сбавили ход и встали. Не слышно было преследующих шагов — стояли и мучные. Крепче сжав револьвер, Деев медленно развернулся, с теленком на руках, — и понял причину заминки: со стороны деревни шагал к ним по путям человек. Одна кисть висела чуть ниже другой: Железная Рука. Его-то все и ждали — по-прежнему нацелив друг на друга ружья и в любую секунду готовые спустить курки.

Решил удостовериться, что пришлые покинули укрепление? Или передумал делиться излишками? А может, по его приказу и вывели мучные гостей в лес, а сейчас и питерским будет велено не оборонять, а нападать? Буг с тоской посмотрел на Деева: ох уж этот твой добрый человек!

— Вижу, ночь удалась, — произнес Железная Рука, подойдя близко.

На стволы винтовок и обрезов внимания не обращал — как не замечал. Спустил с плеч и швырнул под ноги гостям объемистый мешок.

— На всякий случай для вас приготовили. И все равно — возьмите.

Деев разрешительно кивнул, и Буг поднял подарок — не раскрывая и не заглядывая внутрь, забросил за спину.

— Теперь дальше, — продолжал Железная Рука деловито, словно беседовали не под прицелами многих ружей, а где-нибудь в тихой конторе. — Эшелон вам задом на трассу не вытолкать. Езжайте через ссыпной пункт, мы откроем ворота.

Деев кивнул опять. На подобную щедрость он и не рассчитывал — боялся, что придется попыхтеть, раком выводя "гирлянду" с отвилка на основные пути, а то и вовсе бежать в Урмары за маневровкой и вытягивать вагоны на трассу по одному.

— Все, — сказал Железная Рука. — Будьте здоровы.

Поняв, что дело решено окончательно, мучные опустили оружие, убрали за спины. И питерцы тоже убрали.

И Деев кивнул — в третий раз.

А потом они бежали по путям — Деев с теленком на загривке и Буг с мешком. Едва веря, что ушли — целые и с мясом. Едва веря, что всего-то и осталось им — проскочить проклятую деревню насквозь и умчаться от нее прочь, чтобы больше никогда не возвращаться.

Паровоз уже пыхтел среди леса, исходя дымом и искрами, — еще вчера было велено машинисту разогреть его к рассвету. И машинист послушно торчал в будке, ожидая начальника эшелона.

Сбросили ношу на тендерную площадку, сами забрались рядом, на угольные кучи.

— Вперед! — закричал Деев. — Птицей, пулей, чертом на метле — вперед!

Пока не передумал Железная Рука. Пока не сочинили какую-нибудь пакость обиженные мучные. Вперед!

И "гирлянда" двинулась вперед. Раздвигая железной грудью сосновые ветви, паровоз громыхал по рельсам. Деев и Буг стояли на тендере — один с револьвером, второй с поднятыми кулаками, — готовые защищать эшелон и свою добычу. На них градом сыпались сбитые паровозной трубой шишки.

В случае нападения Деев решил переть напролом — выбить ворота и протаранить укрепление. Для эшелона на полном ходу — плевое дело. И потому скорость лучше было не снижать, а мчаться на полных парах, предупреждая о себе гудком.

— У-у-у-у! — взвыла "гирлянда", подкатывая к частоколу.

Никто и не думал нападать. Ворота распахнулись предупредительно, и эшелон влетел в деревню, погружая в клубы пара и смотровую вышку с дозорным, и сами ворота, и приколоченные к ним черепа. Помчался по территории, рассекая мучной туман.

Амбары, и сборный хлев, и белые телеги с белыми же лошадьми, и белые человеческие фигурки — все летело мимо, как сон, как предрассветный морок. Да и сама главная площадь, да и дышащие мукой хлебные горы, и тяжелый этот мутный воздух, и плачущие в небе вороны — все было морок, морок…

Выскочили из вторых распахнутых ворот, вдохнули сосновую свежесть утра — и рассеялся.

Летит "гирлянда" по лесу. Зелень по сторонам — яркая, до рези в глазах. Небо над головой — голубое, в синь. Птицы какие-то цвиркают. Смотрят Деев с фельдшером друг на друга, дышат тяжело — и нечего им сказать, и говорить ничего не надо.

А лицо-то у Буга — белое, в мучной пыли! И одежда вся — в муке. А поверх муки-то — дерьмо коровье, толстым слоем по всему телу. А поверх дерьма — черный уголь. Ну и вид у тебя, дед! Не фельдшер, а золотарь пополам с шахтером!

Смех разбирает внезапно. Деев сначала пыжится, сдерживается, а затем смеется всласть. А глядя на него, смеется и Буг — раскатисто и сочно, басом.

А конфетер-то — сработал, дед! Целый ссыпной пункт конфетером в кармане испугали! А ты еще халат нацепить хотел, помнишь? Ох как был бы ты сейчас хорош, в белом халате!

Они хохочут, глядя друг другу в глаза. Встречный ветер щекочет глотки. Животы и щеки ноют от внезапного веселья.

А я-то сам, дед! Посмотри-ка! С меня же навоз кусками сбивать можно, до того грязен. Мы с тобой — два золотаря, на пару. Нет, не золотари даже — два черта, вот кто мы с тобой такие. Два черта из котла с говном!

Отсмеявшись, Буг утирает черными пальцами проступившие слезы. А Деев продолжает гоготать — жмурясь и тряся головой от неудержимого смеха.

И как только машинист нас признал? Мог бы и выгнать с эшелона, таких-то красавцев. И кочергой по хребтам оттянуть, чтобы не стращали народ. Нас же детям показывать нельзя — испугаются до мокрых штанов. А сестры-то — сиганут с вагонов и разбегутся по лесу, до ночи будем искать. Вот потеха будет!

Смех выходит из Деева толчками, как рыдания.

Что же ты не смеешься больше, дед? Погляди, как много вокруг смешного. Ветки качаются на ветру — смешно! Пар летит из трубы — смешно! Колеса стучат, стучат, стучат — смешно же это, смешно!

— Тихо, — приказывает Буг и обхватывает Деева могучими лапами, вжимает в себя.

А я-то тебе носом едва до подмышки достаю, дед! А сам ты коровой пахнешь, сегодня рожавшей. И сильный ты — не вырваться, не пошевелиться. Ну не смешно ли это все...

Когда смех отпустил, Деев поднял на Буга мокрое отчего-то лицо и сказал:

— Я не стрелял в беременных — тогда, девятого марта.

— Верю, внучек, — ответил дед и разжал объятья.

В бедро толкнулось что-то мягкое — телячий нос.

Предоставленный сам себе, телок уже поднялся на ноги. Шагать еще толком не научился и даже сгибать колени не умел — култыхался на дрожащих от напряжения конечностях, как на ходулях, широко расставляя их в стороны по осыпающемуся углю. Первым делом приковылял к Дееву и доверчиво уткнулся в знакомый с рождения запах.

Деев опустился перед теленком на колени и крепко поцеловал в перемазанный углем лоб. Затем вставил ре-
вольверный ствол в теплое телячье ухо и нажал на курок.

***

В Урмарах, пока заправлялись водой и песком, заодно
и помылись.

Фатима лила им воду в сложенные ладони, а они обмывали себе лица и шеи, фыркая от удовольствия. Затем лила воду на головы, и они фыркали уже от холода. После
сняла с них всю одежду, кроме исподнего, башмаки и обмотки и унесла куда-то на задворки станции — стирать
в ручье.

Дееву было приятно, что умывала их Фатима. И приятно было, что из окна смотрела на это умывание Белая. Уже
не стеснялся перед женщинами ни обнаженного торса своего, ни голых ступней: все глупости оставил позади. Да и какое стеснение перед боевыми товарищами!

А фельдшер неожиданно смутился. Фатима только подошла к ним с полным ведром в руке и улыбкой на круглом
лице — он покраснел так, что румянец проступил даже
сквозь слой грязи на щеках и на лбу. А когда потребовала
отдать штаны и гимнастерки в стирку — прятал глаза и отне-
кивался. Вот уж не ожидал Деев от деда такого целомудрия.

В мешке, подаренном Железной Рукой, оказались би-
тые вороны — свежие, без малейшего душка. Сначала Деев
решил, что птица бита вчера, но пощупал мягкие тушки —
еще не успевшие закоченеть, еще теплые — и понял, что
добыча сегодняшняя. Значит, стреляли поутру — нарочно
для деевского эшелона.

Ворон разрешил пустить в общую похлебку. Телка —
строго на спецпитание.

Разделывали теленка на тендерной площадке — на ходу, когда уже отъехали от станции и удалились от чужих любопытных глаз. Деев не знал, умеет ли повареннок свежевать говядину, — оказалось, умеет, и получше прочих: и кровь спускать, и потрошить, и шкуру снимать. Кровь собрали для выпаивания больных, кости и копыта — для бульона.

Мясо отварили сразу. Сита для пропускания вареного мяса на кухне не было, и Мемеля прокипятил в том же котле топор, а после отбил обухом готовую телятину в жижицу. Деев сам отнес пюре в лазарет, но кормить лежачих не остался — едва не падал от усталости. Буг, в белом халате на голое тело и в кальсонах, принялся за дело один. А Деев отправился в штабной — спать.

Он брел по составу босой, в одних исподних штанах; на груди темнели засохшие капли телячьей крови. Дети при виде его смолкали и глядели вслед круглыми от восхищения глазами: весть о мясе и грядущей на ужин похлебке из птицы уже разлетелась по вагонам. И сестры глядели на него — с восхищением. Крестьянка, дождавшись, пока начальник пройдет мимо, долго и истово шептала что-то в его щуплую спину — не то заговор, не то молитву.

В купе Деев лег на диван и понял, что заснуть не может — мерзнет без одежды, — но встать и добыть себе хоть какое покрывало сил не было. Так и лежал, скрючившись и обхватив себя руками, пока кто-то не вошел и не набросил поверх что-то теплое.

Приоткрыл глаза — это комиссар Белая укрыла его своим бушлатом. Улыбнулся, так приятно было ему это внимание, но удержать глаза раскрытыми не сумел — смежил веки, проваливаясь в дрему.

— Вы обокрали колхоз, — не то спросила, не то объявила Белая утвердительно.

— Нет, это излишки, — возразил еле-еле, уже откуда-то с той стороны сна.

— Таких излишков не бывает.

— Бывают и не такие, — не то сказал, не то уже просто подумал.

Бушлат обнимал его уютнее всех пуховых перин. Или это сама комиссар обнимала Деева? Обнимала длинными и теплыми своими руками и качала нежно, в такт поющим колыбельную колесам. Или это Фатима качала его на мягкой своей груди? Качала и пела, пела ласково...

— Деев, я вас недооценила, — раздался рядом голос Белой.

Понять смысл фразы не успел — уснул.

И вот его уже несет куда-то — через сосновые боры и пожелтелые холмы, вдоль прозрачных рек и вдоль колхозных пашен, по рельсам белой стали и по мостам черного чугуна — несет быстро и стремительно — и качает, и колышет, и баюкает властно — и дрожит земля от резвого движения, и стучат, отмеряя путь, колеса: тук-тук... тук-тук...

Или это сердце деевское стучит, отмеряя положенный срок? Тук-тук... тук-тук...

Или это в дверь стучат — долго и безустанно? Тук-тук... тук-тук...

А ведь и правда — стучат.

С трудом соображая, где находится эта самая дверь, Деев садится с закрытыми глазами и долго нащупывает босыми ногами обувь. Так и не найдя башмаков, поднимается и пробирается к двери. Дергает ручку и сквозь слепленные веки пытается разглядеть гостя.

В проеме — кто-то высокий и могучий, в белом.

Человек-гора. Фельдшер. Дед.

Смотрит на Деева странным взглядом и говорит:

— Сеня умер.

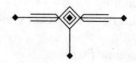

III. ЧЕРТОВА ДЮЖИНА

Сергач — Арзамас — Бузулук

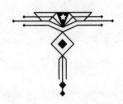

Вращая башкой, Вошь заглянула в вагон — ее силуэт возник на фоне вечернего неба и скоро заполнил собой все окно. Припала к стеклу мордой, затрясла членистыми усами — принюхивалась.

Он увидел ее сразу — лежал глазами к окну. Ждал ее. Ждал от самой Казани, на каждой ночной стоянке, но догнала она эшелон только сейчас. По рельсам ползала медленно — когти-серпы скользили по стали, — но она приноровилась двигаться сбоку от путей, по земле, цепляясь за шпалы. И вот она здесь.

Шла за Сеней уже давно. Явилась из тайги, где селятся по медвежьим берлогам и камлают по оврагам черемисы. Проволокла немалое свое брюхо через всю деревню, оставляя на глинистой дороге рытвины от шести когтей, и в одном из домов учуяла живой человечий дух — Сеню.

Он лежал тогда на печи и ждал весны. В избе уже никого не осталось — ни матери, ни отца, ни старших братьев, подевались куда-то много дней назад. И соседи все подевались, и скотина, и птица. А Сеня остался и лежал на печи. Он бы и дальше лежал — шевелиться было невмоготу, — но увидел, как по двору ползет бугристая серая туша размером с корову, и испугался. Скатился кое-как в запечье, подобрал к животу непослушные еще с зимы ноги и замер. Лежал всю ночь, а она ползала вокруг дома и никак не могла его найти. Уходи, заклинал ее про себя. Уходи. Не послушала.

Под утро дверь открылась, но это была не Вошь, а красноармейцы. Они ходили по дворам, отчего-то прикрыв носы платками. И к Сене зашли. "Матушки мои, живой!" — сказал один и вытащил Сеню из-за печи. Его посадили на телегу, но сидеть он уже не мог, а только лежать, и потому лег и поехал куда-то вместе с отрядом. За околицей приподнялся и глянул на родную деревню: за дальним плетнем увидел притаившуюся тень — Вошь выжидала, пока конные удалятся, чтобы после отправиться следом. Хотел было рассказать про нее солдатам, но устал и заснул.

С тех пор шла по его следу. Вернее, ползла. Каждый раз едва не настигала Сеню, и каждый раз ему удавалось уцелеть. Ходить к тому времени разучился совсем, ноги стали как чужие, но его зачем-то перевозили с места на место, этим и спасался. Сельская больница, затем уездная и городская, детский дом, снова сельская больница, а под конец — эвакоприемник в столичной Казани. Переезжая в новое учреждение, Сеня жил спокойно пару дней, а потом начинал ждать — и Вошь неизменно появлялась.

Хуже всего было в уездной больнице — она располагалась в низкой избенке, и Вошь по ночам повадилась залезать на крышу, почти прогрызла ее. А лучше всего — в эвакопункте: Сеню разместили под самым потолком огромного дворца, и Вошь едва когти себе не сточила, пытаясь забраться вверх по гладким каменным стенам и ровным колоннам. Когда погрузили в эшелон и отправили в дальнюю дорогу, Сеня понял: теперь не уйти — догонит. Состав тащился по рельсам еле-еле, по два-три часа в день, остальное время стоял. А Вошь ползла безустанно. И вот — она здесь.

Сеня знал, что сделан вагон из железа и толстого стекла. Знал также, что Вошь прогрызает железо, а стекло выламывает и крошит в кашу. Недаром водит сейчас бугорчатой башкой по раме — ищет отверстие или трещину, куда вставить рыло. А не найдя, начинает бить в окно лбищем. Жах! Жах!

Ударов не слышно, только вздрагивает под Сеней лавка и звякают на столе медицинские инструменты. Жах! Жах!

Другие дети спят — эти вечно спят, когда Сене требуется помощь. А взрослые всякий раз куда-то деваются. Нет у Сени в этом мире защитников, один он одинешенек.

Жах! Жах!

На стекле вырастает и ширится белая клякса из трещин. Жах! Взрывается осколками и осыпается, и окно уже не окно, а коричневая морда, похожая на гигантскую картофелину. Кожа на картофелине обвисла морщинами, усы в шипах. Передние лапы — крючки с серпами — протискиваются в лазарет и упираются в стены, напруживаются, тянут за собой спиногрудь, а следом и толстенное ребристое брюхо.

Вжимается Сеня в лавку — в самый угол, где стена. Еще есть время — уползти, укрыться, — но сил в последние дни не осталось вовсе, даже переворачиваться с боку на бок перестал. И он просто съеживается под одеялом из мешковины, желая лишь одного: исчезнуть вовсе, тотчас. Потому что сегодня ему — не уйти.

А морда надвигается ближе, таращится равнодушными своими незрячими глазюками, уже и выставила откуда-то из подбрюшья и развернула кровососущий хобот — но дотянуться до Сени не может: брюхо огромное, застряло в оконном проеме. Ни кричать, ни урчать, ни вообще издавать звуки Вошь не умеет — и потому корчится беззвучно и тупо, извивается… Но не втиснуться ей в узкое оконце никак, придется искать другой лаз. И, гневно ударив серпами по расписным стенам, оставив на них рубленые следы, Вошь втягивает хобот обратно под башку, а башку обратно в окно…

А может, все же удастся уйти? Надо только сползти с лавки и перетащить непослушное свое тело в соседний вагон. Вдруг там кто-то есть? Вдруг там помогут?

Сеня отлепляется от стены и медленно, вершок за вершком, скручивается в узелок: кучкой падать легче, чем россыпью. Гнет спину крючком, руками подтягивает к груди негнущиеся колени. Голова тяжелая, и шея тотчас устает тащить ее по лавке, но надо, надо!..

Он шкрябает ухом по шершавым нарам, волочет неподъемную голову, а затем переваливает через лавочный край — в глаза прыгают щербатые доски пола — и ухает вниз.

Ползи! Он лежит лицом в пол, на собранных в комок локтях, кистях, коленях. Ползи же! Лоб цел, кажется, а нос разбило — в ноздрях что-то хлюпает и пузырится. Кровь? Ползи же, рюха!

И Сеня ползет — упираясь в грязные половицы скулами, плечами, ребрами, всеми своими торчащими костями, всаживая в эти кости занозы и оставляя за собой мазаный кровяной след.

Кровь — это очень плохо. Вошь пойдет на запах.

И она идет. Уже успела разнюхать, где дверь, и долбится в нее, сотрясая лазарет. А когда сорванная с петель дверь падает — вклинивается в зияющий проем, как могучий кулак, и шуршит по коридору. С хрустом выламываются и осыпаются на пол доски алтаря. Летит прочь сорванная занавеска, за которой прятался фельдшерский топчан. Клацая костяными серпами, Вошь ползет за Сеней.

А он уже — у другой двери. Уже уткнулся в нее темечком, уже царапает дверную щель, пытаясь раскрыть. Но — заперто. Надо потянуть ручку, чтобы отворить. Ручка — вверху, где-то под потолком.

Сеня толкает от себя пол — толкает сильно, аж в затылке жжет — и цепляется за что-то — за нары? за дверной косяк? — тянется, тянется, рвет спину и шею — вверх. Вагон шатается, как на ходу. Или это Сеня шатается? Да, шатается — но стоит. Стоит! Впервые стоит на ногах, за много месяцев.

Он падает на медную ручку всем своим весом и дергает ее от себя — дверь отворяется. Сеня выпадает из лазарета на вагонную площадку, но удерживается на дрожащих ногах и успевает захлопнуть дверь за собой. Тр-р-р-рах! — вмазывается в стекло с той стороны коричневое рыло. Тр-р-р-рах! — бьется истово, не зная, как отворить.

Стоять нельзя, иди! Я неходячий. Иди же! Тр-р-р-рах! И Сеня идет — на деревянных ногах, едва отрывая ступни от пола и широко раскачиваясь телом, — но идет. Идет! Можно держаться за стены и помогать себе. Можно руками подтягивать обленившиеся ноги — и снова помогать. Можно, можно! Можно ходить.

Он ковыляет по открытому мостку над сцепками. Пробирается в следующий вагон и тащится меж спящих девчонок до самого конца (и здесь тоже взрослых — ни единого человека!). Все двери за собой запирает плотно: Вошь не умеет пользоваться ручками и будет подолгу долбиться в каждую дверь, теряя время. А Сеня успеет спрятаться. Вот и кровь из носу перестала капать. Вот и коленями уже перебирать легче…

Оторвавшись от твари на целый вагон, Сеня разрешает себе передышку — останавливается в тамбуре и прислоняется к стене на пару мгновений, отдыхается. Смотрит на свои ноги, едва видные в синем сумраке вечера: полгода бездельничали, а нынче расходились. Неужели и правда получится уйти? Неужели и правда сумеет спрятаться?

Воздух тих и холоден, свежими глотками проникает в рот, и посторонних звуков не слыхать — будто и не волочётся по эшелону великанская Вошь, загоняя добычу и пропарывая состав насквозь.

Оборвав дыхание, Сеня выглядывает в остекленную дверь — едва-едва, одним глазком. Вошь уже в девчачьем вагоне. Дрожа усами от возбуждения, теснится меж лавок со спящими девочками — приближает рыло то к одному изголовью, то к другому. Принюхивается — выбирает, с кого начать.

Неужели забыла про Сеню? Неужели спасен?

Странно все же, до чего странно: ни разу не замечала она других детей, хотя было их на ее пути сотни. Сколько раз в больницах и детских домах равнодушно проползала мимо, устремляясь к единственной своей цели — Сене. И вдруг — заметила.

Спасен, спасен! Так беги же! Пока она забыла про тебя — на миг или уже навсегда — беги! Пока шагают ноги, пока слушается тело — беги!

А Вошь уже остановилась — сделала выбор. Вцепившись крючками в лавку первого яруса, подбирается вся, подтягивается, нависает над спящей девчонкой, как огромное морщинистое облако. Вынимает из телесных глубин скрученный хобот, разворачивает, капая слюной на рассыпанные по нарам русые волосы, — сейчас вопьется в нежное лицо.

Не смотри! Уходи прочь! С вагона, с эшелона, с путей — прочь! Сейчас же, сей же миг!

Сеня рвет на себя податливую ручку и распахивает дверь в девчачий вагон.

Вошь оборачивается на звук, но темные бугры ее глаз слепы, и потому не видит она Сеню, да и видеть не желает: уже близка, уже почти поймана другая добыча. Редкие шипы на картофельном теле стоят дыбом, крохотные крылья взъерошились — предвкушает.

Прочь, рюха! Прочь, дурак! Еще успеешь уйти. Всегда уходил от нее и сегодня успеешь!

Оставь девчонку, гадина, говорит Сеня. Слезы катятся по его лицу. В животе отчего-то дрожит и трясется, как погремушкой по ребрам колотят, и в груди дрожит, и в ногах. Оставь девчонку.

Вошь мотает башкой, не желая отвлекаться.

Сеня собирает в кулак шматок сукровицы из распухших ноздрей и протягивает в раскрытой пятерне: не этого хотела отведать?

Дурак! Дурак!

Ее всю передергивает от свежего кровяного запаха. Мгновение еще колеблется, поводя рылом туда-сюда, а потом выдирает когти-серпы из деревянного изголовья и, цокая по полу, бросается к Сене. Жирное брюхо шкрябает по половицам и едва не сшибает по пути крепкие лавки.

Саданув дверью, он кидается вон. Бежать по эшелону и показывать чудищу других детей — нельзя. Значит — на крышу?

Вцепляется пальцами в какие-то выступы и шишки, тянет на себя. Корчится на железном скате, опершись о локти, забирается вверх. Ноги болтаются позади, как поленья: шагать уже научились, а карабкаться и елозить — еще нет. Наконец оказывается на крыше.

Без опоры не подняться — и Сеня ползет, вихляя позвоночником и волоча за собой ноги-дрова.

Ползи теперь, дурак! Ужом вейся, червяком танцуй — уходи! Далеко-то не уйдешь, скоро конец вагона. Дурак! Дурак!

Позади уже лязгает серпами Вошь. Двигаться по гладкой поверхности трудно: она поочередно вонзает крючки в железо — левый-правый, левый-правый — и вытягивает, вытягивает себя рывками, словно гребет по крыше. Кожистое брюхо колотится по торчащим трубам — и перекатываются в нем крупные, заметные снаружи гниды.

А перед Сеней — пустота: закончился вагон. До следующего — не допрыгнуть, не перемахнуть. Конец.

И в Сене все закончилось — и дрожь, и слезы. Остались лишь ночная тишина вокруг и биение сердца в этой тишине: ко-нец! ко-нец! Он переворачивается на спину, упирается пятками в выступающий люк и ждет, когда нависнет над ним тупое усатое рыло.

Ну, где же ты?

Она возникает на фоне серого неба и опускается на Сеню — как туча. Но не дожидаясь, пока Вошь вонзит в него когти, он обхватывает руками шершавую голову и из последних сил отталкивается деревянными ногами. Оба соскальзывают с крыши и падают вниз. Сеня знает, что от удара о землю гигантскую тушу разорвет в клочья. И, уже летя и крепко прижимая ее к себе, думает: я тебя не боюсь.

Хоронили Сеню ночью, в сосняке на задворках станции, — чтобы другие дети не увидели.

Деев нес тело мальчика, а фельдшер — лопату. Сеня был много легче теленка, к тому же нести неподвижное тело было проще, чем живое, и Деев совсем не устал. Потому и могилу копал — сам.

— Хватит уже, — сказал Буг, когда яма стала глубже ванны в штабном вагоне.

Но Деев копал и копал, словно хоронили великана с огромным пузом, а не тощего ребенка. Усталость не пришла, как ни старался. Жаль.

— Его было не спасти, внучек, — сказал Буг, снимая с мальчика рубаху.

— Нет, — возразил Деев. — Одежду не трогай. Пусть в ней остается.

Не мог он оставить ребенка нагишом — мерзнуть в земле. Однополчан когда-то оставил, а Сеню — не мог.

— У нас в эшелоне пять сотен детей. — Фельдшер стоял на коленях у лежащего на земле Сени, а казалось, стоит перед одной только разложенной белой рубахой, так плоско было мальчишеское тельце. — Им нужнее.

Не слушая, Деев отбросил перепачканную глиной лопату, вылез из ямы и поднял Сеню на руки. Спустился обратно и положил на земляное дно — тельце в белой одежде почти растворилось в коричневой темноте. Снова подобрал лопату и принялся засыпать могилу.

Буг, не вставая с колен, помогал — ладонями сгребал земляные кучи.

Закопали, прихлопнули комья руками — оставили за собой ровное место: ни холма, ни даже малого бугорка на могиле не выросло, так мелок был мальчишка. Скоро могилу будет вовсе не найти: зимой снег прикроет, весной трава. Спрячется Сеня ото всех, укроется. И хорошо, твердил про себя Деев. И хорошо.

Кого хотел обмануть этим "хорошо"? Не себя же?

— Спать иди, — приказал Буг уже у эшелона. — Вторую ночь колобродим.

Не вторую и не третью — Деев уже и со счета сбился которую. Но спать не пошел. Поднялся на крышу вагона и сидел долго, опершись спиной о трубу отопления.

Сеня был первым, кого Деев похоронил после войны. И первым, кого Деев похоронил одетого. И первым, кто покинул эшелон.

А вдруг случится второй и третий? Вдруг фельдшер окажется прав — и станут они могильщиками детей? Вдруг Белая окажется права — и довезут они до Самарканда пустой лазарет?

А ведь он и еду нашел, и лекарства. И даже мяса достал, которое детям в городском приемнике только снится. То сделал, что другим не под силу, в слякоть расшибся — не помогло.

И дальше все сделает: и провизии добудет, и угля, и мыла. Но как быть, если добытое не помогает? Парное мясо и аптечные лекарства не спасают? Если бессилен Деев перед тем, что случилось с детьми раньше, в последние годы?

Самому удачливому добытчику не достать эшелонным детям новое прошлое. Не вернуть родителей. Не отрастить новую память или новое здоровье. И все, что может сейчас Деев, — это пожинать посеянное голодом, разрухой и войной.

Да, везти ребят к теплу и солнцу. Да, кормить, лечить и оберегать. Из кожи вон лезть и спасать их — но соглашаясь при этом, что последнее слово всегда за прошлым. И в любую минуту и любого ребенка это прошлое заберет.

Что мог он выставить взамен? Чем откупиться? Бессонными ночами? Серебряными крестами в мятом платке?

А ведь у него теперь во всем свете нет никого дороже этих детей. Пусть сантименты это всё, но — правда.

Никогда не случалось у Деева близкого человека, ни даже собаки или коня. И вдруг — пять сотен. Пять сотен детей свалились на него в одночасье — пусть не кровных, но детей же! Паршивых, обкуренных, с гнилыми цинготными зубами — но детей! От него они зависели, его волей оставались целы и сыты. И стали для него за неделю не как родные сыновья-дочери, потому что был еще молод, а как младшие братья и сестры. Как же иначе назвать это, если не родством? Если за них — на все готов? Как за себя. Больше, чем за себя.

Родство это будет коротко, всего-то до Самарканда. Как доберутся, дети на второй день и имя его позабудут, а скоро и его память утеряет их имена. Но пока везет их в эшелоне, он для них — старший и главный, а они для него — самые близкие на земле.

Это не слепое милосердие, в чем обвиняла его Белая. И не вина перед убитыми на ссыпном пункте, как решил Буг. Это человеческое братство, что посильнее и жалости, и вины...

Дети будут умирать еще. Деев понял это сейчас и здесь, ежась на холодной железке люка и пялясь в беззвучную ночь. Он будет сражаться за них, а они — умирать. Один, два или пять — сколько же их покинет эшелон, как покинул сегодня Сеня?..

О н проторчал на верхах до рассвета. Сна не было ни в одном глазу: в голове беспрестанно и тяжело перекатывались мысли. Когда подогнали ночевавший в депо паровоз — перебрался в машинную будку и отобрал у помощника лопату: сам буду уголь кидать. Решил утомить руки и спину работой — разогнать кровь, приглушить разум.

Кидал умеючи: не большими порциями и в середину топки, а малыми бросками и в самые дальние углы — не наваливая горючее, а рассеивая по камере. Работал споро, как опытный кочегар. Как черт у адова котла.

— Сбавь, товарищ начэшелона, — попросил машинист.

Пламя заполнило все топочное пространство — стояло широко и высоко, едва не вырываясь из дверцы, гудело. Брызги огня сыпались на металлический лист под ногами. Но остановиться Деев не мог, руки сами вонзали лопатное лезвие в рассыпчатую кучу и швыряли уголь в печь. Вонзали и швыряли, словно продолжали могилу Сенину копать.

— Сбавь, не баню топишь! И так уже летим, едва рельсов касаемся.

По сторонам от паровоза мелькала еловая зелень — как размазанная по черноте полей. А руки всё вонзали и швыряли. Вонзали и швыряли. Вонзали и…

— Ополоумел ты, что ли! А ну!

И тотчас — будто по голове холодным и мокрым треснуло: помощник опрокинул на Деева полведра воды. Деев так и застыл у гудящей топки, а помощник уже ловко выдернул черенок из пальцев начальника, пинком башмака притворил топочную дверцу: пусть прогорит пока что.

Тяжело дыша — и когда успел запыхаться? — Деев пробрел к раскрытому окну и вывалил наружу мокрую голову.

Обсохнуть не успел — закричал, с трудом выталкивая воздух против бьющего в глотку ветра:

— Человек на путях! Сто-о-о-ой!

Заскрежетало и завизжало громко — пыхая паром и брызжа искрами, локомотив долго сбавлял ход и наконец остановился, самую малость не достигнув еле приметной кучи тряпья меж рельсов. Кто-то и правда валялся там — пугало или человек, живой или мертвый.

Деев первым спрыгнул на землю и подбежал к находке.

Пацан, лет семи или десяти, — тощий, как дворовая кошка, и такой же лохматый; ноги босые по шпалам выпростаны, ручонки вдоль тела, морда ноздрястая в небо таращится. В неподвижных глазищах плывут облака. Живой ли?

— Ты что здесь делаешь, брат? — Деев наклонился над мальчишкой.

Тот сморгнул и перевел глаза на Деева. Живой!

Лицо у найденыша было скорбное, с висячими подглазьями-мешками и стариковскими морщинами у рта. А взгляд странно долгий: уставившись на взрослого, пацан глядел уже внимательно и безотрывно — так и ел Деева глазами, не обращая внимания на подбежавших машиниста с помощником.

— Ох, вредитель! — сокрушались те. — Как теперь паровик разгонять, в горку-то?! Нет бы на склоне лечь, ирод!

Мальчишка и ухом не вел, будто не бранились над ним громкие прокуренные голоса.

— Отползай давай, — скомандовал Деев.

Ребенок лежал неподвижно, продолжая глазеть в ответ, лишь ветер пошевеливал серые космы на лбу и отрепья на костлявом теле.

— Может, глухой? — Машинист нагнулся ближе и пощелкал пальцами — без результата.

— Слышишь меня? Руками-ногами шевелить можешь? — Деев присел на корточки рядом; найденыш смотрел так, словно ответит вот-вот, но не отвечал и даже губами не вздрагивал. — Что же нам тебя — как чурбан, откатить с рельсов?

— Сейчас я его лопатой сковырну, — подрядился помощник сбегать за инструментом.

— Не надо, — остановил Деев. — Я сам.

Ладонями поддел мальчишку под шею и под колени, чтобы переложить на обочину. Но не положил — так и держал на вытянутых слегка руках, словно забыл, для чего поднял. Словно опять Сеню-чувашина нес.

— А вдруг заразный? — забеспокоился машинист. — Вы только посмотрите на него! Не заразу, так вшей от него подцепите.

Волосья у пацана и правда были — не лохмы даже, а куст из колтунов. По бурому лицу рассыпаны струпья.

— У нас в эшелоне и так вшей на целую армию. — Деев шагнул со шпал на землю.

Сизая грязь чавкнула под башмаками — в такую грязь и плюнуть не захочется, не то что ребенка положить. Решил отнести на пару саженей дальше, где посуше.

А мальчишка все лупился на него, будто требуя чего-то или вопрошая.

— Ты почему здесь? Откуда? — не выдержал Деев. — Отец-мать есть?

Да какие там отец-мать! Одежонка — одни дыры. Ноги бродяжьи как обуты в мозоли. Этот уже и забыл, когда под крышей ночевал. И когда последний раз ел.

— Куда вы его несете? — голос Белой рядом.

Оглянулся Деев — а он у штабного стоит, у вагонной лестницы, с ношей на руках. Машинист уже в будке шурует, рычагами лязгает. И паровоз уже дышит, сейчас тронется.

Да никуда Деев мальчика не нес! Просто место искал сухое, где человека пристроить. Не здесь же его кидать, в лужу. И не здесь, в болото из глинистой жижи. И не здесь…

— Деев, нельзя! — кричала Белая вслед, свесившись с площадки, а он продолжал брести вдоль "гирлянды", хлюпая по раскисшей грязи и высматривая местечко. — Оставьте мальчишку и садитесь в поезд!

Далеко кричала — не слышно.

Забряцали, напрягаясь, сцепки. Колеса лязгнули по рельсам, и эшелон пополз, тяжело скрипя металлом и деревом.

Деев так и не нашел сухого островка, куда было бы не совестно опустить найденного ребенка. И потому шагнул на проплывающие мимо ступеньки пассажирского с найденышем на руках.

— А ну ссадите огольца! — вылетела из вагонных дверей Белая — растрепанная, запыхавшаяся не то от пробежки по составу, не то от возмущения. — Немедленно прыгайте на обочину и кладите его на землю!

Земля уплывала назад, в пятнах луж и полусгнившей листвы. И белые березы уплывали, и черные липы — медленно, затем быстрее.

— Был же уговор, Деев! Вы эшелоном командуете, я — детьми! И я закрыла посадку — до Самарканда!

— Это вместо Сени, — сказал Деев.

Сперва сказал и только после понял смысл сказанного.

— Не бывает никаких "вместо"!

— А у меня будет.

Белая стояла у входа в пассажирский — высокая, плечистая, — загораживая дверь. Глядя на комиссара снизу вверх, Деев шагнул вперед, словно не видел препятствия, — уткнулся в нее ребенком и нащупал дверную ручку. Белая не отступала, и он тоже не отступал; так и толкались — локтями, грудями, коленями, — рискуя раздавить молчащего пацана и стараясь, чтобы их возню не заметили другие.

Дееву удалось-таки вклинить башмак в дверную щель, а затем и колено, а затем и самому втиснуться в вагон.

— Да поймите вы! — сдалась, тяжело дыша, Белая. — Человек просто умирает, окончательно, навсегда, и никто его не заменит!

Деев не слушал, пробирался по коридорам в штабной.

— Вы же как баба, Деев, — нагнала его уже в купе. — Хуже бабы! Дитя бесхозное увидите и сразу к рукам прибираете! — Не хотела, чтобы ссору их слышали, и прикрыла плотнее дверь, но голос возвысила так, что двери помогали вряд ли. — Вы же детей цепляете, как собака репьи! Шагу ступить не можете, чтобы кого-нибудь не подобрать! Ни воли, ни рассудка — одна сплошная ходячая жалость!

Деев опустил ребенка на свой диван: вот и нашлось местечко сухое. Мальчишка, едва почувствовал под собой твердь, кувыркнулся на пол и забился под диванную полку.

Деев сел поверх, откинулся на спинку и посмотрел на Белую. Впервые он видел ее разгневанной — не ехидствующей или обвиняющей, а задетой за живое. Красива сейчас была удивительно. Еще более удивительно, что комиссар гневалась, а Деев был совершенно спокоен.

— Мы будем решать вопрос коллективно, — сказала и метнулась вон.

***

Н ет! — отрезал Буг, едва увидев мальчонку.
Деев кое-как выковырял того из-под дивана и предъявил фельдшеру, но полноценного осмотра не получилось — пацаненок бился в деевских руках как зверек, отчаянно и не издавая при этом ни звука. На вопросы не отвечал, да и вообще на взрослых не смотрел, а только под диван, куда и забился наконец, вырвавшись.

— Этот — настоящий бродяга. Такого бескарантинным не возьму. Весь эшелон мне тифом заразит. Или скарлатиной. Или дифтеритом. Или еще чем похуже.

Белая стояла в дверях — молчала, но всем своим видом соглашалась с фельдшером. В разговор не вступала, крепилась.

— Будет тебе карантин, — сказал Деев. — Здесь и пересидит, у меня.

— Так сам же первый и заболеешь!

— А ты мне на что? Вылечишь.

— Коллективно мы — против новичка! — подытожила комиссар; не выдержала-таки, подала голос.

— Коллективно будет после Самарканда. — Деев сел на диван и закинул ногу на ногу (раньше не имел такой привычки, но подсмотрел у Белой и понравилось). — А пока я — единолично, как начальник эшелона, — решаю оставить этого ребенка.

— Когда пятьсот детей из-за одного заразятся и не доедут, ответственность на себя также единолично возьмете?

— Возьму, — отвернулся Деев к окну.

Если доложит комиссар о происшествии в центр — не поздоровится Дееву: одно дело взрослую кормилицу на пару перегонов подсадить, и совсем иное — оборванца бездомного, у кого на морде помоечное прошлое читается, как плакат на демонстрации. Одна надежда, что не захочет Белая добытчика Деева терять и потому закроет глаза на найденыша.

— Пустое! — Комиссар понизила голос и перешла на прокурорский тон. — Это не ответственность, а как раз наоборот, вопиющая безответственность.

Деев смотрел на летящие за окном деревья и гадал, могут ли его снять с маршрута. Могут: и под Арзамасом, и в Самаре, и даже в Оренбурге могут. Вот когда выберутся они в туркестанскую степь — тогда, пожалуй, уже нет: перегоны станут длинны, а телеграфы — редки. Но до Туркестана еще пыхтеть и пыхтеть.

— Зачем он тебе, внучек? — спросил Буг тихо, подсаживаясь рядом. — Мальчишка-то, кажется, глухонемой. Да и вообще дикий какой-то.

— Он не дикий, — отозвалась Белая. — Он дефективный, умственно и морально. Иными словами — идиот.

———

Ты что, и правда идиот? — спросил Деев, когда они с найденышем остались одни в купе. — А ну иди сюда!
Тот не отвечал, и Дееву пришлось пошарить в поддиванной темноте и выволочь оттуда пацана за ногу. В отсутствие других мальчишка не буянил, послушно позволил вытянуть себя на середину купе и рассмотреть со всех сторон.

Был он лобаст и скуласт, как татарчонок, и по-татарски же смугл. И очень некрасив: ноздри и губы широкие, наружу вывернутые; рот страдальческий, скобкой; в морщины у рта, на лбу, под глазами набилась грязь, и оттого лицо — как старушечье. Тряпье наверчено и накручено на тощее тело, примотано веревками, так что местами и не разберешь, где кончается одежда и смотрит в прореху бурое от пыли колено или плечо.

— Как зовут тебя? Говори! Откуда взялся? Почему на путях лежал? Кого ждал? Говори! Говори!

Лупится найденыш на Деева — без упрямства или наглости, а с печальной серьезностью и пониманием — и молчит.

— Ну-ка, открой рот!

Не дождавшись отклика, Деев ухватил пацаненка за подбородок и пальцами слегка приоткрыл нижнюю челюсть: меж зубов блеснуло розовое и влажное — целый совершенно язык.

Мальчишка позволил — не укусил, хотя вполне мог бы. И продолжал пялиться на Деева — как прилип глазами.

На всякий случай Деев достал карандаш и помахал перед сидящим на полу гостем: вдруг окажется грамотным и захочет написать что-либо? Но тот на карандаш и не взглянул, возможно, и не понял, что за предмет.

— Ладно, — сдался Деев. — Сиди пока тут. На заправке отмоем тебя.

Но как раз сидеть мальчишка и не хотел: стоило Дееву выйти из купе — направился следом. Передвигался на ногах, но повадки имел звероватые: шагал не по центру коридора, а жался к стенкам, слегка пружиня на полусогнутых коленях и втянув голову в плечи, словно в каждый миг ожидая нападения; перемещался не равномерно, а рывками — от одной двери к другой, от одного оконного проема к другому — и замирая, притаиваясь ненадолго после каждого пробега.

— А ну топай обратно! — обернулся Деев к преследователю.

Тот таращился на него, прижимаясь к прибитому на стене свежевыстиранному знамени (“Смерть буржуазии и ее прихвостням!”), не уходил.

— Ну же! — Деев распахнул дверь купе и пальцем указал найденышу направление.

Бесполезно.

Взяв упорщика за плечи, Деев толкнул его внутрь, захлопнул дверь — она тотчас задрожала от рывков и ударов: запертый рвался наружу.

Подперев дверь плечом, Деев ждал, пока мальчишка успокоится. Ждал минуту и две — тот продолжал колотиться. На шум притопали другие дети, и Фатима пришла посмотреть — нашли себе развлечение! — и оттого сдаться было уже невозможно, а только переупрямить строптивца.

Кажется, удалось? Удары стихли наконец, дверь перестала дергаться… Но уже через мгновение распахнулась соседняя — обнаружив гармошку, пацан выбрался в коридор через купе комиссара. Будто не замечая собравшихся, пробрался поближе к Дееву и уселся на пол рядом с его башмаками.

— Это вы называете карантин? — показалась следом Белая.

Не отвечая, Деев цапнул найденыша за шиворот и потащил в курятник: там имелись на дверях засовы, и довольно крепкие.

— Полная и абсолютная дефективность, — подытожила комиссар.

— Или своего рода привязанность? — отозвалась Фатима.

Не возражала начальству, просто подумала вслух.

⬥⬥⬥

Курятник не помог: мальчишка бился взаперти как сумасшедший — квочки истошно кудахтали и, едва живые от испуга, метались по тесному пространству, роняя перья. Пришлось выпустить арестованного. Иных мест, где можно было бы запереть упрямца, в "гирлянде" не было.

У Шумерли пацаненка отмыли — на улице, под холодной водой из паровозной колонки. Фатима терла его голого тряпкой, брила наголо и щедро поливала флеминговской жидкостью — все это время Деев стоял рядом, чтобы пацан не вырывался. Лохмотья приемыша выполоскали, прожарили над буржуйкой, очистив от вшей, и выдали обратно хозяину — белой рубахи для нового пассажира уже не нашлось.

Во время купания Буг внимательно изучил костлявое тело новичка и никаких опасных признаков не обнаружил: фурункулы, язвы, истощение — обычный мальчишеский организм, без тифозной красноты и холерной сини. Конечно, врачебный осмотр не мог заменить полноценного карантина. А немного успокоить фельдшера и комиссара — мог.

Узнать имя молчуна не вышло — решили назвать его заново. Справившись по карте, Деев обнаружил неподалеку от места встречи с найденышем деревню Загреево; может, оттуда мальчик и пришел. Так и стали называть его — Загрейкой.

Впрочем, на новое имя тот не отзывался, как ни старались Фатима с Бугом его приучить. Да и вообще — отзывался только Дееву. И ни на кого, кроме Деева, не смотрел. Встречая на пути других людей — взрослых ли, детей ли, — Загрейка не менялся лицом, а глядел будто насквозь или вовсе мимо. Разговоров не слышал, вопросов не замечал, протянутых к нему рук не видел. Если не трогали его — просто деревенел, выжидая, пока излишнее внимание схлынет. Если касались — отстранялся. Если пытались удержать — вырывался. Ни разу не куснул, не царапнул, даже не зарычал и не огрызнулся ни разу — ни на кого. Словно не было для него других людей.

А Деев — был. Что за странная случилась привязанность? Почему выбрал не властного комиссара, не мягкую Фатиму, а начальника эшелона?

— Смотрит на вас, как дикарь на божка, — заметила Белая.

— Как утопающий на землю вдали, — уточнила Фатима.

Так у Деева появилась тень. Загрейка следовал за хозяином повсюду — прилепился намертво, не отодрать. Не досаждал и не мешал, просто бегал рядом, как преданный щенок. В помещениях пристраивался на полу где-нибудь неподалеку; если имелась поблизости лавка, забивался под нее. На улице тащился позади — по грязи, лужам, острому щебню, — не заботясь отсутствием обуви.

У Каменищ, основательно повздорив с местным начальством, Дееву удалось-таки выбить в питательном пункте несколько ведер вареной полбы. Загрейка метался за ним по путям, в дождь и ветер, — вперед-назад, вперед-назад, — пока заветная каша не прибыла в "гирлянду". К самой пище мальчишка остался равнодушен и даже не пытался вылизать пустые уже вёдра, когда несли их обратно в столовую. Но стоило Дееву скрыться в питательном пункте — чуть не выломал закрывшуюся перед его носом дверь.

Под Кемарами Деев отлучился в лес — бегал на пасеку, о которой знал уже давно, надеялся добыть меда для Пчелки. Предприятие не удалось: не обнаружил на знакомой поляне ни ульев, ни даже домишки пасечника. Загрейка сопровождал вылазку: босой, строчил резво по корням-шишкам и колючей палой хвое, не отставая ни на шаг.

В Щедровке Деев попробовал было пристроить белье в стирку на дезопункте — также безрезультатно. И также — в сопровождении верной тени.

В любом месте и в любой миг, обернувшись, Деев утыкался во внимательный и приязненный взгляд мальчишки: *я здесь.*

Не глупый это был взгляд. Не идиота.

Пацану с такими глазами в школе у доски примеры решать. Стихи наизусть читать. Языки иностранные разбирать. Или первым подмастерьем в ремонтном депо — гоголем и любимчиком — ходить.

Но кроме этого, одному только Дееву занятного взгляда, не было в мальчишке иных примет ума. Нелюдимый и бессловесный, он жил какой-то звериной жизнью: спал на полу, не признавая постели; ел с ладони, вываливая пищу из кружки в руку; двигался с осторожностью животного, часто поводя ноздрями или ушами, — ловил звуки и запахи.

Скоро в эшелоне привыкли видеть за спиной или у ног начальника скрюченную фигурку. И сам Деев привык: таскается пацан следом — и пусть, не жалко; даже и замечать неизменного спутника перестал. Одно только имелось в этой ситуации неудобство, и его Деев осознал в первый же вечер.

Ночевали в Сергаче. Весь день прошел в хлопотах о Загрейке — и весь день Деев чувствовал сердитость комиссара. Белая не бегала на телеграф доложить о случившемся и в препирательства больше не вступала — смирилась с найденышем? — но из-за прикрытой гармошки так и веяло холодом. На разозленную женщину было наплевать. А на боевого товарища — нет. С боевым товарищем еще ехать и ехать, воевать и воевать. И вечером Деев решил идти к Белой — мириться.

Ты права, решил ей сказать. Очень даже права. Что болезней в поезде боишься, что паек эшелонный бережешь — во всем права. Но ведь и я прав. Если не смогли одного ребенка спасти, почему не спасти заместо него другого? Ведь в "гирлянде" нашей пять сотен мест — почему же хоть одно из них должно пустовать? Разве не преступлением будет везти в Туркестан пустую полку? Оба мы с тобой правые, комиссар. Так бывает. К одной цели идем, одно дело делаем, хотя и смотрим на него с разных сторон. И потому — не злись.

Все решил Деев и все продумал. И когда смолкли в коридоре детские голоса, когда ночь за окном стала черной, а тишина глубокой и долгой, — встал решительно с дивана и раздвинул гармошку.

Два золотых яблока сияли в темноте. Золотые прозрачные капли катились по ним и со звоном падали куда-то вниз, а тонкие золотые пальцы обнимали и обмывали эти яблоки.

Поставив на приоконный столик ведро с водой и наклонившись над ним, женщина мылась — зачерпывала воду и обтирала себя ладонями. Кудри упали на лоб и щеки — лица не видно. Да и ничего не видно — ни шеи, ни плеч, — одни только сияющим светом налитые плоды.

И тихо — лишь капли звенят и плещется вода, шуршит о жесть.

Потрескивает керосиновый фитиль, прогорая…

— Ну что же вы смотрите, — говорит темнота знакомым голосом.

Он вошел в эту темноту и взял в руки золотые яблоки. Тяжелые, теплые. И вокруг яблок — тоже теплое. И вокруг него самого, Деева, тоже внезапно все обернулось теплом и приятной тяжестью. И окутало его, и потянуло куда-то — прикрыв глаза и приоткрыв рот, чтобы не задохнуться, Деев нырнул в эту темень.

Исходящее от лампы тусклое свечение дрогнуло, готовое погаснуть, — керосин заканчивался. В слабом свечении этом едва светлел на столе округлый ведерный бок. Едва блестели капли, разбрызганные по лаковой столешнице. Едва лоснилась чья-то бритая макушка, совсем близко.

— Мальчишка здесь, — вновь сказала темнота.

Деев усилием воли вытащил себя, как из тягучего сна, куда-то к свету, вверх, и увидел обращенный на него внимательный взгляд: Загрейка сидел на полу и преданно пялился на хозяина.

— Пошел вон, — прошипел Деев.

Путаясь в завязках, он кое-как спустил босые ноги на пол — когда только успел скинуть башмаки? — и цопнул пацаненка за шкирку, вышвырнул в коридор. Но пока запирал задвижку, тот уже забрался обратно — через гармошку — и вновь оказался рядом.

Деев опять швырнул его в коридор и запер теперь и свою дверь — мальчишка заколотился снаружи, требуя впустить. Шумел громко, и через мгновение Деев сдался, чтобы не разбудить весь вагон.

— Здесь посиди, дура! — уговаривал Загрейку, тыкая пальцем под свою полку, но тот лишь таращился ласково, примостившись у хозяйских голых ног. — Хоть полчаса! Хоть четверть часа посиди!

Громко стукнуло что-то рядом — комиссар забросила в купе к Дееву оброненные башмаки. С треском съехались гармошечные створки, разделяя пространство надвое.

— Сволочь ты, брат, — угрюмо выдохнул Деев.

Поняв, что хозяин теперь никуда не денется, Загрейка зевнул и уполз под диван.

Назавтра о случившемся не вспоминали — как не было этой черной ночи и сияющего в ней золотого тела.

Комиссар смотрела строго и деловито. С раннего утра, еще до завтрака и отправления, затеяла шмон по всем пассажирским вагонам — прошерстив углы под лавками и батарейные закоулки, обнаружила ворох невесть откуда взявшихся предметов, контрабандой появившихся на борту за прошедшую неделю. Находки были вполне безобидны: игральные карты, порнографические открытки, напечатанные на дешевой бумаге сонники — ни анаши, ни самогона, ни кастетов с бритвами. Всё найденное вернула хозяевам.

Деев помогал: вместе с Белой шарил по половицам и отхожим закуткам. Изредка поглядывал на комиссара, но примет ночного происшествия на спокойном лице не находил. И даже когда обнаружил в щели под потолком стопку непристойных карточек — кружева, колени с ямками, пышные ягодицы и бюсты, — не заметил в комиссарском взгляде и следа воспоминаний о вчерашнем.

А он думал о том — весь день. Голову словно раскололи пополам. Одна половина переживала из-за отсутствия мыла и гигиены в поезде, была озабочена нехваткой топлива, рассчитывала паек на ближайшую неделю, вспоми-

нала Сеню. Вторая — падала в тяжелую и теплую тьму, оку-
тавшую вчера его тело.

Вечером — уже даже и не вечером, а ночью, дождавшись
угольной черноты, — он раздвинул гармошку, надеясь на
повторение и продолжение сюжета. Но не случилось: не
было в комиссарском купе мерцания золота и звона капель,
одна только темень и сонное молчание — женщина спала.

И надо бы подойти и сесть рядом. Откинуть одеяло — по-
крывающий тело бушлат. И все остальное откинуть, что ме-
шает золоту сиять и лучиться теплом. Надо бы... Да никак!

Не решаясь ни зайти к Белой, ни закрыть гармошку, Деев
долго топтался по тесному купе, то стягивая гимнастерку, то
надевая обратно и застегивая на все пуговицы. Внизу воро-
хался неспящий Загрейка, готовый следовать за хозяином.

Наконец Деев лег. Спать не мог — лежал с открытыми
глазами, слушая сопение мальчишки под диваном и редкие шевеления женского тела за стеной. Качался на дремот-
ных волнах, перебирая мысли. Когда уставал вспоминать
костлявое Сенино тельце или Зозулю, голышом распро-
стертую на этом самом диване, — вспоминал налитое светом женское тело. Когда уставал считать немногие оставшиеся вёдра угля или вязанки дров для вагонного отопления — считал звенящие золотые капли... Делил ночь
с Белой. А может, они делили ночь на троих: мужчина, женщина и мальчик под диваном.

В Арзамасе эшелон покинула кормилица. Напоследок
выпоила Кукушонка досыта, сцедила оставшееся молоко из обеих грудей — одних только остатков на-
бралось полторы кружки! — и ушла по путям к темному
зданию вокзала, искать попутчиков до Москвы. А Фатима

с младенцем на руках осталась в поезде. Вернее сказать, это Деев остался — искать пропитание для ребенка предстояло ему.

Здесь "гирлянда" сделала крутой поворот и нырнула на юг — через Лукоянов и Саранск покатила к Самаре, чтобы вскоре достичь Оренбурга. И если раньше она двигалась вместе с потоком странствующих — в Москву, в Москву! — то теперь направилась против этого потока. Теперь, трясясь в штабном через поля и пролески, Деев видел не затылки бредущих вдоль чугунки людей, а лица.

Татары — рыжие от солнца и пыли, в рваных тюбетеях и истрепанных покрывалах поверх одежды. Широколицая мордва. Босоногие киргизы с привязанными к спине пожитками. Удмурты-смугляки. Сбитые в толпы цыгане — эти шагали резвее и глядели бодрее всех, привычные к бродяжьей жизни. Белобрысая немчура из-под саратовских степей.

Некоторые еще тащили скарб, уложенный в кибитки; над повозками были раскинуты дубленые коровьи шкуры для защиты от солнца и дождя, и каждая смотрела вперед высоко выставленными рогами, — оттого казалось, что во встречном потоке движутся вместе с людьми и неведомые животные. Некоторые уже бросили вещи и шагали налегке, с палками, клюками, костылями. Все — без детей. Люди брели вдоль железки, провожая тоскливыми взглядами обгоняющие поезда и надеясь на чудо: вдруг подсадят на перегон-другой?

"Гирлянду" взглядами не провожали — она не шла в столицу. А значит, другую кормилицу было не найти. Деев был бы рад любой — киргизке, или калмычке, или синеглазой мордовской бабе, — но людской поток тянулся на север — неумолимо, как растение к солнцу. Что хотели обрести там все эти засыпанные многодневной пылью мужики и бабы, отощалые, обнищалые, растерявшие по пути детей? Бывал Деев в этой Москве и знал: не найдут ничего, только силы растеряют. Москва нынче злая, бес-хлебная. Перемалывает людей, как жерновами. Войдешь бедным — выйдешь нищим. Войдешь нищим — там и ско-пытишься.

Но шли и шли — пол-России хлынуло в столицу, словно было им что-то обещано. И чем дальше на юг продвигался эшелон, тем гуще становился встречный поток.

На каждой станции — в Шатках, у Лукоянова, на Крас-ном Узле — Деев инспектировал базары и торговые ряды: искал козу. Смотрели как на полоумного: не было нынче в хозяйствах коз, перевелись. А если бы даже и сыскалась одна, какой бы дурак ее продал? Так не за деньги, угова-ривал Деев, а за целый серебряный крест или даже за два. Пожимали плечами: серебром сыт не будешь.

У Саранска приметил деда, торгующего собачатиной. Тушки отдавал по три рубля, головы по два. И то и другое — мелкое, на один зуб. Не собачье — щенячье.

— А мать-псина жива? — спросил у продавца.

Выяснилось, жива. Ее и сторговал за серебряные кресты.

Привел в эшелон: тощую, без зубов, но с длинными ко-жистыми сосками. Собака была смирная и покорная, вид-но, крепко битая когда-то. Позволила и уложить себя на расстеленное по полу тряпье, и поднести к животу мла-денца.

Поначалу тот капризничал, не признавая псовый дух. Затем оголодал и перестал: ел собачье молоко, охотно и об-стоятельно, за один присест опустошая по очереди все сос-ки. К запаху притерпелся. Новую кормилицу теребил за шерсть, обхватывал ногами — она в ответ лизала лысую голову, на которой еще трепыхался нежно не успевший за-расти родничок.

Собаку пришлось поставить на паек. В еде оказалась не-прихотлива: жадно хлебала супы и кисели, чавкала разве-денными в кипятке отрубями. Только жевать не могла, по-тому твердую пищу ей размельчали и мешали с водой.

Фатима называла новую кормилицу причудливо: Капитолийская волчица. В мыслях Деев не соглашался с этим прозвищем. Какая же волчица, если собака, жалкая и добрая? И не со сложным иноземным именем, а наша, саранская? Но спорить с женщиной не стал.

Прозвища были важнее имен.

Что расскажет о пацане или девчонке имя, ровным почерком заведующей Шапиро вписанное в документы? Коля, Петя, Дуняша, Махмут или Зифа — несколько чернильных букв на бумаге всего-то.

Что расскажет о человеке кличка-прозвище? Многое. О родителях расскажет или о родине. О перенесенных болезнях или сокровенных мечтах. Какие книги человек читал или какие фильмы смотрел. Что едал, где бывал-бродяжил. Иногда — расскажет всю жизнь.

Имена служили в эшелоне для учета контингента, как номера на плацкартных лавках служат для удобства размещения пассажиров. А прозвища — для общения.

Поначалу Деев и не думал запоминать их. Есть в наличии ребенок — худо-бедно, но одетый, плохо ли, хорошо, но накормленный — и славно. Деева забота — довезти дитя до Туркестана. А уж как его зовут, по бумагам или между собой, это дело сестер или вагонных сотоварищей.

Но вышло по-иному. Целый день пробегав по "гирлянде", к вечеру он обнаруживал, что знает лишний десяток прозвищ: ухо само цепляло. К Арзамасу знал половину эшелона, еще через неделю — почти всех.

Некоторые клички говорили сами за себя. Если зовут мальчишку Вовка Симбирь — что же тут непонятного? Разве что как очутился в Казани, за двести верст от родного

Симбирска. Ну так ехали в эшелоне пришельцы и откуда подальше: был Жора Жигулевский, долговязый паренек-переросток с оспенными дырками по всему телу. Был неуемный Обжора Калязинский, загорелый до черноты и с черной же цинготной улыбкой. Были Спирька с Ахтубы и Юлик Оренбург. Все Поволжье отражалось в этих прозвищах, от уездных городов и до мелких поселений: Дёма с Костромы, Углич не стреляй, Иудушка Шупашкар.

География происхождения угадывалась в прозвищах, даже если не называлась. Ника Немец — понятно, что из германских колоний, из-под Саратова (о себе рассказать не мог, потому как по-русски говорил плохо, но слова *Saratow* и *Wolga* на всех языках звучали одинаково). Казюк Ибрагим — понятно, что с Казани (казюками часто дразнили выходцев из этого города). Вотяк без глаза — с Прикамья (зрение у мальчугана было в порядке, но умел на потеху публике закатывать глаза и выворачивать веки так, что оставались видны одни только белки, оттого и был прозван безглазым). Башкурт Гали — с Приуралья, родины башкир.

Какие-то клички рассказывали о болезнях. Деев не мог понять, зачем сохранять в памяти — больше того, отливать в имени — воспоминания о тяжелом, порой смертельном. Харитоша Чахоточный, Юся Трахома, Лёша Три Тифа — кто захочет так называться? Эти — хотели. Сами себя так и представляли: "я Веня Грипп"; "я Соня Цинга"; "я Гришка Судорога". И чем омерзительнее было имя, тем дороже хозяину. Шанкр, Гоша Гонорея, Ося Сифилитик, Толя Герпесный — Деева сначала передергивало при звуке этих имен. Затем притерпелся.

"Ты хоть знаешь, что такое *мамо́*?" — спросил однажды у мелкого пацаненка с монгольскими глазами по прозвищу Ченгиз Мамо́. "А то!" — осклабился тот. И хлопнул себя по ребристой, как терка, груди: не только знаю, но и горжусь! "Мамо" называли сибирскую язву. Иногда еще —

"священный огонь", потому что выкашивала людей и скот быстро, как пожаром. Вряд ли маленький Ченгиз побывал в том пожаре и вышел живехонек. Хотя утверждать уверенно Деев не взялся бы: эти дети были и правда — неопалимые.

Кого же должны были отпугнуть зловещие клички? Других детей? Другие болезни? Смерть?

Находились и те, кто не боялся упоминания в своем прозвище смерти. Не самые рослые, не самые заводные или шебутные — обычные тихие мальчики, из тех, кто в очереди за пайком стоит в последних рядах. Фадя Умри Завтра. Маркел Три Гроба. Кика Мертвенький. Тощий и плюгавый малыш с гнутыми от голода костями и хребтом — Карачун.

Нет, Дееву нравились имена светлые, культурные. Зовут ребенка Бастер Китон — сразу ясно: любит кинематограф. И сразу смотришь на него с улыбкой, с теплом в сердце, и чаще хочется его кличку произносить. Про Митю Майн-Рида и Дикого Диккенса тоже ясно — образованное пацанье. И Ватный Ватсон, и Арамис Помоечник, и Пинкертонец. Хотят ребята стать как герои из книг и фильмов: удачливыми, умными. Таких Деев уважал.

Правда, среди подобных прозвищ встречались и заковыристые — пахли возвышенно, по-книжному, а смысла не понять. Коля Камамбер — из французского романа, что ли, имя стибрил? А Сёма Баттерфляй? А Федя Фрейд? Нонка Бовари — откуда добавку к имени слямзила? А Джульетка Бланманже? У этой и вовсе ничего не поймешь — само имя длиннющее, не то цыганское, не то молдаванское, а довесок такой, что язык сломать можно... Гюго Безбровый — это что вообще такое? "Гю-го" — будто не ребенка зовешь, а кашляешь или поперхнулся... Профитроль и Паганель — а это что за герои-любовники?

Уж лучше тогда зваться коротко и по-мужски, как ребята из старшего вагона: Смит-Вессон или Кастет Ефремыч.

Эти хотя бы не скрывали своей сути, а заявляли прямо: спуску не дадим. Агрессии Деев не одобрял, но честная позиция располагала к себе лучше умничанья.

Не одобрял и использование в прозвищах бродяжьих профессий: если кончены скитания, зачем тащить за собой прошлое в новую жизнь? Хулиганил когда-то на улицах парниша, обдирал прохожих, снимая с дам шубы, а с кавалеров часы. Зачем же по-прежнему звать его Богдаша Биток, не давая о том забыть? Или катал мальчонок багажные тележки на вокзале, прикарманивая при этом всякий мелкий скарб. Зачем же напоминать ежеминутно, называя Сявка Тачечник? Фома Обушник, Орест Базарник, Сазон Горлохват — многие таскали за собой былые занятия как память трудовой биографии.

А больше всего в эшелоне было кличек про стыдное и срамное. Дееву уже стукнуло двадцать с гаком — пожил на свете раза в три, а то и в четыре дольше своих пассажиров. Но, как выяснилось, много хуже их владел словами, описывающими греховную часть бытия. Всё, что имело отношение к пагубному и низменному — по женской ли части, по мужской ли, — воплотилось в звонких прозвищах, от которых поначалу впору было краснеть. Но позже пообвык, тем более что и Белая выкрикивала эти клички громко, как и остальные. А вот сестры — те не могли, норовили обойтись безликим "мальчиком" или назвать просто по имени, опуская привесок. Но хозяева на компромисс не шли: если уж Мишка Гузно — так и зовите. Или если Еся Елда. Или Курдюк. Или Питишка.

И какая была радость называться Грязный Уд? И что за удовольствие именовать себя Назар Онанист? Но были, верно, и радость, и удовольствие. Малорослые от вечного недокорма, кривоногие и тонкорукие, с голыми детскими подмышками и срамными местами, эти мальчики хотели вырасти в мужчин — хотя бы через прозвища. Фока Щекотун (много позже, во время купания, Деев разглядел щекотунчик этого Фоки — малехонькую загогулину, бледную, как гусеница на капусте). Коля Струмент (у этого крошечный инструмент был и вовсе обрезан по магометанскому обычаю, так что Деев подозревал в нем татарина или башкира, хотя говорил Коля только по-русски и уверял, что помнит родителей, которые тоже говорили с ним по-русски, оставляя в детприемнике). Жора Порнохват. Зеленоглазый и веснушчатый Фаллос…

Не отставали и девочки: Лилька-Пипилька, Блудливая Ларка, Жанка-Лежанка — впору бордель открывать, с такими-то именами! (У Лильки кожа сохла и сходила слоями, как березовая кора; Ларка пи́салась по ночам, а Жанка вечно хотела есть и говорить могла только о еде.) Сестры предложили было девочкам придумать новые прозвища — красивые, звучные, из книг или песен. Те отказались наотрез — дорожили старыми кличками и заключенной в них женской сутью больше, чем красотой.

Некоторые прозвища казались безобидны и даже смешны — Овечий Орех или Егор-Глиножор. Позже Деев понял, что за веселостью этой скрывается история жизни совсем не веселая.

Овечий Орех родился некстати, в первый голодный год, и мать из жалости купала его в овечьем помете, чтобы скорее умер. Не успел — умерла она, а его забрали в приют. Про жизнь в отчем доме помнил одно: как мать собирала по колхозному хлеву пахучие бараньи катышки, а он ползал рядом, по полу. Когда чуть подрос, понял, для чего собирала (детдомовские объяснили), но зла на мать не держал, наоборот, зваться хотел только Овечьим Орехом, а про те минуты в хлеву рассказывал каждому охотно и по многу раз.

Егор-Глиножор с детства слушал рассказы про Глиняную гору, из которой во время голодных лет люди черпали глину и ели вместо хлеба. Когда голодный год наступил и дед с бабкой слегли от бессилия, отправился искать. Нашел. Наковырял целое ведро глины и приволок домой.

Стали есть ее всей семьей, втроем, а она противная, голод
не утоляет. Дед с бабкой после этого возьми и умри. Так
Егор убил свою семью. Убеждали его сестры, что не он стариков сгубил, а голод, но мальчик настаивал: я убил…

Таких историй было — пять вагонов. Да все шесть, если
считать с лазаретом. Будь воля Деева, при посадке в поезд
отменил бы все старые прозвища, чтобы дети сбросили их
с себя, как сбрасывали на казанском вокзале казенную одежду и обувь. Но его воли на то не было.

＊＊＊

Я зык эшелона был пестр и причудлив. Пять сотен
ртов наполняли его таким разнообразием, что впору
было словари составлять. Русские говоры, татарские
и башкирские, чувашские, марийские, удмуртские, сибирская речь и малороссийская — замешанные с языком улиц
и свалок, разбойничьих шалманов и церковных общин:
славный кавардак, разобраться в котором Деев мог едва ли.
Детей это смешение не смущало — понимали друг друга
с легкостью, мгновенно перенимая словечки собеседника
и одаривая того своими.

Одно и то же понятие имело и пять, и десять обозначе-
ний — там, где Деев обошелся бы одним словцом, ребята
вспоминали дюжину и две.

Если врет человек, например, Деев бы так и сказал:
врет. Или *обманывает*, если чуть культурнее. Дети же имели наготове целый веер глаголов и фраз: *тискать, клеить,
торговать, лечить, чесать, клепать, бусить, лохматить ба-
бушку, трындеть, баянить, подпускать турусы и пускать жука,
гонять базло, лимонить, лестить, отливать, бакулить, полы-
гать, алдашить, ондалашить, гнуть байду, выкрутить и выма-
зать…* И так дальше, и еще столько же.

251

Если случилась неудача, Деев опять бы сказал прямо и просто: *неудача вышла*. Ну, или *не свезло*. А дети? У них бы *ахма накапала*. *Безладица дунула*. *Бибика с салом приключилась, пех* или *умглик*. *Зрятина вышла, косяк* или *зола*. *Комоха пришла*. *Ништа взяла*, или *кайга*, или *ойго*. *Борода выросла*. Они бы *влухались* или *запропали*. Их бы *заколодило* или *зарезало*…

Зачем сто слов, если можно обойтись одним? Зачем крутить, завязывая в узлы простую речь и выплетая словесами узоры?

А уж выплетать ребята умели! Привычные к вольной жизни, дети и с языком обходились вполне вольно — нещадно коверкали грамматику, оборачивали предложения в диковинные конструкции. Угроза, к примеру, могла звучать так: *уж я-то его научу уму насчет картошки дров поджарить!* А могла так: *бутыскну валявку заменьше количества на ляд с маганей!*

Больше того, дети изобретали слова, складывая воедино уже известные или придумывая совершенно новые. Здесь Деев и вовсе терялся. Ну стоит себе кубовая, на каждой станции похожая: домулька с окошком и парой торчащих из стены кранов, откуда льется для желающих в чайники и ведра дымящийся кипяток. И слово уже давно есть — *кубовая*, — и все его знают, все пользуют. Зачем же спорить битый час, до тумаков и крика, приискивая новое название? Выбирая между четырьмя вариантами — *шпа́риха, горячи́лка, крану́ха* и *кипято́чина*, — дети остановились на последнем. А скоро Деев и сам себя поймал, что называет кубовую именно этим придуманным словечком, уж больно меткое. Заразился от пассажиров.

Рубахи, в которые были одеты, ребята называли вовсе не рубахами, а *белюша́ми* и *кулемя́ками*. А кружки оловянные для еды — *буздыря́лками*. Социальных сестер — *сестёрками*. Вагоны — *лаго́нами*. Для полевой кухни, объекта самых нежных и страстных ребяческих чувств, было изобретено много названий: *мечта́нка, ку́ха* и даже *ва́ркало-у́ркало*.

Правда, иногда дети упрощали и обрезали слова: вместо "здрасьте!" было в обиходе короткое "здра!", вместо "брешешь?" — "бре?", но случались подобные упрощения редко.

Единственная тема, где не дозволено было упражняться в словотворчестве, — еда. Уж здесь-то вольностей не позволяли! А знали о пище — простой и сложной, городской и деревенской, столовской и ресторанной — побольше не только Деева, но и всех взрослых в эшелоне вместе взятых. Про всё знали: про то, что уха ершовая или судаковая подается с расстегаями, а царская — с водкой. Как правильно произносить "консоме" и "гляссе". Что борщок лучше всего идет под острые дьябли, а тюрбо — под шампиньоны. Что от американской кукурузы случаются поносы почище гороховых. Что если грызть жженые кости, то по чуть-чуть и не спеша, а стебли борщевика можно помногу, но без кожуры. Что если пулярду заказывать, то непременно ростовскую, а форель — так только гатчинскую, под соусом о-блё… Деев и слов-то таких не слыхивал! А дети — и слыхивали, и сами рассказывали. Пробовали вряд ли, но доложить могли в подробностях. Как отличить икру камчатского лосося от икры норвежского. Как выварить с углём протухлую слегка ворону, чтобы не воняла. И что есть пудинг Нессельроде и в чем его разница от парфе и буше.

Некоторые даже клички себе придумывали по любимым блюдам и напиткам: Глеба Дай Хлеба, Драник с изюмом, Абрау Дюрсо, Зинка Портвейн, Грильяж Гнилые Зубы.

Так часто хвастали съеденными недавно лакомствами, да не из ботвы-муравы, а мясными и хлебными, что Деев не сомневался: врут. Потом прояснилось: нет, не врут — всего лишь называют "сытными" словами суррогатную пищу. *Киселиком* — рыбную требуху. *Изюмом* — чешую. *Козлятками* — рыбьи скелеты. *Поросятками* — жаренных на костре сусликов. *Сухарями* — ракушки. *Пирогами* — ботву. Обозначающее еду слово было священно и не могло быть изменено, а вот обозначаемый предмет — вполне. Этих-то козлят-поросят вприкуску с пирогами дети лопали сполна, еще и оставалось…

Не располагая имуществом и даже одеждой-обувью, не имея родителей и дома, а зачастую и детских воспоминаний, дети владели единственно — языком. Он был их богатством, их родиной и памятью. Они его творили. Складывали в него все, что находили по пути. В редких словечках сохраняли воспоминания о встречах с пришлыми из других краев. Не пускали на его территорию взрослых.

Язык нельзя было потерять в скитаниях. Его не могли отобрать горлохваты постарше или свиснуть ночные воры. Язык не снашивался, как башмаки, и не вшивел, как исподнее, а с каждым днем становился только богаче и ярче. Поддавался и подчинялся хозяину. А главное — не предавал, всегда оставаясь рядом.

Дети любили стихи — нет, не поэтов, а собственными силами придуманные рифмы. Те, кто побойчее, слагал строфы. Кто позастенчивей, повторял придуманное. Каждая ситуация и каждое элементарное событие, будь то возня в очереди за обедом или подсчет вшей на рубахе, могли быть мгновенно обернуты в звонкое созвучие.

Одно дело — пригрозить ударом в нос. Совсем другое — объявить угрозу в стихах: "Я тебе сворочу рыло и скажу, что так и было". Одно дело — не поверить кому-то и сообщить об этом. Совсем другое — презрительно протянуть, щуря глаза: "Развел рацею, как панацею…" Одно дело — попросить сотоварищей помолчать. Другое — рявкнуть: "Меньше склёму без уёму!"

На любое слово взрослых дети выстреливали в ответ стихи — рифмы выскакивали из детских ртов, как плевки, по первому желанию.

Поздоровается Деев с пацанами: "Доброго дня!" — а в ответ несется: "Угости меня!" да "Не найдешь огня?" Объявит громко сестра: "Проезжаем Ужовку!" — и тут же сыплются кулинарные предложения: про перловку, перцовку и марганцовку.

Четкий ритм усиливал простой смысл высказываний: зарифмованные слова становились уже заклинанием, обретали магические свойства. А те, кто умел рифмовать, — особый авторитет.

Грига Одноух, бесспорно, был поэтом. Однажды, краснея и снижая голос до шепота, сестры пересказали Дееву Григины стишки (запомнить их не составляло труда, так как были неприхотливы и весьма солёны, сами врезались в память). Посвящены — исключительно комиссару.

Были среди них простые:

Белая, Белая,
Дура ты дебелая.

Были посложнее:

Белая — баба спелая,
Только больно уж очумелая.

Деев сперва расхохотался, так точны были частушки, затем напустил серьезности, покачал головой осуждающе. "А про меня что слагают?" — спросил. Выяснилось, что ничего. Начальник эшелона удостоился лишь рифмованных кличек — однообразных и преимущественно неприличных: Деев-Елдеев, Деев-Мандеев, Деев-Обалдеев... Клички пользовались популярностью — за глаза Деева только так и называли, с привеском.

Дети рифмовали мир, укладывая в ритмические строки, словно этим хотели его подчинить. И потому затея с чтением Лермонтова в вечерние часы неожиданно обернулась удачей. Библиотекарша начала с простых и доступных юным умам баллад — о воздушном корабле, русалке, двух старых великанах. Но выяснилось, что сюжеты не первостепенны — дети слушали не истории, а музыку поэзии: не понимая и половины слов — что это за *боренья духа, неведомые пророки, лазурь волн и коралловые гроты?* — они вовсе не стремились угнаться за фабулой, а ловили наслаждение в ритме и рифмах. А возможно, и учились у коллеги по поэтическому цеху?

Рифмовали дети не только слова, но и события собственной жизни. Нигде больше не встречал Деев такого количества обрядов и ритуалов, как в "гирлянде". Особые кивки, подмигивания, жесты и цоканье, пританцовывания, заклинания, повторяющиеся слова и словечки — все это составляло язык общения, параллельный обычной речи и понятный только детям. А также комиссару Белой.

— Зачем они беспрестанно с вагонных ступеней на землю плюют? — спрашивал Деев. — Да еще и на полном ходу подальше высунуться норовят. Не ровён час выпадут из эшелона.

— Несчастья сплевывают, — поясняла Белая. — А если сплюнутое несчастье не на землю упадет, а на вагонный бок — какой же в этом толк?

— Ну а малышню зачем по полу катают, как скалку по тесту: туда-сюда, туда-сюда? Полы-то с Казани не мытые, да еще и холодные. Как ни зайдешь в вагон, кто-нибудь кого-нибудь непременно в грязи валяет, а остальные любуются.

— Так малыши ваши сами о том просят, с них так болезни скатываются.

— А из кружек друг у друга зачем пьют? Сначала паек съедят, а затем давай в пустые кружки воду наливать и по очереди хлебать.

— Кружку одалживают не у всех, только у самых фартовых: выпьешь из такой — кусочек чужого фарта тебе и перепадет...

На ночь дети мазали пятки землей (не всякой, а только если встречалась по дороге черная и жирная). Здороваясь поутру, касались друг друга сначала костяшками пальцев (одно касание на уровне глаз, второе на уровне груди, третье у пояса), а уже затем ладонями (два звонких хлопка и одно рукопожатие). Обкусанные ногти складывали в щели своей лавки. Перед едой многие крестились или опахивали щеки ладонями по магометанскому обычаю; некоторые делали и то и другое. Все найденные и подобранные предметы из металла (гайки, обломки инструментов, куски проволоки) вешали на стены или в изголовье нар. Стибрили у портнихи иглу и по очереди высиживали ее в укромном уголке — на третьей полке, под потолком, — пока при очередном шмоне комиссар не обнаружила швейный инструмент и не вернула хозяйке.

Постепенно Деев постигал разнообразный, но в общем немудреный мир детских обрядов. Было в нем два главных понятия, два столпа, на которых строилась вся система.

Первый столп звался *удача* — или *фарт*, или *везуха*, или *пруха*. Прочие приятные составляющие жизни — здоровье, дружба, сытость и удовольствие, да и счастье в целом — считались производными. Именно для привлечения удачи (или отпугивания неудачи) совершались всякие акробатические трюки, находились и присваивались металлические предметы (высшую ценность представляла сталь, меньшую — бронза, латунь и железо), жертвовалась еда, придумывались клички. За фартом гонялись, о нем мечтали, им хвастали. Отхватившие удачу становились любимчиками, неудачливые — изгоями.

Второй столп звался *мы*. Лишенные семьи, да и любого другого организованного по правилам общества — школы, коммуны, — дети сами изобретали для себя правила и сами для себя, сообща, становились семьей. Словесные формулы, выученные жесты, отработанные ритуалы скрепляли эту разнородную и разномастную ораву, дарили мгновения совместного чувствования.

Давая серьезное обещание, полагалось вложить кусок пищи в согнутый локоть (лучше хлеба, но за неимением сойдут и щепоть каши или пара капель киселя) и съесть, глядя в глаза сотоварищу.

При делёжке съестного, чтобы вышла ровной и справедливой, — по очереди коснуться всех участников процесса с приговоркой: "Будет скоро да́дено, не штымпу и не гадине, а тебе".

Перед началом карточной игры — во избежание мухлежа — сцепить правые руки и трижды произнести хором: "Шахер-махер, вышел на хер!"

Клянясь в искренности — высунуть язык и позволить собеседнику тщательно ощупать его и даже подергать.

Для одалживания ценных вещей — порнографической открытки или огрызка карандаша — была разработана целая церемония, уж слишком серьезным и рискованным казалось дело. Хозяин — при свидетелях, и лучше бы их было побольше, — передавал на раскрытой ладони предмет со словами: "Отвечаешь". Второй участник сделки — еще не касаясь вещи, а только подтверждая свое честное намерение попользоваться и непременно вернуть — произносил встречную реплику: "Именно я — когда я хочу, как я хочу, где я хочу и чем я хочу". Хозяин закреплял сказанное еще одной словесной формулой: "Не с мухи, не с комара, а именно с тебя". — "Чур, слово не сменяется!" — подтверждал проситель. Свидетели чинно кивали, и только после этого разрешалось забрать предмет...

И даже те ребята, что были эвакуированы недавно и совсем немного времени провели в компании бездомных сверстников со стажем, впитывали и вбирали эти правила мгновенно — как вдыхали: заклинания и магические словечки, церемонии и ритуальчики были заразнее тифа, разносились быстрее холеры.

Так, через пришептывания и приплевывания, дети пытались управлять миром или хотя бы задобрить его недружелюбие.

Белая была для детей — не своя, но и не чужая. Чужими считались прочие взрослые (или *штымпы*, как их презрительно именовало пацанье): и Деев, и сестры, и даже юный дурень-кашевар, которому лет стукнуло не намного больше, чем пассажирам. А комиссар была — где-то на границе между миром взрослых и миром детей.

Она понимала эшелонную речь. Знала и про *башканов*, и про *сявок*, и про *ноченьку с ишачкой*. Ей не нужно было объяснять про важность установленных обычаев или нерушимость клятвы, данной одним пацаненком другому. С ней можно было перекинуться соленой шуткой и даже спросить совета.

У комиссарского купе то и дело появлялись ходоки из пассажирских вагонов с вопросами и предложениями. Возникали в любое время, иногда и поздними вечерами или сонным утром, до рассвета, — видно, прибегали сразу, как только загоралась в голове беспокойная мысль. Сама Белая никогда не отвергала визит — впускала к себе гостя, даже если к тому времени уже успела заснуть или еще не успела проснуться.

Деев старался не пропускать эти приходы: раскрывал гармошку и слушал ребячьи заботы, страхи, жалобы и задумки. Все время спрашивал себя: а как бы он, Деев, ответил на тот или иной вопрос? И каждый раз терялся, не знал, что сказать: на язык вместо ответов приходили одни только бранные слова.

Наведалась беременная девочка Тпруся — выясняла, можно ли перевязать растущий живот потуже, чтобы оттянуть момент родов и без хлопот достичь Самарканда.

Заходил Габбас Лохмотник, почти беззубый мальчонка-башкир, и без доли хвастовства объяснил, что может украсть на базаре все необходимое — хоть деньги, хоть продукты. Предлагал свои услуги, уж очень хотел быть полезным эшелону.

Заглядывали братья-близнецы Борза и Бурлило — просили сообщить, когда будет поворот на Персию. Родители их год назад укочевали туда, а сыновей оставили дома, на остывающей печи, с одной початой краюхой желудевого хлеба на двоих. С тех пор мальчишки мечтали добраться до далекой страны и разыскать отца с матерью.

Ночью явился крошечный мальчуган по кличке Карлёнок, с короткими ручками-ножками и лобастой башкой, по виду и правда напоминающий недомерка. Просил показать ему среди звезд Юпитер: его родители, по сговору с прочими взрослыми, всей деревней снялись и отправились в город, откуда обещаны были поезда на Юпитер. Ребятню оставили по избам — маленьких-де на Юпитер не берут...

Белая знала ответы на все вопросы: про Юпитер, Персию, приход Китай-царя и воскрешение наследника, смертного мотылька-ворогушу и предвещающих смерть иродовых петухов, да хоть про самого черта в ступе.

А однажды пришел Петька Помпадур, хмурый мальчонка с опухшими ногами и чирьями по всей голове. Прямо с порога объявил:

— Жениться хочу.

У Деева аж дух захватило: и хватило же у малёнка дерзости объявить свою мечту громко и без тени смущения!

— Когда? — уточнила Белая спокойно.

— Сегодня.

— На ком?

— Не знаю пока что. Разрешаешь?

— Разрешаю, — пожала плечами Белая.

Тот кивнул деловито и пошел вон, шаркая отекшими ногами и слегка переваливаясь уточкой.

— Сестрам скажи, чтоб не ерепенились, — наказал уже из коридора. — А то расквохчутся…

— Слышь, Помпадур, а тебе зачем? — не выдержал Деев и высунулся из купе вслед мальчишке.

Тот обернулся и посмотрел сурово, явно осуждая за неумный и неуместный вопрос.

— А чё бобылять-то? — кинул через плечо и направился дальше — как выяснилось, в девчачий вагон.

Продолжение истории Деев с Белой узнали уже от сестер. Придя в вагон, Петька не спеша пошел по отсекам: бродил молча и заглядывал в лица, вгоняя девчонок в краску. Отсмотрел возможных невест — всю сотню пассажирок, включая четырех- и пятилеток, — и вернулся к лавке Зозули.

— Замуж за меня пойдешь? — спросил без обиняков и предисловий.

— Так вокзальная я, — потупилась та.

— Что было, то быльем поросло, — возразил.

Она кивнула, соглашаясь.

Помпадур сел рядом на лавку и взял невесту за руку. Так оно и сладилось.

В комиссарское купе тут же прибежала сестра и доложила о состоявшейся "свадьбе". Белая дала команду "не квохтать". И наблюдать.

Молодые просидели остаток дня, держась за руки. Ближе к вечеру разговорились — негромко, никому не слышным шепотом; верно, тогда и познакомились. Ужинали, сидя рядом: пальцы пришлось расцепить, чтобы взять кружку с похлебкой, но после каждого глотка поднимали друг на друга глаза и встречались взглядами. Петька не доел свою порцию: бульон выхлебал, а самый смак и вкус — гущу из крупы и картофельных поболтков — отдал "жене", а та отдала свою гущу "мужу".

Спать Помпадур ушел к себе, но с рассветом снова был в девчоночьем вагоне. Зозуля уже ждала его, проснувшись и умывшись раньше всех… И пошло: жили "семейные" на Зозулиной лавке, расставаясь только по ночам; совместную жизнь вели тихую — смотрели в окно, шептались, лежали рядышком. Ладони их были неизменно сцеплены. Во всем же остальном "брак" этот оказался совершенно целомудренным, к полному успокоению сестер и комиссара.

Брачная эпидемия охватит эшелон быстро, как холера. Буйный Геласка "посватается" к Вере Холодной — несмотря на то что ниже ее на полголовы и младше на пару лет. Полка у Веры — третья, под самым потолком, и "молодым" придется вести семейную жизнь лежа: ни сидеть рядышком, ни глядеть в окно с Вериного места нельзя. Сотоварищи будут пускать Геласку с Верой на нижние лавки — "посидеть в гостях".

Мустафа Бибика выберет Кривую Салиху, невзирая на ее полуслепой левый глаз. Молчун и заика Сарацин — болтливую Муху Люксембург.

Ерошка Жмых "женится" на Ясе Девочке, но "мужем" окажется не примерным, к избраннице станет захаживать редко. Яся будет ждать его день за днем, однако сама за Ерошкой бегать не захочет — из гордости.

Хамит Закрой Хайло сделает предложение красавице Манане Абречке, но та откажет, причем дважды и на глазах у всего вагона. Хамит с горя переметнется к другой, тоже видной девочке со строгой кличкой Тася Не шалава, однако союз окажется недолговечным и через пару дней расстроится.

Клёка будет болтаться по девичьему вагону часами, не решаясь определить избранницу. Та выберет его сама: тихая девчурка с исколотыми морфием руками, Эмилия Галотти, без единого слова и даже не поднимая на "жениха" глаз, просто возьмет плетущегося мимо Клёку за руку и усадит на свою полку — прервет мучительную болтанку. Тот позволит, покорно и с облегчением.

И Тощая Джамал выберет "мужа" сама. Едва завидев на пороге очередного кандидата, спрыгнет с лавки и подбежит к нему, попросит прокуренным голосом: "Меня возьми". "Возьму", — серьезно согласится Железный Пип. И возьмет.

Ися Мало Годно возьмет Нюту Прости Господи. Шамиль Абляс — Альку Контрибуцию. Булат Баткак — Эльку Сухоляду.

Пары будут лепиться одна за другой, едва успевай замечать. Девчата примутся мазать брови углем, а пацаны — прилежнее вычесывать вшей.

Хаджи-Мурат и Настя Прокурорша. Чача Цинандали и Сима — Выпей керосина. Костя Анархист и Дилар из Бугульмы…

Стремительно начавшись, брачная эпидемия быстро пойдет на спад и скоро закончится. Некоторые пары сохранят верность и тягу быть рядом. Некоторые наскучат друг другу и прекратят "семейную жизнь". Но женатым статусом будут дорожить все.

Мальчишки из нелюбви к слову *жена* станут говорить просто *моя*, с особым выражением. В мальчишеских вагонах зазвучит на все лады: "Ты только *моей* о том не рассказывай — со свету сживет!" — "*Моя*-то вчера совсем сбрендила…" — "Пойти, что ли, *моей* накрутить хвоста…"

А в девчачьем зазвучит слово *муж* (не *мой*, не как-то иначе, а только и непременно *муж*, произнесенное громко и с гордостью): "Спрошу-ка у мужа". — "Мне муж не разрешает". — "Ох, мужу не понравится…"

Злоязыкие обычно и быстрые на издевку, тут пацаны будут деликатны. Ни единой шутки не прозвучит в эшелоне о "женатиках" — "холостые" с уважением и легкой завистью признают их право быть вместе.

Всех мальчишек Фатима называла Искандерами: малолеток из штабного, подросших ребят из пассажирских вагонов. Не про себя, не тихо и в сторону, а громко и вслух. А еще обнимала и целовала.

Кто бы ни пробегал мимо — переросток, заходивший к Белой за советом, или трехлетка, забредший следом за старшими, — все непременно сбавляли шаг рядом с Фатимой. Она тотчас оставляла дела и трепала гостя по бритой голове или щекам, а чаще просто прижимала к груди и опускала губы на приникшую к ней колючую макушку: "Искандер ты мой, Искандер…"

И ершистое пацанье замирало, окруженное мягким и властным женским телом. Никто не вырывался, не требовал называть по прозвищу: соглашались быть Искандерами за секундную ласку и поцелуй. Некоторые прибегали в штабной без причины, порой по паре раз на дню, — за нежностью, как за хлебом.

— Не надо их обнимать, — сердился Деев.

— Это почему же? — возражала с улыбкой.

— И целовать не надо!

— А это почему? — снова с улыбкой.

— Тебя на всех не хватит.

— Вам-то откуда знать? — уже не улыбалась, а смеялась открыто.

И нечего было Дееву ответить. Стыдно признаться, иногда он и сам хотел бы стоять, как мальчишки, уткнувшись лицом в эту мягкую грудь.

— У тебя что, сына Искандером звали? — решился однажды спросить.

Кивнула не сразу и добавила чудно́:

— Не стоило называть ребенка именем великого завоевателя.

Вот и поди разбери, что имела в виду!

Деев редко ее понимал. Отвечала — вроде бы и на вопрос, вроде бы и русскими словами. А — не понимал.

— Ты почему в эшелон записалась, Фатима?

Пожимала плечами и крепче прижимала к себе детские головки, что непременно оказывались около, только руку протяни.

— Их так много, — вздыхала и улыбалась, как извиняясь. — Так восхитительно много…

Детей в "гирлянде" ровным счетом пятьсот человек. Ну и что здесь восхитительного?!

Пожалуй, Фатиме — единственной из взрослых — по-настоящему нравилось в "гирлянде". Остальные — и сам

Деев, и Белая, и труженицы-сестры — горели на рабочем посту, искренно желая скорее достичь Самарканда. А Фатима — не торопилась вперед. Наслаждалась жидким эшелонным пайком из ботвы с отрубями. Хороводом забот о малышне. Ночами на нарах, отгороженных мятым ситцем. Беспрестанным укачиванием Кукушонка. Стиркой, уборкой, мытьем... Никак не вязалось это в голове у Деева: университет в заграничном Цюрихе — и полоскание белья; речи, как из книжки выписанные, — и страсть к младенцу-подкидышу.

— Нравится тебе здесь, Фатима?

И снова ответила будто строчкой из стихов:

— Я бы хотела, чтобы мы ехали бесконечно.

— Как это бесконечно?! — немедля вознегодовал Деев. — Откуда я еды столько возьму?..

Рядом с ней он чувствовал себя мальчишкой. И дело было даже не в чудаковатых ее ответах и не в приметах возраста, что яснее проступали от долгой дороги: морщинки у глаз, белые пряди в косах. Жила в ней какая-то могучая и мягкая сила, которая подчиняла и строптивое пацанье, и глупыша Мемелю, и даже старика фельдшера.

Тот и вовсе повадился заглядывать в штабной — не днем, а непременно вечерами, когда вагоны уже готовились ко сну. То одалживал у Деева бритву, то у Белой карандаш, то продолжал разговор, случившийся утром и тогда же оконченный. А уходить обратно в лазарет не спешил. Чего ждал? Деев сперва не мог понять, а после догадался: Буг ждал колыбельную. Седой старик — с руками, усыпанными гречкой, с пучками белых волос из больших ушей — ждал колыбельную.

И Деев стал поить его чаем: усаживал в свое купе и наливал кружку кипятка с горсткой рубленой травы. Сам садился рядом.

Сидели молча, сжимая в руках обжигающие кружки и едва обмениваясь парой фраз. Оба знали, что говорить сейчас о делах лазаретных нельзя, и не говорили — оберегали недолгие минуты предстоящей радости. Оба знали, что чайная беседа эта — и не чайная совсем, и не беседа вовсе, а ожидание, но признаваться в этом друг другу было неловко. А когда гасли в штабном все лампы и темнота наполнялась тихим женским голосом, неловкость исчезала.

> *Я бы легла пылью на твои сапоги,*
> *Дождем на плечи, ветром на лицо —*
> *Так тяжело разжимать объятия и отпускать тебя в дорогу.*
> *Но не хочу отягощать твой путь.*
> *Иди один, иди свободно, Искандер.*

Дееву было немного жаль вечеров, когда он слушал колыбельную в одиночестве — тогда казалось, что поет Фатима для него одного. Но перебарывал себя, запрещал жадничать: песня была так хороша, что не могла принадлежать кому-то одному, даже в мечтах.

Эта песня отменяла всё. И то, что пять сотен детей были покинуты матерями: выброшены в снег, оставлены на ступенях приемников, позабыты на вокзалах. И то, что впереди эшелон ждали Голодная степь и пустыня. Что кухонные закрома были скудны, а угольный тендер пуст. Что в лазаретном вагоне еще дышали те, кому вряд ли можно было помочь… Песня отменяла всё это, пусть и на несколько минут.

> *Не помни меня.*
> *Пусть память не тянет домой — камнем на дно.*
> *Забудь меня надолго —*
> *Чтобы вспомнить в самом конце пути.*

Дед сидел, откинувшись на диванную спинку и прикрыв глаза. Он был так огромен, что занимал собою едва ли не все купе, и Деев жался в уголке дивана, боясь ненароком задеть гостя. Оба сжимали в руках кружки, полные невыпитого чая, — кипяток остывал, но исчезающее тепло входило в их ладони и оставалось там.

А я буду помнить — за двоих.
Я буду плакать — за семерых.
Я буду ждать — за всех матерей мира.
Спи, мой сын, эту последнюю нашу ночь,
Спи — и просыпайся мужчиной.

Десять дней пути от Арзамаса до Бузулука превратились для Деева в один день, который повторился десять раз — прокрутился колесом, с первого часа и до последнего. Колесо это чертово было не сломать и не разорвать.

Утром он вставал — не проснувшись, а дождавшись, пока черный ночной воздух просветлеет до серого (спать, кажется, разучился вовсе, но это не мучило, привык). Аккуратно, чтобы не разбудить Белую, прикрывал гармошку, которую на ночь теперь оставлял раздвинутой. Каждый раз тянуло сунуть голову в дверную щель и взглянуть на спящую женщину, но не разрешал себе: утро — не время для вольностей.

Мгновение спустя из-под дивана выползал сонный Загрейка.

— Ну здравствуй, брат, — говорил Деев, глядя в осовелые еще глаза.

Глаза жмурились и постепенно яснели. Мальчишка зевал, тянул во все стороны вялые со сна руки и ноги, быстро обретая обычную звериную собранность.

— Пойдем? — спрашивал Деев.

На ответ не рассчитывал, но короткие фразы создавали видимость общения. Уже и привык подкидывать пацаненку словечки: одно, второе, десятое — словно и поговорили.

А тот — Деев ясно видел это в немигающем детском взгляде — понимал обращенную к нему речь, и хотел ее, и радовался ей, хотя выражать свою радость не умел: его малоподвижное и оттого туповатое лицо всегда было сумрачно.

Они выходили из купе. Тихо ступая, крались по спящему еще вагону, юркали за входную дверь и, цепляясь за фонарные подвесы, взбирались на крышу. Устраивались между люков и труб, с повернутыми на восток лицами, и ждали.

По цвету небосвода уже было ясно, увидят ли они сегодня восход. Если висела над головой дождливая хмарь, то просто смотрели, как тучи легчали от наполняющего их света. А ясным утром любовались на сам солнечный шар — багряный, красный, желтый, — что поднимался из-за окоема или из пылающих облаков, разбрасывая по небу искры и всполохи.

Деев подставлял лицо розовым лучам, а Загрейка больше пялился на хозяина.

— Да ты на солнце смотри, дура, — вздыхал Деев и загадывал, чтобы эта отрадная картина была не последним хорошим событием за сегодняшний день.

Когда светило полностью выныривало из-за горизонта, Деев со своей тенью спускались в штабной и топали по составу, уже не боясь разбудить народ, — возвещали о наступлении утра. Под нытье пацанья и строгие сестринские голоса "гирлянда" просыпалась. Деев на ходу принимал доклады сестер о прошедшей ночи, Загрейка тащился позади; дети его не трогали и даже чуть сторонились.

Наконец оказывались в лазарете. За время пути Деев заходил туда добрую сотню раз и каждый раз заново удивлялся царившей там тишине. Тишина за окном, даже на каком-нибудь полустанке в пустынной степи, была полна звуками: шорохами трав и взмахами птичьих крыльев, вздохами ветра. А тишина лазаретная была — полное безмолвие; одно только движение большого фельдшерского тела наполняло ее. Лежачие не издавали звуков — не говорили, не двигались и, кажется, уже не дышали.

Они исчезали. Нет, их тела по-прежнему лежали на койках, укутанные в багажные мешки, но из этих тел медленно уходили признаки жизни: глубже вваливались глаза, образуя на лице темные дыры; истончалась и становилась прозрачной кожа, почти уже не скрывая опутывающих организмы вен; пропадали мелкие движения, которые Деев наблюдал еще в начале пути, — подрагивание век и недовольные гримаски, ворошанье в поисках удобной позы. Тараканий Смех перестал хихикать. Маятник — раскачиваться в постели, сбивая комом мешок-одеяло. Сипок — бормотать молитвы простуженным голосом. Вздыхалка — охать во сне. Леся Еле Жив — повторять жалобно, что "еле жив".

По лицу фельдшера без всяких слов Деев уже видел, случились ли за ночь новости, — лежит ли кто-то в лазарете с накрытым лицом. Удивительным образом ночью новости случались редко. Обычно в больницах много умирают по ночам, но организмы лежачих уже не различали времени суток. Если новости все же были, тело оставляли на нарах до вечера: с утра заниматься похоронами было недосуг.

Сначала кормили детей. (Мемеля просыпался рано и к рассвету уже успевал сварганить горячее; по указанию Деева завтрак приносил сначала в лазарет и только после — по остальным вагонам.) Работали с Бугом на пару; Загрейка укладывался под лавку и замирал в ожидании, как верный щенок.

Деев и сам не знал, зачем он каждое утро выпаивает лежачих киселем или яичной болтанкой; возможно, его успокаивал вид еды, исчезающей в детских организмах.

За завтраком обсуждали, чего не хватает лазарету. Фельдшер уже давно перестал требовать, а Деев — злиться в ответ: беседовали спокойно, словно болтали о всякой ерунде.

— Меду бы, — говорил Буг, по капле выливая жижицу из кружки в полураскрытый рот Пчелки или Долгоносика. — Мед от пролежней — первое средство.

Или:

— Мыла бы. От гниения ран — лучше не найти.

Или:

— Подушек бы мягких, пуховых — под спины подложить и под седалища. Иначе хребты кожу дырявят, все нары кровью измазаны.

Деев кивал согласно: меда так меда. Мыла так мыла. Подушек — и тех попробуем достать.

Это воцарившееся между ними согласие тоже успокаивало. Будто мед и мыло можно было купить на ближайшем базаре за три копейки. Будто мед и мыло могли помочь.

Когда дети были накормлены, а солнце стояло уже высоко, выносили всех на "прогулку". Новшество это ввел фельдшер. Пытался было объяснить идею и долго толковал про застой в легких, циркуляцию кислорода в крови и вероятную пневмонию, но Деев только отмахнулся от лишних слов: надо так надо.

Операция была непростая. Каждого требовалось спеленать и укутать — осторожно, не повреждая язвы — в те немногие теплые одежды, что имелись в эшелоне: комиссарский бушлат, сестринские пальто, куртку поваренка. На головы натянуть шляпки и береты, тоже сестринские. Сверху замотать мешком-одеялом и вынести на улицу.

Быть на свежем воздухе предписывалось не менее четверти часа. Сначала решили выгуливать больных, таская на руках, как младенцев, но это занимало пропасть времени. Хотели укладывать на вагонные площадки, но решетки из металла были холодными и пропускали ветер. Долго искали, что приспособить под лежаки, и наконец догадались класть свертки с детьми на крылья паровоза. А чем не место для солнечных ванн?

К тому времени паровоз уже бывал под парами и готовился к дороге. Дети лежали на ухающей и пыхающей громаде неподвижными кульками, замотанные в мешки с лиловыми казенными надписями. Машина чуть подрагивала от биения внутри нее механической жизни, это дрожание передавалось кулькам — приходилось присматривать, чтобы их случайно не сбросило на землю.

Машинист идею с прогулками на паровозе не одобрял, но с начальником не спорил; Деев заметил, что при виде лежачих он отворачивался.

В дороге — порой ползли по рельсам всего-то пару часов, а порой хватало топлива на полдня пути — Деев думал о том, что ему предстояло добыть. Охота на мыло, провизию, уголь для растопки паровоза не приносила желаемого, но Деев помнил главный закон охотника: держи глаза и уши раскрытыми — всегда.

Гляди в окно на каждый проплывающий мимо куст и на каждый камень у дороги, а лучше сядь на крышу и обозревай окрестности сверху, чтобы ничего не пропустить. В каждом встреченном бродяге или пролетающей птице разгляди — добычу. Слушай — беженцев на полустанках, охранников станционных, детей беспризорных, что валяются у вокзальных стен. Услышь — нужное. Удача прячется не там, где ищешь.

В Рузаевке — крупной узловой станции с вокзалом и ремонтным депо — Деев надеялся на многое и искал сразу все: еду, дрова или прачечную, что согласилась бы за ночь выстирать эшелонное белье. Не нашел ничего. Но, рыская по территории, на задворках отстойника разглядел пустую цистерну, грязнущую и в масляных подтеках; такими обычно перевозили ворвань. Выяснилось: и правда, доставили когда-то китовый жир, а что после делать с пустой емкостью — не знали, оставили до распоряжения. "Разреши остатки с донышка соскрести", — попросил Деев начальника станции. Тот усмехнулся и разрешил: "Соскребай, если найдешь хоть каплю". Зря усмехался: Деев с Бугом весь вечер проползали в холодном баке, чуть не задыхаясь от рыбного зловония и обтирая стены камышовым пухом; вылезли с ведром пропитанных жиром комочков — для смазывания пролежней.

В Сызрани бегал по городу и требовал невозможного — пуховые подушки. Был в горснабе, в горсовете и в отделении милиции. Везде смотрели, как на идиота, чуть пальцем у виска не крутили. "А где мне, по-вашему, подушки искать? — огрызался Деев. — В степи?" В отделении милиции увидел случайно, как привезли взятых с поличным самогонщиков. Выклянчил часть вещественных доказательств — три бутыли мутного первача: хоть и не спирт, а для дезинфекции в лазарете вполне сгодится.

В Самаре обнаглел: отправился не в снабжение, а напрямую на мыловаренный завод — просить мыла. Директор не дал: товар медицинского значения, а отчетность строгая, не пошалишь. Уже уходя ни с чем, Деев заметил во дворе телегу с дезостанции — приехала за мыльными смывами, в которых проваривалось особо грязное белье. Подкупил возницу: за бутылку самогона из лазаретных запасов тот согласился забрать пятьсот рубах и контрабандой свозить на дезинфекцию — в ночную смену, когда начальство спит, а рабочие не прочь пропустить на халяву стаканчик. Провернули все затемно: рубахи уехали из "гирлянды" на закате, а вернулись под утро — мокрые, едва отжатые, но честно пахнущие мылом и иной противной химией.

У Кинели заметил тянувшийся вдоль путей обоз агитаторов: верблюд тащил большую кибитку, раскрашенную в яркие цвета и лозунги, а из нее торчали несколько молодых и веселых лиц. "Книжки детские есть?" — закричал Деев с вагонных ступенек. "Только песни!" — рассмеялись в ответ. На том и сошлись. Пока "гирлянда" заправлялась водой и песком, агитбригада пробежалась по вагонам: под гармошку и бренчание ложек исполнила в каждом забористую песенку, сплошь состоявшую из придуманных слов, — эдакий веселый винегрет, который Деева озадачил, а детей привел в восторг. Добравшись до лазарета, агитаторы стушевались было и хотели завершить концерт, но фельдшер попросил спеть и лежачим тоже. Спели. "Крам-бам-були! Юшки-вьюшки! Веревьяны, веревью!.. Синтерьетор! Извинотор! Байбаюта и та-та!" — раздавалось в бывшей церкви. Дети неподвижно лежали на нарах — может, слушали…

Деев стал даже и не охотником, а охотничьим псом, что за версту чует дичь и устремляется к ней через леса и болота. Деев стал хищником: хватал всё, что могло накормить, согреть или порадовать детей, и тащил в "гирлянду".

Знал, что за этой бесконечной охотой — вынюхиванием, выслеживанием, погоней и выпрашиванием — прячет страх: вслед за днем неизменно наступит вечер. А значит, снова нужно будет идти к лежачим.

Падали сумерки, густели и оборачивались ночью. "Гирлянда" почти растворялась в этой тьме, окна загорались керосиновым светом, желтыми квадратами парили над землей. В этот синий и сонный час, когда старшие дети уже лежали по нарам, слушая лермонтовские стихи, а Фатима пела для малышей, в штабной приходил Буг — на колыбельную. Обратно в лазарет шли уже вместе.

Буг направлялся прямиком к нарам, где произошли нынешние новости. Ставил керосинку у изголовья и откидывал мешковину с лица лежачего. Деев смотрел на застывшую мордочку, каждый раз с трудом узнавая ребенка, — утончившиеся носики и стеклянные глаза превращали детей в кукол, едва напоминающих прежних себя. Веки им Буг почему-то не прикрывал, зато лепил из губ улыбку, пока мышцы не успели закоченеть, — все умершие улыбались.

Деев кивал. Фельдшер заворачивал тельце в мешок; поднимал — легко, как младенца, — и передавал начальнику; брал керосинку и шагал вперед, освещая дорогу. На выходе прихватывал лопату, что теперь всегда стояла в углу лазарета. Деев нес ребенка; он всегда носил детей сам, иначе не мог.

Они спускались по вагонным ступеням — молча и торопливо, озираясь на тихие вагоны, — и спешили прочь. Еще днем Деев успевал приметить местечко подальше от путей, где-нибудь за складскими домиками или придорожными кустами. Туда и направлялись. Позади скользила беззвучная тень — Загрейка.

Могилу Деев тоже копал сам. Работал недолго — тельца были крохотные, глубоких ям не требовали. Пока он кидал землю, Буг высвобождал ребенка из одеяла: хоронили в рубахах, а мешки забирали обратно в эшелон. Деев укладывал невесомое тело на дно. Ребенок смотрел в небо блестящими неподвижными глазами и улыбался. Прикапывали, как повелось: Деев сгребал землю лопатой, Буг помогал руками. Холмов над могилами не оставалось: дети исчезали в земле — как не были вовсе.

Возвращались к составу и расходились. Фельдшер брел в лазарет, а Деев — на крышу штабного. Здесь и проходила его ночь. Вернее, их ночь — на пару с Загрейкой.

Возможно, это был постыдный секрет, говорящий о слабости духа, а возможно, и нет — Деев не знал, как его расценить. Да и не думал о том долго, просто брал мальчика на руки и садился на люк, прислонялся спиной к трубе отопления. Сидел так, глядя в небо, — до утренних звезд. В руках его лежал ребенок — теплый, живой. Ребенок спал, хотя и беспокойно: подергивая плечами, перекидывая голову со стороны на сторону, утыкая в Деева нос и судорожно дыша… Плечи и спина утомлялись, но усталость была приятная, перекрывала тоску и страх перед завтрашним днем. Деев не думал о тех, кто остался лежать в земле по задворкам станций и полустанков. Он держал на руках живого ребенка — Сеню? Пчелку? Утюжка? — и знал, что ребенок этот не умрет.

Под утро члены немели от неподвижности, а спящего Загрейку начинало потряхивать от холода. С сожалением Деев позволял мальчику проснуться и встать на ноги. Поднимался и сам, корячась на сведенных судорогой ногах, как на костылях, и разгоняя по телу наполнившие мышцы острые иглы. Кое-как спускался с крыши и ковылял в штабной — не ради сна, а чтобы только согреть отчаянно дрожащее тело. Оказавшись в купе, раскрывал гармошку — из комиссарского купе веяло теплом. Опускался на пружинистый матрас и лежал так, дожидаясь, пока черный ночной воздух просветлеет до серого…

За десять дней они похоронили тринадцать детей. Сеня-чувашин. Циркачка. Долгоносик. Плесень. Куклёнок. Утюжок. Лбище. Утроба. Пыжик. Тараканий Смех. Маятник. Вздыхалка. Мел. Тринадцать детей — чертова дюжина. Тогда-то чертово колесо и перестало вращаться: много дней вертело Деева, крутило безумно, а затем сбросило и переехало — раздавило.

Случилось это у Бузулука. Той ночью похоронили троих. В купе Деев тогда так и не пошел, всю ночь просидел на крыше. И Загрейку на руки не брал — не было сил. Просто сидел и смотрел в небо.

По небу ползала рыжая луна. Тихо было, как под водой. Или как в лазарете. Или как на кладбище. Не взбрехнет собака, не крикнет птица в степи. Что же они все тут, в этом треклятом Бузулуке, поумирали, что ли?!

В тишине раздавался мерный стук. Деев прислушался и понял: это он сам стучит — кулаком в жесть вагонной крыши. А еще стучит в голове мысль, единственная мысль: уехать… уехать… Скорее, в первый же утренний час растопить паровоз и рвануть прочь: укачать себя на ходу, забить уши грохотом колес, а глаза — мельканием степи за окном, нырнуть в привычные заботы... Не думать, не вспоминать — просто ехать. Ехать в Туркестан — к теплу и хлебу. К жизни. В Тур-ке-стан. Тур-ке-стан. Тур... ке... стан...

До рассвета не выдержал: едва поблекла луна и посветлел край ночного неба — побежал будить машиниста. Спускаться с крыши привычным способом — держась за выступы и фонарные штыри — терпения не было: спрыгнул прямиком на землю, едва не разбил подбородок о колени, но боли не почувствовал.

— Раскочегаривай машину! — толкнул спящего. — Выезжаем на рассвете. Ну!

— Так нечем, — сонно возразил тот. — Угля-то не завезли еще.

Деев — к тендеру: и правда пусто, хоть шаром покати. Уголь обещали выдать вчера. Или хотя бы дрова. Значит, не выдали. Начальник станции, сволочь!

— Где уголь?! — кинулся Деев к деревянному зданьицу вокзала.

Бежал и спотыкался о тела беженцев, что раскинулись лагерем вокруг станционных строений. Люди просыпались, наполняя царящую тишину вздохами и сонным мычанием.

В темноте едва отыскал нужную дверь и заколотил к нее кулаками, ногами: где мой уголь?!

Смотрят на Деева одни только черные окна: в кабинетах никого. И беженцы разбуженные смотрят, едва различимые в предутренних сумерках. И луна с неба — полупрозрачная уже, готовая исчезнуть. Скоро утро.

Он идет обратно к эшелону и грохает кулаком в дверцу кухонного вагона. Когда в раскрывшейся щели возникает испуганный Мемеля, всклокоченный со сна и на всякий случай с топором в руках, — забирает у него топор. Подходит к единственному на всю округу дереву — большому осокорю, под сенью которого лепятся две перронные скамейки для ожидания, — и начинает рубить.

Нет угля — будем топить дровами. Не выдали дров — сам возьму. Прямо сейчас.

Чох! Чох! — раздается гулко, отражается от бревенчатых вокзальных стен.

Спавшие на скамейках беженцы расползаются испуганно, как тараканы. Да и все, кто лежал на земле поблизости, тоже расползаются: осокорь могучий, ветвистый, упадет — перешибет.

Чох! Чох!

Ствол мягкий, будто глиняный. Топор ударяет часто и входит глубоко. Щепки брызжут из-под лезвия.

Уехать! Уехать!

— Товарищ начэшелона! — испуганный машинист маячит на путях, нелепо придерживая штаны (не смог в темноте застегнуть ремень, штаны кое-как натянул, а куртку не успел, так и прибежал в одном исподнем верхе). — Уголь утром обещали, может, подвезут еще…

Сестры в пальто поверх ночных рубах скачут по рельсам.

— Немедленно прекратите разбой! — голос Белой рядом.

Уехать! Уехать!

Проснулись собаки — сперва ближние, затем дальние, — лают ошалело, все более возбуждая друг друга.

Ночной смотритель вокзала — старикашка в форменном кителе — растерянно топчется по перрону, тряся седыми лохмами.

Чох! Чох!

Край неба уже алеет, наливается утренним светом. Вот и солнце взошло.

— Отнимите у него топор!

— Чтобы он тебя этим же топором — пополам? Дураков нет!

— Да бегите же за начальником станции! Этот психический сейчас тут все в капусту порубит.

— Господи, пресвятая Богородица!..

Уехать! Уехать!

Разжарило — не то от солнца, не то от работы. Перекидывая топор из руки в руку, Деев сбрасывает бушлат и работает в одной рубашке — подрубает осокорь уже с другого бока.

Чох! Чох!

— Стой, дурак! — голос издали.

Со стороны города бежит-спотыкается начальник станции в окружении пары доброхотов, что сообщили ему о происшествии.

Но Деев не слушает. Упирается в подрубленный ствол спиной, а в землю ногами. Напруживает мышцы, толкает плечами дерево. Осокорь трещит и валится — чуть не навстречу спешащему начальнику.

Дерево падает аккуратно: меж вокзальным зданьицем и складскими избами, не задев ограждения и скамейки. По бокам вздымается бурая пыль вперемешку с мусором, обсыпает отпрянувших зрителей.

— Эх! — только и может выкрикнуть начальник станции.

А Деев уже обрубает со ствола сучья: чох! чох!

Уехать! Уехать! — ветки звенят и отскакивают с тополя одна за другой.

— Собирай давай! — командует Деев машинисту. — И раскочегаривай машину. Я пока еще нарублю.

Тот — рохля бестолковая! — мнется, не решается на людях присвоить добычу.

— Ты что бесчинствуешь, ирод?! — начальник станции расталкивает столпившихся. — Думаешь, если везешь голдетей, так тебе все дозволено?

Только к Дееву не подойти — топор свистит в воздухе, как умелая коса в сенокос.

— Некогда мне с тобой разговаривать, — бросает Деев через плечо в перерывах между ударами. — Не можешь помочь, так не мешай.

— Да я из-за твоих детей весь город с ног на голову поставил! Половина горЧК сегодня ночь не спала, топливо тебе добывала!

Деев, с топором в одной руке, хватает другой с земли обрубленные ветки и сует в руки растерянному машинисту:

— Кому велено, собирай, не телись!

Тот корчит рожу, не решаясь ни ослушаться командира, ни унести дрова в эшелон.

— Да вот оно уже, твое топливо, будь ты неладен! — Начальник станции тычет ладонью в сторону городских домов, откуда тащится-трясется груженная основательно телега.

Везет огромный стог — не сена, а каких-то досок и палок, что торчат во все стороны лохматой кучей и, вздрагивая на ходу, едва не падают с воза. Кобыла переступает медленно — еле волочет груз, возница шагает рядом, ведя ее под уздцы.

— Если б не дети, ни щепки бы тебе не отдал! Упек бы в милицию вредителя!

Доски и палки — бывшая мебель: наспех разломанная, чтобы больше уместилось на возу, и дорогая. Сверкают в утренних лучах гнутые ножки, звякают разбитыми стеклами дверцы буфета. Много мебели — не одного хозяина раскулачили нынче ночью, и не двух, а нескольких.

И надо бы сказать что-то расстаравшемуся добытчику — повиниться за погубленный осокорь или просто поблагодарить. Или хотя бы взглянуть на него по-человечески. Но — не остановиться никак, и Деев продолжает рубить, выбрызгивая из-под лезвия древесную мякоть: чох! чох!

— Спасибо, товарищ, — говорит Белая начальнику и жмет ему руку — крепко, по-комиссарски. — Мы сейчас разгрузим телегу.

— А с этим-то что? — робко напоминает машинист, кивая на ветки.

Начальник только рукой отмахивает горько: да забирай уже, чего там…

Сестры таскают через пути мебельные обломки. По двое и по трое, неумело ухватив резные гардеробные дверцы или разломанные пополам столы, они семенят по шпалам, то и дело спотыкаясь и роняя ношу. И вдруг становятся очень похожи — старые худые женщины, замерзшие на ветру, будто и правда сестры.

Уехать! Уехать!

Начальник станции носит порубленные Деевым дрова в "гирлянду" — вздувая жилы и беспрестанно матерясь, в одиночку тягает чурбаны к тендеру.

Пышет паром и искрами раздухарившийся паровоз.

А Деев всё рубит…

Как вдруг — нечего рубить! Он оглядывается растерянно: и правда, было дерево, да все вышло, не осталось ничего. И из людей вокруг никого не осталось, только ползают по земле бабы-беженки, собирая в горсти разбрызганную вокруг щепу и опасливо поглядывая на Деева.

С топором наперевес бросается к "гирлянде".

Как это нечего рубить?! Да вот же — россыпь мебельной рухляди, руби и руби хоть до ночи! С облегчением Деев вскакивает на тендерную площадку и с размаху вонзает лезвие в наборную древесину: чох!

— Хватит убивать себя работой! — Белая где-то позади.

Оборачиваться недосуг — работать надо. И Деев работает. Ни спины, ни рук не чувствует — поясница сама сгибается и разгибается, плечи сами ходуном ходят — больно хорошо! Тело отчего-то мокрое, как искупался в поту. И лицо мокрое, аж каплет с него и глаза застит.

— Отдай топор, внучек, — приказывают уже голосом фельдшера.

Шиш вам всем! Больше нарубить — быстрее уехать!

— Деев, у вас кровь! Вы себе топором лоб разбили.

А в глазах и правда потемнело. Он касается ладонью век, чтобы стереть эту наступившую некстати темноту, — на пальцах что-то мокрое, красное. И пока Деев стоит, удивленно разглядывая пальцы, кто-то аккуратно забирает у него топор.

— Я перебинтую, внучек.

Огромные лапы деда облепляют со всех сторон. Деев рвется, словно пойманная муха из кулака, дергается всем телом — без толку: голову сжимает кольцом тугая повязка — один оборот, второй, третий... Наконец могучие лапы выпускают его.

— Доволен теперь? — кричит Деев в строгое дедово лицо. — Все сделал, как полагалось? Чиста твоя совесть?

Он сдирает накрученную на голову марлю — и когда успела кровью замокреть? — швыряет под ноги фельдшеру и бредет прочь, хрустя поломанными мебелями...

И вдруг он уже в штабном, в своем купе. Сидит на диване, скрючившись и зажав ладони меж колен.

Белая рядом опустилась, промокает ему лоб какой-то тряпкой. Тряпка — наполовину красная.

— Не вините себя, Деев, — говорит. — Это было предрешено. С той самой минуты, когда вы пообещали взять лежачих в эшелон, ясно было, что не довезете. И мне было ясно, и заведующей приемника. Она-то ни слова не сказала, старая карга, хотя все понимала. Рада была детей с рук сбыть.

Ох, лучше б ты молчала! Он отстраняется, отворачивается, но купе тесное, никуда не сбежишь. И куда бы ни повернулся — со всех сторон смотрит на него Белая. Опять поймали Деева! Сначала Буг поймал, перевязками мучил. Теперь комиссар — и снова мучает...

— Знаете, скольких лежачих я погубила? Эшелон. Целый эшелон, Деев. Две сотни детей. Дура была еще неопытная. Всем отказала — здоровым детям, больным, матерям с младенцами, — взяла только лежачих. Думала, довезу, домчу, всего-то из Астрахани до Москвы... Из двух сотен доехали двадцать.

Что ж ты не уймешься-то, вредный твой язык?!

— Только вспоминать про это нельзя, Деев. И мыслями выжигать себя — тоже нельзя. Не думать, не помнить, оставить позади и дальше идти — только так. Иначе с ума сойдете.

Заткнуть бы уши, да руки меж коленей зажаты, не вытащить. Закрыть бы глаза, да веки не слушаются.

— Я сейчас помогу, — говорит Белая успокоительно.

Встает и запирает купейную дверь. И дверь своего купе запирает и придергивает гармошку. И шторы бархатные опускает, становится сумрачно.

Звякает ремень, шуршит одна ткань, вторая. И вот уже Белая садится рядом с Деевым, а из одежды на ней — ничего.

Она берет его ладонь — сначала долго выдирает из зажатых намертво деевских коленей, затем разгибает сомкнутые в кулак пальцы — и накладывает на свою грудь. И вторую ладонь берет и тоже накладывает.

— Ну же, — говорит.

А пальцы-то у Деева — черные, кровью измазанные. Жаль, если испачкают чистое женское тело. Он пытается отдернуть ладони, но Белая придерживает их крепко, не вырваться.

— Ну же, Деев, — повторяет она и сильнее сжимает его руки. — Думаете, я не знаю про открытую дверь по ночам? Не вижу, как вы на меня смотрите?

Нежная женская кожа медленно покрывается пупырышками от прохлады. Как у Зозули когда-то — здесь же, на этом диване.

А Белая уже и ремень его распускает — ловко, в один миг. И гимнастерку его расстегивает, стягивает через голову, — деевские руки безвольно бултыхаются в воздухе, словно кукольные. И ботинки с него скидывает, и сдергивает обмотки со ступней. И укладывает его на диван — под спиной у Деева топорщатся пружины, дырявят ему ребра, — а сама укладывается рядом. Ее тело — на его. Ее лицо — на его. Ее губы — на его: Белая целует Деева, долго и горячо. Как здоровяк Лысый в свияжском ЧК.

— Я помогу, — шепчет. — Помогу.

И что-то переворачивается в нем — или это мир переворачивается? — или это он сам переворачивается на узком диване? — и тяжело ухает вниз.

— Вот и славно, — дышат ему в ухо женские губы. — Вот и славно, хороший вы мальчик.

А он дышит в эти губы.

И кто-то еще дышит рядом, очень близко. Кто-то третий.

Белая держит лицо Деева в своих ладонях, не дает повернуться и взглянуть.

— Черт с ним, с пацаненком, — говорит. — Пусть смотрит.

Да с каким таким пацаненком? Кто это дышит в полумраке, из-под стола? Неужто Сеня-чувашин?

Деев тянется к окну и раздергивает занавески:

— Сеня!

Нет, не Сеня — другое лицо.

А Сени — нет.

На диване — бледное женское тело. Ключицы — как спицы. Ребра — как стиральная доска.

Нет Сени.

Деев поднимается и, застегивая на ходу галифе, бредет вон из купе.

Шагает куда-то, шагает, шлепает босыми ногами по холодному железу — и сам не понимает, как оказался на вагонной крыше. Уместился меж люков и труб — лежит.

И вот уже орет басом паровоз и стукают колеса — "гирлянда" трогается прочь от Бузулука. И радоваться бы — уехали, наконец уехали! — да не выходит. В груди режет, словно рассек топором ребра, а не лоб. И в горле режет, и в глазах. Нестерпимо хочется плакать, но нечем — глаза сухие. И дышать хочется, но боль не дает. Он втискивает лоб в скользкую крышу, размазывая по жести кровь, и выдавливает из себя эту боль через рот и нос — мычит. А когда воздух в легких кончается, вдохнуть уже не умеет — лежит без дыхания.

Голых ступней касается что-то теплое, влажное, щекочет нежно подошвы и пятки. От неожиданности Деев всхлипывает и оборачивается: это верный Загрейка подполз осторожно и лижет хозяину босые ноги.

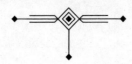

IV. ОДИН

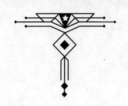

Лю-у-у-уди мои, лю-у-у-уди! Где же вы? Я здесь.

Я ползу, ковыляю, бегу по земле. Имею ноги и руки, рот. Пальцы, чтобы хватать. Зубы, чтобы кусать. Глаза, нос, кровь под кожей — все имею. Все как у вас. А вас нет. Я есть, а вас не осталось. Головой во все стороны — верть-верть: где люди, где-е-е-е? Давно сгинули.

Земля — не сгинула. Небо — не сгинуло. Земля черная, красная, рыжая, рыхлая. Небо серое, синее, в зелень и в желть. Между небом и землей всё — есть. Много чего есть. И я — есть. Я — не сгину.

Была когда-то изба. Печь в ней шершавая и жжет, аж больно. Из бревенчатых стен смола сочится, пальцем сковырни и соси. Окна — мелкими дырами. Дверь — большой дырой. Из-под половых досок землей пахнет. По полу ползают муравьи. Ползает сестра. Муравьи вкуснее смолы.

У муравья тело блестит, как ягода. Но ягод мало, а муравьев много. Чего много, то и ем. А зимой — ни ягод, ни муравьев. Только снег и сестра — орет, орет, о-ре-о-о-о-от…

Была когда-то мать. Пела на ночь: "Поскорее засыпайте, поскорее умирайте". Я не послушал. Я непослушный. Я некрасивый, она сама говорила. Я неуклюжий. Я не сгину.

И сестра не послушала. У нее пузо тыквой, а ноги кривые, как ветки. Волосы — воронье гнездо. Ходить не умеет — ползает. А я умею. Я умелый. Я все умею: глодать, высасывать, разгрызать. Зубы есть потому что. А у сестры нет — не растут.

И у матери есть, давно выросли. Уже выпадают. Мать старая. Седина в волосах — инеем. Инея этого все больше, больше — я бы замерз, а она не мерзнет. В метель без тулупа ходит — не мерзнет. Белье в реке полощет — не мерзнет. Сильная. От матери уходить нельзя.

Сестра — слабая. И муравьи слабые, их легко ловить. Трава слабая, ее легко сорвать. Деревья — сильные. Камни в степи — сильные. Огонь, если маленький в печи, — слабый; а если разгорится костром — силён. Снег в руке — слаб и тает быстро; а если бураном — убьет. И лихорадка убьет, ее не победить.

А я однажды победил. Мать сказала: две недели горел, а после еще две недели пролежал, даже глаз не открывал. Потом заново ходить учился. Значит, я и слабый, и сильный. Как снег или огонь. Это хорошо.

Люблю снег, в нем цвета и света много. И огонь люблю, потому что живой. Люди часто мертвые, а огонь живой — всегда.

Еще люблю, как тает лед, — весной смотрю. Как паук нитку тянет — это уже летом. Паука есть нельзя, только смотреть. А нитки паучьи можно. И лед можно. Мать запрещала, а я ел. Я непослушный. Всё сильное — непослушное: ветер, гроза, дождь. Смотрю на сильное, слушаю сильное — их сила в меня и входит.

Не слушай их, сказала мать. Людей остальных. Они про тебя гадости шепчут, и пусть. А я людей и не слушал. Больше — листву или птиц. Или как грязь под колесом хлюпает. Или как пулеметы стреляют.

Когда сестра еще не родилась, много стреляли. Когда родилась — перестали. Жалко. У пулемета звук ровный и раскатистый, красивый. У винтовки короткий и хлесткий, тоже красивый. Самый красивый — из пушки; тогда еще и взрывом полюбоваться можно. Взрывы — это цветы, пышнее всяких луговых, только отцветают быстро.

Родилась эта крикливая — и голод пришел. Уж лучше бы ей не родиться. Вот и мать так же говорила. Если бы сестре умереть — вернулись бы выстрелы? И голод закончился бы? Не знаю.

Многого не знаю. Был ли отец и куда подевался? Отчего муравьи вкусные, а вши нет? Куда исчезли коровы и козы? Каково масло на вкус? Почему березовый сок только по весне из дерева сочится, а летом древесина сухая, не прожевать? И что такое "колхоз" и "продналог", которых боятся пуще смерти?

А главное: куда все люди сгинули? Я бы сейчас любому человеку обрадовался — хоть председателю нашему хромому, хоть соседской старухе, а хоть бы даже и сестре. Но — пропали. Зырк — туда. Зырк — сюда. Никого.

Было людей когда-то много — в той деревне, где изба стояла с матерью и сестрой. Люди ходили, ели, пахали, сеяли, скакали на лошадях, спали в кроватях, умирали, хоронили. Они были шумные и пахли по́том. И мать пахла, и сестра. Я не пах — мог спрятаться, и никакая бы собака меня не учуяла. А теперь человечий дух из мира исчез, один только я на земле остался и не пахну.

Еще я не говорю: не с кем. Не пашу и не сею: нечего, все разверстка забрала (не знаю, что такое "разверстка", но забрала). Не скачу на лошади, потому что и лошадей в мире осталось чуть. Не сплю в кровати, а только где придется. Не умираю. Никого не хороню. Я — не как остальные люди. Я — нелюдь.

Меня еще соседская старуха нелюдем называла. У нее морщины — рыболовная сеть на лице. А у матери морщины — веревки, по щекам и по лбу. У меня тоже есть, но только на ладонях. И у сестры есть. И у ив придорожных есть, очень глубокие. И у бревен, из которых изба сложена.

И даже у самой земли, когда лето без дождей, — огромные морщины, длиннее меня.

Такое оно и было, то самое лето, — сухое, морщинистое. Как соседская старуха.

Поля голые. Есть нечего. Утром — нечего. Днем — нечего. Вечером — нечего. Ночью — нечего. Сестра тоже голая: уже с карачек на ноги вставать пыталась, а платья ей не было. У соседей верблюд с жары облысел. А поля — не облысели: как вышли из-под снега голышом, так и стояли. Весну, лето, осень — всё стояли, без хлеба и даже без травы. Мы ели пыль, глину, муравьев. Соседи съели лысого верблюда: сначала мясо, затем шкуру с остатками шерсти. Мать просила у них копыта на шурпу — не дали. Жадные.

Накажет Аллах, пообещала мать. И наказал: старуха их взбесилась. Бросалась на всех и кусала, как собака, хотела себе кусок мяса выгрызть. И за мной погналась — я убежал. Неделю бесновалась, пока ее председатель не пристрелил. Я был тогда в лесу и выстрела не слышал. Жалко. Очень мне выстрелы нравятся.

Другой сосед ждал, пока его семья умрет: жена и новорожденный ребенок. Хотел без них один в Персию откочевать, налегке. Уже и повозку приготовил, и лошадь подковал. Все захаживал к нам и матери жаловался, что не умирают. Наконец умерли. Но в тот же день пала и лошадь, так что никуда он не уехал.

Третий сосед ходил по деревне с дохлой кошкой и в каждом дворе кричал, что падалью питается, так обеднел. Кошка скоро сгнила и развалилась на куски, ходить с ней стало нельзя. А у соседа во дворе нашли вмурованную в стену четверть коровы, тоже сгнившую, — одна слякоть на костях осталась, не сваришь.

Иди в Ташкент за хлебом, велела мать. Она к тому времени много дней в кровати лежала, не вставала. И сестра — лежала. Я не знал, где Ташкент, и не пошел. Я только Волгу знал, на ней Ташкента нет.

Тогда в детский дом пойдете, сказала мать. Встала с постели, привязала сестру к себе на спину и повела нас в город.

Шли мы, шли. Шли-шли. Видели мужика с желтой бородой и с кучей детей — не его, а чужих, маленьких совсем детей. Давайте мне и ваших, сказал мужик, я их на вокзал отведу и на поезде в Москву отправлю. Это стоит пять рублей.

Иди отсюда, еврей проклятый, ответила мать. Все врешь. Детей на улице оставишь, а сам с деньгами сгинешь.

Я не еврей, а эвакуатор, ответил мужик, у меня и бумажка с печатью есть. Но мать не поверила и бумажку смотреть не тала, сама нас дальше повела. И я не поверил. Да и не умела она бумажки читать. И я не умел. И пяти рублей у нас не было.

Шли дальше. Видели пустую деревню, где на улице одни телеги корячились, без лошадей и без возничих, а из людей — никого. В иных домах и двери были открыты, и окна, и даже ворота приотворены, а — нет людей. Из одних ворот выскочила лиса и убежала. В пустой деревне и заночевали, утром дальше отправились.

Еще шли, долго. Видели поля, а в полях — верблюжьи кости. У матери сил не было каждый раз до них идти, а я все бегал и проверял, нет ли на костях мяса. Не было. Я хотел, чтобы мать поняла, какой я шустрый, и не стала бы меня в город отдавать — сестру бы отдала, от нее пользы нет, а меня при себе оставила.

У одного байрака встретили стаю собак, и они потрусили следом. Мать — быстрее. И они быстрее. Мать — быстрее. И они быстрее. Это волки, говорит. Гляжу, хвосты-то у всех не кольцом, а поленом: и правда волки.

А у нас — ни вил, ни ружья. Вокруг — ни деревьев больших, ни домов, где спрятаться. Одна только степь да дорога. Пустота сплошная — нет людей. Некого на помощь позвать.

Волки сначала следом бежали, затем рядом, а затем окружили нас. И не пройти нам уже ни вперед и ни назад, повсюду желтые морды скалятся. Много.

Тогда мать отвязала со спины сестру и посадила на дорогу. Волки — к сестре. Мать меня схватила за руку и побежала — так быстро, как никогда еще не бегала. И я побежал — так быстро, как еще никогда. Обернулся было посмотреть на сестру — позади одни звери рычат, дерутся, а сестры нет. Пропала. Уползла?

Мы бежали долго, пока не кончились силы. Потом упали на землю. Вдали уже виднелись дома с железными крышами — город.

Отдышались. Я хотел на ноги подняться, а не могу: колени дрожат, не держат. Тогда мать посадила меня к себе за спину, как сестру недавно, и понесла. Стыдно, а делать нечего, еду на матери.

Вошли в город. А там тоже — пусто, нет людей. Подводы с лошадьми по улицам едут, диковинные трамваи по рельсам дребезжат, а людей — нет. Коромысла с ведрами вдоль домов спешат, чемоданы, шинели и картузы. И — ни единого человека. Сгинули.

Не отдавай меня сюда, говорю матери, здесь же людей-то нет. Как же я тут один? Один-то как раз и выживешь, отвечает.

Идем по городу. Толчея из халатов, платьев и пиджаков. Арбы скрипят. Метлы по дорогам вжикают, пыль поднимают. Бочки на колесах орут: кому воды-ы-ы-ы! воды кому-у-у-у! Точильный камень вертится и визжит: нож-ж-ж-жи точ-ч-ч-чу! Страшно.

Пришли к большому каменному дому, постучали — дверь и открылась. Мать сняла меня со спины и протянула тому дому.

Дураков не принимаем, сказала дверь. У него же взгляд мутный и слюна капает. Вовсе он и не дурак, возразила мать. Это после тифа. Он и ходить умеет. Сейчас устал сильно, и оттого ноги подкашиваются, а обычно сам бегает. Но дверь уже захлопнулась.

Тогда мать положила меня под ту дверь и сказала строго: лежи. Сама ушла.

А я же непослушный — полежал немного и встал. Колени уже не дрожали. И обратно пошел, домой.

Зря меня дверь дураком обзывала — я дорогу сам нашел. Я, если что один раз увижу, уже не забываю. И как топали мы с матерью два дня в одну сторону, так я и в обратную сторону прошагал, теми же тропами-дорогами, и ни единого раза не сбился. Даже ночевать устроился в том же самом доме в опустелой деревне.

Волков по дороге уже не встречал, воя их не слышал. На той дороге, где мать сестру оставила, ничего не нашел. И все же ночью, когда лежал в чужом сарае на чужом сене, стало жутко. Шорхнет ветка — дрожу. Стрекотнет кузнечик — дрожу. Глаза сожмурю — мерещится морда рыжая, оскаленная. Волчий вожак. И никого же не позовешь на помощь — обезлюдело, на версты и версты окрест.

Тогда я придумал, как ружье председателево, которым он по взбесившейся старухе палил, в эту самую морду огроменной пулей жахает. Морда — в клочья.

А за ней вдруг — еще одна, и еще, и еще: стая-то большая, несметная. Тут уж одного ружья маловато будет. Вызвал я в памяти винтовки, что у солдат видал — давно, когда вокруг еще война шла. Эти-то винтовки по мордам и пальнули. Залп! — и все в клочья. Залп! — и клочья эти в мелкие клочки.

Но рыжая армия велика. Откуда ни возьмись — лиса, что по оставленной деревне шастала. Красная шерсть дыбом, а глазищи — белые, как у лежачих перед смертью. Против такой пулемет нужен, да побольше. Выкатился тот пулемет: лентой с патронами трясет, железную струю выплевывает. И лису — в пух!

А за летящим лисьим пухом — уже желтый лес топорщится, надвигается, деревья лохматыми ветками машут.

Нет, не лес — борода рыжего еврея. Огромная, выше домов. Волосья развеваются, как пожар, по ним вши шастают и клешнями бряцают. Трамвай железностенный, железнодверный, где же ты? А вот он я! Рогами стальными да по рыжим лохмам — чах! Колесами стальными да по гнидам — чух! Рельсами, как серпами, — вжих! вжих! Точильный камень искрами полыхнул, сотню ножей сверкающих метнул — и сбрили бороду, искрошили в пыль. Победа! Ура-а-а-а!..

Такая вот случилась ночь. Первая моя битва: рыжего, лохматого и шерстяного — с железным. Железо победило. Я устал сильно. Зато живой. Утром встал и пошел дальше.

Пришел в нашу деревню. И там нет никого — ни на улице, ни в сельсовете. В мечети — пусто. В школе — пусто. Во всех дворах — пусто. Даже на складе, где всегда солдат с ружьем дежурил, одна винтовка у дверей торчит.

Нашел избу нашу. Вошел. Внутри голо, вещей никаких не осталось. И мать лежит — на столе, ровно посередине комнаты. Боялся, ругаться на меня начнет, что ее ослушался, — примостился рядом тихонечко, она и не заметила.

Лежали мы с ней долго. Я проголодался и ел муравьев: они бегали из-под половиц — по столу, по материным рукам и груди, по лицу. Муравьи вкуснее паучьих ниток.

К вечеру замерз. Прижимался к материнским ногам, но — не греют. Задумал укрыть ее тулупом — вспомнил, что еще весной выменяли на него полведра картошки. Залез к матери под юбку, обнял ее колени — твердые и холодные, что камень. Прикрыл глаза, чтобы не мерзли.

От родительского тела такая стынь шла, словно из-под пола, аж ознобом дерет. Вспомнил я тогда, как печь наша шершавая раскаляется, если в нее дров подкинуть, — шорхает искрами внутри, гудит трубой, — и от этого скоро легче стало, и прошел озноб, и даже шея вспотела с тепла. Пот с загривка моего на материны колени — кап! кап!

А юбка-то материна — будто не из ткани пошита, а из инея, просто ледяная на ощупь. И шаровары ледяные, и обмотки на ступнях. Понял я тогда: это иней в ее волосах по телу расползается, схватывает все вокруг и льдом оборачивает. И меня вот-вот обернет. Ну уж нет! Не я ли тифозную горячку поборол? Не я ли в этой избе две недели огонь по жилам гонял? Тогда где же ты, жар прежаркий, мною побежденный? Да здесь я! Дохнул, полыхнул — и в комнате вместо белого морозного пара уже марево дрожит, по стеклам слезами течет. И потряхивает меня уже не от холода — от злой горячки.

А из щелей половых уже заползает в избу зима — хоть по времени ей быть еще не положено. Муравьев посдувало в углы, как черную крупу. А белая-то крупа из-под половиц фонтанами бьет, запорашивает комнату. Сугробы у стен растут. Вьюжные вихри ножки стола окутали, взбираются по ним выше, выше, сейчас до нас с матерью доберутся. Да только куда зиме до знойного волжского лета! Вспомнил я про трещины на иссохших полях — и тотчас пекло с потолка ударило, как сковородкой раскаленной в снег. Шипят буранные барханы, плавятся. Вьюгу к полу прибило, обернуло мелкой моросью. Булькают, исчезая, сугробы — кипят, как верблюжья шурпа...

Такая была вторая моя битва: холодного с горячим. Я той ночью мерз и потел, опять мерз и опять потел — без счета. Устал так, что еле жив. Понял: битвы эти хоть и опасные, а только они и могут защитить. Раз уж людей вокруг не осталось. И стал воевать каждую ночь. Жить-то хочется.

Я людей еще долго искал. Утром убегал от матери — тихонько, чтобы не проснулась и не забранилась. Бродил по деревне и вокруг — днями. Мертвых находил — вдоль дороги, а еще на кладбище, в общих могилах, незакопанными: лежат себе бревнышками, руки-ноги раскорячили... Живых — нет. Вечером все спрашивал у матери: куда подевались? Она молчаливая стала, не отвечала. А однажды и сама сгинула. И остался в голой избе стоять пустой стол.

Все — сгинули.

А я — не сгину.

Подумал я, подумал — и ушел из той деревни, где все пропадает.

И теперь хожу по земле один. Шагаю, пинаю, топочу. Иногда бегаю, тоже один. Бывает, плаваю — если река. Ползаю еще и на деревья карабкаюсь, к орехам и яблокам. Все умею. Я умелый. Смотрю, щурюсь, выглядываю. Хватаю, срываю, цапаю — я ловкий. Трогаю языком, сосу. Кричу и свищу, рыгаю. Вдыхаю и выдыхаю. Один.

Грызу всё: щучьи головы, желуди, борщевку. Дикий бурак, пустые ласточкины гнезда. Улиток с ракушками, раков живьем. Зубы есть потому что. Яичную скорлупу, копыта и шишки. Зубы крепкие потому что. Грызу ногти и закапываю их в землю. Грызу кожу вокруг ногтей и глотаю. Вшей — не глотаю: невкусные. Кровь со ссадин тоже не глотаю — зализываю. Еще лижу смолу с елей и сосен, росу сладкую с клевера. Речные камни, если красивые, — красоту люблю. Палки из муравейника сосу и муравьиных королев.

Чую болезнь — издалека. Не когда ветер запахи приносит, а много раньше. Как чую — бегу прочь. От деревни холерной бегу прочь. От конского сапа бегу прочь. От чахотки бегу прочь, от огнёвой болезни, от ледяной скорби. От тифа не бегу, он меня не берет.

Жую жабрей, если царапает в горле. Жую черемшу, если царапает десны. Ничего не жую, если болит нутро, — жду пару дней, и оно само себя лечит.

Умею съесть дохлую ворону. Умею — гнилую рыбу. Умею — змею, шершня, пчелиные соты. Мездру, мох, волосы тоже, ящеричный хвост. Кости, свежее сено, сухую солому. Всё умею. Умелый.

Умею ночевать в снегу, обложившись хвоей. И на дереве, привязав себя к стволу. Зарывшись в песок — умею. Забившись в скалу — умею.

Я умею быть. Я не сгину.

Внутри меня живет война. Она идет каждую ночь. Всё, что вижу, слышу, вдыхаю и глотаю, воюет с тем, что вижу, слышу, вдыхаю и глотаю. Воспоминания — с воспоминаниями. Мысли — с мыслями. Рыжее и мохнатое — с железным. Холодное — с горячим. Быстрое — с медленным. Мелкое — с крупным. Острое и твердое — с мягким и пышным. Запах цветов — с запахом гнили.

День дарит мне пищу, ночь — войну. Пища — скудная. Война — богатая. Пища питает, война защищает.

Война сильнее всего на свете. И суровее всего. И мудрее — потому что в ней я всегда остаюсь живым. А без нее бы умер давно — от страха в безлюдной деревне или от холода у материнских ног.

Все, что я делаю, — для нее. Собираю запахи и вкусы, цвета, картины, движения и мелькания, шумы — чтобы было чем ночью войну кормить. В небо закатное пялюсь, горение красок и плавление облаков запоминаю — для нее. Листья прелые нюхаю, и слушаю, как они чавкают, и тыкаю пальцем в гнилую мякоть — для нее. Трещание веток под ногами — запоминаю. Тяжесть ила в ладони — запоминаю. Дрожание солнца на паутине — запоминаю. Шуршание осоки по ветру — запоминаю. Падаль ослиную дербаню — запоминаю. И как распускается бадма на болоте. И как умирает гадюка. И как ноги в метель чуть не отморозились, сначала онемели, а затем иглами изнутри изошли и отогрелись. Все — в память. Все — впрок.

Чтобы ночью достать: журчание ручья — против ора голодной сестры. Колыхание рогоза — против частокола рук и ног из незакопанной общей могилы. Цветение степи — против пустоты одинокого стола посреди комнаты. Пасущегося оленя — против замурованной в стену говяжьей четвертины. Стремительность ласточек — против лежачих, кто ползает по улицам не быстрее улитки. Пышность беличьей шерсти — против голого, в пупырышках ужаса сестринского тела на дороге.

И жив остаюсь — побеждаю.

Война забирает все силы, сосет меня до последнего. Еле ползаю потом. Но — жив остаюсь. И только иногда хватает за глотку тоска. И хочется выть: лю-у-у-уди мои, лю-у-у-у-уди! Где же вы? Я зде-е-е-есь. Устал оди-и-и-ин. Устал воевать, изнемо-о-о-ог… У тоски той — ни вкуса, ни цвета и ни запаха. И вспомнить против нее — нечего.

Я задумал убить тоску паровозом: лечь между рельсов и подождать, пока диковинная машина проедет поверху. Так делали мальчишки, я видел где-то давно — орали после как ошпаренные и хохотали без продыху. Вдруг и мне поможет?

Устроился на деревянных поперечинах между путями, жду. Облака лохматые по небу тащатся — жду. Моросью сбрызнуло, ветром подсушило — жду. Стрижи сначала высоко строчили, затем чуть не перед самым лицом у меня, а после дождика опять к облакам поднялись. Я жду, терплю.

И вдруг задрожали подо мной деревянные брусья, загудела сталь — сперва еле приметно, с каждой минутой громче. Идет пар-машина, катится! А я даже звуки запоминать и в память укладывать не могу — до того невтерпеж.

Трясутся шпалы, чуть меня вверх не подбрасывают. И рельсы трясутся, бренчат железными костылями. Приближается что-то, гремит-звенит, пыхтит-стучит. И дышит, ды-ы-ышит, ды-ы-ы-ы-ышит… И я дышу — часто, будто бежал до пота. Глаза таращу, жмуриться не хочу — чтобы всю свою тоску махине железной под колеса вывалить, ничего на сердце не оставить. Жду ее, дуру окаянную, жду-у-у-у-у… у-у-у-уже врезало по ушам лязгом стальным… у-у-у-уже обдуло макушку горячим и влажным… и надвинулась тень… ну-у-у-у же!

Не паровозья морда закрыла небо — лицо.

Человечье лицо.

Мужское и хмурое.

— Ты что здесь делаешь, брат?

Опешил я: человек?!

— Отползай давай, — командует как ни в чем не бывало.

Словно обычное это дело — кого-то повстречать. Словно люди в мире кишмя кишат, как давным-давно.

А я и пошевелиться-то боюсь, чтобы только не спугнуть. Чтобы только не исчез этот хмурый, не сгинул обратно.

— Слышишь меня? — злится уже.

Да как же не слышать мне тебя, человек?! Если ждал я тебя то ли долгие месяцы, а то ли годы. Тосковал. Выл. На рельсы лег, чтобы только легче стало.

И вот появился — ты. Все у тебя — как и у меня: голова, волосы, кожа без шерсти, а под кожей кровь. Говоришь, ходишь, сердишься — как и я. Пахнешь сильно. Я тебя еще и разглядеть толком не успел, а уже люблю.

— Руками-ногами шевелить можешь?

Могу. Не то что шевелиться — я для тебя горошком плясать буду. Работать на тебя буду, пахать как верблюд. Все сделаю — лишь не пропадай. Будь со мною, человек!

— Что же нам тебя — как чурбан, откатить с рельсов?

Хоть что со мною твори — катай по земле, в грязи валяй, пинай, как последнего пса, — буду пялиться на тебя любовно и подошвы твои целовать. Лишь не пропадай.

А он возьми да и подними меня на руки, к себе прижми. Как мать, когда еще теплая была. Вдыхаю его запах крепкий — пот, уголь, железо — и мыслю: как же верно ты назвал меня — брат, брат!

— Ты почему здесь? Откуда? Отец-мать есть?

Говори со мною, брат, говори! Я-то разучился уже или не умел никогда. А ты — говори. От речей этих — любых — мне радостнее, будто не слова у тебя изо рта идут, а солнечные лучи.

И понес меня человек — вдоль пыхающей паровозной головы, вдоль вагонов железных, да так это бережно, что у меня внутренности комом горячим сжались и к горлу поднялись. Млею. И колотится в голове: твой я, брат! Навеки твой. Даже если бросишь меня сейчас под колеса эти блестящие, на рельсы эти блестящие — твой. Даже если сгинешь через миг и никогда более не возникнешь — твой.

Не бросил, не сгинул — внутрь занес и на кровать положил, которая запахом его насквозь пропитана. Только я с кровати скатился и под нее сиганул.

Здесь мое место — у твоих ног. Под твоими ногами. Я теперь всегда тут буду. И никакой силе меня отсюда не выковырнуть — загрызу. Зубы есть потому что. Крепкие потому что. Твой навеки потому что.

Брат меня тянет — и подчиняюсь.

— Ты что, и правда идиот? — спрашивает.

Как хочешь, так и называй. А хоть бы и идиотом. А хоть бы и нелюдем, как соседская старуха. А хоть бы и дураком, как дверь в детском доме. А брат меня называет не дураком и не идиотом — братом.

— Сиди пока тут, брат, — приказывает.

Прости, брат, не могу. Я — щен твой верный. Слуга твой верный. Тень твоя верная, неотделимая, и не отлепишь меня теперь от себя. Остаться без тебя — не умею. Я теперь всегда за тобою ходить буду и любую стенку, что на пути встанет, сломаю или перегрызу. Зубы есть потому что. Твой навеки потому что.

Понял.

И стали мы — всегда вместе. Куда он — туда и я. Куда он — туда и я.

Руки у брата мозолистые и горячие. Голос — громче колесного стука. Сам ростом — со стог. Поступь такая, что за два вагона слышно. Большой у меня брат, еле в поезде помещается. И сильнее всех — матери сильнее, председателя хромого, еврея с желтой бородой. От брата уходить нельзя.

Паровоз наш то по рельсам чухает, а то стоит. И едем мы, куда он везет. А хоть бы куда! С братом — все едино, все хорошо. Ехать — хорошо. Стоять — хорошо. На станциях через пути туда-обратно скакать — хорошо. Когда в темноте выползаю из укрытия своего и тайком на братовы башмаки лицом ложусь — хорошо. Когда, опять же тайком, запах его, спящего, ноздрями вбираю, от пальцев ног, по вершку, по вздоху, и до пальцев рук — хорошо. Когда брат покоя не находит и по пустым вагонам круги нарезает, а я нарезаю следом — и это хорошо. Когда на рассвете по крышам вагонным слоняется — опять хорошо. Все хорошо, и лучше этого не бывать.

А самое большое счастье — когда брат мне чашку с супом недоеденным под лавку сует, и я за ним доедаю: хлебаю баланду пополам с братовым запахом и запах этот вместе с пищей глотаю. В такую минуту скулить готов, так распирает грудь. Но не скулю, не беспокою зря. Терплю.

А у брата терпения нет, ему не надобно. Он паровозами командует, зачем ему терпеть? Как гаркнет "выдавай, что имеешь в подотделе, крыса снабженческая, пока я на тебя жалобу в ЧК не накатал!" — и вокруг от гнева его словно светлее. Я и слов-то таких не знаю, и зачем кричит их брат пустым полкам на складе, не понимаю. А ярко мне, аж глаза слепит. От ярости его — ярко.

У матери любое душевное волнение — и любовь, и сердитость, и испуг — все росло из большой усталости и обернуто было этой усталостью, как войлоком или паклей: толком и не разберешь, где одно, а где другое. Иное дело — брат. Не сердится — ярится и лютует. Не грустит — воет. Зарыдать может или топором все вокруг в щепки порубить. А если уж расхохочется — то широко, до последних зубов. У брата не чувства — костер. Жарче, чем в паровозной топке.

Бывает, сядет поутру на крыше вагонной и пялится на восходящее солнце. И такое внутри него волнение бьется и такая неизбывная тревога, что мир вокруг будто кровью наливается и дрожит. Не от зари — от братовых чувств. Я щурюсь от этой красноты, а все равно потом полдня под веками горит.

Или забредет он в соседнюю комнату. Ночью бывает, редко. Сердце братово в той комнате рядом громче бьется и чаще. А в сердце — радость золотом плещется. И вокруг от этой радости — одно сплошное сияние, как от свечей в русской церкви. Будто залили вагон прозрачной сосновой смолой напополам с медом и солнце в эту медовую смолу опустили. Я бы век на сияние это смотрел и блеском золотым любовался.

Но чаще золотых ночей случаются угольные. Это когда брат хоронит мертвых детей. Откуда берутся — не знаю. Появляются — и все. Брат несет их подальше от поезда и закапывает в землю. И таким наливается горем, такой виной, будто сам этих детей и убивает. А ночь вокруг наливается угольной чернотой. У брата после тех ночей еще долго лицо будто чернилами измазано, до того смурное.

Я смотрю на все эти чувства излизи, целыми днями смотрю — когда согреюсь, а когда и обожгусь. Брат мой, брат мой, огненный человек.

⚜

Уходи, война, — не нужна. Другой нашелся защитник, сильнее и добрее. Брат. Рядом с ним ничего не страшно. А тебя я кормить не стану — чахни, уходи, сгинь. Люди все сгинули, и ты давай.

Но не хочет.

Я не стану больше звуки-запахи копить. Битвы в голове не допущу, устал от битв. Даже глаза смыкать не стану — так и пролежу всю ночь с открытыми. Сгинь.

Нет, не хочет.

День — не хочет. Второй — не хочет. Неделю — не хочет. Едва глаза закрою — бьются твердое и жидкое; громкие братовы речи — с материным шепотом; муравьи черные из моей избы — с белыми рубахами, какие в поезде нашем по полкам едут. Бьются так, что в черепе трясется и звенит. А я — еле жив, изнемогаю. Мира хочу, мира! Прекратись! Прервись! Подох бы от усталости, если б не брат.

Он меня на руки берет и качает, как сосунка. Мать меня не качала — сил не имела. Колыбель меня не качала — некому было толкать. А брат меня качает. Залезает на вагонную крышу, садится и руки протягивает. Я ложусь на эти руки — замереть и слушать ночную тишину. И войну от себя гнать. Прекратись и сгинь!

Шея у брата в створе рубахи — белая. Тень по ней ползет ночная — черная. А если веки сожмурить — красная, как мяса кусок на базарном прилавке: не то собачатина, не то верблюжатина. "Человечина!" — шепчут евреевы губы где-то рядом с ухом. И губы эти тоже красные. А на губах — сыпь лихоманная, крупными зернами, вся белая. На горох похожа или на фасоль, какую я однажды ел, — солдат прохожий из жестяной банки угостил. Сначала с матерью в избе долго был, а меня наружу выгнали; затем дал мне эту банку и дальше ушел. Пальцами черпал я ту красную фасоль и в рот совал, а мать смотрела на меня и плакала. У солдата на шапке войлочной звезда была, тоже красная. С тех пор звезды эти не люблю. Скоро после того расцвели они по деревне — у сельсовета, на избах, на плакатах. Да хоть бы их снегом засыпало! Мертвых однажды вот засыпало — много их было той зимой, и держали их на складе, рядом со съестными припасами, чтобы после скопом похоронить, а крыша складская возьми да провались от снега. Так и лежали мертвяки — запорошенные, до самого весеннего тепла. Сами белые, а если у кого палец отломится — то красный на сломе. Как земляничина. "Съешь ягодку!" — хихикает соседская старуха, высовывает краснющий язык, а с него хлопьями — пена. Белая, пышная — сметана, что ли? Сметану не ел — слышал про нее, но пробовать не приходилось. Или сахар? Или соль? Мука? Все белое, как отличить-то одно от другого? "Неужели же вы хорошее от плохого не отличаете?! — орет председатель. — Или ослепли? Сегодня корову в колхоз отдадите, а завтра в обмен счастье получите для всего человечества! Неужели непонятно?" Рожа от ярости — багровая. По ней щетина редкая торчит — седая. Трава по весне тоже торчит из-под снега, а мы ее собираем. Мать велит домой нести и варить, а я сырую ем — и ничего. И снег ем, тоже ничего. Белое — всегда вкусно. Береста и березовый сок — вкусно. Пчелиные куклы из нор — вкусно. Красное тоже вкусно — потроха, ягоды, яблоки, — но мало его. А костей много: белые, многажды проваренные верблюжьи кости лежат у соседа в амбаре. Надо бы прокалить на огне и сгрызть до последнего кусочка — да не умеет. А я умею. Но мне не дает. Мне брат дает: похлебку, сухари, рыбную жижу — то красное, то белое, я все ем. Зубы есть потому что. Крепкие потому что. И тоже белые. Как рубахи, что в нашем поезде по полкам живут. В таких же рубахах у нас в деревне мужчин заперли на складе и держали. Это еще до мертвяков, предыдущим годом. Долго держали. Назывались "заложники". Кто-зачем их положил-заложил — не знаю. И делись потом куда — не знаю, только в деревне их больше не видел. Не было у нас в деревне с тех пор мужиков. Старики были, а молодых — нет. Пахали женщины. Не на лошадях, лошадей уже тоже не было, — друг на друге. У матери после пахоты лицо красное становилось от солнца. А волосы как раз тогда белеть начали.

Там же, на пашне, сестра и родилась — лиловая, как ошпаренная. "Не смотри", — сказала мать. А я смотрел. И видел, что внутри у матери тоже все как ошпаренное. Она из платья грудь вынула с багровым соском и нажала на тот сосок — белое как брызнет! Только молока этого хватило всего-то на день, потом закончилось. "Иди поспрашивай у соседей хоть пыли мучной, — велела мать. — Скажи, с недоеда груди иссохли, дитя кормить нечем". Не дал никто ничего. Только жена председателева говорит: "Чем попрошайничать, помер бы сам — вот матери и легче". А я — ее не слушаю. Я — не сгину. "Иди в русскую деревню, там проси", — велит мать. Пришел. А русские те ходят по полям с рыжими иконами и бормочут: "Не нужно нам солнца нового, оно слишком жарко печет, а дайте нам солнце старое…" Не до меня им. Обратно иду. На пашнях белыми нитками сохнут от жары мертвые ростки. Овес — белыми нитками. Просо — белыми нитками. Пшеница — белыми нитками. Эти нитки суховóй ветер треплет, уносит. А красные — приносит: флаг военный растрепался и на нитки рассыпается. "Не опозорим наше революционное знамя!" — рычит командир в кожаной куртке. Да поздновато рычит: уже рассыпалось, одно только древко и осталось. Вогнать бы его, как осиновый кол, старухе соседской меж ребер! Чтобы не казала везде язык свой огненный и на всходы ядовитой пеной не капала. От нее, красноязыкой, урожая нет. От нее ветры дуют раскаленные. От нее солнце днями белое, а ввечеру красное — обещает мороз, уже которую неделю подряд. И морозы-то такие, что избы трещат, а деревья в лесу пополам трескаются. А у нас с матерью — один тулуп на двоих, и тот весной на полведра картошки выменяли. В чем же мне за дровами идти, старая ведьма?! Схватил я ее за седые косы — и красным лицом в снег. "Держи так, пока не замерзнет, — говорит председатель. — Мы ее потом с тобой на двоих и разделим, мерзлую…"

Так и воюю — всю ночь. Не отпускай меня, брат!..

И вот ехали мы с ним по рельсам. Ехали, ехали… Степь все суше, желтее, вот-вот пустыней обернется. Ночи все холоднее. Сначала ровно ехали, по многу часов подряд, а потом рвано: то тронемся, то встанем на пару дней, то дернемся и катим-торопимся, а то опять стоим. Лицо у брата хмурое сделалось. Вроде и слова мне те же говорит, что и раньше, ласковые: "Доброе утро, брат!", "А не пора ли нам отобедать, брат?", "Какая луна сегодня вылупилась, ты погляди-ка!" — а по-другому звучат, тревожно. Потому что болезнью в поезде запахло.

Я болезный дух знаю и всегда от него бегу. Но от брата как убежишь? Остался.

А у него скулы обтянуло — уже не щеки по бокам лица, а дыры сделались. И морщины — веревками поперек лба, как у матери. И иней на висках, тоже как у матери, — едва заметный, но глаза-то у меня зоркие, все разглядели. Испугался я тогда: уж не заболел ли? Ты только не болей, брат! Не думай уставать и слабеть, и в пустоту пялиться не моргая, и на лавке подолгу валяться не шевелясь. Сегодня это, а завтра на стол посередине комнаты уляжешься и говорить со мною перестанешь, захолодеешь и затвердеешь.

Горюю. Не знал, что такое горе, — а вот узнал. С сестрой распрощался — не знал. С матерью распрощался — не знал. А с братом не хочу прощаться — и горюю. Так сильно, что язык мой стал горький и шершавый, аж выплюнуть хочется. Язык мой стал — горбушка полынного хлеба, где муки всего-то полгорстки в большую охапку травы замешали. Выплюнул я противную горбушку на пол, а сестра — цоп! и схватила. "Отдай!" — кричу. А она уже себе в рот запихнула и жует беззубыми деснами. Жует и убегает от меня на четвереньках, голая — не догнать. "Догнал-таки тебя!" — дышит сзади громко брат. Хватает меня — и на лавку, веревками к лавке этой вязать. А во рту и в горле моем — как ножом режут; знать, жует сестра украденный язык беспрестанно, как жвачку. "Болеешь ты сильно, — говорит соседка, а на руках у нее младенчик новорожденный пищит. — Недолго тебе осталось. Дозволь нам рядом с тобою лечь, чтобы заразиться. Муж смерти хочет для меня и сыночка нашего, чтобы одному в Персию откочевать, а мы никак не умрем. Я тебе за это глины кусочек дам, она вкуснее хлеба". Врет! Жевал я ту глину — гадость, и живот потом пучит, похуже, чем от травы. И торф — гадость! И известь с мелом — тоже. "Разве ж это гадость? — смеется председатель. — Я вот на днях лапоть зажарил. Не с ноги, конечно, а чей-то старый на дороге нашел и зажарил. Всю ночь жевал — проглотить не смог. Вот это — гадко!" "Ухмыляешься, гад? — командир в кожаной куртке достает из кобуры револьвер. — А разверстка-то всего на треть выполнена! Где заготовленный хлеб?" "А где обещанные коммунисты для идейной работы? — председатель в ответ. — Требую новых коммунистов! Старые-то закончились — кого ЧК расстреляла, а кого колхозники под лед спустили!" А у меня уже — в груди болит, как на куски рвет, и руки-ноги дергаются. Может, расстреляли не кого-то там, а меня? Да, так и есть. "Я кровь из раны твоей соберу и хлеб кровяной испеку, — говорит мать. — Хоть какая-то польза". "Брату хлеб отдай", — хочу ее попросить, но не могу — язык-то мой у сестры. Вытекает из меня кровь до последней капельки в подставленный кувшин, а вместе с нею уходит и тепло. Мерзну. Лежу на столе посреди пустой комнаты и ознобом колочусь. По лицу муравьи ползают. "Дайте ему больше воды, с солью и сахаром!" — командует русский бог с иконы. Мать берет кувшин и мою же кровь в меня и вливает, а бог смотрит. Пью. Соленая и сладкая одновременно. Согреться не могу — холодно. Мать тогда дымоход перекрыла, чтобы дым в избу пошел, — стало теплее. Только дышать горько — скоро угорим. В русской деревне целыми семьями так мерли: сперва глину собирали, чтобы поесть, а как понимали, что невкусная, с горя мазали той глиной щели в избе и закрывали дымоход. Утром их находили, и всей семьей ногами вперед — на склад. И я тоже лежу на столе — ногами вперед. Страшно. Хочу перевернуться — веревки держат, не дают. А ведь вовсе не веревки это — чьи-то седые косы. "Мои, мои, — мурлычет у самого уха соседская старуха. — Го-о-осподи поми-и-и-илуй!" "Вы сюда молиться пришли или горло драть? — сердится русский бог. — Тише! Здесь умирающие". Это кто умирающий? Неужели брат? Брат, брат! От большой тревоги выпитая кровь моя вскипела пузырями и разлилась по телу — жаром наполнила. Глядь, одежда моя от пота уже мокрая насквозь, в голове словно кипяток плещется, а сам чуть не слепну с того жару. Но помню про брата. Рву жилы — и рву веревки, что паутиной опутали. Брат мой! Иду к тебе! Где же ты? Да вот же: на льду речном стоит, в одном исподнем, а колхозники его рогатинами в полынью пихают, под лед. Я — скок! — из вагона. Прыг! — в ту полынью. Схватил брата за волосы и вытащил на снег. От ледяной воды и снега остыл, голову кипящую остудил. И спас брата…

Может, и вправду болел я. А может, война меня изнутри колотила, как болезнь. Долго еще слабый был. Под лавкой валялся и даже за братом не бегал, до того обессилел. Когда вновь научился, брат ходил небыстро — верно, жалея меня. Или тоже ослаб? Лицо у него совсем черное сделалось. И тощее. Еды-то — нет.

Чашку с баландой я получал исправно. Только баланда эта жиже день ото дня. Когда в пески желтые въехали, одна вода стала. Я и ту готов был брату отдавать, но он ругался сильно, не забалуешь.

Нам бы — не глубже в пески, а обратно, в степи и леса. Уж там бы я нам голодать не дал! Там бы добыл всего на двоих с лихвою, да еще про запас: и сусликов, и саранчи, и чакана, и щавеля. Там бы лицо братово обратно круглым сделалось, а морщины со лба стерлись. Да как ему прикажешь? Едет и едет. Вот уже и Арал-море проехали, о котором мать сказки рассказывала. И реку Сыр, за которой — Красные Пески, пустыня всех пустынь. Не езжай туда, брат! Там — земля мертвая, ветры мертвые, одни колючки по барханам катаются. Там даже ящерицы не живут, и никто не живет. А брат — все туда, туда. От кого другого я бы давно ноги сделал, и никаким паровозам чугунным меня не удержать. Но от брата — куда пойдешь? Нам теперь уже — одна судьба, до конца.

Ползли по путям — улиткой: пути заметало песком, брат греб тот песок ладонями с рельсов, а их вновь заметало. Скоро и брат уже ползал улиткой, еле ногами перебирал. А однажды возьми да и побреди прочь от паровоза. Эшелон остался стоять посреди пустыни, а брат — в сторону, в барханную даль. Верблюд перед смертью в пески удаляется. И брат мой тоже удаляется, а следы его затирает песчаная поземка. Я — за ним.

“Не ходи за мной!” — кричит он и песком в меня швыряет. Песком — не больно совсем. А кричит сипло, еле слышно, — я и не слышу. Дальше следом шагаю. “К остальным возвращайся!” Я все шагаю. Вдвоем шагаем. Долго... Тени наши становятся длинными, как деревья. А песок — вязким, как болото.

Падаем на этот песок, лицом. Песчинки шевелятся — щекочут лоб, лезут в нос. Потому что живые. Потому что не песчинки. Муравьи? Людишки. А что же лезут на нас? Голодные — съесть нас хотят. Зубики крошечные, не больно кусают. Но — тьма их: кусь-кусь, кусь-кусь... Исчезают наши с братом пальцы, щеки, подбородки — будто растворяются в воздухе. Не троньте брата! Меня жрите, а его не сметь! Я его защищать буду! Смахиваю людишек с брата, давлю — да куда в пустыне от песка денешься? Всюду он. “Мяса! — орут людишки. — Хлеба! Долой продналжим!” А у брата в телесных дырах уже и кости светятся. Да и не брат это вовсе — говяжья четвертина: скачет по барханам на единственной ноге, сама собой обгладывается. “Сифилис у меня потому что!" — мычит. И рассыпается на кости. У матери тоже был сифилис. Она и слова-то такого не знала, а когда язвы по телу высыпали, сходила в лазарет — и узнала. Доктор сказал, что это ей "подарок от голода". Мол, в голодные годы дурные болезни цветут похлеще чахотки с холерой. Шутил, верно. Голод подарки не дарит, а только отнимать умеет. Если ты, брат, сифилисом заболеешь, я тебя лечить буду: чесноком, осокой, лопухом вареным. Все знаю, как делается, у матери подсмотрел. "Да не смотри ты! — вопит лазаретный доктор. — Стыдно-то как!" Гляжу, а на нем под белым халатом юбка бабская надета; знать, оголодал совсем и ноги распухли, штаны уже не налезают. Ползает доктор по земле на карачках, горстями всякую дрянь собирает и в себя отправляет. "Всё остановиться не могу", — плачет. А изо рта у него лебеда свисает и катухами верблюжьими несет. "Помаленьку надо траву-то есть, — говорю, — иначе от нее черви в животе заведутся. Ты же доктор, знать должен". — "Так уже", — плачет опять. Расстегнул халат, а вместо пуза у него червяной клубок. Шевелится. Председателева жена рассказывала, что в русской деревне так однажды покойника похоронить не смогли: хотели гроб на кладбище нести, а он как вспучится, как сбросит крышку! Глянули, а в гробу одни черви — покойника съели без остатка и в гробу помещаться перестали, так много их развелось. "Ты бы, доктор, лучше перевязал живот потуже, голод и уймется. Или камни соси. У нас в деревне все так делают". Закивал он радостно, схватил пояс халата и стал талию перетягивать — туже, туже — и порвался пополам. А червяки из него — шасть! — во все стороны. Сами рыжие, лохматые, с клыками. И пребольшие, каждый крупнее меня. Рыщут вокруг, ноздрями песок втягивают. Ищут кого-то? Брата. "Вон пошли! — ору на них. — Не видать вам человечины!" "Мяса-а-а-а!" — воет песок. — Хлеба-а-а-а!" Держись меня, брат! За спиной моей укройся. Я тебя защищать буду. Я тебя лечить буду. Я тебя кормить буду. Я тебя любить буду, брат! Крепче всех матерей, крепче жен и детей! И будем с тобою вместе жить — долго-долго. Хоть где будем с тобою жить: хоть в паровозе твоем чугунном, а хоть отыщем деревню нашу, там людей-то нет — на двоих будет нам с тобой деревня вся. Да и прочий весь мир — на нас двоих только и остался! Вечерами буду тебе ужин заваривать. Ночами — бушлатом укрывать и охранять под лавкой твой сон. Под утро — башмаки твои лицом согревать, чтобы ногам твоим не холодно было. А с утра и до вечера буду бегать следом и запахом твоим дышать. Буду, буду! И так сладко вдруг от одного короткого слова: буду! Никогда не знал я мыслей о том, что ждет через миг, или час, или день. А вдруг — о грядущем задумался, через месяцы и годы. Буду я, буду! Раньше мыслил "не сгину", а теперь — "буду!".

Открываю глаза. Небо огненное, песок огненный — уже рассвет. Пустыня шершавая, а небо гладкое. Солнечные лучи по этому небу — рельсами во все стороны. И нет больше ничего в мире. Покой и ясность от этой пустоты такие, что голова — как стекло. И войны больше в мире нет. Во мне внутри — нет войны. Окончилась. Не утихла, не спряталась — окончилась. Навеки. Понимаю явно.

Слышу, вижу, вдыхаю. Все — явь.

Я любить тебя буду, брат!

Поворачиваюсь к нему, а он уже и сам проснулся, на меня смотрит. Кладет руки мозолистые мне на шею и сжимает. Что ли, убиваешь ты меня, брат? Душишь? Нечем дышать, пусти! Достает револьвер. Щелк! Щелк! — пусто в револьвере. Перехватывает оружие, замахивается. Люблю же тебя, бра…

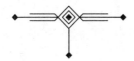

V. ВЫЧИТАНИЕ И СЛОЖЕНИЕ

Оренбург — Аральск

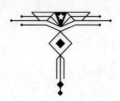

На подъездах к Оренбургу земля стала почти голая, и бредущие по ней люди — тоже.

Бурая степь текла по обе стороны от рельсов — до самого окоема: местами лохматая от ковыля, а то ершистая от кустарника. Одиночками торчали редкие деревья. Еще реже проблескивали серые пятна соляных озер, обсыпанных камнями.

По этой сухой, до трещин, земле и соленым камням брели путники — тоже редкие. Далеко позади остались толпы беженцев и разнообразие лиц, различимое даже под слоем пыли. Теперь скитальцы были сплошь скуластые, с восточными глазами: степняки. И все — почти без одежды: платья и халаты болтались на их костлявых плечах, но были так ветхи, что едва прикрывали тела. Ноги издалека казалось, что обуты, но обуты всего-то в грязь. Некоторые кутались в ковры и покрывала. Однажды проковылял мимо человек, одетый в бочку; вернее, проковыляла мимо эшелона бочка — на торчащих из нее человеческих ногах и вертя человеческой головой в шапке-меховушке.

Впервые Деев приметил степняков еще в Самаре: худые черноволосые женщины с привязанными к спинам черноволосыми детьми рылись по помойкам и густо валялись вдоль тротуаров. Вокзальное начальство жаловалось в голос: "На город напала орда". "Ордынцы" были тихие и малословные, мужчин среди них почему-то было мало.

Их расселили по двум спешно открытым приемникам — бывшим церквям, но сидеть без дела беженцы не хотели, с рассветом расползались по округе в поисках добычи. Маячили и около "гирлянды", но Деев их прогнал. И вот теперь добрался до их родной степи.

Степь Деев не любил — не было в ней ни красоты, ни щедрости, ни какой иной пользы для людей. И как можно было жить среди песка и ковыля, в суховеях и бескрайнем пустынном однообразии, не понимал. Одна радость — небо над головой высокое. Да одним только небом сыт не будешь.

Бывал здесь нечасто: ближе к Уралу многие пути оставались разрушенными после войны, отстроить их заново не успели. Да и сами виновники, банды разных мастей, по слухам, еще ютились в горах и на горных подступах, а то и дальше, до самых прикаспийских песков: затеряться на этих безлюдных просторах немудрено. Поэтому поезда на Оренбург шли нечасто, а дальше Оренбурга забирались и вовсе изредка.

Говорили, голод здесь лютовал похлеще волжского. Деев слухам не верил. Да, чернели по краям дороги выбитыми стеклами пустые дома. Да, белели тут и там скелеты лошадей и верблюдов. Но кто ж их не видывал — оставленные дома и обглоданные кости?

Эти голые степи были — пограничье. Здесь, на желто-каменных просторах, на разгуле всех ветров, начинался Киргизский край. Столица его Оренбург лепилась на северной оконечности огромной территории, словно желая быть поближе к зеленым лесам и полноводной Волге, подальше от саксаульных пустынь.

Деев знал, что названия станций и полустанков — привычные глазу Октябрьские, Большие Ключи и Красные Городки — очень скоро обернутся непонятными тюркскими словечками. Сами станции будут редки и мелки, а города на пути — до невозможности пыльны. С едой станет плохо, с топливом — совсем плохо (а казалось бы, куда уж хуже?). Через много дней пути степи полысеют и превратятся в пустыню, а по горизонту разольется глубокая синь и, приближаясь, вырастет в Аральское море — эшелон достигнет вожделенного Туркестана. А еще через много дней, одолев пустыню и близлежащие горы, "гирлянда" окажется в вечнозеленом краю обильного хлеба и винограда, чудо-ягоды.

Через много дней — это когда? Многих дней у Деева не было. Он потерял уже тринадцать лежачих. Десяток опухших за это время сдулись, будто иголкой прокололи, и перестали вставать — их перевели в лазарет.

Остальные дети вроде бы и рады были крыше над головой и постоянному пайку, но недели тряски по рельсам измотали всех — голоса в пассажирских вагонах зазвучали злее и звонче, больше стало ругани и потасовок, а как-то вышла настоящая драка, до разбитых носов и выдранных волос, и Белая едва не ссадила зачинщиков на ближайшем полустанке. У фельдшера из чемодана пропали шприцы и не нашлись даже во время регулярного комиссарского шмона. Одной из сестер ночью нагадили в обувь. На двери Деева чуть не каждую ночь появлялась нацарапанная куском кирпича надпись — одна из его неприличных кличек; кирпичный обломок после долгих поисков обнаружили, но определить автора не удалось.

Устали и сестры. Деев смотрел на женщин — и замечал, как ввалились их глаза и щеки, а морщины пролегли глубже. Ни единой жалобы не услышал он в пути, но мятые сестринские лица и тоскливые взгляды говорили сами за себя. Одной только Фатиме дорога была к лицу: от скудной пищи округлые черты ее опали и сделались резче, а глаза словно потемнели и распахнулись, морщинки обрисовали нежно скулы, шея стала тоньше — эта женщина будто молодела от забот и бессонных ночей.

А Белая была всё такая же. Ее не брали ни долгие перегоны (и Дееву хотелось метнуться в будку и потрясти машиниста за грудки, чтобы не медлил), ни бесконечные разборки с изнывающим от скуки пацаньем (Деев бы накостылял негодникам по шее, и вся недолга), ни пустеющие с каждым днем нары в лазарете. Белая быстро засыпала вечерами и глубоко и спокойно спала по ночам. Каждое утро причесывала гребнем потяжелевшие без мытья кудри. Съедала весь паек, жевала при этом долго и тщательно. И даже ботинки свои — большие, не по размеру пехотные башмаки с квадратными носами — чистила каждый день.

— Почему вы перестали есть? — спрашивала у Деева строго. — И так уже на пугало смахиваете, до того отощали.

И как ей было объяснить, железной этой женщине, что его организм перестал нуждаться в пище? Уже давно отказался от сна, а теперь и от еды, и было это весьма кстати.

— Будете упрямиться — прикажу фельдшеру насильно вас кормить, как лежачего. Пока командуете эшелоном, есть и не болеть — ваша обязанность.

Деев старательно стучал зубами по кружке, делая вид, что хлебает; недопитую похлебку тайком совал под диван — Загрейке.

— А бриться почему перестали? Приказываю взять себя в руки и привести в надлежащий вид.

Бриться Деев был не против, но разучился: отчего-то стали дрожать руки. Дурная дрожь эта появлялась время от времени, и пару раз он уже поранил лезвием скулы. Боялся, что ненароком перережет себе горло, и отложил бритье до лучших времен. Признаваться в этом было стыдно.

А признаваться и не требовалось. Посмотрела Белая внимательно на впалые щеки его с запекшимися порезами и редкой щетиной поверх — и приказала выдать ей бритву.

— Помогу вам, — словно и не комиссар говорит, а другая женщина, с сердцем.

Мотает головой Деев, отнекивается — а она уже схватила мешок с вещами и вытащила со дна бритву.

— Ну-ка сядьте!

Усадила силком на пуф, развернула к свету за подбородок и давай по дееевскому лицу шкрябать: без мыла, на живую — тонким лезвием по щекам.

— Распускаться нельзя, — говорит строго и сверлит его глазами, словно какого-нибудь пацаненка-шалуна. — Пустите слюни — всех за собой потащите. После Самарканда — хоть в запой, хоть в загул, если угодно. А пока мы в дороге — не сметь!

Пальцы у комиссара твердые, прохладные, а бритва острая, с волосок толщиной, — не вздохнуть и не дернуться.

— Думали, самое трудное — провианту посытнее достать и угля побольше? — Лезвие ходит по щекам широко, а шуршит громко, будто и не щетину режет, а густую траву. — А вот и нет! Голову спокойную сохранить, когда потери начнутся, — вот что трудно. Не ссать и не ныть и другим не давать. Вот оно где проверяется, ваше пресловутое милосердие! Доброта требует мужества. Ей нужен хребет покрепче и зубы поострей, иначе вовсе не доброта она, а слюнтяйство. Бездомного мальчишку на рельсах подобрать — слюнтяйство. Не спать и не есть, изводя себя, — слюнтяйство. И над каждым потерянным ребенком слезы лить — тоже слюнтяйство. Улыбаться вместо слёз и других детей дальше везти — это доброта.

Возразить бы, да не ровён час лишишься половины уха.

— Вы вывезли из Поволжья пять сотен детей, включая лежачих. Если довезете две трети, будете герой. Вот это будет настоящая доброта — доведенная до конца. Две трети — это больше чем половина. Две трети — это очень много.

"Какие такие две трети?!" — захотелось ему крикнуть. Какая-то она наизнанку вывернутая, твоя доброта, шиворот-навыворот! Я всех довезу! Всех, кто еще остался.

— А треть эшелона потерь — это разумная цена. Ее платят все, кто эвакуирует детей.

Цена?!

— И вы заплáтите. Впереди — добрая половина пути, да не по родным лесам-городам, а по чужим степям-пустыням. Спасти всех и каждого не выйдет. А вот спасти две трети — вполне.

Вдруг остро захотелось выбежать из купе, найти Фатиму и броситься перед ней на колени — обхватить руками, утопить лицо в мягком женском теле… Куда там! Голова — в железных комиссарских пальцах, под взмахами стального лезвия.

— В Поволжье голодают девять миллионов детей. Если спасем шесть — разве мало?

Ну а остальные-то три миллиона?!

— Спасем шесть миллионов детей — и через двадцать лет они нарожают в разы больше. Так выживают страны, Деев. И так выживает мир. Поймите это сейчас, по-настоящему поймите и согласитесь. И прекратите убивать себя.

Закончив бритье, Белая сдувает с лезвия волоски и защелкивает обратно в рукоятку.

Не в силах больше слушать, Деев закрывает глаза. В тот же миг скулу обжигает, а голову швыряет назад и вбок, чуть не вывихивая шею, — от крепкой комиссарской пощечины.

— Я буду брить вас каждое утро, — говорит Белая как ни в чем не бывало. — Если надо — бить по щекам и приводить в чувство. С этим я могу помочь. С остальным вы должны справиться сами.

В Оренбурге их загнали в отстойник, а паровоз увели в депо на профилактику: мост через реку Донгуз, в двадцати верстах от города, был взорван, и "гирлянде" предстояло дожидаться его починки. Пострадал мост не сильно, всего-то покорежило пути, но вот уже двое суток Деев ждал, пока проложат новые рельсы, и никак не мог дождаться: город был занят поимкой виновников происшествия — банды Яблочника.

"Яблочные", как их прозвали местные, торчали в сводках губЧК занозами похлеще хлебных бунтов и самогонных расстрелов. К двадцать третьему году Оренбуржье большей частью очистили от казачьих банд, мятежных крестьянских урл и прочих приверженцев генерала Дутова, что царил в губернии еще пару лет назад. Сам генерал бежал в Китай и затаился, вынашивая смелые планы, но свое обещание "выйти умирать на русскую землю" выполнить не сумел — умер от пущенной в лицо чекистской пули, в самом сердце охраняемой китайской крепости. А ошметки огромного некогда воинства еще остались гулять по пустынным просторам от Южного Урала и до Каспия, от Каспия и до Арала — временами пропадали на месяцы, видимо, откочевывая к Тянь-Шаню, затем возникали вновь. Поговаривали, что яблочных подкармливает сам Буре-бек, но знать точно не могли — поймать бандитов не получалось; то ли какая-то счастливая звезда уводила их от погонь и облав, то ли местное неразумное население до сих пор им сочувствовало и укрывало.

Редкие акции "яблочных" были дерзки и бессмысленны, вернее, имели единственный смысл: вред. Вот и нынче спалили вагон соленой рыбы, что следовал с Аральского моря в центр. Не в пустыне спалили, не на длиннющем перегоне между полустанками, где виден был бы этот пожар только беркутам в небе да корсакам в степи, а в паре верст от столичного Оренбурга, откуда уже и до приволжских холмов рукой подать. А чтобы не успели машинисты довести горящий вагон до города и там потушить, бандиты повредили мост — единственной динамитной шашкой раскурочили единственную рельсу и оставили вагон с паровиком пылать перед мостом. Машинистов убивать не стали: связали покрепче и забили рты кляпами — солеными рыбьими тушками. Кисти обеих рук прострелили: пусть впредь не водят поезда. Сами утекли в степь.

Вынужденный простой мучил Деева почище зубной боли. Он рыскал по городу, изводя себя беспрестанными поисками чего угодно: любой провизии и любого топлива, лекарств, свечей или мыла. Зря: городские склады были так же пустынны и пыльны, как и местные улицы.

Зато неожиданно для себя добыл подушки для лежачих. Вернее, добыл всего-то мануфактуры — выпросил в губЧК экспроприированные когда-то у белоказаков полковые хоругви толстого бархата, а сестра-портниха пошила из ткани мелкие подушечки. Их набили камышовым пухом и стали подкладывать лежачим под торчащие кости хребта и седалища — чтобы легче лежалось на твердых нарах. Золотые шнуры и бахрому со знамен распустили и положили на Мемелин склад: пригодятся.

И еще одна удача случилась в Оренбурге: баня. Деев спрашивал о ней в каждом городе и в каждом учреждении, уже и не надеясь найти; спросил и здесь. И вдруг — "будет вам баня". Гарнизонная и городская парилки стояли в те дни холодные, а тюремная как раз была протоплена: ее раскочегаривали раз в месяц, и, на деевское счастье, случился этот раз именно сейчас. Остатками тепла от арестантов и обошлись. Мыла не было, но тюремное начальство расщедрилось на бочку щёлока — дети размазывали его по телу пучками сухой травы, которую нарвали по пути, а затем ополаскивали. Первыми помыли малышей, эти плескались еще в горячей воде; затем ребят постарше, кому досталась уже только теплая. Для похода в баню и обратно прислали из тюрьмы сотню арестантских ко́тов — башмаков на деревянной подошве, и Деев с сестрами всю ночь болтались от вокзала в тюремный городок и обратно, по очереди — в пять смен — снаряжая и сопровождая детей на помывку.

На третьи сутки кукования в отстойнике Деев готов был сам подрядиться чинить злосчастный мост, чтобы только прервать затянувшуюся заминку и продолжать путь. Не потребовалось: мост починили. Отряд милиции с группой добровольцев уже вернулись из экспедиции в степь, так и не обнаружив "яблочную" банду; жизнь города входила в привычное русло, и работа вокзала тоже.

Еще до полудня обещали выпустить "гирлянду" в дорогу. В депо уже вовсю растапливали паровоз, готовясь подогнать к эшелону, из транспортного отдела пришел приказ ожидать предпутевую проверку. Добрый знак: инспектировали составы перед самой отправкой. Белая с Мемелей поспешили на заготовительный пункт за черемшой и ревенем (провианта на пункте не имелось вовсе, зато собранной в степи дикой травы вдосталь, и урожаем обещали поделиться с детьми), а Деев остался в поезде — ждать инспектора.

Тот оказался сухоньким башкиром с острыми скулами и чистой русской речью, в которой отчетливо слышались певучие волжские интонации. По всему лицу имел странные короткие шрамы — будто рвали его лицо когтями, но не разлохматили до конца. Дееву когда-то рассказывали о таких отметинах — мол, оставляет их на лицах жертв один сибирский атаман во время самоличных пыток, — но тогда в россказни не поверил. Выходит — зря.

Обычно инспекторы начинали с головы состава. Рваный — нет: зашел с хвоста и сразу же оказался в лазарете, среди больничной тишины и нар с лежачими. Другие контролеры часто норовили побыстрее проскочить лазарет, с первого взгляда понимая, что проверять среди голых стен и голых нар нечего; многие при этом стекленели глазами и отворачивались от лежачих. Рваный — нет: пошел меж коек медленно, ощупывая глазами каждый угол и каждого ребенка. Деев шагал следом и лица инспектора не видел, и только на выходе из вагона заметил, как оно посерело и застыло за последние пару минут. Шрамы белели на этом сером лице, как причудливый толстый иней на стекле.

— Умирают? — спросил, остановившись на вагонной площадке.

Деев только кивнул.

— Много?

Он опять кивнул.

Отправились дальше. По пассажирским вагонам шли еще медленнее: Рваный был дотошен до занудства. Каждую лавку осматривал не спеша — и сверху, где валялся или испуганно жался в уголок босоногий хозяин, и снизу. Ступая на нижние полки, поднимался под потолок, едва не стукаясь о него темечком, и заглядывал на верхние. Исследовал отхожие места. Раздвигал занавески, отгораживающие сестринские лавки, и без смущения наблюдал сохнущее там женское бельё. Заглянул в куриные закутки. Потрогал висящее на стене штабного вагона знамя и даже, приподняв, заглянул за него. Всё — без единого вопроса и без единого взгляда на начальника эшелона.

Искалеченное инспекторское лицо при этом суровело от вагона к вагону. Деев догадывался о причине этой внезапной мрачности: "гирлянда" была первым эвакопоездом на Туркестанской железной дороге, и контролеры, привыкшие иметь дело с зерном или оружием, торопели при виде сотен истощенных детей. Неженки.

— Почему без охраны? — спросил Рваный, когда они одолели наконец все вагоны и спрыгнули на землю в голове состава.

Никогда Деев не задавался этим вопросом, и ни один контролер ни о чем подобном не спрашивал.

— А что у нас в эшелоне возьмешь? — пожал он плечами. — Вшей?

— Нары деревянные — если срубить, то дров не на одну сотню верст хватит. Это раз. Куры, полтора десятка без малого. Это два. — Говорил Рваный тихо и ровно, словно звезды в небе считал. — Рубахи тканые, мало ношенные, пять сотен штук. Это три. Дальше сам пальцы загибай.

— У кого ж рука поднимется из-под голдетей лавки на дрова рубить?!

— Это ты у атамана Яблочника спросишь, когда он машинистов твоих постреляет, а потом свяжет голыми и у сельсовета какого-нибудь сложит, как вязанку дров. — Говорящий оставался спокойным и даже медлительным, только билась под правым глазом набрякшая лиловая жилка. — Или у Буре-бека спросишь, уже за Аралом, когда он тебя с комиссаром в каменный колодец кинет, а сверху кислотой соляной поливать начнет.

— Но-но, не стращай! — тотчас закипел Деев (последнее время разъярялся мгновенно, только дай повод). — И без тебя тошно. Развел тут страсти господни…

— Не страсти — сводки ТурЧК за прошлую неделю и позапрошлую. Это у вас там, на северах, война закончилась. А в Туркестане еще и не думала.

— Этот эшелон в Самарканд партия послала! Ей всяко виднее, чем тебе.

— Из Казани оно, конечно, виднее.

— Что же мне, по-твоему, разворачиваться и детей обратно на Волгу отправлять?!

Деев представил, как тычет Рваного кулаком — в тощий живот, стянутый рыжим ремнем с форменной пряжкой, — и тот сгибается пополам, пуча растерянные глаза.

— Было бы по-моему — и отправил бы.

— Да они там с голоду поумирают!

— Они у тебя и так умирают — в пути!

Против этого не возразишь, не оправдаешься: инспектор сам дал противнику под дых. И продолжал упрямо гнуть свое — тюкал упреками Деева, как дятел дерево.

— Зачем же ты везешь их сюда, к недобитым атаманам и басмачам в руки? Они же у тебя перезимуют в детдоме, а потом пойдут по Туркестану бродить, ищи их свищи, и под пули подставляться. Пока стреляют — здесь детям не место.

Но где же им тогда место? В толпе беженцев и нищих, кто пешком тянется в Москву? На придорожных базарах, где торгуют ботвой и щенячьим мясом? В земле, на задах вокзала в Бузулуке?

— Я ж не просто так языком бью, — расходился Рваный, постепенно утрачивая спокойствие. — Сколько малолеток беспризорных по краю подбирают с пулями в башках и вспоротыми животами, знаешь? Они ж в этот Туркестан летят, как мухи на мед, со всей России. К хлебу и чудо-ягоде винограду, будь он трижды неладен! И мрут здесь — как мухи! Они же и знать не знают, что до хлеба и винограда этого еще по Голодной степи и пустыне — полторы тысячи верст! — Шрамы на лбу и щеках Рваного двигались вместе с лицевыми мускулами как живые. — А что у многих тел уже мясо срезано бывает — знаешь? Чаще всего вырезают бедра и голени, реже — потроха. Потому что и здесь — голод. Вот куда ты детей привез — в войну и в голод!

Деев понял, что сейчас ударит собеседника, — не в живот и не в грудь, а прямехонько в шевелящиеся беспрестанно губы.

— Кухню полевую смотреть будешь? — спросил, отвернувшись. — Или прощаемся уже?

Тот мотнул подбородком: буду.

Деев пошуровал ключом в замке на двери кухонного вагончика и с чувством рванул ее вбок, едва не сдернув с петель, — дверь с визгом отъехала в сторону, открывая внутреннее пространство.

А имелись там не печки-котлы и не мешки с припасами. Тощие ноги и распухшие животы в подтеках грязи, едва прикрытые лохмотьями, — вот что имелось: вагончик был под завязку набит незнакомыми детьми.

Десятка два, а то и три мелкого пацанья теснились на кухонном пятачке, зажатые со всех сторон ящиками и ведрами. Ослепленные внезапным светом, пацанята замерли как были: кто запустив пятерню в мешок с крупой, кто хле-

бая воду из кружки, кто перемазавши мордочку в отрубях
и с набитым этими же отрубями ртом. Печная труба, что
торчала обычно из слухового оконца, валялась на полу —
видно, через это окно ребятня и проникла в вагон. Густо
пахло немытым телом и куревом-суррогатом.

— Это что еще за гости? — первым обрел дар речи инспектор.

— Здрасьте наше вам, — отозвались хрипло из глубины
кухоньки.

Были среди гостей ребята постарше, лет по восемь или
десять. Были и помладше, года по три-четыре. Один уже
успел, балуясь, напялить на голову кухонную миску — как
шлем. У второго торчал изо рта недожеванный пучок травы, которую Мемеля обычно заваривал в кисель.

Все смотрели на Деева, ожидая ответа. И Рваный тоже.

Из чьей-то чумазой руки с шорохом сыпались на дощатый пол зёрна овса.

Высыпались — и стало тихо.

Надо было что-то говорить — сейчас.

— Это эшелонные дети, — сказал Деев. — Мои.

— Пошуткуй мне еще! — отмахнулся Рваный. — Ссажи-
вай их давай, первым же паровиком отправим до Бузулука, в детприемник.

Видел Деев тот приемник пару дней назад: хибара с ды-
рявой крышей и обломанными на дрова наличниками. Вокруг хибары стайки бездомных ребят: взявшись за руки,
орут "Интернационал" — чтобы их впустили. Зря орут,
мест внутри нет.

— Говорю тебе, мои дети, — повторил с нажимом. —
Они на кухне помогали, пока повар на питательный пункт
отошел.

— Какие "твои"?! — все еще всерьез пытался спорить
инспектор. — Твои чистенькие и беленькие, как на подбор,
а эти в отрепьях и воняют.

— На всех рубах не хватило.

Миска-шлем упала с проказника, звякнула о деревянный пол.

— В эшелоне пять сотен детей, включая этих, — уперся Деев. — Можешь списки проверить и по головам пересчитать.

Если возьмется зануда и впрямь пересчитывать — кранты. Беспризорников раза в три больше, чем потерянных лежачих.

— Ты же сам только что говорил, что поумирали!

— Один ребенок умер — Сеня-чувашин, из лазарета.

— Ты же сам только что говорил, что много!

— Целый живой ребенок умер — по-твоему, мало?

— Дурочку-то из меня не лепи! — рассвирепел Рваный. — Что же я, по-твоему, беспризорника от голребенка отличить не могу?

— Закончил свою инспекцию? — Деев сурово посмотрел на детей и задвинул дверцу кухоньки, закрывая их от контролерского гнева.

За прикрытой дверью — ни вздоха и ни шороха, словно и нет никого.

— Снимут тебя с поезда за такое-то самодурство в два счета, — только и прошипел Рваный, отвернулся и застрочил к вокзалу.

И с поезда снимут, а может, и под суд отдадут. Самоуправство на путях: самовольное распоряжение государственным имуществом, то есть эшелоном, без надлежащей санкции сверху. Нерачительное использование и даже разбазаривание питательного фонда (хотя где он, тот фонд, нет и в помине)... Но пусть будет это все — после Самарканда, потом. А сейчас — лишь бы выскочить из города в бескрайнюю оренбургскую степь, где не догонит их уже ни один телеграфный приказ и ни одна депеша. Лишь бы довезти детей.

— Выпусти эшелон! — метнулся Деев за Рваным. — Хоть сотню жалоб на меня накатай, но сначала — выпусти! Дай уйти!

Тот семенил шустро, по-тараканьи — полусогнув тощие ноги и быстро перебирая ими по шпалам. Планшетка с бумагами и печатями болталась на боку — била по бедрам. Эх, сдернуть бы ее, выцепить нужный путевой лист и шлепнуть на него нужный штамп!

— Думаешь, у тебя одного в краю дети гибнут? — кричал Деев щуплой инспекторской спине, скача по путям следом, но никак не умея догнать (и быстро же бегает, паразит!). — У тебя одного их продают, покупают, на вокзалах оставляют? Я по стране-то поколесил, от Урала и до Питера — везде так! Нет детям нынче места — нигде!

Пересекли рельсы, промчались мимо вокзального дома и оказались в привокзальном городке — редкой россыпи каменных домишек, что растянулись вдоль железки.

— Потому что везде — война! — Деев уже настиг вертко́го собеседника и бежал рядом, часто дыша и стараясь заглянуть в узкие башкирские глаза, но инспектор нарочно отворачивался и юлил, юлил меж строений, как утекающий в норку зверёк. — Везде — убивают друг друга, еще и похлеще, чем в Гражданскую! Продармейцы из города — крестьян! Крестьяне — коммунистов! Коммунисты — кулаков! А кулаки — чекистов! А чекисты — бандитов-беляков! А бандиты — всех, кто ни попадет под руку. В сердцах потому что война! Не в Туркестане и не в Оренбурге — в сердцах. — Мимо летели кирпичные бока складов, депо, каких-то конторских зданий… — Что ж нам теперь, друг с другом биться, а дети пусть перемрут между тем?

Устав петлять, он ускорил бег и перегородил Рваному дорогу. Тот врезался грудью в деевскую — мелькнуло на мгновение раскрасневшееся лицо с ярко белеющими шрамами, — но тотчас увернулся и припустил дальше. Сукин кот!

— А ты сам? — заорал Деев уже во всю глотку — и понял вдруг, что рука сжимает револьвер, да не в кармане, а уже вытащила на свет и размахивает на бегу; заставил себя запихнуть оружие обратно, а пальцы сжать в кулак, чтобы неповадно было. — На себя-то посмотри! Думаешь, морду посуровее сморозил, голос потише опустил — и не видно ничего? Все видно. Ты же до сих пор воюешь, не уймешься. У тебя внутри война сидит. И как ты только на инспекторской должности терпишь, а не в чекистах бегаешь, с наганом в одной руке и пулеметом в другой? Из таких, как ты, тихонь и получаются самые отчаянные чекисты... А против кого воюешь? Против детей малолетних. Ты же не мне сейчас палки в колеса суешь, а детям.

Внезапно погоня оборвалась: Рваный юркнул в один из домиков с покосившейся вывеской. Внутри торопливо стукнул засов.

— Уйми свою войну! — врезался Деев с разбегу в захлопнувшуюся дверь. — И поверь — не мне, а тем, кто этих детей в Туркестан посылал! Если отправили их в эвакопоезде, за тысячи верст, — значит, не было другого пути спасти. — Изнутри не отпирали, и Деев стал вышибать дверь, плечом ударяя в паузах между словами. — Значит, и у меня другого пути нет... а только доставить их... через всех твоих бандитов и басмачей... в Самарканд! — Деревянное полотно тряслось и податливо гуляло на петлях. — Значит, и у тебя другого пути нет... помочь ты должен, а не воевать... Поверь и помоги!.. Выпусти эшелон!..

И вот уже затрещало и дрогнуло — не выдержал засов.

— ...Тебе же атаман лицо порвал, а не сердце! — закончил Деев уже внутри.

Тяжело дыша, он стоял в тесной конторе, перегороженной надвое занавеской в нелепых набивных цветах. Канцелярские столы и стулья теснились у входа, заваленные папками и ворохами бумаг, а на жилой половине светлел печной бок и раскинулось под низким потолком сохнущее на веревках белье — мелкое, детское. Пахло щами.

Рваный торопливо задергивал шторку, но Деев успел заметить и стоящий на табурете таз недостиранного тряпья, и две слаженные из больших чемоданов колыбели. И двух малышей-погодков, что еще минуту назад ползали по разбросанному на полу тулупу, а теперь замерли, тараща на гостя полные слез глаза и вот-вот готовые зареветь.

Деев обнаружил, что опять сжимает в руке невесть как туда попавший револьвер, — да что за напасть! — и опять запихнул оружие поглубже в карман.

— Мама, — позвал один ребенок и протянул руки к инспектору.

Тот уже справился с перегородкой — спрятал от пришельца и свое жилище, и его обитателей, — но ребенок не успокаивался.

— Мама, — повторил настойчиво, выползая из-под занавески к пыльным инспекторским сапогам.

Рваный поднял малыша на руки, и тот приник доверчиво к черному сукну кителя, привычным движением обхватил ножками — аккурат поверх рыжего ремня с форменной пряжкой.

— Оставь беспризорников, — устало сказал Рваный, успокаивая частое от недавней пробежки дыхание. — Не довезешь, растеряешь по дороге.

— Это эшелонные дети, — так же устало ответил Деев и так же, как инспектор, успокаивая дыхание. — Мои.

Из-за занавески вылез второй мальчуган, чуть постарше, и припал к Рваному, обхватил его тощую ногу.

— Я довезу их до Самарканда, — сказал Деев. — Не две трети и не три четверти — всех детей.

Далеко за окном ревел не успокаиваясь какой-то паровоз. Не деевский ли?

Не спуская дитя с рук, Рваный нащупал на бедре планшетку, выудил нужный листок и шлепнул на него печаткой.

Деев забрал дорожный лист. Выходя, с неловкостью тронул выломанный засов, покосился было на хозяина извинительно — тот лишь махнул: шагай давай!

— Эй! — окликнул уже из раскрытого окна.

Деев оглянулся.

Рваный стоял в оконном проеме, как в картинной раме, прижимая к себе ребенка.

— Сразу за городом, на станции Донгуз, дежурит заград-отряд, — сказал негромко. — Шерстят все поезда. Найденных беспризорников ссаживают и высылают обратно в Бузулук.

— Заградотряд? — не поверил Деев. — Против детей?

— Ищут бандитов. А детей — заодно, чтобы не шастали в Туркестан и не мёрли по дороге. Распоряжение командующего Туркестанским фронтом.

Два лица смотрели из окна: бурое скуластое, в морщинах и шрамах, — и нежное детское.

Только сейчас Деев заметил, что волосы у ребенка золотые совершенно, а глаза прозрачно-голубые.

Он кивнул благодарно и побежал к "гирлянде".

Беспризорников Деев распихал по третьим полкам девчачьего вагона. Легче всего их было бы спрятать в лазарете, где пустовали многие нары, но с фельдшером разве договоришься! А вот с сестрами, да и с самими девчонками, — вполне. Зыркнул на всех посуровее, рявкнул построже: чтобы ни пика у меня! — те и притихли.

Зайцам сказал: хотите в эшелоне остаться и в Туркестан отправиться — терпите. Лежите под самым потолком, втянув руки-ноги, а также носы и языки, — и чтобы шуму от вас было не больше, чем от улиток! Не кашлять, не чихать, вшей не искать. Дышать и то вполсилы. Если хоть одного обнаружат — ссадят всех. А ну по местам, живо! Взметнулось пацанье по нарам вверх и пропало, словно и нет никого. Только махоркой дешевой пованивает.

Кухоньку Деев прибрал как мог. Рассыпанную крупу собрал обратно в мешок, разбросанную посуду разложил по печкам-полкам, раскиданную траву сгреб в кучу. Так и встретил вернувшихся повара с комиссаром — ползая по кухонному полу и шаря по углам.

— Ревизию провел, — пояснил, поднимаясь на ноги и отряхивая пыль с колен. — Внеочередную.

Посмотрела на него Белая странно, ничего не сказала.

Добыча у них с Мемелей была знатная — две охапки сушеной черемши, еле дотащили до состава. Дикий чеснок пах так остро, что у обоих слезы проступили, пока несли.

Деев велел сейчас же раздать черемшу детям — с наказом, чтобы жевали старательно и подолгу; и скоро "гирлянда" наполнилась едким чесночным духом, а слезы покатились уже у сестер. Порцию в девчачий вагон Деев отнес сам. Так эшелон и покатил из Оренбурга, на версту воняя чесноком и увозя в одном из вагонов контрабанду — пару дюжин мелкого пацанья, притаившегося под самым потолком, над головами озадаченных девчонок…

До станции Донгуз тащились час — и весь час Деев простоял в своем купе, прислушиваясь к звукам за гармошкой. Как остановить комиссара, если та надумает выйти из купе и отправиться бродить по эшелону, — так и не придумал. Можно было о чем-то спросить (о чем?) или что-то рассказать (что?), но голова никак не хотела сочинять. Да и не умел он театры разводить.

Едва в комиссарском купе что-то скрипнуло, Деев рванул гармошку; но это Белая всего лишь устраивалась удобнее на диване, листая книгу, — одолженный в пассажирском томик Лермонтова; опустил смущенно взгляд, прикрыл дверь. А когда через минуту опять скрипнуло — опять рванул.

— Да что это с вами? — не выдержала комиссар.

— Побрей меня, — попросил о первом, что взбрело на ум.

За окном плыла бесконечная серая земля, едва прикрытая сухими травами, — ни тебе протоптанных тропинок, ни домишек, ни иных примет близкой станции.

— Брила же с утра.

— Еще раз побрей.

Она отложила книгу, встала и прошла на его половину. Глядела на него внимательно и строго, как на шкоду-пацаненка.

— Что случилось, Деев?

Вот оплошал-то, дурак! Хотел отвлечь внимание, а вместо этого — привлек.

— Рассказывайте немедленно: что произошло?

И смотрит пристально — будто ковыряется в нем.

Нужно отвечать. Или спросить что-то самому. Или глядеть непонимающе. Что-то нужно делать сейчас — хоть что-то нужно делать!

В оконном проеме по-прежнему дрожит-колышется степь.

— А не расскажете, так я и сама сейча...

Деев берет в руки строгое комиссарское лицо, что нависло над ним угрожающе, и целует в губы.

Поцелуй длится и длится. Длится и длится.

И желтая заоконная степь длится, простирается до горизонта. И длятся-тянутся провода вдоль путей, по синему небу. И рельсы тянутся, и тянется по ним пестрая "гирлянда", а следом — белые паровозные облака. И время длится, составляется из секунд и минут...

Как вдруг — рев паровоза: станция!

В окне косыми иглами — лезвия штыков. Топот шагов по штабному. Где начальник эшелона? Да здесь я, здесь... Вот и кончился поцелуй.

Заградотряд состоял из десятка солдат. У каждого — штык, патронташ на поясе. Командир в сбрую портупейную затянут, на поясе аж два нагана. Глядит на Деева как на преступника. Нет ли, говорит, недозволенных пассажиров на борту? Деев только головой качает: не теряй уже времени — иди проверяй!

Пошли по эшелону, от головы и до хвоста: пока половина отряда вагон изнутри изучает, вторая суетится снаружи — по рельсам ползает, щупая вагонное брюхо, и по крышам лазает, в трубы и люки носы сует.

В последние годы заградотряды часто работали по продовольственной линии — на пароходах отбирали у населения рыбу и соль, в поездах экспроприировали зерно, помогая государству заготавливать хлеб, — и Деев их навидался. Работали заградовцы по-разному: кто со злостью в сердце, будто потрошил не мирных людей, а бандитов, кто с шутками-прибаутками, весело, словно приглашая к этому веселью обираемых пассажиров.

Пришедшие нынче в "гирлянду" были суровы, под стать командиру. И дотошны, как оренбургский инспектор: не осматривали вагон, а едва не обнюхивали и не пробовали на язык — все щели и все закутки. На высокие третьи полки заглядывали исправно, во всех пассажирских.

— Людей ищете или блох? — не выдержал Деев, когда один заградовец поворошил штыком сохнущую ветошь для мытья сортира.

Даже отвечать не стали.

Пропало дело, думал он угрюмо. Найдут зайцев. Найдут и ссадят, чтобы обратно выслать, — а зайцы разбегутся по степи, не дожидаясь высылки. Прав был инспектор: не довезет их Деев, растеряет. И своих, эшелонных детей не довезет: цопнут его за чуб, как злостного нарушителя, и вернут в Оренбург. Белая поведет состав дальше, а Дееву дорога в ту тюрьму, где вчера с детьми мылись: куковать, ожидая приговора из Казани. Эх, не успел выскочить в степь: ухватили "гирлянду" за хвост в самую последнюю минуточку.

Прошли все мальчишеские вагоны, один за другим. Пацанье лупилось на заградовцев и их штыки с любопытством и без смущения: не такое видывали. А сами контролеры, наоборот, потирали глаза, и чем дальше, тем больше: чесноком в поезде несло изо всех щелей.

Наконец оказались в девчачьем.

Едва войдя, Деев понял: девчонки — на его стороне. Потому что не просто сидят по лавкам и косятся на нары с "контрабандой", рискуя выдать секрет, а сидят по-хитрому: забравшись по двое на третий ярус и разместившись аккурат на тех полках, где спрятаны зайцы. Прикрывают собой, значит. Ноги с лавок свесили, рубахи по полкам разметали — если смотреть снизу, ни за что не догадаешься, что за их спинами еще кто-то уместиться мог.

Да только заградовцы не смотрят снизу, а встают сапожищами на нижние полки, взмывают к потолку — рыскают взглядами по верхним, едва не носами водят.

Один отсек прочесали.

Второй прочесали.

Дошли до третьего.

— Почему у вас в женском вагоне махоркой тянет? — повел носом командир.

Учуял, чертов лис! Даже сквозь чесночную вонь учуял.

Белая задергала ноздрями, принюхиваясь, но по растерянному лицу ее было видно: не слышит запаха. И Деев не слышал, до того густо висел черемшаный дух.

— Это у нас сестры балуются, — пояснил, глядя в пол.

Сёстры — бывшая портниха на пару с башкирской крестьянкой — вытаращились на него, вытянув морщинистые лица, но сумели сдержаться. И Белая вытаращилась.

А Дееву не до них. Он-то знает, что в этом отсеке, прямёхонько над головой лисы-командира, лежит сейчас, вжимаясь в нары, маленький заяц. И сколько бы ни хлопали ресницами Настя Прокурорша и Тощая Джамал, сидящие на этой же полке, сколько бы ни болтали перед носом у солдат босыми пятками — быть зайцу пойманным. Смотрит Деев с тоской на Настю с Джамал — хана нам пришла, девки! — а они на него.

И вдруг — никто и понять ничего не успел — Прокурорша морщит личико и скулит. Скулит жалобно, на весь вагон, и так тоненько, что уши закладывает. Губы ее дрожат и расплываются по лицу, шейка в проеме рубахи трясется меленько, а ручки — шершавые лапки с обглоданными до мяса коготками — складываются и прижимаются к ямке меж ключиц. Смотрит на заградовцев со штыками — даже не со страхом смотрит, а с ужасом — и скулит. В глазах слёзы — крупные, с горошину — дрожат, но не выкатываются.

Опешил Деев. Никогда не видел Прокуроршу не то что плачущей, а хотя бы сробевшей. Потому и кличка ей была дана, что характером вышла по-пацаньи дерзкая: ругалась крепкими матюками, дралась. На груди, в том месте, куда притиснула сейчас заломленные ручонки, имела наколку: не какую-нибудь там картинку с тайным смыслом, а два откровенных слова "Смерть прокурорам".

И Тощая Джамал тоже скулит. Тоже пялится на гостей с оружием как на нечисть. Ноги костлявые подобрала, руками колени обхватила и всхлипывает судорожно, продышаться не может, — оттого скулеж выходит рваный, как телеграфный стрёкот.

Только Деев-то не забыл, что при посадке в "гирлянду" у Джамал не одну заточку отобрали, как у многих пацанов, а две. И что любимой ее историей про себя было, как обдирали они с кодлой ребят постарше одиноких женщин по ночным улицам.

Уже и Зойка Змея на соседней полке подвывает: у этой слезы не дрожат на ресницах, а льются ручьями по красному от расстройства лицу. И у Мухи Люксембург слезы катятся, хотя и не так обильно. Куксятся Соня Цинга и Жанка-Лежанка, надувают из ноздрей сопельные пузыри. Тася Не шалава голосит басом. Беременная Тпруся рыдает, застывши дура дурой в коридоре и перегородив его немаленьким животом.

Да и все уже рыдают: все сто ртов дрожат губами и орут в голос, а сто пар глаз роняют слёзы на рубахи. Вагон ревет, как огромный обезумевший хор.

Испугались заградовцы, отступили в проход. Сестра-портниха крестится испуганно, невзирая на начальство: свят, свят, свят Господь! Сестра-крестьянка — аж белая от растерянности: что ли, чесночные слёзы? Даже Белая озирается ошарашенно, не в силах понять.

Один только Деев спокоен.

— Не надо потому что наганами и штыками перед детьми брякать, — говорит веско, глядя на командира.

Тот уже и сам все понял, кивает своим: по-быстрому давайте! Со злыми и виноватыми лицами солдаты спешат по проходу, через плач и стон, едва заглядывая в отсеки и запинаясь об ошметки ковров, приколоченные к полу. Белая шагает рядом, недоуменно оглядывая зареванных подопечных и бросая подозрительные взгляды на сестер.

Деев покидает вагон последним. И так хочется повернуться к девчонкам, улыбнуться или хотя бы посмотреть с благодарностью — но нельзя, обыск еще не окончен. Он прикрывает за собой вагонную дверь и украдкой гладит стекло, за которым продолжают надрываться плакальщицы.

Едва последний солдат спрыгнул из лазарета на землю, Деев замахал рукой машинисту в будке: трогай! И вот уже басит паровоз, натягивая сцепки. Колеса лязгают по рельсам, делая первый оборот. Дергается и медленно уплывает вбок станционный домишко, качаются нестройно штыки заградовцев. Неужели получится уйти? Неужели утекут они сейчас в бескрайнюю оренбургскую степь, где не настигнут их уже ни контролеры с винтовками, ни депеши с приказами?

Как бы не так! Заградовцы еще до станции не дошли, как Белая метнулась в девчачий вагон. А когда чуть припозднившийся Деев залетел туда следом — уже рыскала по отсекам, вспрыгивая на полки нижнего яруса и заглядывая на верхний.

Девчонки еще поскуливали, успокаиваясь после коллективных рыданий, но знали: комиссара дешевыми трюками не возьмешь. И потому отстранялись покорно, слезали на пол, являя комиссарскому взору растерянных зайцев.

Один заяц. Второй. Третий…

— Деев, остановите поезд!

— И не подумаю.

Ровно секунду размышляла Белая, куда бежать: вон из "гирлянды", на близкий пока еще Донгуз, где ждали и исправный телеграф, и заградовцы, — или в голову эшелона, в паровик, чтобы самолично распорядиться об остановке.

Ровно секунду размышлял о том же и Деев. Решил: если подорвется комиссар из поезда — не ждать. Встать у машиниста за спиной — хоть с крепким словом наготове, а хоть и с револьвером — и кочегарить до предела. Утечь, улететь во что бы то ни было — ищите нас потом по степи!

Сама ли комиссар поняла или прочитала что-то в деевских глазах, но рванула не назад, к станции, а вперед по вагонам — к паровозу.

Деев — вдогонку.

Летели по коридорам, сшибая встречное пацанье и даже, кажется, сестер. Крича извинения, вряд ли слышные в суматохе. Спотыкаясь и уворачиваясь от нар, что раскачивались на ходу и грозили ударить. Двери хлопали за ними, как птичьи крылья.

Один пассажирский. Второй. Третий…

В штабном Деев напружил мышцы, ускоряя и без того стремительный бег, выбросил вперед руки и сцепил их на рвущемся вперед комиссарском теле.

Тело сопротивлялось и билось в его объятиях, устремляясь прочь, а он прижимал его к себе и затаскивал в купе. Затаскивал долго — Белая цеплялась за дверной проем, за ходящую ходуном дверь, — а он тянул остервенело, рывками то вправо, то влево отдирая ее от дверного косяка. Справился наконец, рухнул на лавку, но и Белую уронил рядом.

Рук не разнимал, крепко стягивая их вокруг комиссарского ремня. Цоп! — уже и поверх не только ремня, а и локтей, чтобы не смогла она больше хвататься за что попало. Так и лежали пару секунд, слепившись тесно и повторяя изгибы тел друг друга: ее спина — к его груди. Лицо Деева уткнулось в тяжелые комиссарские кудри. А она полежала недвижно чуть — и вновь вырываться… И вновь… И вновь. Словно билось в руках у Деева огромное диковинное сердце.

Мускулы ныли и подрагивали, как после тяжелой работы. Но, видно, изнемогла и Белая, рывки стали слабее и затухали, затухали… Потом уже не вырывалась — лежала и ждала.

И Деев лежал и ждал. Время работало на него: с каждым перестуком колес и с каждым толчком вагона удалялись они от заградовских штыков. С каждым вздохом. С каждым движением его или ее тела.

Понимала это и Белая. Знала ли, что следующая станция — через десятки верст? Что унылая степь за окном уже раскинулась вольготно, не разбавленная более никакими приметами человеческой жизни?

Вагон тряхнуло на рельсовом стыке, щелкнул замок — дверь закрылась. В зеркале стал виден кусок голубого неба.

Очень медленно Деев ослабил хватку, выпуская пленницу из объятий.

— Я все равно доложу о случившемся, — сказала Белая. — Со следующей станции.

Он развернул женщину к себе и впервые обнял по-настоящему.

Все слилось в единую яркую вспышку.

Глаза, брови, губы.

Сияние белой кожи — близко. Сияние синего неба — далеко вверху.

Лучи солнца на женских кудрях, каждый изгиб которых рассыпается на тысячу искр.

Качание бархатных штор. Качание стен. Качание вагона, эшелона, мира. Не упасть бы! Нет, не упасть — если держаться крепче — за то, что рядом.

За шею, плечи, руки.

Остановился ли вагон? Или это время остановилось? Не останавливайся, прошу.

И катимся вновь — и снова качка.

Слышу колеса, слышу рельсы. Слышу твое сердце.

Что это все-таки было? Станция?

Не знаю. И не хочу знать.

Щека, висок, ухо.

Вы что, никогда не целовались, Деев?

В зеркале купейной двери плывут ослепительно-белые облака.

Нарисованные цветы на потолке — всегда казалось, что дрянь. А сейчас — нет. Красивые цветы-то! Почему же раньше не замечал?

И что небо в зеркале ярче кажется, аж глаза режет, — не замечал. И что в колесном стуке слова расслышать можно — какие хочешь. Хочешь — и запретят колеса: "ни-когда!.. ни-ко-гда!..". А хочешь — пообещают: "на-все-гда!.. на-все-гда!.."

Что это со мной, Белая? Что за дурь в голову лезет и с языка срывается?

А может, не дурь? Может, на самом деле — как захотим, так и повернем этот мир? Как захотим — так и поймем?

Да, умирали дети в эшелоне — не сохранил я их, не сумел. Могу подумать, что и дальше будут умирать, чаще и больше. А могу — что теперь-то уж не будут, теперь-то уж самые стойкие остались. Могу ведь так подумать? А?

Да, не выходит у меня хорошим человеком быть — за что ни возьмусь, а не выходит. Все отдаю, жилы рву, грызу каждое дело, и спорится оно, и довожу до конца. А гляну на сделанное — и сердце стынет: что ж я натворил... Могу решить, что я дурной и что душа у меня слепая, и лучше бы мне вовсе не рождаться на свет. А могу — что сделаны уже все ошибки и теперь-то уж наконец получится что-то доброе. Могу ведь так подумать? Могу! Могу!

Что это за крики — там, далеко, снаружи?

Это радость моя кричит. Я и не знал, что есть во мне столько радости.

Кажется, мы стоим, Деев.

Да нет же — мчимся, мчимся!

Нет, стоим.

И правда стоим. Почему стоим?

В окне — только степь, степь. Качаются кусты чертополоха.

А под окном шагает мальчишечья фигурка в белой рубахе — и тоже качается.

Босому, раздетому — кто позволил покинуть вагон?!

Фигурка падает на колени — белой тканью в землю, — утыкается руками в ту же землю и странно дергается. Плачет?

Недалеко — еще одна такая же, тоже припала к земле.

И еще одна.

К ним бегут сестры, кричат заполошно.

Что это с ними, Белая?

Деев, это беда.

Э то холера, — сказал фельдшер.

Пяток пацанов, распластавшись на карачках у вагонов, блевали в землю. Еще несколько сидели с оголенными ягодицами по окрестностям.

— Точно скажу через пару часов. Но по всему — она, холера. Взрослые только что повыскакивали из вагонов и сбились в кучу у штабного — как были, едва накинув на плечи верхнюю одежду. Все — и сестры, и Мемеля, и даже Белая — смотрели на Буга не отрываясь.

— Где мы? — спросил Деев у машиниста. — До Илецка далеко?

Тот остановил поезд минуту назад, чтобы припорошить песком рельсы на подъеме; тронуться не успел — увидел, как посыпалось из вагонов пацанье с приподнятыми рубахами.

— Прошли давно Илецк, — пожал плечами. — Уже верст двадцать как. И водой там заправились, и угля получили. Проспал ты, что ли, товарищ начальник?

Деев лишь вихры ладонью пригладил и ворот рубахи застегнул — до самой шеи, до последней пуговицы.

Значит, городок далеко позади. Если гонца пешего туда снарядить, на одну только дорогу день уйдет. Да и какой толк с гонца? Лазарет на плечах курьер притащить не сумеет, и дюжину врачей к эшелону пригнать — тоже.

Впереди — даже не станции, а полустанки: Чашкан, Жинишке, Альджан — от одних названий песок на зубах хрустит. Хорошо, если обитаемые.

Вокруг — степь: холмы, белесые от соли, и трава, белесая от солнца.

— Какие нужны лекарства? — спросил у Буга.

— Холерных не пилюлями кормят, а выхаживают. Обильное питье и обильное мытье — вот и весь рецепт. Больных поить — чаем покрепче, с лимоном и сахаром, а также соленой водой. Вагоны мыть — с мылом, до скрипа, а после поливать дезинфекцией: медным купоросом, уксусом.

— А если нечем выхаживать? И мыть — нечем?

— От нелечёной холеры умирает один из двух. Если организмы ослаблены — то двое из трех.

— Всё? — оглядев пустынные горизонты, Деев поднял глаза ввысь — там парила большая птица, беркут или могильник.

— Всё.

— Ну так что стоишь?! — взвился Деев. — Командуй, фельдшер! Организовывай давай хоть что-нибудь! Пока на тебя купорос и лимоны с неба не посыпались…

Кричал на деда зря — командующий из того вышел отменный: спокойный и рассудительный, не чета начальнику эшелона.

Первым делом вынесли из лазарета лежачих: поместили в штабной, потеснив малышню и разложив на лавках по двое и по трое. Лежачие перемены не заметили, а малышня легко на нее согласилась: подселенные были тихи и вовсе не претендовали на самое ценное в вагоне — на внимание и ласку Фатимы.

Всех, кто являл признаки болезни: рвоту, бурление и недержание в кишках, — немедля отправляли в лазарет. Клали на нижние лавки: заболевшие то и дело срывались с мест и вываливались из вагонов на улицу по нужде — бесконечно лазать по нарам вверх-вниз было невозможно. В каждой нижней полке старательный Мемеля прорубил отхожую дырку и под каждую такую дырку насыпал песка и сухой травы, чтоб сподручнее было убирать грязь, — фельдшер опасался, что скоро у больных не останется сил на пробежки.

А больных с каждым часом становилось больше: не из одного вагона, а из всех пассажирских то и дело выстреливали на улицу "бегунки". О том, чтобы тронуться с места, не было и речи: "бегунки" строчили вокруг эшелона, сменяя друг друга безостановочно.

Тех сестер, кто когда-то переболел холерой (а таких оказалось двое), отправили в лазарет на помощь фельдшеру. Остальным же строго-настрого запретили покидать вагоны, а также выпускать еще здоровых ребят: пространство у состава было скоро загажено и потому опасно.

Подсчитали всю имеющуюся в поезде воду. Оказалось ее совсем чуть: в каждом вагоне стояло по бочке с питьевыми запасами, что регулярно пополнялись на станциях, да еще один бак имелся на кухне, для приготовления пищи. Всё питье Буг распорядился перекипятить, не жалея топлива, а после выдавать строго по расписанию, по половине кружки. Бо́льшую часть припасли для выпаивания больных; этих бы надо поить не кружками, а ведрами, но откуда же их взять, эти ведра?

Для мытья эшелона воды не нашлось и подавно. И соляного озера, откуда бы натаскать рассола для уборки, поблизости не виднелось. И мыла, конечно, не имелось тоже: за недели пути Дееву не удалось достать ни бруска. Из дезинфекции располагали одной только бутылью самогона из Сызрани, ополовиненной к тому времени; им Буг распорядился протереть полевую кухню и котлы-половники. Даже соли, обычной поваренной соли, необходимой для выпаивания больных, в эшелонных запасах почти не осталось. Так и вышли фельдшер с Деевым против холеры: с парой бочек воды на весь поезд и неполной бутылью первача.

Откуда пришла болезнь в эшелон? Как проникла в оберегаемые вагоны? Фельдшер грешил на питьевую воду — видно, на какой-то станции заправились они заразным питьем: то ли в Оренбурге, то ли до, а то ли после — теперь уже и не скажешь точно; инфекция была коварная и проявиться могла как через полдня, так и через пару суток.

Вот уже двадцать лет ходила холера по России, не желая быть истребленной, а голод и война только помогали ей, раздували небольшие очаги болезни в огромные костры. Буг так и сказал: "Холера — что торфяной пожар: то не видно ни искорки, а то полыхает уже целый лес, подпаленный из-под земли во многих местах. Побегай-ка и попляши — потуши!" Они и бегали — до самого заката плясали под холерную дудку.

За всей этой больничной суетой было не до зайцев. Подобранные в Оренбурге беспризорники до вечера толклись в гостеприимном девчачьем вагоне, а после Белая велела им перебираться в старший мальчишеский. Ссаживать их было некуда: не в степь же выгонять?

Мыть оборванцев было тоже негде и нечем. За неимением всего Буг изобрел новый способ дезинфекции одежды: раздевшись донага, новички сложили свои отрепья у колес паровоза, а паровик обдал тряпичные кучки плотными струями пара. Тем и успокоились.

— Ты теперь права не имеешь их ссадить, — сказал Деев Белой, когда закатное солнце макнулось за окоём, погружая степь в лиловое и синее. — Может, они от наших детей заразу подцепили? Мы теперь за здоровье этих новичков отвечаем и оставлять их без врачебного пригляда не должны. Сами заразили — сами и вылечим. Или не согласна?

Комиссар молчала, глядя на копошащихся по обочине "бегунков". Светлые фигурки, едва различимые ввечеру, напоминали стадо белых ягнят, неизвестно почему пасущихся в сумраке.

А ночью появились всадники.

Возникли из ниоткуда — из сухого степного воздуха, запаха полыни и зверобоя — и закружились вокруг поезда, черными тенями по черной мгле, глухим перебором копыт по мягкой земле. Трое? Четверо?

— Кто здесь? — выбросил Деев на звук руку с револьвером.

Они с Белой от самого заката рвали траву для лазарета: некоторые больные уже изнемогли и перестали бегать по нужде на улицу — сенную подстилку на полу требовалось менять постоянно. Те, кто еще имел силы, корячились неподалеку с задранными рубахами. Конные могли не заметить их и затоптать.

— А ну вон пошли! — прокричал в темноту. — Сейчас охрану разбужу!

Не отвечали и не прерывали хода — гарцевали неспешно, то вплотную приближаясь к эшелону и заглядывая в окна, то отдаляясь на пару шагов. Копыта били о землю резво, кони были сытые и ходкие: не крестьян и не степняков кони — военных людей. Или бандитов.

— Если что, так у меня целый взвод по вагонам дрыхнет!

В пассажирских и в лазарете горел керосиновый свет — гости без труда могли видеть население поезда: не взвод и даже не полвзвода, а одну только притихшую от близкой болезни ребятню под защитой дюжины старых женщин.

— Имеют наганы, штыки и пулемет Льюиса! А еще шашек динамитных два ящика!

Отсветы вагонных огней падали на "бегунков", что скрючились на улице с оголенными задами, — те не могли прерваться даже при появлении нежданных гостей и сейчас елозили по земле, подползая ближе к вагонам, чтобы укрыться под их защитой.

Крупы коней и профили всадников тоже мелькали в отсветах, но очень быстро, толком не разглядишь. Кажется, бороды и кители, сабли и сапоги. Кажется, киргизские стеганые халаты. Сборная солянка из пестрого люда разной масти. Ох, прав был инспектор в Оренбурге! Нужно было с охраной выезжать.

— Так и передайте вашему атаману!

Наездники проносились мимо, один за другим, словно нарочно подскакивая ближе к Дееву и обдавая его горячим конским дыханием.

— Пусть только нос покажет — его самого спеленаем и на дрезине в Оренбург отправим, там уже заждались!

Кто-то из всадников не выдержал — захохотал басом, и под этот громкий хохот кавалькада прервала кружение и, сбившись плотнее, утекла в ночь…

— Уйти сейчас же, — предложил Деев. — Раскочегариться и дать дёру, пусть ищут нас потом по степи.

— Нет, — отрезал фельдшер. — Если запрем больных в лазарете — зальем его дерьмом по самые окна. От такой концентрации бактерий все тут поляжем, до единого. И потому пока хоть один больной на своих двоих до ветру бегать может, с места не тронемся.

— Они не дураки, — подала голос Белая. — Бандиты, но не дураки. Своими глазами видели, какие у нас тут дела творятся, и второй раз к нам не сунутся.

Права была комиссар: холера остановила движение эшелона, но холера же станет и их оборонной крепостью.

Второй раз не сунутся, твердил про себя Деев, когда они рвали степную траву. Ковыль, душица, зверобой — стебли были жесткие, как из проволоки, ладони кровили и пахли горечью. Охапки сена несли к лазарету, Мемеля выносил оттуда изгаженные — не в руках, а на длинной деревянной рогатине; оттаскивал подальше и сбрасывал в байрак.

Не сунутся — когда этой же травой набивали мешки и теми мешками накрывали больных: некоторым поплохело, их бил озноб.

Не сунутся — когда носили в лазарет кипяток для выпаивания страдающих: носили не через вагоны, которые ныли на все голоса "пи-и-и-и-ить!", а по улице, прикрыв крышкой дымящиеся ведра.

Не сунутся — когда к рассвету холерных стало уже так много, что решили отдать под них целый пассажирский, уплотнив здоровые вагоны.

Не сунутся...

А бандиты — сунулись.

Едва вылупилось над рыжеющей поутру степью желтое солнце, нарисовался из утренней дымки верблюд — огромный и тоже желтый, с вывернутыми губами и обильными войлочными лохмами по всему телу. Верхом сидел человек в шинельке и лихо заломленной набок папахе, позади маячила припряженная арба. Всадник ехал один, привычно раскачиваясь от широкого верблюжьего шага, в вытянутых руках держал только поводья. Издали по расслабленной посадке его можно было принять за степняка-кочевника, но вблизи стали видны светлые глаза и русые волосы — это был казак.

На поясе — шашка в ножнах. За поясом — коротенькое огневое ружьецо, лет которому было явно больше, чем хозяину (такие стволы презрительно именовали пистолями, а встречались они главным образом в Туркестане, куда свозили ненужную оружейную рухлядь страны Антанты).

— Атаман Яблочник желает вам здравствовать! — прокричал, оказавшись у эшелона. — И просит об одолжении.

— А я желаю атаману Яблочнику скорее сдохнуть, — ответил Деев, не повышая голоса и не заботясь о том, слышны ли его слова собеседнику. — И ничего ему одалживать не собираюсь.

Он стоял на вагонной площадке (вышли туда с Бугом, из окна завидев утреннего гостя), но спускаться на землю и тем более вести длинные беседы не собирался: лазарет был полон ослабшими и дрожащими от озноба детьми, которых нужно было поить, а за неимением воды хотя бы успокаивать.

— Просьба-то невеликая, — продолжал гость, подводя верблюда вплотную к больничному вагону. — Исполнить ее не составит труда. — Упряжь у животного была мудреная, на восточный лад, в загогулинах из металла и бляшках цветного стекла. — Атаман хочет помолиться вместе с соратниками в походной церкви.

— А я хочу, чтоб ты убрался вон! — Деев смотрел на губастую верблюжью морду, словно к ней и обращался. — Это не церковь, а лазарет. А правильнее — холерный барак.

— Атаман знает, — кивнул гонец. — И потому прислал бочку белильной извести для дезинфекции всех вагонов и паровоза.

Деев и моргнуть не успел — фельдшер ухнул с площадки на землю, едва не промахиваясь мимо ступеней, и грузно затрусил к арбе, на которой и вправду лежал какой-то бочонок. Сковырнул с емкости крышку — и поднял на Деева странное лицо, перекошенное от резкого запаха и острой радости.

— И еще пришлет, — ухмыльнулся казак. — Чего закажете и сколько закажете.

— Мы согласны, — быстро ответил Буг за начальника. — Заказываем еще соли и мыла. Много мыла, очень много, сколько есть! — Впервые Деев наблюдал деда таким торопливым. — И воды, тоже много! Сколько сможете привезти.

Казак мотнул головой: принято.

Верилось в обещание с трудом (уж кому как не Дееву знать, что с мылом нынче беда!). Но и бочонок извести был немалым чудом — а вот же, свалился едва не с неба, получите! Нетерпеливый Буг уже и тащил его в лазарет, обхватив руками и прижав к груди, как дорогого человека.

— Что же вам, в Оренбуржье храмов не хватает? — огрызнулся Деев, уже в пустой след. — Мало построили при царе?

— Еще бы уксуса бочку, — спохватился Буг на ходу. — Две бочки.

Суровый обычно взгляд фельдшера стал почти мученическим: очевидно, дед перебирал в уме все, что хотел бы испросить у внезапно улыбнувшейся фортуны, и выбор этот причинял боль.

— Построили-то вдосталь, да поразрушили в последние годы. — Казак продолжал скалиться, откровенно развлекаясь смятением фельдшера. — А в такой вот путевой церкви на колесах атаман в пятнадцатом году молился, когда на германский фронт ехал. Потому для него это не просто походный храм, а память.

— А холеру на память из храма прихватить не боится твой атаман?

— Верует, — посерьезнел вмиг казак. — Потому не боится. Мы все — веруем и не боимся.

И посмотрел на Деева, словно ружьем в него целясь.

— Еще бы дров или угля, — не успокаивался фельдшер. — Воды будем кипятить много, а без топлива…

— Прекратить торг! — Деев рявкнул так, что бесстрастный до того верблюд задергал башкой, зазвякал висюльками на сбруе. — В лазарете много больных. Неймется твоему атаману — пусть присоседится и пошепчет молитовку рядом, но тихо и не мешая. Гнать не будем.

И снова осклабился казак: мол, другого ответа и не ждал. Загорелая физиономия его легко переходила от суровости к усмешке и обратно. Эх, за эту вот ухмылку свысока сдернуть бы тебя за ногу с верблюжьего горба — да лицом в землю, в холерную грязь!

— Всё, что наобещали, привезете вперед, — заключил Деев.

Выкуси, рожа.

— Уже привезли, — казачья улыбка стала еще шире. — Соли два мешка. Остальное — после.

Фельдшер только было водрузил бочонок с известью на вагонную площадку, к деевским ногам, но, заслышав про соль, вновь развернулся к гостю. Тот лыбился одобрительно и едва не смеялся в голос: ну же, дед!

Буг кинулся обратно к арбе. Там и в самом деле лежали два небольших туго набитых мешка. Развязал, ткнул щепотью в оба, кинул на язык: соль!

Казак вздернул брови и сморщил нос, но сдержался, не захохотал.

— А если б я не дал согласие? — с ненавистью спросил Деев.

— Так ты ж дал!

— Что же, силой бы лазарет отобрали, а детей вышвырнули?

Ухмылка гостя тотчас обернулась оскалом. Не спешиваясь и не глядя более на собеседников, казак молча высвободил из упряжи концы оглоблей и сбросил на землю, затем развернул верблюда и направил прочь. Верблюжий ход был мягок, и скоро перебора копыт и звяканья сбруи не стало слышно, одна только желтая пыль повисла стеной. Арба осталась рядом с дедом.

— Я ж с ними воевал, с казаками этими, — сказал Деев. — А теперь вот продался. За мыло.

Кроме мешков с солью, лежал на арбе еще и тюк из старого военного одеяла. Буг сунул руку внутрь и вытащил горсть чего-то мелкого, яркого — конфеты в обертках. В объемистом тюке — фунтов пятьдесят, не меньше.

— Карамель, — не поверил глазам фельдшер. — Леденцовая.

— Терпеть не могу сладкое, — сплюнул Деев. — С души воротит.

"Я" блочных" оказалось немного, всего-то пара дюжин. Сперва Деев решил, что это лишь часть отряда, но позже понял: все тут собрались, соколики. Бородатые до самых глаз и сумрачные — определить их возраст казалось затруднительным. Но были среди густых бород и обильно седые, и по-юному пышные. На головах — папахи полысевшие, ушанки из войлока, киргизские тюрбаны. На плечах — шинели, бешметы и драные халаты. Тот еще сброд.

Все — конные. Сидели в седлах вольготно: не торчали из стремян, как новички-кавалеристы, а словно вырастали из лошадиных крупов и обтекали их — ногами, руками, всеми своими гибкими телами, — отзываясь на каждый конский шаг и одновременно направляя его. Эти наездничать научились раньше, чем ходить: казаки, все до единого. Вернее, белоказаки. А еще вернее — бандиты.

Стоя на вагонной площадке, Деев наблюдал прибытие банды. По привычке считал и оружие противника — винтовки за спинами, кинжалы и сабли, наганы в кобуре, — но было оружия такое количество, что учет не имел смысла. А уж в крытой шкурами кибитке, которую притащил знакомый верблюд, и вовсе могло скрываться что угодно: хоть гаубица, а хоть бы и целый бомбомет.

Лучше бы Дееву не встречать гостей и в лазарете на время молитвы не быть, уж слишком стал в последнее время гневлив. Но иначе-то — как? "Если начну орать и оружием размахивать — схватишь меня в охапку и оттащишь в степь, — приказал заранее фельдшеру. — Револьвер отберешь. Буду сопротивляться — бей крепче, разрешаю". Тот пообещал.

Еще издалека, завидев походный храм, всадники осенили себя крестами. Теперь же, подъехав ближе и спешившись, крестились опять, уже многократно и с поклонами (Дееву у вагонной двери стало неловко — будто ему самому поклоны били). Коней не привязывали, не треножили, просто закинули поводья на шеи, и те послушно отошли в сторону — пастись.

Который же атаман Яблочник? Деев решил было, что этот — высоченный мужичище в чекмене и сапогах, — но тот оказался священником: достал из приторочённого к седлу мешка пыльную рясу и накинул прямо поверх чекменя. Еще достал два креста — один на шею, второй в руку — и бренчащий сверток, очевидно, с церковной утварью.

Остальные уже суетились: утирали пыль рукавами с лиц и сбивали со штанов. Снимали шапки, пятернями расчесывали волосы.

Что же они, всей гурьбой богомольничать собрались?

— Уксус, — коротко сообщили, выставляя из кибитки на землю несколько объемистых бутылей толстого стекла, в каких обычно хранят самогон.

Жидкость внутри плескалась прозрачная, слезой — могла и правда оказаться уксусом. А могла и — простой водой.

Бежать к подарку и совать в него нетерпеливо нос, как фельдшер поутру, Деев не стал.

— Мыло где? — спросил сурово.

— После, — так же сурово ответили.

И направились в храм. Первым шагал поп, остальные следом. Поднимались по вагонным ступеням — взлетали легко, как юноши, — и останавливались на мгновение перед входом, налагали на себя крест, затем ныряли в раскрытую дверь. Деева не замечали — текли мимо, задевая его плечами и локтями, но не взглядами. Словно к себе домой заявились, наглецы. Лишь один посмотрел на Деева, спросил: "Казачата в эшелоне есть?" — "Иди поищи!" — огрызнулся тот.

Лица — жесткие, как подошва, познавшие и жаркое степное солнце, и смертельное солнце пустыни. Усы и брови — тяжелые от пыли. Глаза — светлые от ожидания.

Минута — и все уже внутри, никого не осталось у поезда. Только поскрипывает на ветру кибитка да пыхтят по обочине пара "бегунков", у кого после бессонной ночи еще хватает сил скакать на своих двоих. Проглядел Деев атамана или не было его среди прибывших?

Вошел в лазарет, а вернее, протиснулся в дверь, что уже еле открывалась, так плотно подпирали ее изнутри могучие мужские спины.

Пространство бывшей церкви, густо застроенное нарами в три этажа, едва ли могло вместить эдакую толпу — но вместило: мужчины рассредоточились меж лавок и по узкому проходу, не оставив и пяди свободной. Все тянули шеи вперед — к бывшему алтарю, который еще в Казани был наполовину раскурочен плотниками, а наполовину остался цел, так как узоры и фрески покрывали заднюю стенку вагона. Занавесь, обычно прятавшая алтарные остатки, а заодно и фельдшерский топчан, была отдернута: худой волоокий бог смотрел на собрание, подняв персты, и Богородица с младенцем смотрели (сковырнуть оклады икон удалось, а соскрести росписи — нет, пошкрябали немного ножами да так и оставили оцарапанными).

Подле икон бренчал причиндалами поп и белела пронзительно бурка на чьих-то широких плечах. Над плечами высилась крупная голова в седых кудрях, а вокруг было просторно — казаки теснились позади и приблизиться к бурке вплотную не смели. Атаман?

Точно знал Деев: не проходила мимо такая бурка и голова седокудрая не проплывала — а вот же, пожалуйста, стоит Яблочник в храме в самом первом ряду. А полковой священник уже раздает свечи для грядущей молитвы, уже машет по-хозяйски кадилом во все стороны, наполняя вагон сладким духом ладана. Казаки передают свечи друг другу, и кто-то, по ошибке или с умыслом, протягивает одну Дееву.

— Себе оставь. — Чуть не толкнув плечом дающего, Деев ввинчивается в толпу и пробирается в глубь вагона: молитва молитвой, а холеру в лазарете никто не отменял, и Деев будет делать сейчас то, что и всю предыдущую ночь, — ухаживать за больными. И фельдшер будет, и комиссар, и сестры — им поклоны бить некогда и грехи отмаливать не надобно.

Бормоча и подвывая, священник долго топчется у алтаря и машет кропилом поверх голов — разбрасывает влагу щедро, стремясь достать до самых дальних углов помещения. Несколько капель падают на лицо Дееву — приходится отирать рукавом лоб насухо. И лица детей вытирать, и лавки, которые вблизи. Кончится этот театр — и хоть известью всё отмывай!

И вот — зажигаются свечи. Запах талого воска мешается со сладостью ладана. С ароматом травы, какой присыпаны половицы под лавками. С запахом мужских тел и крепкого мужского дыхания. Душно, аж глаза ест. Зато тепло.

Тепло — это хорошо. Холерным нужно тепло. Холера вымывает из организма силы и холодит конечности так, что больные беспрестанно мерзнут. Может, от свечного жара и дыхания множества ртов — согреются?

— Укрой меня, — просит с одной лавки мешок с травой.

Под мешком лежит кто-то мелкий, едва заметный, подрагивая от озноба: Ченгиз Мамо́.

— Укрой меня, Деев, укрой!

Деев садится рядом, упираясь коленями в чьи-то ноги. Плотнее укутывает мальчика в мешок, подтыкает края. Лучше ли так? Отдал бы Ченгизу свой бушлат — но тот уже давно согревает кого-то из девочек.

На мешок опускается что-то большое, войлочное. Шаль? Потрепанный башлык — кто-то из казаков снял и отдал мерзнущему ребенку. В иное время Деев швырнул бы подачку обратно, а сейчас — берет. Жмет зубы — а берет. Заворачивает Ченгиза в мягкий войлок — теперь-то уж лучше? — и поднимает глаза, чтобы распознать хозяина вещи. Но мужчин вокруг много, все глядят безотрывно на алтарь, где токует-разливается молитвами поп, — уже и не поймешь, кто даритель.

Благословенно ца-а-арство-о-о-о-о! — восклицает поп зычно. Рты казаков раскрываются внезапно — разом, как один-единственный рот, — и выдыхают музыку: *А-а-а-ами-и-и-инь!*

И снова трещит-бубнит священник, и снова казаки отзываются пением: *Господи поми-и-илу-уй!* Басы не успевают закончить фразу, а уже подхватывают высокие голоса — и повторяют ее, переливают по нотам: *Господи поми-и-и-и-лу-у-у-уй!*

Деев аж подскакивает, озирается. Но теснота такая, что едва шевельнешься, а самые главные зачинщики — черный поп и белый атаман — далеко впереди, еле видны. Со всех сторон — раскрытые губы, мощные голоса, — и в третий раз звучит: *Господи поми-и-и-и-и-и-илу-у-у-у-у-уй!*

— Что же это за молитва такая? — произносит в толпу.

Казаки не слышат его — или не хотят слышать? Одна только Белая отзывается (она у соседней лавки, выпаивает из кружки Нонку Бовари).

— Это не молитва, а целая обедня, — говорит спокойно. — Божественная литургия.

Пение обрывается резко и повисает в воздухе последней звенящей нотой. Уже успевший нацепить золотое облачение поп целует евангелие, разложенное на престоле (ранее — хирургическом столе; а еще ранее — обыкновенном столе в рюмочной), и снова начинает читать: малопонятные церковные словеса басом, то грозно возвышая голос, то смиряя.

— И надолго она, эта литургия?

— Еще только началась.

Поп все читает и читает. А казаки в промежутках — поют и поют.

Благослови-и-и-и Господа, душа-а-а-а моя-а-а-а,
И все, что во мне, имя свято-о-о-о-ое его-о-о-о-о-о…

Голоса такие сильные, что кажется, узкий вагончик разорвет сейчас на куски и разметает по степи.

От этого могучего пения язычки свечей в казацких кулаках то и дело вздрагивают, раскачивая лежащие на стенах тени. День за окнами стоит пасмурный, и потому свечные отсветы в вагоне — ярче: бегут по угрюмым лицам, по остаткам золотых росписей, превращая воздух в густое дрожащее марево. У некоторых под татарскими халатами взблескивают георгиевские кресты на пестрых лентах.

Восхвалю-у-у-у Господа, доколе живу-у-у-у-у,
Буду петь пред Богом моим, поку-у-у-уда е-е-е-е-есмь…

Арамис Помоечник поднимается кое-как с лавки и, ухватившись за низ живота, втыкается головой в толпу — хочет наружу. Не прерывая пения, мужчины расступаются мгновенно, как солдаты на учениях, образуя узенький коридор, по которому мальчишка шлепает к выходу. А сами — всё поют…

Повернувшись лицом к пастве, поп размашисто крестится, и в его расшитых позументом нарукавниках Деев замечает незаплатанную дырку с рваными краями. Неужели от пули?

Всё у них так, у бандитов! Кажется — поп, а приглядишься — головорез с наганом под рясой. Кажется — крепкие уральские мужики (одни только богатырские бороды чего стоят!), а приглядишься — разбойники с гнилыми сердцами. Кажется — помолиться просились, а пришли — и целую оргию заварили. Не остановишь их теперь, не выставишь. Остается терпеть.

Лицо намокает — не то от свечного жара, не то от скрываемой ярости. Рубаха липнет к спине.

— Холодно, — бормочет рядом Голодный Гувер. — Что ли, зима уже?

— Нет никакой зимы. — Деев гладит горячими руками холодное детское лицо и холодные пальцы — но не поделишься теплом, не перельёшь из ладони в ладонь.

Священник бубнит беспрестанно, а казаки вставляют частое *"Господи, помилуй!"* Терпи, твердит себе Деев. Ради мыла и уксуса — терпи! И вдруг — да что же это?! — в мужское многоголосье врезается чистый женский голос. *Господи, помилуй, Господи, помилуй, Господи, поми-и-и-и-илу-у-у-уй!*

Кто? Откуда?

Одна из сестёр, бывшая попадья, оставила обязанности и стоит в толпе молящихся. Уже и свечку ей кто-то подал, уже и невесть откуда взявшийся платок на голову накинула. Лица изменщицы Дееву не видать, лишь только затылок и плечи, но и по этим гордо расправленным плечам видно: решила стоять до самого конца.

— Не сметь! — Деев бросается к женщине, но чья-то тяжелая рука ложится на плечо: дед.

— Пусть, — говорит Буг одними губами. — Помоги-ка лучше, внучек.

Протискиваясь меж потных казачьих тел, дед увлекает Деева за собой — из отсека в отсек, от одного конца лазарета и до другого: пора переворачивать больных. Многие дети ослабли так, что сами повернуться уже не умеют; их приходится укладывать на бок, чтобы не захлебнулись, если горлом пойдёт вода, а время от времени переворачивать на другую сторону во избежание пролежней.

Блаженны нищие духом, ибо их есть царствие небесное...

Кожа у всех — прохладная, словно не в жарком вагоне лежат, а на холодном ветру. У кого-то — голубая и морщинистая, как рыбье брюхо.

Блаженны плачущие, ибо они утешатся...

Кто-то, вялый от продрома, будто спит с открытыми глазами, а кто-то уже и глаз разлепить не хочет от усталости.

Холера быстра на расправу: изматывает больного в несколько часов, погубить может за пару дней, а то и за сутки.

Блаженны кроткие, ибо они наследуют землю…

Деев со страхом ищет голубизну на бледных детских телах, но в дрожащей свечной полутьме цвет кожи не разглядеть.

Блаженны алчущие и жаждущие правды, ибо они насытятся…

Кто-то раскрывает рот, как птенец: пить! Белая с сестрой-портнихой беспрестанно ходят по отсекам, поднося кружку с водой к жадным губам, но холерная жажда неутолима.

Блаженны милостивые, ибо они помилованы будут…

Носики острые, карандашами.

Блаженны чистые сердцем, ибо они бога узрят…

Дышат слабо и часто.

Блаженны миротворцы, ибо они будут наречены сынами божиими…

Некоторые бормочут что-то, но голоса уже — осипшие, как у стариков.

Блаженны изгнанные за правду, ибо их есть царствие небесное…

У всех на лицах — страдание.

Блаженны вы, когда будут поносить вас, и гнать, и всячески неправедно злословить…

— Кто это поет? — шепчет Карачун, когда Деев наклоняется к нему поправить одеяло из набитого травой мешка. — Ангелы?

— Нет, — отвечает Деев. — Не ангелы. Вовсе даже не ангелы.

Раскрыв писание, священник читает из книги. Густой поповский голос произносит тексты ясно и громко, однако вникнуть в смыслы Деев не умеет, уж слишком заковырист евангельский язык. Разбирает лишь отдельные слова — про совершаемую казнь, про распятых разбойников и как поили кого-то вином с желчью и уксусом. Казаки же внимают — еле дышат, будто понимая всё до последнего. На глазах у многих блестят слезы.

Дети же умирают, думает Деев. Вот они, рядом, только руку протяни. А эти — про чужую смерть слушают и слезы над ней льют. Это — как?

Отчитав евангелие, священник принимается возносить молитвы о страждущих — в длинном списке Деев улавливает и упоминание о болящих в эшелоне детях. А Гаяна Коммунара как раз в это время берет икота — долгая, мучительная; и все моления перемежаются его иканием напополам с плачем.

Одно пение сменяет другое. Литургия длится и длится.

Мемеля то и дело появляется в вагоне: проталкивается через поющую толпу и меняет траву под лавками на свежую.

Аллилуйя! — грозно взывают мужские голоса.

Аллилуйя! — тонко отзывается сестра-попадья.

Нестерпимо хочется грянуть "Интернационал". На худой конец просто крикнуть во всю глотку — и прервать голосящих. Еще одна такая невыносимая минута — и Деев крикнет, крикнет непременно… Но Соня Цинга выпрастывает из-под тряпья руку и протягивает вверх — не тянется к чему-то, а просто водит ладонью по воздуху в забытьи, — и стоящий рядом казак берет эту невесомую ладошку, сжимает ободряюще своей ручищей, даже не опуская на девочку глаз и не прекращая молитву. И Деев почему-то — не кричит.

Когда рты начинают петь "Отче наш", вместе с остальными поет и Буг.

Дед, и ты тоже с ними? — не верит Деев. — Да я ж тебя ударю сейчас!

Фельдшер сидит у лавки, на которой колотится в ознобе Овечий Орех, — крепко, но бережно прижимает мальчика к нарам, а сам раскрывает губы в такт молитвенным словам. Начальнику не отвечает.

Наконец пения-причитания заканчиваются. Приподняв над головой и всем показав большую и тяжелую на вид чашу, священник приглашает паству к причастию.

Толпа приходит в движение: люди проходят меж нар, образуя медленное течение к алтарю и обратно, — по одному, начиная с атамана в белой бурке и до самого последнего казака, приближаются к чаше и выпивают из нее по глотку, а после целуют чашу. Среди целовальников — и сестра-изменщица.

— Ссажу с эшелона, — вслух думает Деев. — На первом же полустанке ссажу.

— Не страдайте, уже мало осталось, — отзывается Белая неподалеку.

— Ты что же, знаешь тут про все?

— Я вам эти псалмы-антифоны наизусть потом спою, вместо колыбельной.

— Братцы, родные мои, подойдите поближе, — произносит поп внезапно на простом и понятном русском языке.

Кончилась обедня, понимает Деев. Дождался-таки, вытерпел. Отмучился.

— Мы совершили нынче не обычную молитву — потому что при свидетелях и потому что прощаясь. — Казаки плотно сомкнули ряды, почти сблизив лохматые головы, да и говорит священник тихо, но голос его столь басовит и мощен, что слышен по-прежнему во всем вагоне. — Скоро мы разойдемся в разные стороны и вряд ли уже увидимся на этом свете.

— Мамочка! — пронзительно кричит Овечий Орех. — Мамочка моя!

Деев бросается к Ореху — того по-прежнему придерживает Буг, но тело мальчика разметалось по лавке широко, и фельдшеровых рук уже недостаточно. Деев падает на колени у лавки и помогает деду.

— Вы слышали слово Божие, — доносится от алтаря. — Слышали, как страдал наш Господь, умирая на кресте, — когда все его ученики разбежались, когда распятые рядом другие разбойники посылали ему проклятия, а первосвя-

щенники глумились и издевались. Им важно было не просто убить Христа, а чтобы смерть эта случилась на глазах
у всех и стала бы знаком проклятия, ибо Бог не захотел сохранить жизнь своего сына и посланника. Смерть Христа
была задумана и претворена не только для Христа, но и для
свидетелей.

Тощее мальчишечье тело изгибается скобкой, из горла
фонтаном брызжет вода, глаза закрыты. Деев грудью ложится на колени больного — иначе не удержать: Орех так
сильно дергает конечностями, что едва не сбрасывает
с себя взрослого.

— Чтобы не только погиб Он, — продолжает священник, — а чтобы погиб в ореоле проклятья и чтобы все от-
вернулись от него и стерли из памяти. Это удалось. Умирая,
Сын Божий из последних сил кричал последние свои слова: "Боже мой, Боже мой, почто ты меня оставил?" Не было Ему ответа. Он умирал на кресте и видел, как разрушено
дело его жизни, а зло торжествует. И свидетели видели.

— Свяжи ему ноги, — командует фельдшер.

Деев хватает башлык, что согревал мальчика, — и откуда только взялся? тоже казаки подарили? — и опутывает
им Ореховы бедра и голени. А ноги-то мальчишечьи —
твердые, будто каменные. Не дергается больше Орех и не
шевелится даже, лежит бревном. Отпустило?

— Посмотрим же вокруг. Что происходит с нашей землей? Каждый в этом кругу сделал все, чтобы не допустить
торжества зла в России. А оно не только превозмогло нас —
оно смеется над нами, кусает нас и терзает. Вот и здесь,
в храме, мы видим детей, больных от страшной болезни.
Смотрим на них и понимаем: не только Христос распят —
народ наш распят. Дети наши распяты. Не со всех из нас
течет кровь, но кровоточат сердце и душа. Мы страдаем.
А зло протягивает нам вино, смешанное с желчью, — для
утоления жажды. Протягивает нам губку, напитанную уксу-

сом. Выпьем же вина с желчью и выпьем уксуса. Горше уже не станет. Вся Россия христианская питается нынче желчью и уксусом.

— Давай-ка привяжем его к нарам, — говорит Буг. — Холерная лихорадка может вернуться.

— Что же нам остается, — вопрошает проникновенный священников бас, — в дни, когда надежды и чаяния иссохли, а борьба всей нашей жизни оборачивается напрасной? — И сам же себе отвечает: — Остается одно: быть верными Господу, самим себе и друг другу.

Гужевыми веревками, что служили крепёжными ремнями на всех лазаретных койках, Деев с дедом прикручивают Ореха к дощатому ложу. Веревка толстая, едва не толще Ореховых запястий.

— В былые времена мы бед не знали. Мы в храмы ходили по праздникам, да и сама молитва была нам — праздник. Сейчас другое время. Мы не только предстоим распятому Христу — мы стали его продолжением. Теперь Его распятие проступает в каждом из нас — теперь Он с нами и в нас, теперь мы с Ним и в Нем. Его дыхание становится нашим дыханием и нашей молитвой.

А дышит ли Орех? Деев наклоняется к мальчишескому лицу — дышит, кажется.

— Да, мы не смогли и не можем уже остановить зло, разливающееся по нашей земле. Но мы можем упереться в малом — не позволить злу овладеть нами изнутри, овладеть нашими сердцами. Этого не случилось со Христом. Пусть же не случится это и с каждым из нас.

Деев отчетливо понимает, что достанет сейчас револьвер и выстрелит в воздух — разрядит барабан в потолок, до последнего патрона. Сцепив перед собой ладони в замок, он поднимается с лавки Ореха и торопливо проталкивается к выходу.

— А дети, которые здесь, рядом с нами, лежат, страдают и мучаются, — они и есть свидетели нашей молитвы.

Пусть будут и свидетелями нашего дальнейшего служения Христу.

Казачьи тела сгрудились плотно — не протиснешься, но Деев работает плечами, работает локтями. Вон из вагона! Скорее!

— Пусть невинные детские взоры сопровождают нас в грядущих скитаниях и борениях. Пусть видят они, что значит жить по-христиански и по-христиански умирать. Что значит нести Россию в сердце и служить ей, даже будучи от нее вдали. Тогда и жизнь наша, и смерть наша не будут бездарны.

Деев уже достиг дверей, но отчего-то не выходит, а останавливается и слушает до конца.

— Бог живет — в нас. Россия живет — в нас. — Заканчивая речь, священник поднимает кисти, рукава его черной рясы колышутся, и сам он делается похож на большую черную птицу. — И свидетели этих слов отныне — с нами, до самого конца.

— Свечки де́ржите, — произносит Деев неожиданно для себя — громко, словно отвечая попу через весь лазарет. — И поете душевно как. А машинистам руки-то — прострелили!

— Отче, благослови! — вступает кто-то из казаков, перебивая дерзкий выпад. Поп целует крест в своей руке, а после поворачивается к пастве и выставляет его для общего лобзания — и вновь тянутся казаки к алтарю, приложиться к распятию.

— И рыбы соленой спалили целый вагон! — Деев кричит уже во весь голос. — Тысячу человек бы накормить этой рыбой. А вы — спалили! Христос ваш рыбу не сжигал, а голодным раздавал. Забыли про то? — Расталкивая толпу, Деев тоже бросается к алтарю, чтобы швырнуть упреки в лицо самым главным — черному попу и белому атаману.

Добраться не успевает: чьи-то могучие руки обхватывают его сзади и чуть не приподымают над полом. Пусти, дед!

Пальцы щупают карман — пусто. Что ли, ты и револьвер вытащить успел? Ах ты изменщик! Все сегодня — изменщики! Все — против меня!

— В Тамар-Уткуле сельсовет сожгли, вместе с председателем! В Дивнополье у коммунистов уши отрезали. Богомольцы! — орет Деев, а фельдшер спешно тащит начальника вон из вагона.

Уже стаскивает по ступеням. Уже оттягивает подальше от поезда, распугивая присевших в траве "бегунков".

— Думаете, купили себе молитву в бывшей церкви за пару фунтов мыла и бочонок извести — и отмо́литесь? — надрывается Деев издали, не в силах вырваться из медвежьих объятий деда. — Да только я-то знаю, что в Буранном вы этой же самой известью председателя колхоза присыпали — живого! — пока от него одно лишь мокрое место и осталось. И еще много чего узнал, пока в Оренбурге мост чинили, вами же и взорванный! Иезуиты! Крокодилы! Такое не отмолить и мылом не отмыть!

Уже и казаки высыпают на улицу после обедни и толпятся у лазарета, собираясь в путь.

— Мало вас расказачивали, сукины дети! На Кубани, на Дону, на Тереке! В Астрахани расказачивали, на Урале, за Байкалом! А вы все еще тут, все еще ползаете, все еще вредите советскому народу!

Прощаясь друг с другом, казаки целуются в губы: каждый каждого — трижды.

И сестра целует каждого — в лоб, по-матерински. И ее целует каждый — в руку, с сыновьим почтением.

— Правильно вы разъезжаться собрались. Вон пошли из России! Чтобы ноги вашей на родине больше не было! Не нужны вы здесь! Лишние! Вон пошли! Вон!

Кони сами приходят к хозяевам, по первому же зову. Казаки вскакивают в седла и растекаются по степи, по двое и по трое, — степь то тут то там взрывается вихрями рыжей пыли. Бурые тучи клубятся со всех сторон, будто эшелон оказался в центре пыльного урагана, и со всех же сторон доносится удаляющийся топот. Мелькает желтая верблюжья шерсть — двое казаков уезжают на верблюде, оставляя покрытую шкурами кибитку у "гирлянды".

— А где обещанное? — орет Деев им вслед. — Дрова где? Вода где? Мыло, за которое мы весь этот цирк терпели?

Бывшая попадья с застывшим лицом шагает прочь от эшелона — в степь. Останавливается в отдалении, наполовину скрытая пыльными облаками. Стоит и крестит эту пыль, поворачиваясь то на север, то на восток, то на юг, а то на запад.

Наконец Буг разжимает лапы — отпускает Деева.

Потирая помятые бока и плечи, Деев бросается к лазарету — никого из гостей там уже не осталось, одни только больные по лавкам лежат да висит в воздухе тяжелый свечной дух. У многих поверх одеял — казачьи шинели и бешметы, шарфы. Атаман в белой бурке у вагона не появлялся, с людьми своими не прощался, а тоже исчез — столь же таинственно, как и появился.

— Вот наши дрова. — Белая кивает на кибитку у вагона. — А воды на следующем полустанке — целая напорная башня. Все вещи в кибитке — подарок детям от казаков. Так они сказали.

— А мыло? — уже все понимая, переспрашивает Деев.

Белая жмет плечами: про то ничего не сказали.

Ощутив на себе чей-то взгляд, Деев оборачивается — со стены лазарета внимательно смотрят на него оцарапанный Христос и стертая наполовину Богородица. Деев идет к алтарю и с ненавистью задергивает занавеску.

Вкибитке оказалось много разного — и толкового,
и совершеннейшей ерунды.

Были ковры — шелковые, дорогие; эти сразу определили в штабной, для покрывания холодного пола, чтобы
малышне теплее было ползать.

Была посуда: серебряный самовар, фаянсовые тарелки
со штампом императорского завода, бокалы для шампанского в деревянной коробке под лаком. Девать посудный
хлам было некуда, поместили к Мемеле на склад (может,
на обмен пригодится?).

Были напольные часы на ходу (установить их никуда
так и не решились, потому как били громко и будили бы
пассажиров по ночам; отправили ненужную вещь также
к Мемеле). Набор елочных игрушек — балерины и ангелы
из ваты, всех возможных мастей (крылья ангелам срезали
и после раздали очищенные от религиозности фигурки
младшим детям). И даже картина в раме имелась: изобра-
жала неказистый лесной пейзаж. Подписанное в уголке
имя художника было вполне крестьянское, Иван Шишкин,
и Деев распорядился повесить холст в вагон к девчонкам —
хоть и простенькое, а украшение.

Были в кибитке и книги — напечатанные по-русски, но
с иноземными названиями, какие и разобрать-то не каждый сумеет: "Капитан Немо", "Тысяча лье под водой", "Граф
Монте-Кристо". Библиотекарша впилась в эти томики, как
голодный в мясо, аж задохнулась от волнения. Сказала, теперь будет читать ребятам вслух сутки напролет — и дорога станет короче. Деев только вздохнул: эх, если бы книж-
жонки могли приблизить Туркестан!

Покрывающие кибитку овечьи и козлиные шкуры отдали в лазарет: холерных непрестанно знобило, и десяток
меховых одеял пришелся кстати. Ни еды, ни тем более

мыла в дареной повозке не было. Уксус в бутылях оказался настоящим.

Очевидно, были подаренные предметы имуществом самого атамана: выросшие в степи казаки вряд ли ели с фарфора — уж скорее прямо из котла; вряд ли определяли время по часам — уж скорее, по солнцу; да и елочными игрушками на Рождество вряд ли баловались. Но вот то, что глава банды раздаривал дорогие его сердцу личные вещи, могло означать одно: начало новой жизни. То ли в России, то ли за ее пределами.

Кибитку и арбу Деев порубил на дрова — порубил с наслаждением, разбивая стены, днище и колеса на мелкие полешки. Порубил бы еще мельче, да пора было в дорогу: воды в поезде не осталось вовсе, а до ближайшего полустанка с обещанной напорной башней, по расчетам, была всего-то пара часов ходу.

После полудня выдвинулись. Решили растопить паровик до предела и домчать на полном ходу, а после никуда уже не двигаться — провести на полустанке ночь, а то и несколько: в эшелоне объявлялись все новые "бегунки", и лучше бы "гирлянде" постоять на месте.

Все вагоны к тому времени продраили известью так, что половицы и стены в них стали белыми, а воздух внутри — едким до слез: глаза у многих покраснели, носы набухли и перестали дышать. Пришлось выгнать пассажиров на крыши, а двери вагонные распахнуть настежь, запуская ветер; больных — временно вынести в тендер, уложить на дрова и прикрыть шкурами. Так и покатила по степи "гирлянда", полая внутри и густо усыпанная ребятней поверху. Благо к тому времени разогрелось: ночи в краю были уже холодные, а дни все еще по-летнему теплые.

Истосковавшиеся по вольному воздуху дети разбуянились нешуточно: горланили песни одна другой скабрезнее, орали в небо, улюлюкали каждому встречному беркуту в вышине и каждому замеченному тушкану в степи.

— Резвись-живи, сударики косопузые! — вопил безостановочно одну и ту же фразу Ёшка Чека. — Резвись-живи!

— Живе-о-о-ом! — вопили ему с соседней крыши: — Живы будем — не помре-о-о-ом!

— Ты, молодка, мне находка, если только тянешь водку, — стараясь перекрыть прочие голоса, ревел матерную песню Лаврушка Выкидыш.

— Мы не воры, не душители, а правонаруши-и-и-ители! — тянул другую Кошеляй.

Бодя Демон колотил железякой по трубе, выстукивая дикарские ритмы и сам же под них вытанцовывая.

Фальстаф стянул рубаху и размахивал ею, как флагом, подставляя ветру костлявое, гнутое рахитом тельце. Глядя на него, посрывали с себя одежду и другие: Пляшу Горошком, Ищаул, Жабрей, Фомка Полонез — все гикали-гакали и вертели над головами исподнее. Глядя на оголившееся пацанье, девчонки визжали от смеха, да и просто — от избытка радости.

Пусть проказят, скомандовала Белая. Лишь бы с крыш не падали, а остальное — пусть.

Было в этом что-то жестокое и одновременно правильное: одни орали песни и хохотали до икоты, ликуя от солнца, ветра и быстрого движения вперед, а другие лежали внизу, в тендере, едва дыша. Сидя около больных, Деев слушал невообразимую какофонию над головой — и теплел сердцем. Улыбнуться не вышло, но хотел бы, чтобы длились эти минуты дольше.

Даже машинист, весьма скупой на чувства, поддался общему веселью: то и дело давал длинный гудок, возводя ликование в наивысшую степень.

За холерными заботами Деев с Белой едва не забыли про подсаженных в Оренбурге зайцев. Теперь вспомнили: лохмотья их темнели отчетливо посреди эшелонных рубах, лица были буры от грязи, а нечесаные лохмы рогами торчали над головой. Были беспризорники словно черные буквы, напечатанные на белом. Словно кляксы на чистой бумаге.

— Отмоем их на станции и побреем, — сказал Деев комиссару.

За прошедшие сутки два новичка превратились в “бегунков” и позже слегли — подхватили холеру. Было это, конечно, плохо. Но одновременно и хорошо: уж теперь-то Белая не посмеет никого ссадить, пожалуй, даже докладывать о происшествии не станет. Злобности в ней, конечно, много, но и ответственности — на десятерых.

Так и мчалась по степи “гирлянда” — гулко хлопая распахнутыми дверьми и покачивая живой шапкой из детей на каждом вагоне. Колесный перестук скоро перерос в частую дробь, а теплый встречный ветер ударял в лицо, заставляя плотнее сжимать губы. Притихли скоро и дети — отбушевали и отпели, отплясали. Буйные восторги первых минут на воле обернулись тихим блаженством: ошалев от разлитой по степи свежести и яркости красок, детвора умолкла и только пялилась в необъятный простор.

Опустишь глаза вниз — и голубые костры чертополоха в желтой траве проносятся мимо, как шустрые зверьки. Поднимешь к горизонту — безбрежна даль и неподвижна, одинакова и теперь, и через минуту, и через час; будто и не летит поезд, а замер посреди мира, составленного всего-то из двух сущностей — бесконечной рыжей земли и бесконечного синего неба…

Добрались до полустанка быстро. Жаль было, что колесный ход постепенно замедляется, как и мелькание земли под колесами, что уже кричат с крыши детские голоса, возвещая скорое прибытие, а из-за горизонта выпрыгнули мазанные глиной строеньица: пара приземистых и одно повыше — напорная башня.

Однако вплотную не подъехали, остановились чуть загодя. Деев спрыгнул на землю, обогнул паровоз и понял причину: рельсы были засыпаны странными продолговатыми предметами. Поленьями? Подбежал ближе. Нет, не поленьями — соленой рыбой.

Гора соленой рыбы лежала на путях. Судаки, жерехи, лещи, воблы — желто-зеленые, серебряные, золотые. Тысячи тушек, многие тысячи: не пару мешков опрокинули на пути и даже не пару телег — целый вагон. Густо пахло вяленым и солью.

— Казаки, — только и сказала подоспевшая сзади Белая.

Как удалось им умыкнуть рыбу из подожженного вагона? Где хранили эдакую прорву еды? Как доставили на полустанок? Почему не вручили по-человечески, а театрально бросили на пути?

Деев заметался по округе в поисках ответа. Но трава степная была по осени жестка — если и примяли ее недавно конские копыта или тележные колеса, то следов не оставили. А если бы и оставили? Не пускаться же вдогонку странным дарителям?

Добежал до полустанка — никого. Мазанки станционные — оставлены, необитаемы.

— Кинули, как собаке кость, — огрызнулся Деев, возвращаясь ни с чем к рыбной горе.

Вокруг уже собрались взрослые — стояли, не смея прикоснуться к рассыпанному по рельсам богатству.

— Не собаке, а тебе, внучек, — усмехнулся Буг и добавил уже всерьез: — Боже мой, какие хорошие люди!

Еще дважды наткнется "гирлянда" на оставленные яблочным атаманом сюрпризы.

У полустанка Жулдуз, также заброшенного, эшелон будет ждать на рельсах груда объемистых ящиков, источающих ароматы ландыша, лаванды, жасмина и мандарина, — Деев чуть не задохнется, открывая посылки. И едва поверит глазам: мыло — в буханках по пять кило, нежно-зеленого цвета, с печатями мыловарни на иностранном языке. "Французское душистое", — определит комиссар. Деев не поверит, однако штампы на ящиках не оставят сомнений: мыло и правда из Марселя.

На подъезде к Жаман-Су будет ожидать подарок иного рода. Изящный столик на одной ножке — аккурат меж рельсов, накрытый кружевной скатертью; поверх — деревянная коробка темного дерева с приколотой запиской: "Лично в руки доктору, проявившему благоразумие". Буг откроет коробку: коньяк в тяжелом хрустале, также иноземного происхождения. "Вылей, дед", — брезгливо сморщится Деев. "Благоразумие не позволяет", — улыбнется фельдшер и уберет подарок в лазарет.

После Актюбинска сюрпризы прекратятся — атаман Яблочник погибнет.

О смерти этой Деев узнает позже, из газет: про то напишут несколько изданий — с броскими заголовками, смакуя детали и разнясь в них, но совпадая в сути. История будет странная, почти фантастическая, и многие посчитают ее байкой или газетной уткой. А Деев — нет.

Случится все через пару недель после обедни в холерном бараке деевского эшелона. В одной из церквей Оренбурга откроют музей антирелигиозной пропаганды, с прибитыми поверх золотого убранства лозунгами и фанерными фигурами попов по углам. Содранные со стен иконы развесят вниз головами, а вскрытую раку с мощами поставят на амвон — для обозрения. Торжества по случаю пройдут весело, с комсомольскими пениями и сожжением церковных книг.

А на следующий день в музей войдет человек в белой бурке. Выстрелом в упор убьет смотрительницу и, не обращая внимания на разбегающихся посетителей, пройдет к алтарю. Достанет из-за пазухи икону Казанской Богоматери, водрузит на аналой, встанет на колени и начнет молиться. Бурку при этом скинет — и окажется весь обвязанный динамитными шашками, от шеи и до колен.

Прибежавший на суматоху милиционер стрелять в живую бомбу не решится — вызовет красноармейцев, да и те замнутся у дверей новоиспеченного музея в нерешительности. Станут разгонять набежавших зевак, но от этого толпа только вырастет. Окружат здание. Попытаются вызвать террориста на разговор, но тот не захочет прерывать молитву.

Из толпы выйдет священник и пройдет в церковь, оцепление его пропустит. Вопреки ожиданиям, священник будет не увещевать бандита, а молиться вместе с ним.

Тем временем спешно доставят из гарнизона самого меткого стрелка — с приказом попасть бомбисту в голову, не задевая амуниции. Пока стрелок будет копошиться у церковных дверей, прицеливаясь, долгая молитва подойдет к концу и прогремит взрыв — террорист подорвет себя сам. Взрывом церковку разорвет на куски, а вместе с ней и меткого стрелка, и роту солдат в оцеплении, и нескольких зевак из первых рядов толпы…

Опознать личность бомбиста будет невозможно — от него не останется ни единого телесного кусочка. Допросив свидетелей, чекисты придут к выводу, что был это не кто иной, как знаменитый атаман Яблочник.

Многие и этому не поверят — мол, незачем ему было глупости городить, откочевал уже давно куда-нибудь в Персию или под теплое крылышко бухарского эмира.

А Деев — поверит.

***

Напорная башня была полна воды — хватило и вагоны отдраить, и запасы питьевые пополнить, и деевских приемышей отмыть. Грязь с беспризорников соскребали в четыре руки: поставив чумазого ребенка меж собой, две сестры нещадно терли его пучками травы —

одна двигалась от макушки вниз, вторая от пяток вверх — пока их руки не встречались где-то у детского пупка, а все слои многомесячной грязи и обгорелая кожа не слезали, обнажая вполне розовое тельце. Затем брили малыша наголо; за неимением флеминговской жидкости ополаскивали настоем зверобоя, который Мемеля заготавливал по просьбе фельдшера. Одежду новеньких пропаривали струями из паровозного клапана.

За сутки в "гирлянде" новички стали для эшелонных детей уже не новичками. Обменялись кличками, тумаками, анекдотцами и любимыми словами — вот и свои. Удивительно быстро знакомились и прикипали друг к другу эти дети: лишенные родительской любви, они охотно дарили привязанность и защиту таким же брошенкам, как и сами.

Но и Деев понимал теперь про ребят много больше: по прозвищу определял бывшее бродяжье занятие, по паре словечек — предполагал судьбу. Сам себе удивлялся, а понимал: оказалось-то все не так и сложно.

Ларик Тасуй Чаще и Леся Коцаные Стиры. Любому понятно, что были пацанята картежниками — настоящими, из тех, кто игрой зарабатывает хлеб, а колоду карт умеет смастачить из чего угодно. (Так и вышло. Уже через пару дней чуть не вся "гирлянда", наученная Лариком и Лесей, мастерила карты: за неимением волос на бритых башках выдирали волосы из бровей и вязали их в крошечные кисти, из обломков жженого кирпича слюной разводили красную краску, а из угля — черную, расписывали бумажные обрезки трефами-бубями — и готово!) Роста оба крошечного, чуть не прозрачные от недоеда, — тем обиднее проигрывать эдаким глистам. А проигрывали все: и дети, и сестры, и даже машинист, что решился однажды сразиться с мелюзгой, а после всю ночь бранился с досады, мешая помощнику спать.

Ящерицу, конечно, прозвали так за дурную кожу — морщинистую, болезненно-серого цвета, местами ороговевшую, словно принадлежала эта кожа и правда какому-нибудь варану или змею из туркестанских пустынь. Фельдшер вспомнил название болезни, от которой страдал мальчик, но удержать название в голове у Деева не вышло.

Макака с домзака. Этот уже побывал в доме заключения. Как оказался там ребенок, чья макушка не доходила Дееву и до пояса, — неясно. Но ясно, что очень он этим жизненным фактом гордился, раз вынес его себе в кличку.

Дрюша Лизала явно был не прочь *лизнуть* — вина, водки, самогона. Хади Форсила явно обожал *форсить*. Лаврушка на чистуху, видно, был пацан горячий, раз *проигрывался на чистуху*, не в силах остановиться вовремя. Филон — Выйди вон — артистом, раз умел *филонить*, симулируя болезнь.

Новички были скитальцы опытные и умели себя прокормить — почти все "имели ремесло". Деев давно уже понял, что "профессия", выбранная ребенком, — не просто особый навык или хитрое умение, а зеркало характера: "рабочие" клички говорят не только о жизненном опыте хозяина — они говорят о детской душе.

Для *марафона* — беспрестанной беготни по трамвайным остановкам в поисках оброненных пассажирами копеечек — требуется терпение, настойчивость и умение довольствоваться малым. А еще — трудолюбие (чтобы часами копаться в пыли и мусоре). А еще — незлобливость (чтобы не ожесточиться на мир и не переметнуться к другому, более хлебному заработку). Видно, все эти качества имелись у Вени Марафона.

Для *шарапа*, наоборот, нужны наглость и немалая вера в себя. Как иначе свистнуть у торговки на базаре яблоко или полпирога — не тайком, а в открытую, нахально сдернув желанный предмет с прилавка и пустившись наутек под яростные крики толпы? Лихость и кураж, быстрота взгляда и мысли, рук и ног — вот что требовалось. И что было в достатке у Коськи Шарапа.

Незыблемое спокойствие и равнодушие к смерти важны для *могильщиков* — для тех, кто многие часы и дни проводит на кладбищах, собирая оставленные родственниками подношения умершим: цветы и венки, сладости. Съесть хлеб, испеченный для мертвеца и лежащий на его могиле, — для этого нужно быть философом. Таким и был Илья Могильщик — бесстрашным и бесстрастным, как камень.

А вот *окусывать* — выклянчивать остатки еды в буфете — получается лишь у тех, кто нравится людям. Кто умеет найти подход к незнакомцу и в первую же минуту вызвать симпатию: здесь улыбнуться, там поскулить, сям попомнить бога или грядущий коммунизм, — чтобы заработать в итоге огрызок или миску для вылизывания. Знатоки людских слабостей, физиономисты, человековеды — вот кто такие *окусывалы*. Ум их гибок, лица подвижны, голоса — любому актеру фору дадут. С этими нужно держать ухо востро — вотрутся в доверие и объегорят в два счета. Был теперь такой мастак и в эшелоне — Лука Окусывала.

Самые же бескорыстные из попрошаек — *ложкари*. В специальность эту по нужде не идут, а только по истинному призванию: надо искренне любить музыку, чтобы целыми днями сидеть сиднем, выбивая из самоструганых ложек ритмы и подпевая. Без тонкого уха и песни в душе ничего не выйдет. Митя Ложкарь так и говорил: песня не губами поется, а сердцем. Трепетные люди ложкари…

Подобранные Деевым пацанята были из разных мест — география собралась пестрая и не всегда объяснимая. К примеру, Жопа с Майкопа, задиристый и голосистый, в морской тельняшке до колен: почему забрался так далеко на север, до самого Оренбурга, а не пробирался из родного города в Туркестан короткими путями, по рыбным каспийским берегам? "Гулялось", — емко ответил сам Жопа на прямой деевский вопрос. Яснее, однако, не стало.

Или Врангель из Одессы, в меховой кацавейке и драных в решето казачьих шальварах. Этому полагалось бы околачиваться на родине, где и устрицы, и кефаль, и дельфинье мясо — всё рождается в море щедро и добывается вдосталь, пусть и не в таком избытке, как в прежние времена. Ан нет, притопал чуть не до Урала.

Про ребят с голодных северов, положим, яснее. Где ж еще оказаться Сильве Псковитянину или Роде Архангельскому по дороге в Туркестанский край, как не в Оренбурге? "Сколько добирались?" — поинтересовался Деев. "Полжизни", — ухмыльнулись в ответ. Может, и не врали.

А про сибиряков — опять непонятно. "Сургут — это же у черта на рогах! — недоумевал Деев, расспрашивая щекастого пацаненка по кличке Сургутишко. — Как же ты дотопал — через тайгу, через Уральские горы?" — "Ноги имею, — отвечал серьезно. — И вовсе не на рогах мы живем, а в Сибири, ровно посередочке!" Его дружка и спутника, Тюменного Амбу, Деев пытать не стал — видно, и тот "имел ноги", раз оказался нынче в эшелоне.

На фоне сибирских ходоков прочая география меркла: уже не удивляли ни Спирт со Ржева, ни Тверской Кондрашка, ни Чача Цинандали. Про пришельцев из соседней Калмыкии и с близкого Каспия и говорить нечего.

— Не поезд, а Ноев ковчег, — непонятно заметила Фатима, помогая отмывать очередного приемыша.

Деев сделал скучное лицо, не соглашаясь и не отрицая. Беспризорников он уже научился понимать, а женщину эту странную — еще нет.

Деев состязался со Смертью.

Он понял это в одну из тех невозможно долгих ночей, когда сидел с открытыми глазами на крыше штабного вагона и смотрел в степь. У груди его сопел спящий Загрейка, вдоль эшелона шуршала по траве пара "бегунков". Спина и плечи еще ныли от недавней работы — киргизская почва была твердой, как лошадиное копыто, и рытье могил для умерших превращалось в долгую му́ку. Усталости не было вот уже которую неделю, но начавшиеся недавно приступы мелкой дрожи в пальцах стали часты — руки тряслись по-стариковски даже сейчас, в минуту спокойствия, обнимая сонного ребенка. Луна била с неба, как прожектор, превращая землю в яркое серебро, а тени на ней — в черные дыры. И в этом белом, почти дневном свете Дееву стало ясно: все так и есть.

Смерть подсела в эшелон уже давно, зайцем. Выждала немного, усыпляя бдительность командира, а после начала забирать детей. Сначала обернулась голодным истощением и забрала лежачих. Теперь превратилась в холеру и забирает больных. Сегодня похоронили четверых. Это больше, чем вчера. А вчера было — больше, чем предыдущим днем. Что же будет после?

— Где ты? — громко спросил он, отложив неподвижного Загрейку и поднимаясь на ноги.

Не отвечает, прячется.

В такую светлую ночь — не уйдет.

— Где ты? А ну покажись! — запрыгал с крыши на крышу, заглядывая за трубы отопления и приподнимая люки.

Револьвер на всякий случай из кармана достал.

— Ближе ко мне держись, брат, — скомандовал Загрейке, что плюхал рядом, продирая глаза. — Укроешься за моей спиной.

В люках — никого. И за трубами тоже. И здесь. И здесь.

Крыши лежали облитые лунным светом, как белой краской, и одинаково пустые. Жесть гремела под весом деевского тела — верно, тяжелые шаги его были слышны в вагонах. Длинные тени, его и Загрейкина, зигзагами скакали из-под башмаков и вываливались в степь.

— Ну?! Что же ты прячешься, как последняя тварь? — Проклятые пальцы тряслись, но курок взвести смогли. — Выходи!

А кто сказал, что она будет ошиваться по верхам, рядом со здоровым Деевым? Ее место — рядом с больными, в холерном бараке. Видно, там и засела, сука.

Деев метнулся в конец состава, спрыгнул на площадку — подвернул ногу, но не почувствовал боли — и рванул на себя лазаретную дверь. В нос шибануло известью, нездоровым потом и холерной грязью.

— Я знаю, ты здесь!

Шторки в помещении были придернуты на ночь, и он принялся распахивать их, перескакивая из отсека в отсек. Ткань отчего-то не слушалась — рвалась и падала на пол. Вот и славно! Больше света — легче искать. Упавшие занавески лепились к башмакам, опутывая ноги и мешая шагать, — он распинывал их в стороны, как свору злобных собачат.

— Цену назначила? Одну треть детей себе захотела? Вот тебе одна треть! — Он притаптывал каждый оборванный кусок ткани — вдалбливал каблуком в половицы, чтобы уже усмирить наверняка. — Вот тебе! Получи!

Всех распинал, со всеми справился — стало в бараке светло как днем. Содрал последнюю занавесь, а из-за нее люди таращатся: бог со своей матерью и фельдшер в халате на голое тело, волосы дыбом.

— Где она? — закричал Иисусу в равнодушное лицо. — Где спряталась?

Молчит.

— Какой же ты бог, если такой малости не знаешь?! — Деев ткнул раскрытой ладонью в божественные очи — кажется, засадил пяток заноз, но боли не заметил. — Сам отыщу, без тебя!

— Отдай револьвер, внучек.

— Шиш тебе, дед! — Деев сложил раненую ладонь в твердый кукиш и выставил на Буга; и другую руку, с зажатым револьвером, тоже выставил. — В этот раз помешаешь — пеняй на себя. И убери инструменты свои, от них в голове звон. — И тебе — шиш! — повел кукишем, направляя его то вправо, то влево, в самую густоту ночных теней по углам лазарета. — Никого тебе больше не отдам! Лучше сама выходи. Все одно найду.

На нарах у Джульетки Бланманже — нет ее. И под нарами тоже. И под одеялом у Леши Три Тифа. И под лавкой у Нонки Бовари. Дети лежат, еле дышат, синевой аж светятся. А смерти рядом — нет.

— Не тереби больных, внучек, им и без тебя худо!

У Голодного Гувера — нет. У Ченгиза Мамо — нет. У Овечьего Ореха — тоже.

— Не приближайся, дед! Знаю все твои фокусы — цапнешь сзади, как медведь, и оружие отнимешь. А мне сегодня дело сделать надо — найти ее.

У Пинкертонца — нет. У Козетты — нет...

— Ему нужен свежий воздух. Откройте дверь, сестра!

— Стоять на месте, сестра! Дверь не открывать. Я сам открою, сам! Не то сбежит.

Дверь. Площадка. Хлоп! Снова дверь. Хлоп!

И вот он уже в соседнем вагоне.

А инструменты медицинские всё звенят колоколами, то в одном ухе, то в другом — так и не выкинул их дед, ослушник. И руки дрожат, едва револьвер не роняют.

Где же ты прячешься, трусливая? Выходи!

Кто это визжит? Уж не ты ли? Нет, всего лишь дуры сестры.

Кто это убегает, весь в белом? Нет, опять не ты, кто-то из детей.

Что это за грохот? Да это же я сам только что выстрелил — в потолок.

— Где ты, сука?!

— Я здесь, — голос рядом.

И вот уже стоит она — высокая, прямая. Близко. Смотрит.

Деев приближает лицо, но столь ярок лунный свет — или густ пороховой дым? — что не разглядеть ничего — как ваты в глаза напихали.

— Пойдем за мной, — говорит она.

Он втыкает револьвер ей в грудь — ствол упирается во что-то упругое, сильное, вполне телесное.

— Не теперь. — Она кладет прохладные пальцы на его сжимающий оружие кулак и властно тянет вниз.

Деев подчиняется: теперь-то уж ей никуда не деться, пусть покомандует чуток. Она берет его за кисть — как берут капризного ребенка, чтобы вывести из комнаты, — и ведет за собой. Они шагают вдвоем — через вагоны, через площадки, через вагоны, через площадки — и скоро оказываются в какой-то очень знакомой комнате. Большое зеркало ползет вбок, отгораживая пространство и наполняя его лунным светом. Щелкает замок.

— Теперь. — Он снова втыкает в нее револьвер.

— Посмотрите на меня, Деев, — говорит она. — Вы меня узнаёте?

Знакомая женщина стоит перед ним — в накинутом поверх исподнего бушлате. Всклокоченные волосы кудрявятся над макушкой. Одна щека смята со сна.

Он кивает: узнаю. Узнаю тебя, Белая. Да и всё узнаю: и купе наше штабное, и диван в нелепых цветах, и гармошку. Узнаю всё.

Снаружи легонько стучат.

— Как вы, комиссар? — спрашивает фельдшерский голос.

— Полный порядок, — отвечает Белая громко, не открывая купе. — Всем идти спать.

Не сразу, но через минуту шаркают шаги — удаляются по коридору. Голосов не слышно, видно, люди расходятся молча, обмениваясь одними только взглядами.

Стыд накатывает резко — как и боль от заноз в ладони, как и боль в подвернутой ступне. Стыд и боль — одинаковой силы.

Эх, если бы только рядом была Фатима! Тогда бы — упасть на колени, обхватить руками мягкое женское тело и утопить в нем пылающее лицо, утопить этот несносный стыд — подышать судорожно, поскулить от смущения или даже всплакнуть. А сейчас?

Деев кладет револьвер на стол — металл звякает о лаковую поверхность. Затем садится на край дивана и, глядя в пол, зубами выдирает из ладони занозы — в ранках набухают красные капли. А пальцы-то по-прежнему дрожат, будь они неладны!

— Давайте-ка лучше я. — Белая присаживается рядом, берет его подрагивающую руку и так же, зубами, вынимает из-под кожи впившиеся щепки.

Проступающую кровь — слизывает. А поверх — целует долго. И еще, еще.

Нельзя, невозможно — и так уже стыдно, аж загривок пылает!

Не стыдно. Можно.

Позже, после — когда схлынет стыд!

Нет, сейчас, непременно.

Не хочу и не стану!

Станешь. Будешь. Теперь.

Она приникает к нему властно, и он подчиняется — опять, в десятый и сотый раз…

— Из жалости ты со мной? — спросил Деев много позже, когда они устало лежали рядом, едва умещаясь на диване.

Руку саднило едва заметно, а подвернутая нога и вовсе перестала ныть — боль ушла. И стыд ушел — удивительным образом. В груди было легко. И в голове — легко.

— По расчету. — Белая поднялась и пятерней начала энергично расчесывать сбившиеся кудри. — Мне нужно, чтобы вы до Туркестана эшелон довели. Чем могу, тем и помогаю.

Уж лучше б молчала!

— Не совестно признаваться-то? — Деев хотел обидеться, но обида никак не закипала — на сердце было спокойно и чисто, как телу после жаркой бани.

— Совестно детей посреди ночи будить и револьвером пугать. — Стала перебирать разбросанное по полу исподнее в поисках своего. — И голову на середине маршрута терять совестно.

Нет, не брали нынче Деева ехидные слова — обретенную в душе умиротворенность поколебать не могла даже язва-комиссар.

— Я не потерял. Наоборот, сейчас только все и понял по-настоящему.

— Что поняли?

— Мы возьмем всех детей, кто попросится в эшелон, — вот что! — От простоты и правильности этой мысли его аж подбросило, и Деев сел, потирая чубчик. — И не только тех, кто попросится. Всех, кого встретим по пути. Всех, кого найдем. Всех возьмем!

Комиссар, уже полуодетая, присела обратно на диван и уставилась на Деева:

— И что вы будете с ними делать — в Самарканде? Не примут их в целевой детдом.

— Примут, — ответил прямым взглядом на прямой взгляд. — По бумагам пойдут как голдети Поволжья. Если что — припишем пару имен, проверять не станут.

— Вы что же, не докладывали в Казань о смертности?

Деев только головой покачал: не докладывал. В нарушение всех инструкций и в обход обычного здравого смысла, по слабости характера или еще по какой причине — а не докладывал. Ну не мог он своей рукой вписать в депешу безликое слово "убыль" и поставить напротив безликую же цифру умерших! Не мог.

— Это подлог, Деев. — Строгий взор женщины стал и вовсе прокурорским.

— И ты теперь этого подлога соучастница.

— Не застращаете!

— Не больно-то и хотел. Мы теперь, комиссар, до таких краев добрались, где ты мне больше не указ. Хочешь — жалуйся: хоть сусликам в Голодной степи, а хоть ящерицам в аральских песках.

Они смотрели друг на друга, не мигая и не отводя глаз, будто бодаясь взглядами. Деев чувствовал, что побеждает.

— Дождусь, пока доберемся до Ташкента или Самарканда, уж там-то телеграф отыщется.

— Лады, — согласился он легко. — Я как раз побегу детей в детский дом устраивать, а ты — на меня жалобы катать.

— Их не примут, Деев! — И по тому, как пылко воскликнула Белая, он понял, что победил. — У ваших новичков на мордах написано, что они бродяги со стажем и вовсе не из Поволжья! Калмыцкая и киргизская степи, Черноморье, Каспий — вот что на них написано! Никакие подложные бумаги не помогут. В Самарканде тоже не идиоты сидят.

— Этих детей примут. Примут непременно! — Он взял в руки ее лицо и крепко поцеловал в лоб. — Ты, главное, не мешай, Белая.

И только сейчас заметил, что пальцы перестали дрожать.

Холера унесла сорок детских жизней.

Казюк Ибрагим. Падишах. Радищев. Барабулька. Соня Цинга. Мустафа Бибика. Голодный Гувер. Елдар Сгайба. Джульетка Бланманже. Исрек Юсуп. Все они остались на станции Ак-Булак.

Тильда Прокаженная. Фадя Сызрань. Сцопа. Касим с бана. Мазурик Фирс. Нонка Бовари. Маганя. Хазик Аминь. Углич не стреляй. Лёша Три Тифа и Лёша Лужа. Тюпа Сарапульский. Наргиза с Агрыза. Все остались на полустанке Куранли.

Фенимор Купер. Ахма. Хамит Закрой Хайло. Зубатка Зейнаб. Жека с Ижевска. Хабиба Толстуха. Заморозь. Пинкертонец. Они остались на полустанке Биш-Тамак.

Козетта Кокс. Муса Кряшен. Троцкий на ша́ру. Глухая Нухрат. Иблис Меня тоже. Мокрец. Каюм Безглазый. Дёма с Костромы. Заусенец. Эти остались у Кок-Бека.

А Деев за это время принял в эшелон три десятка беспризорных. Если считать с теми, кого подсадил в Оренбурге, — то все пять.

У Жаман-Су, где заправлялись водой, образовалась у "гирлянды" пара оборванцев юного возраста. По всему, опытные скитальцы: еду не канючили, а по заведенному бродяжьему этикету уселись вблизи от штабного и красноречиво таращили голодные зенки — не на машиниста с помощником, а только на комиссара с начальником поезда. Деев и свистнуть не успел — залезайте к нам! — как уже сидели на тормозной площадке. В поезде холера, предупредил он. Лишь осклабились снисходительно: что же мы, холеры не видали? Под рваными шапками из меха обнаружилась у них яркая белобрысость, а в речи — отчетливое северное оканье.

На полустанке Кара-Тургай — заброшенном, как и многие в этому краю, — почудились Дееву какие-то звуки в пустом домике станционного смотрителя. Заглянул в разбитые окна, прошерстил задний двор и только в подполе обнаружил, наконец, трех бурых от грязи диких зверьков, что на поверку оказались двумя мальчиками и одной девочкой. По-русски не говорили, по-киргизски не понимали (для общения с местными Деев обычно привлекал сестру-башкирку, чей язык вполне напоминал киргизские и казахские наречия). Судя по огромным черным глазам под густейшими же черными бровями, почти сросшимися на переносице, были эти детки откуда-то с Кавказа. Деев забрал в эшелон и их.

— Нет! — уперся было фельдшер. — Мало нам холеры? Хотите всю заразу окрест собрать?

Деев и отвечать не стал, а только велел всем приемышам селиться в тендере, прямо поверх дров и угля, — до тех пор пока не истекут положенные медициной карантинные дни.

В Актюбинске ночевали, и Деев успел сбегать к местному детприемнику: всё пацанье, что куковало на улице в надежде проникнуть внутрь, забрал в "гирлянду". Было этих кукующих не менее дюжины. Большей частью имели азиатские глаза и широченные лица, так что Деев поначалу принял их за местных. Но киргизами оказались не все: был среди них и пришелец с монгольских равнин, и даже забредший откуда-то с далеких северных земель, о которых Деев и не слыхивал. Прав был оренбургский инспектор: вся Россия тянулась нынче в Туркестан, хлебный край.

А в Кандагаче Деева попытались ограбить. На крошечном базаре из полутора торговых рядов, по которым слонялись едва ли полтора десятка человек, толклась рядом с ним кодла пацанят: близко не подходили, смотрели старательно в сторону, но кружили и кружили неподалеку, словно голодные щурята, не решаясь ни напасть, ни покинуть заманчивую добычу. На револьвер нацелились — узрели в кармане, понял Деев. Прыгать будут по свистку главаря: двое на руках повиснут, чтобы не сумел Деев за оружие схватиться, а третий в ту же секунду револьвер выцепит — и дёру.

И он свистнул им первый: а ну, подите сюда! Вот что я вам скажу, гуси лапчатые. Сторговать меня не выйдет. А до Самарканда со мной намылиться — вполне. Пригрею в эшелоне. И даже бибики с салом накапаю, если уши к макушке прижмете. Салазки вам загибать не стану и шпарить понапрасну тоже, а винта нарезать всегда успеете. Если хоть одна блоха поперек меня или моих эшелонных ребят прыгнет — загрызу. Решайте сейчас.

Откуда все эти слова на язык свалились, Деев и сам понять не успел, да только в тот же миг раскрыли пацанята рты от уважения и сгрудились вокруг него с преданными глазами: в секунду все решили. И Деев вернулся с базара без еды, но с очередным пополнением.

Подъезжая к Эмбе, встретили ватагу мальчишек, что устроили драку в степи — аккурат когда "гирлянда" тащилась мимо. Дрались яростно, валяя друг друга по земле и кусая до крови, — пришлось соскакивать с поезда и разнимать. Оказались драчуны девчонками. Взяли и их в эшелон, при условии строгого перемирия во время всего оставшегося пути.

На перегоне между Куламой и Алабазом встретили еще одну девочку: лежала под одиноким карагачем, закутанная в драную рыболовную сеть, и не шевелилась. Рядом уже хищно скакали вороны, ожидая своего часа. Ворон Деев отогнал, а находку принес в штабной. Отпоили ее и даже разговорили, но без толку: лепетала найденная на очень странном языке, который не походил ни на один из многих языков эшелона.

— Это греческий, — пояснила Фатима ко всеобщему удивлению.

— Древний греческий? — глупо уточнил Деев.

— Почему древний? Вполне современный.

— Из Крыма пришла, — догадалась Белая.

Больше о гречанке ничего узнать не удалось: ни как попала под карагач, ни почему одета была в рыболовную сеть.

А после станции Челкар случилась радость: холера отступила.

Не ползали больше вдоль состава "бегунки" с задранными рубахами. Не колотились от озноба и судорог больные в лазарете, а лежали тихо, дожидаясь выздоровления. Ладошки и ступни их, некогда сморщенные болезнью, снова расправились, а мятые холерные лица опять налились упругостью. Голубизна ушла с губ и из-под глаз, рты перестали трескаться от сухоты и вновь могли говорить. Каждый день фельдшер отпускал все новых выздоровевших из-под своего надзора к остальным детям. Из болезни — обратно в жизнь.

"Гирлянда" уже не дергалась по путям, то спешно отправляясь в дорогу, то тормозя в ожидании высыпающихся на ходу "бегунков", не застревала по нескольку дней на заброшенных полустанках. Травяную подстилку в двух больничных вагонах меняли уже не многажды в день, а всего пару раз. Скоро больных осталось немного, и все они уместились в лазарете, как в дохолерные времена.

Освободившийся вагон требовалось отдраить самым тщательным образом и отскрести — сначала потолки, затем стены, затем лавки и столики в отсеках, под конец уже половицы, — а после забелить известью в несколько слоев, чтобы в нем опять могли поселиться здоровые пассажиры. Буг предложил было сделать это не откладывая, на станции Саксаульская, где обнаружилась немаленькая напорная башня.

— Выждем еще полдня, — возразил Деев. — И тогда уже вымоем весь эшелон, до последнего закутка, — морской водой.

Арал излился на землю с неба — так показалось Дееву, когда море только появилось на горизонте. Небесная синь перетекла в синь воды.
Ничего не стал говорить — ни взрослым, ни детям, — а просто смотрел на далекое и синее, давая возможность кому-то другому узреть первому и завопить восторженно:
— Море же! Море!
И узрели, и завопили, и заголосили — сначала рядом, затем дальше и дальше, передавая друг другу. И вот уже

дрожат ликованием глотки, выкрикивая на все лады чудо-слово, — его мало услышать, мало прошептать или проговорить, его надо петь, орать, извергать из себя:

— Море! Море! Море!

Водная гладь разливалась шире и шире по рыжей осенней степи — окоём затапливало и затопило весь. А синева текла по земле — ближе к железной дороге, ближе и еще ближе — словно рельсы притягивало к воде. Скоро эшелон резал мир пополам: с одной стороны оставалась твердь, с другой наступала вода.

— Море! Море! Море!

"Гирлянда" медленно шла по берегу, и медленно же ползали едва не под колесами прозрачные волны, то вылезая из глубины и расстилаясь по бурому песку, то уползая обратно, оставляя за собой хлопья пены.

Дети — у оконных стекол, на вагонных площадках и на вагонных крышах — следили за размеренным движением воды: на многие метры вперед… и на многие метры назад… вперед… и назад… и голоса делались тише, уже не орали, а выдыхали откуда-то из живота, в такт кативпимся волнам:

— Мо-о-о-оре!

Команды машинисту не было, но, когда состав замедлился и замер на путях, никто не удивился. Да и не могло сейчас произойти ничего иного с поездом и его насельниками, а только эта остановка у моря.

Деев остро почувствовал, что в эти мгновения все в эшелоне: и дети, и сестры, и даже не видный никому машинист, — все ощущают одно. Невыразимое словами. Непередаваемое ничем, а только молчанием перед лицом этой необозримой глади, что многие недели была мечтой и сном, а теперь стала явью.

Безмолвно смотрели дети на вечные воды Арала. Минуты эти были плотны и сладки — такие не забываются, как бы ни был мал или слаб человек. А море говорило с людьми — шуршало волной о волну, волной о песок. Звало.

Деев уже знал, что на зов откликнутся все, до этого оставался всего-то вздох или два. Но никто не решался первым спрыгнуть на берег и первым нарушить тишину. Помощь снова пришла из машинной будки: гудок заревел беспрекословно — впере-о-о-од!

Дети повалились из дверей, словно вагоны опрокинуло, — горошинами заскакали по песку, швыряя в воздух белые рубахи. В море падали уже голышами — раскинув руки, визжа и жмурясь и позабыв про всяческое стеснение перед сестрами. Рубахи птицами летели к эшелону, приземлялись на шпалы и устилали их, как снегом. А из прибрежных зарослей испуганно поднимались в небо настоящие птицы — их испуганные крики мешались с ошалелыми криками ребятни, усиливая общий восторг.

Сестры заходили в воду одетыми: скидывали обувь и забредали в волны — кто по колени, а кто и глубже, — чтобы остановиться и долго стоять, смеясь над колготившейся ребятней. Мокрые юбки облепляли тощие ноги сестер, брызги мочили волосы, придавая женщинам нелепый и неопрятный вид, — и не было сейчас для Деева ничего прекрасней, чем эти усталые лица, облитые водой и слезами радости. Портниха взвизгивала по-поросячьи. Попадья протянула руки к небу, запрокинула лицо, застыла столбом — сделалась похожа на огородное пугало. Библиотекаршу расшалившиеся пацаны уронили в воду, и она верещала непрерывно, поднимаясь на ноги и снова падая под напором неукротимой детской энергии. Всех люблю, понимал Деев. И всех прощаю: попадью-изменщицу, язву-комиссара, деда-отрицателя — всех.

Комиссарские кудри светлели далеко в море — Белая плыла быстро и ровно, точными движениями рук направляя тело все дальше, на глубину. Буг, наоборот, сидел у самого берега, вытянув ноги. Волны бились о его огромное тело, как о скалу. А за его спиной, по самой кромке воды, носилась Капитолийская волчица, взметая фонтаны брызг и глупо ловя их беззубым ртом. Длинные соски ее болтались чуть не до земли, в глазах плескался щенячий восторг.

Сейчас, когда вся эшелонная команда и все пассажиры были уже в море и счастливы, мог окунуться и Деев. Он пошел вдоль берега, отыскивая место, где вода не кипела бы от кишевших в ней детских тел, а найдя — сбросил башмаки, одежду и упал в волны.

Вода была очень холодна и очень прозрачна: Деев углядел, как от нырка его большого тела по зеленому дну брызнули в стороны рыбьи тельца. Он погрузился в эту воду весь — и она омыла его тулово до самой последней складки, и лицо, и корни волос. Он раскрыл губы, чтобы впустить эту прохладу в себя, — во рту заплескалась аральская соль. Нырнул ниже, в самые студеные придонные слои, смывая с себя всё пережитое за последние недели и не желая подниматься. Плыл так долго, с открытыми глазами, наблюдая шевеление водорослей на дне, — пока море не толкнуло его и он не выскочил на поверхность, задыхаясь счастливо, уже далеко от берега.

Вдоль берега метался и скулил Загрейка. Глаза его безотрывно смотрели на хозяина, неподвижное обычно лицо исказилось мукой. Ступни месили пену, то следуя за отступающей волной, то пятясь от наступающей.

— Плыви же ко мне, брат! — засмеялся Деев.

Детские крики и хохот неслись по-над водой, заглушая все прочие звуки. В глаза жарило послеполуденное солнце, губы горчили от соли. А все это вместе — и смех, и соль, и ослепительные солнечные лучи — сливалось в небывало радостное чувство, какого Деев не испытывал уже давно.

Что-то плеснуло громко. Он повернулся на звук и обнаружил, что Загрейки на берегу не видно, а вода неподалеку

беспокоится мелкими волнами и пузырями: видно, мальчик не выдержал разлуки — бросился-таки в море за хозяином и пошел ко дну, не умея плавать.

Деев кинулся к этому бурлению, выбросив руки вперед,
нырнул и зашарил по холодным глубинам. Поймал трепе-
щущее тельце и рванул кверху. Выволок на сушу.

Упав на песок, Загрейка завыл и закашлял, выталкивая
из себя заглоченную воду.

— Вот и поплавали, — усмехнулся Деев.

Лег на песок — раскаленный поверху и прохладный
глубже — и смежил веки.

Скоро мальчик унял разошедшееся дыхание, подполз
ближе и запыхтел где-то у ног хозяина, окончательно успокаиваясь.

И кто-то еще подошел к ним — тихий, легконогий —
и тоже опустился рядом. Сквозь полуприкрытые ресницы
Деев разглядел женскую голову и две длинные косы по
плечам: Фатима.

— А ведь дошли до Арала, — сказал ей Деев то, что вряд
ли решился бы сказать кому-то другому. — Порой уже
и не верилось, что дойдем. А дошли.

— Здесь водятся розовые фламинго, — ответила странно, как всегда; лица ее Деев не видел, но по голосу понял:
улыбалась. — Цвета утренней зари. Можете себе такое
представить?

Деев не знал, рыбы это, или звери, или насекомые.
И представить себе животных цвета зари не умел. Умел сейчас только лежать, разметавшись по горячему песку — слушая дыхание Загрейки с одной стороны и голос Фатимы
с другой. Она что-то еще говорила, кажется, но Деева неудержимо тянуло в сон, и оттого весь мир словно задернул-
ся пеленой, звуки стали едва различимы.

Шуршали по ветру прибрежные травы. Где-то далеко
кричали сестры, напрасно вызывая из воды продрогших

купальщиков. А еще дальше, в "гирлянде", звенели котлы — Мемеля варил кавардак из соленой рыбы.

Сама "гирлянда" стояла на рельсах, ожидая помывки. Рельсы тянулись вдоль кромки моря серебряными нитями. Впереди, через версты и версты, нити эти удалялись от морской синевы и устремлялись в оранжевые кызылкумские пески. Это была уже территория Туркестанской Советской Республики. Иными словами — Туркестан.

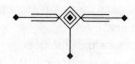

VI. И СНОВА ПЯТЬ СОТЕН

Казалинск — Арысь

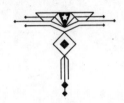

Пустыня тянулась как океан. Дни и дни тянулся по
ней эшелон — тягучие, невозможно длинные дни.
И утром, и в полдень, и ввечеру висел перед глазами
далекий горизонт, разделяющий небо и землю. По небу пе-
ремещалось солнце. По земле перемещались тени. А больше в пустыне ничего не было.

Бесконечное однообразие этой земли, еще не ставшей
песками, но готовой вот-вот стать, утомляло до одури: бурый ландшафт одинаков — и вчера, и сегодня, и, верно,
на долгое время вперед. Да, были здесь травы: местами
почва была прошита ими, как проволокой (а где не была —
трескалась и цвела солью). Были деревья: метелки тамари-
ска и саксаульные загогулины. Были даже звери: во время
стоянок мальчишки ловили и ели ящериц; по торчащим из
земли корягам порой мелькали быстрые тени — сойки
и воробьи; появлялись орлы — смотрели с вышины, как
упрямо ползет по рельсам "гирлянда", и улетали, разочаро-
ванные. Но и травы эти, и деревья, и звери — все мелкое,
едва различимое на широком полотне пейзажа, словно карандашом набросали небрежно.

Везде — пыль, пыль, бесконечная темная пыль: в глазах, в волосах, на зубах, в складках тела и между пальцами
ног, на поверхности стола и на лицах лежачих в лазарете.
Иногда уже и не пыль, а песок — хорошо, если только в обуви, а порой засыплет рельсы, и ползай потом, сгребай са-

модельными метлами и ладонями, расчищая дорогу для паровоза. Так часто и двигались по путям: люди на карачках впереди, механическая махина позади — аршин за аршином, шпала за шпалой, горсть за горстью.

Шевеления жизни было так мало в огромности этого пустого мира, что нарушающая его неподвижность "гирлянда" с обитателями казалось посягает на вечное.

И красок было мало: палитра пейзажа определялась положением светил и облачностью. На рассвете черная с ночи земля голубела и отдавала розовым, днем рыжела на ярком солнце, к закату наливалась синевой — но всегда оставалась землей, коричневой и пыльной землей. Деев мечтал бы увидеть лес: зубчатые верхи крон, волнение зелени. Или реку: ее изгибы, блеск волны. Деревеньку с крашеными наличниками, стадо коров, рябиновый куст!.. А видел бурую пустоту, иногда чуть вздыбленную холмом или прогнутую в низину, монотонную и неизменно плавную.

Он с детства чувствовал расстояния — определял точно, словно линейкой измерял, — и всегда знал, сколько верст пройдено или осталось до конца маршрута. Но в пустыне внутренний прибор засбоил: глаза тщетно шарили по сторонам, ища и не находя ориентиры, черепашья скорость сбивала с толку. Эшелон вроде бы и полз вперед, но одновременно и вяз в пространстве, не умея его преодолеть. И люди вязли в этом нескончаемом перегоне.

Спасение — полустанки. Да, часто заброшенные. Да, меж собой неразличимые: пара мазанок, то серых, то беленых, напорная башня из темного кирпича и непременно с синей дверцей. Но на каждом — название русскими буквами. И на каждом — новое. А значит, пробирается "гирлянда" вперед — продирается по пустыне, цепляясь за эти названия, как утопающий в болоте за кочки. Чумыш, Камышлы-Баш, Каракуус — будто песок шуршит о коряги. Бай-Хожа, Тюра-Там, Хорхут — змея гремучая бьет хвостом. Бик-Баули, Джусалы, Чиили — скрипит цикада.

Какое же все чужое.

Паровоз топили сначала дровами, которыми вдосталь запаслись в Аральске. Затем начали собирать по пути саксаул: корявое дерево это оказалось твердокаменным и не поддавалось рубке топором, а только ломалось под сильным напором, поэтому заготавливать его не могли ни дети, ни женщины, а лишь Деев с фельдшером да машинист с помощником. Опасаясь, что и саксаул может скоро исчезнуть, Деев дал команду останавливаться и собирать дрова каждый раз, когда замечал корявые поросли, — это тормозило и без того улиточий ход состава. Зато теперь в тендере обильно топорщились кокоры и высились навалы сучьев.

Воду для паровоза также запасли впрок. Не очень-то доверяя местным станционным смотрителям, — тем более что добрая половина станций стояла необитаемая и воды в напорных башнях могло не оказаться вовсе, — Деев одолжил в Казалинске ржавый нефтяной бак на колесах. Вернее, арендовал у вокзального начальства — за бокалы для шампанского и прочую золочено-посудную дребедень, что пылилась на полевой кухне еще со Свияжска. На обратной дороге обещал бак вернуть. Жадное до фаянса и серебряных ложек начальство отсыпало Дееву и пару горстей соды, чтобы свести ржу с колес, простоявших без движения не то пяток, а не то добрый десяток лет. Цистерна нещадно воняла тухлой нефтью и почему-то мочой, но воду держала исправно: залили ее по самый люк и прицепили в конец состава, а люк задраили покрепче — неприкосновенный-де запас. "Гирлянда" стала длиннее, а Деев — спокойнее.

Ржавая вода и саксаул — вот и все, что имелось в достатке. Еды — не было. Нелепо было спрашивать о провизии на полузанесенных песком станциях, где хорошо если обнаруживался какой-нибудь угрюмый человечек с парой шелудивых овец в загоне и пятком тощих индюшек, живущих прямо в хозяйском доме. Главной пищей нелюдима обычно бывали сухари, сушенный до состояния камня творог и сушеная же баранина в палках — все покупалось в запас, на месяц вперед, в близлежащих городках на базаре, а умещалось в каком-нибудь сундуке, тотчас запираемом хозяином на ключ при виде высыпающих из эшелона детей.

А городки — одно название, на самом деле просто станции покрупнее, куда время от времени наезжал из пустыни всякий народ, разбивал юрты или поднимал полосатые навесы и толкался пару дней, продавая-покупая, чаще меняя, еще чаще просто глазея. Лысые папахи и чапаны, старая упряжь, нечесаная верблюжья шерсть — вот что было обычно на таком базаре. А провизии — не было. Как не было ни горсовета, ни милиции, ни отделения ЧК, куда Деев мог бы заявиться со своим основательно потрепанным уже мандатом и потребовать хоть чего-то. Да и людей, что могли бы прочитать этот мандат, — и тех порой не встречалось на станциях.

Свияжских куриц давно уже поели, остались от них одни насесты в закутках штабного вагона. В кухонных закромах медленно таяли остатки вяленой рыбы — подарок от казаков: сперва выделяли ежедневно по полтушки на рот, затем по четвертинке, а затем и того меньше. Рачительный Мемеля замешивал в похлебку всё: чешую, жабры, хвосты-плавники, — толок в муку рыбьи кости и отваривал в нескольких водах потроха, чтобы и их пустить в суп. От запаха бессменной похлебки — соль, затхлая вода и рыбий жир, — которую ели вот уже пару недель, сестер мутило. А Деева не мутило — чувствовать вкус еды давно перестал. Думал: вот закончится рыба — соскучитесь еще по ее вони. И рыба скоро закончилась.

"Гирлянда" волоклась по занесенным песком рельсам — вперед, все глубже в пустыню — без пуда провизии и без щепоти соли. Вода в питьевых бочках плескалась, но отмерялась по половине кружки и строго по расписанию. Все знали, что здесь пище взяться неоткуда. "Еда будет, когда увидите горы", — пообещал Деев детям. С чего он взял, что горы щедрее песков? Но что-то нужно было обещать.

Эта дорога была как вымершая. Ни единого поезда не тащилось по ней, и только редкие путники проплывали порой слабыми тенями вдоль путей. И как бы медленно ни ползла "гирлянда", сколько бы ни стояла на перегонах, ожидая ломающих саксаул мужчин, ни один состав не догнал ее и ни один не встретился на пути. Торчали вдоль дорожного полотна кусты, насаженные для защиты от песка, — и не полынь, и не акация, и не джузгун, да и вовсе не растения даже, а скелеты растений в россыпи черных колючек. Белые кости зверей мелькали иногда среди этих кустов. И если бы не знал Деев твердо, что рельсы эти ведут в Ташкент — в "город хлебный", как стали его называть в голодной России, в "град небесный", "землю обетованную", куда стремятся, в мечтах и наяву, сотни и сотни скитальцев, — если бы не тянулись эти рельсы в сказочный Ташкент, за которым прятался в горах еще более сказочный Самарканд, ни за что не повел бы Деев эшелон по этой мертвой дороге.

И скитальцы знали, что рельсы ведут в Ташкент, — многих Деев отвадил на станциях, где пытались они приклеиться к поезду, честной просьбой или украдкой. Самые же отчаянные пускались в переход по пустыне на своих двоих, по шпалам, — и нередко на перегонах "гирлянда" нагоняла таких безумцев, полуживых от голода и жажды. Взрослых Деев не брал. Детей — брал. Белая не перечила: еды не осталось, и новички не могли никого объесть.

Вот где они были — беспризорники, о которых толковал оренбургский инспектор! Дюрмень-Тюбе, Кара-Узяк, Сауран — везде попадались дети, дети, дети, поодиночке и стайками, еще ходячие или уже валявшиеся без сил. Деев брал всех. Накормить приемышей не могли, а вот напоить и положить на лавку, ободрить обещанием не бросить — вполне.

У Джалагаша увидели семью: отец с матерью лежали на обочине в тени арбы, а малолетние близнецы ползали рядом, по путям. Деев хотел выбранить родителей за беспечность, но не сумел — оба были мертвы. Детей забрали в малышовый вагон, арбу — в тендер, к дровяным запасам.

Далеко за Кзыл-Ордой встретили еще одну семью: на рельсах сидели старый сарт и четыре его закутанные в черное жены, под черными же волосяными покрывалами. Увидев пыхтящий вдали поезд, сарт поднялся тяжело — видно, едва держался на ногах от усталости — и палкой принялся сгонять женщин с путей. Те отчего-то упрямились, не хотели вставать, но наконец подчинились, отошли на несколько шагов и застыли столбом.

Глядя на них с крыши штабного, Деев никак не мог отделаться от неуютного чувства: что-то странное было в этой обычной для местных краев сцене. И не потому, что азиат бил своих жен; и не потому, что были эти жены связаны между собою толстой веревкой, тянувшейся от пояса к поясу, — суровость местных мужей была известна. Но то ли потому, что женщины эти, все четверо, провожая взглядом паровоз, стояли с поднятыми головами, — а это не принято у азиаток. То ли потому, что были они очень малы ростом. Или потому, что высунулась у одной ненароком из-под подола нога — обутая не в деревянный или кожаный башмак, а в лапоть…

Деев спрыгнул с вагонной крыши и направился к странной семье, вынимая на ходу револьвер. Испуганный сарт замахал палкой, отгоняя женщин дальше в пустыню, но те упали на землю и закричали — тонкими умоляющими голосами, по-русски. Сарта Деев убил. Женщины сняли покрывала и оказались девчонками, лет по двенадцати, с русыми косами и исхудавшими лицами. Все уральские, все проданы родителями на базаре в Орске за кишмиш и урюк. Направлялись через Бухару в Мешхед — в гарем.

Найденок посадили к девочкам. У убитого обнаружили в заплечной торбе лепешки и кусок вяленой конины. Хлеб раздали малышам, а мясо — его и было-то всего ничего, с ладонь! — отдали Капитолийской волчице: очень Деев боялся, что с недоеда у кормилицы исчезнет молоко.

Новенькие были — даже не дети, а тени детей. Долгие скитания отняли у них все силы: слабые и смиренные, они норовили забиться куда-нибудь в угол, улечься на пол, а то и вовсе на тормозную площадку, стесняясь занимать пассажирские лавки. Голосов не подавали, есть не просили, пили, когда и сколько дадут, — словом, хлопот не доставляли. Только умирали иногда.

Деев сбился со счета, скольких он принял в эшелон и скольких проводил. Каждый день подсаживал пассажиров — по одному, а то и ватагой. И каждый день происходили проклятые *новости* — со старожилами "гирлянды" или новоселами.

Рытье могил стало занятием еженощным, благо почвы в пустыне были мягкие: песок вперемешку с галькой. Работа делалась быстро, можно даже сказать ладно, за многие ночи Деев и Буг приноровились. Порой молчали, а порой говорили, и немало, — но вовсе не о том, чем занимались.

Рассказывал больше фельдшер: вспоминал сложные случаи из практики или как воевали с турками ("по безусой молодости"), или с японцами ("это уже с седыми усами"), или во время недавней Гражданской. Больше же всего — о конях: чем лечить мыт и сап, как помочь кобыле ожеребиться, и про недостатки чистопородных особей, и как встретил однажды в монгольских степях стадо мохнатых лошадок и кормил с рук солью, а те бесстрашно угощались, и за это получил Буг прозвище Лошадиный Шаман.

В этих разговорах не было неуважения к тому, чем были заняты руки собеседников. Наоборот: не будь их рты и головы полны беседами о простом и радостном, они не смогли бы исполнять положенный тяжелый урок. Деев слушал деда с благодарностью: счастье, что можно было думать не о бездыханном маленьком теле, что лежало в двух шагах и ждало погребения, а о диковинных волосатых зверьках, представлять, как тянется к дедовой руке круглая пушистая морда и осторожно снимает губами с ладони блестящую соляную крупинку... Эти беседы были — стакан водки, что притупляет любую боль. Морфий для души.

Иногда, в минуты особой откровенности, Деева подмывало спросить и о Фатиме: ты и правда влюблен в нее, дед, или мне мерещится с усталых глаз? Ты же седой как лунь! А она младше тебя в два раза! Не спрашивал, берег товарища. Понимал: это глупая ревность зудит в нем и дергает за язык. Да и слишком сокровенна была тема.

Однажды спросил о важном:

— Злишься на меня, что детей в поезд беру?

Буг долго не отвечал.

Эх, зря Деев поднял тему! Работать лопатой в молчании было тяжелее.

— Жалею я тебя, внучек.

— Что же я — больной, чтобы меня жалеть?

— Больных не жалеют, а лечат — первая заповедь врача. А тебя уже не вылечить. Искалеченный.

— Чем же это? — то ли не понял, то ли обиделся Деев и даже копать перестал.

— Войной, — пожал плечами Буг. — Временем этим мясорубочным. Откуда мне знать? Ты же ничего про себя не рассказываешь. Уж на что я человек неболтливый, а за эти недели все тебе доложил: и про службу свою, и про мечту лошадиным доктором стать. Потому как люди мы с тобой, а не два бревна в поленнице рядом лежим. А ты — вроде бы и прост, как полушка или как трава придорожная, — а ведь ой как непрост! Ни словечка о себе не выдал.

Это правда. Сколько раз порывался и Деев поведать что-нибудь о своем прошлом, и даже начало для беседы душевное заготовил: "А помнишь, дед, какая в двадцатом году зима снежная приключилась?" или "Никогда я не видел столько людей, как в августе двадцать первого. Ты тогда в Казани жил, дед?" Но каждый раз губы словно склеивало. Рассказать себя было страшно.

— У хорошего человека душа — как свежее яблоко, крепкая и звонкая, — продолжал фельдшер. — У подлеца — порченая с одного бока, а то и вовсе гниль. А у тебя душа — не яблоко, а капуста: с какой стороны ни подступись — одни листья, листья, а самого-то главного, самой-то сердцевины не видать.

Деев ударил лезвием в податливые земляные комья, и те рассыпались в муку. И черт же дернул спросить! Уж лучше бы говорили, как прежде, о выездке молодняка и расчистке копыт. Внезапно захотелось бросить лопату и убежать — нырнуть в темноту и сгинуть, пока не сказаны другие слова, честнее и больнее.

— Вот смотришь на тебя — мальчишка. Нюхнувший пороха, но мальчишка же — горячий, искренний, глуповатый. А иной раз глянешь — старик. Ты же лица своего не знаешь, когда мы с тобой могильщиками служим. Я в армии на похороны-то насмотрелся и на лица похоронщиков тоже. Обычный человек — хоть солдат, а хоть гражданский — смерти боится и отторгает ее, и этот страх у него в глазах всегда ясно читается. И только старики дряхлые, которые уже жить устали, — те не боятся. И ты — не боишься. Ты, когда детей в могилу опускаешь, словно себя самого вместе с ними кладешь.

Дед говорил не спеша, тщательно разворачивая мысль перед собеседником.

— Или с другой стороны посмотришь — кажется, добрый ты, добрее и не бывает: лежачих по утрам киселем выпаиваешь, дурачка-малолетку под койкой приютил, пацанья бездомного в эшелон понабрал, чтобы от голода спасти. Казалось бы, доброты — на троих. Но и ненависти в тебе, внучек, — не на троих даже, а на десятерых с лихвою. Ты эту ненависть в себе держишь, жмешь, а она все равно наружу выплескивается. Вот и получается у тебя: под любовью — ярость; под юностью — старость; под силой и командирством — слабость и душевные метания. Одни капустные листья, и несть им числа.

На мгновение Дееву показалось, что стоит он голый и стыдится этого страшно.

— Что же я, по-твоему, с двойным дном? Плохой человек? — Он схватился за детское тело и принялся опускать его в заготовленную яму, но схватился неловко, уронил, и пришлось повозиться, укладывая аккуратнее.

— Не знаю. Тебе-то изнутри виднее.

— А снаружи что видно?

— Видно, что нас с комиссаром из поезда бы выгнал и глазом не моргнул, если бы не разрешили тебе беспризорников подсаживать. Что за мясо на ссыпном пункте умереть был готов. Что инспектора любого станционного задушишь, если помешает он "гирлянде" дальше идти. И движут всем этим не долг, не идея, не человеколюбие, а большое отчаяние и большая боль. Ты в этом эшелоне спасаешь не детей, а самого себя. Детей просто заодно. Вот что видно.

Деев принялся орудовать лопатой — засыпать могилу. Шуровал отчаянно, как на пожаре: набирал комья побольше и швырял, набирал и швырял — громко шуршала сухая земля.

— А еще видно, что сегодня ты поезд с детьми в Туркестан доставишь, а назавтра казачий отряд расстреляешь. Одной рукой спасаешь, второй убиваешь.

— Не убиваю, а караю врагов революции! Нынче все так живут.

— Многие, — согласился Буг. — Но не все. Кто живет — про тех и говорю, что покалеченные. Тех и жалею.

— И товарища Дзержинского? — не удержался Деев.

Все знали, что грозный глава ЧК товарищ Дзержинский руководит и Деткомиссией ВЦИК, по распоряжению которой формируются и курсируют по стране эвакуационные эшелоны. В том числе "гирлянда".

— Никаких больше детских поездов, — ответил Буг невпопад, становясь на колени и руками помогая Дееву собирать землю. — Никогда. Вот дойдем до Самарканда, и первым же обратным составом уеду в Казань — в военную академию, к лошадям.

"Гирлянда" стала тихим поездом. Когда-то Деев удивлялся лазаретной тишине, теперь такая же наступила во всем составе. Едва ли не единственными звуками его стали гроханье машинерии в металлических недрах и свист пара из трубы, да еще стучали колеса и бряцали сцепки, когда эшелон катился по рельсам. Но стоило паровику встать и механической жизни прерваться — "гирлянда" немела. Не кричали по вагонам детские голоса — не пели, не сквернословили и не орали смешные стихи. Не бранились сестры. Не бренчали котлы-половники в кухонном отсеке. Вечерами Фатима не пела колыбельную малышам. Население поезда стало угрюмо и молчаливо, экономя силы даже на разговорах, даже на улыбках и взглядах.

Не ели вот уже три дня.

Дети большей частью лежали на лавках, глядя в стену или в потолок: вид из окна — бескрайняя нагая земля —

утомлял и угнетал. Взрослые еще находили в себе силы исполнять неотложные дела — расчищать рельсы от песка, ломать саксаул, ведрами носить воду из цистерны в паровоз, — но силы эти были на исходе.

Сестра-портниха два раза падала в обморок. Бывшую библиотекаршу мучили рези. Попадья принялась молиться, часто и вслух, — угрозы Белой и увещевания Деева не помогали. Крестьянка слегла: валялась на лавке колодой, молча, однако дышала так тяжело, что скоро ее перевели в больничный вагон, чтобы не пугала ребятню.

Пацаны задумали питаться травой: рвали сухие пучки, что торчали вдоль рельсов, и жевали, превращая в кашицу, затем глотали. Фельдшер запрещал, а они все равно жевали. Не прошло и дня — у троих начались колики. Буг не стал забирать больных в лазарет: пусть-ка стонут по вагонам и жалким своим видом других детей от невоздержанности отвращают.

Грига Одноух с пятерыми товарищами ушли из поезда — никому не сказав и не попрощавшись, ночью. Ушли в казенных рубахах, но ничего на память не прихватили, ни из кухни, ни из лазарета. Утром Деев с Белой обрыскали окрестности, отыскать следы на поросшей полынью земле не смогли. Через сутки беглецы обнаружились на своих полках — грязные донельзя и в ссадинах, рубахи порваны; видно, нагнали эшелон тоже ночью, по шпалам, и незаметно пробрались внутрь.

Девочки стали сбиваться в гроздья: лежали на лавках по трое и четверо, прижавшись друг к другу и согреваясь общим теплом. Не разговаривали, больше дремали, не плакали.

Не плакали даже малыши. Сосали пальцы, засовывая пятерню чуть не целиком в рот. Жевали подолы рубах. С тупой покорностью жались к Фатиме, а некоторые — к теплой шкуре Капитолийской волчицы. Та валялась на полу как падаль, без единого шевеления, с прикрытыми глазами. Фатима время от времени выпаивала ее водой и переворачивала с боку на бок. И Кукушонка прикладывала часто: что-то еще сочилось из дряхлых сосков, еще питало младенца. Деев наблюдал эту картину, покидая купе или возвращаясь.

Последнее время он чувствовал, как лишенное пищи тело его стремительно легчает. Удивительным образом перемещать это легкое тело стало трудно. И носить по составу во время обхода — трудно. И посылать на ломку саксаула, на разгребание занесенных песком путей — трудно. И взгромождать на вагонную крышу. Всё трудно.

Труднее же всего давалось Дееву — думать: череп был уже не череп, а бочка с клейстером, где мысли ворочались неуклюже, липли друг к другу и едва додумывались до конца. Легче было цепляться за мысли старые и проверенные, чем изобретать новые. Он так и делал, берег силы. Но порой этого недоставало, и тогда приходилось сжимать бочку с клейстером в ладонях и основательно трясти, отделяя страхи, мóроки и желания от яви.

Главная мысль: мы едем в Самарканд. Он есть.

Еще важная мысль: еда появится, когда увидим горы. Кто-то пообещал это Дееву, кто-то умный и знающий. Кто же? Неважно. Важно: увидеть горы. Добраться до них, доползти. Не видно ли еще гор в окне? Нет, не видно.

А вот новая мысль, и оттого не такая гладкая и приятная, как старые: дрова нужно экономить. Дрова — только для паровоза. И потому с сегодняшнего дня мы отключаем в вагонах отопление. Ну и что с того, что холодно по ночам? Вы, сестра, в тепле нежиться хотите или до Самарканда добраться? Приказываю экономить. Правило начальника эшелона — правило за номером… забыл, за каким.

В желудке начались судороги. Никому про то не сказал. Когда вступало под ребрами — отворачивался и пережидал. Если при свидетелях — стараясь не крючиться скобкой и не сжимать кулаки. Получалось не всегда.

Время уже не текло потоком, а распадалось на события, разговоры при случае, обрывки мыслей. Только что сидел на крыше, выглядывая очертания далеких вершин, а — глядь! — уже в лазарете, вдвоем с Бугом лежачих водой обтирает, смывает с лиц коричневую пыль. Только что спорил с машинистом, нельзя ли "гирлянде" и по ночам двигаться, глядь — уже в купе своем лежит без движения и на обивку потолочную таращится, словно нет поважнее дел. Куски жизни мелькали вспышками, как окна быстро несущегося поезда. В промежутках — пустота.

Одна вспышка. Явился кто-то из новеньких пацанов: давайте псину съедим, которая с малышами живет, она же старая. Лады, соглашается Деев поразмыслив, но только перед этим съедим тебя. Слушай внимательно, предлагатель. Если у нашей Волчицы-капиталистки хоть одна царапина образуется или один клочок шерсти выпадет — разбираться и виновных искать не станем, выпадешь из эшелона и ты, и даже… Убежал активист, не дослушал медлительную речь командира.

Другая вспышка. "Правда ли, что буржуи хлебом паровозы топят?" (Это уже Пчелка спрашивает, когда Деев проходит мимо.) "Сам не видел, — признается он, — может, и правда". — "Убьешь их, когда встретишь?" — "Убью, обещаю". В подтверждение достает из кармана револьвер и, раскрыв барабан, крутит перед девчачьими глазами: полюбуйся-ка — полный, на семь пуль. Замечает, что оружие в руке дрожит.

И еще вспышка. "Деев, ты виноград едал?" — "Не приходилось". (Это уже с Юсей Трахомой беседуют.) — "Говорят, чудо-ягода. Одной виноградиной на весь день сыт бываешь". — "Раз говорят, значит, правда. Значит, первым делом его в Самарканде и найдем. Ведь едем-то мы с тобой в Самарканд. Он есть…"

По деевским расчетам, тащились они от Арала уже не менее восьми сотен верст. Сегодня-завтра должны были показаться горы. Вот-вот. Через час. Или два. Или к вечеру. Но гор не было.

Пустыня издевалась: не изгибала рельеф — хоть самую малость! — обещая предгорья, а лежала плоско и бесконечно, куда только достигал взгляд. Прыщами торчали на ней усеянные щебнем и прихваченные полынью холмы — мелкие, и не холмы даже, а кочки. Гигантскими блюдами сверкали солончаковые площади. Земля вокруг этих площадей слегка топорщилась, порывы ветра гоняли ее, как поземку. Это была не земля — песок.

Уже давно не встречались и строения: станция под названием Арысь осталась далеко позади, а других все нет. Верста, еще верста — нет станций.

— Товарищ начэшелона, дрова заканчиваются.

— Пока не закончились — топите!

И саксаульных зарослей нет.

Верста, еще верста…

Вытащили на свет и порубили все: насесты из бывших курятников, корзины из-под кур, накопившиеся ящики и коробки от провизии, подаренные казаками напольные часы, курительные трубки, книги до единой (библиотекарша плакала, но отдала), раму от картины в девчачьем вагоне (Деев хотел было и саму картину в огонь кинуть, но тут уж библиотекарша вцепилась в холст, будто был он из золота, и Деев сдался, не тронул мазню). Все, что могло гореть и давать тепло, — гудело в топке.

Двери порублю, мрачно думал Деев, орудуя топором. И лавки все порублю. Оставалась бы сушеная рыба — и ее бы в топку пустил.

— Вода в цистерне заканчивается.

— Велено же — топите!

Еще верста. Полверсты…

И воды больше нет. И дров тоже, в топке одни угли краснеют.

Колеса крутятся, еще движимые последними толчками механического сердца, но с каждым оборотом все медленней. Металлическая махина дышит все протяжнее, тише и скоро умолкает — "гирлянда" встает, лишь из трубы ее курится легкий пар.

А вокруг по-прежнему пустынная гладь — бурый океан.

Отправить гонца обратно в Арысь? Тащились от нее полдня — верст сорок, а то и пятьдесят, беспрестанно разгребая засыпавший рельсы песок. Да и чем поможет унылый смотритель на унылой станции, без телеграфа и вообще без какой-либо связи с большими городами? Нет, спасение — не позади, а только впереди.

Деев спрыгивает на землю и припускает по путям.

Белая кричит что-то, но Деев не слушает: перебирает башмаками по шпалам — левой-правой, левой-правой, словно в армии на построении.

Кто это тащится следом, близко? Неужели комиссар догоняет?

Загрейка.

Не ходи за мной! Деев загребает ладонью песок и швыряет в преследователя. К остальным возвращайся! Упорствует. Да и черт с ним, с дураком!

Верста. Еще верста.

Где же вы, проклятые горы?!

Полотно под ногами обрывается — дальше чугунка не идет.

Это — как?

Не веря глазам, Деев падает на колени и ползет по земле, ощупывая почти вросшие в нее последние шпалы и концы рельсов, шершавые от застарелой ржавчины. Затем еще ползет, дальше, долго, в поисках продолжения путей. Ничего не находит.

Вот и железной дороги больше — нет.

Песок был рыжий и живой. То отделялся от земли и волокся по ней метелью, то становился этой землей. Исчезал вовсе, если стихал ветер. И поднимался пышно — если нарастал.

Песок играл с Деевым: сначала спрятал от него рельсы, которые вели в горы, а потом и те, по которым Деев пришел в пустыню. Отдай, твердил Деев, ковыляя вперед. Отдай! Иногда ударял по песчаным вихрям носком башмака для острастки, но пинки отнимали много сил, и потому скоро перестал. Разгибать колени при каждом шаге было нелегко — брел, слегка согнувшись и не распрямляя ног. Ботинками цеплял корни кустов, а может, корни сами цеплялись к обуви.

Чугунка не могла оборваться, словно истертая верблюжья упряжь, это Деев знал твердо. Знал, что поезда на Ташкент и далее, до самой Бухары, регулярно уходят с Казанского вокзала и достигают пункта назначения. Также знал, что сам он ведет эшелон до Самарканда. И что Самарканд — есть. Значит, дело за малым: найти в складках почвы и путанице трав укрытые от взора стальные брусья, бегущие по деревянным поперечинам.

Где же рельсы?

Он шагал уже несколько часов. Надеялся, что на юг: солнце тонуло в небесной вате, и определить направление хода по собственной тени было невозможно. Старался удерживать курс — именно с юга должны были вынырнуть горы, — но треклятый песок вертелся под ногами, как шаловливая собака, сбивая с ног и с маршрута.

Песок был здесь — хозяин: по правую руку от Деева лежали красные просторы Кызылкума, по левую — Муюнкум, переходящий в необъятную Голодную степь. Да, где-то здесь бежала и широкая река Сыр, и росли горные гряды, разрезая ландшафт на куски и не давая пустыням слиться в единый песчаный океан. Да, почвы прострочены травами и прошиты корнями кустарников — не оборачивались барханами, а стлались плотно, притворяясь землей. Но проведи-ка в этом краю хотя бы пару часов, утирая с лица бесконечную пыль и пытаясь не сойти с пути в песчаной круговерти, — сразу поймешь, кто здесь всем правит.

Что я здесь делаю? — Ищу рельсы до Самарканда.

Зачем? — Везу туда эшелон с детьми.

А где же тот эшелон? — И правда, где?..

Отдай рельсы! Отдай эшелон!

Позади шуршал по песку неотвязный Загрейка. Мальчишка стал так тощ за последнюю голодную неделю, что легкие шаги его сделались почти неслышны, а фигурка уменьшилась до болезненной тонкости. Деев вспоминал иногда про спутника и оборачивался — смотрел ободряюще, кивал: держись, брат. Лучше бы сказать словами, вот только губы, запорошенные пылью, не распечатать.

Если пацан упадет и не поднимется — придется его тащить. Белая бы оставила в пустыне, а Деев не сможет. Это отнимет силы и замедлит ход.

Земля прыгает в глаза, и вот уже сам Деев лежит пластом, едва не расшибив нос и подбородок, — раскинул конечности звездой, как обнимает пустыню. Загрейка топчется у деевских башмаков и скулит, верно, хочет помочь.

Поднимайся! — Не могу, ноги-руки не слушают.

Встань и иди! Сейчас! — Не умею.

Пока ты тут пузом по земле елозишь, умирают дети. И ты им — убийца, убийца!

Встал, побрел дальше. С тех пор спотыкался и падал часто — кусты-травы зловредничали и накидывали корневища на деевские ботинки, а ровная до этого пустыня принялась дурить: ходуном ходила под башмаками, норовя изогнуться холмом или низиной.

В одну такую Деев и слетел кубарем. Была она мелкая, как овражек в приказанском лесу, но летел отчего-то долго, кувыркаясь по откосу и носом пересчитывая торчащие метелки джузгуна. Оказавшись внизу, раскрывать зажмуренные глаза не захотел — замер ненадолго, собирая силы. Казалось, на минуту или на две, а раскрыл — уже стояла ночь.

Тело колотило, из ноздрей шел белый пар. Тяжелый перламутровый свет луны лежал на одном низинном склоне, второй был черен — распростертое по дну деевское тело как разрублено пополам этим ярким светом. Еле слышно дышал ветер, и струи песка змеились по стенкам котловины, поднимаясь вверх. Кто-то теплый и мелкий жался к ногам, не давая замерзнуть окончательно, — верно, дикий зверек.

Где я? — Не знаю.

Что я здесь делаю? — Что-то ищу. Или кого-то.

Кого ты можешь искать? У тебя же никого нет. — Есть! Есть женщина, которая поет мне колыбельную. Есть мужчина, который сильнее и мудрее всех на свете. А еще есть дети, которых люблю — братья? — и за которых отвечаю. Я везу их в Самарканд. Везу в эшелоне, по рельсам. И ищу я — этот эшелон и эти рельсы.

Отдай рельсы! Отдай эшелон!

Деев ударил по струящемуся вверх песку и полез по склону. Карабкался долго: мышцы то и дело сводило, глотку продирало дрожью, словно вдыхаемый ночной воздух был не воздухом, а входящей в горло и легкие ледяной водой. Земля была даже не холодная — мерзлая; на такой спать нельзя — не проснешься. Белые в лунном свете песчинки на ощупь — как снеговая крупа.

А помнишь, дед, какая в двадцатом году зима снежная приключилась?

Фраза вспыхивает в голове электрической лампой. Что за слова, откуда? Кто и когда произнес их и к какому деду обращался? Неважно. А важно только, что горит в мозгу эта ослепительная лампа — не дает снова прикрыть веки и утонуть в ночи. Всей волей, всеми оставшимися мысленными силами уцепившись за это ослепительное, он взбирается по ледяному и сыпучему, затем по твердому и узловатому — выползает из низины.

Пробует и дальше передвигаться ползком, но тело ползти не может — примерзает, что ли, к почве? Передохнув от усилий последних минут, взгромождает себя на колени, затем на ноги. Бредет.

Правой-левой… правой-левой… верста, еще верста. Где же проклятые горы? Или рельсы? Или эшелон? Что же ищу я, долго и мучительно, в этом бесконечном сне?

Пустыня покрошена луной на черное и белое: на яркие куски света и угольные тени. Кисти полыни в этом свету — как в инее. Песок лучится искрами, аж глаза режет. Или это снег? Много его, от горизонта и до горизонта. Да-да, зима-то в двадцатом году снежная приключилась, про то и речь!

Неужели и рельсы, которые Деев ищет, снегом завалило? А эшелон? Там же внутри дети, в одном исподнем, — замерзнут! А он-то, дурак, запретил сестрам топить. Так нечем топить — дров нет. Как это нет, если вот они, стволы древесные, — ломай сколь душе угодно!

Стволы древесные — саксаульный лес. Раскинулся вокруг огромной и неподвижной толпой — уродцев или безумных плясунов, застывших в диком хороводе. Каждое дерево — не выше человека, раскорячило сучья-руки и сучья-ноги, изогнуло безобразно спину. Безлистые кроны неколебимы, как вплавлены в воздух, и даже порывы ветра не нарушают их паралича — свистят меж ветвей, но не раскачивают.

Шатаясь, Деев тащится по оцепенелому лесу. Если распрямиться и приподнять подбородок — можно обозреть заросли сверху. Если ссутулиться от изнеможения — воткнешься взглядом в скрещения сучьев. Перекрестья черного и белого плывут перед глазами, от их обилия плывет и кружится голова. Отдай, просит Деев как заведенный, уже не понимая, о чем просит и кого.

Нога спотыкается или поскальзывается — на ветке? или на льду? — и он летит на землю, уже в который раз. Каменные саксаульные корни ударяют в скулу, в висок, в грудь. Трещит порванная ткань — галифе? Или это рвется и трещит от боли нутро?

Встань и иди! Сейчас! — Никогда.

Убийца, убийца! — Пусть.

Уговоры и угрозы не помогают: Деево тело мешком лежит среди деревьев, лицо утонуло в песке. И все, что он теперь умеет, — это иногда раскрывать веки, обозревая полторы сажени саксаульных зарослей. Внутренности стынут и твердеют, как ноябрьская вода.

Утро. Серая птичья тень скользит по стволам.

День. Облезлый заяц скачет мимо, кося на Деева янтарным глазом.

А помнишь, дед, какая в двадцатом году зима снежная приключилась?

Или это нынче двадцатый год? Нынче — та снежная зима? Потому-то Деева и трясет от мороза. Потому-то и тело его утопает в сугробе, потому и не может ползти.

Да, нынче. Да, именно так: все, что с тобой приключалось, — недавно или давно, в любом году твоей жизни — не исчезает бесследно, а происходит опять, и сегодня, и завтра, и всегда.

В двадцатом, когда я только пришел в транспортный, охраняли мы больше, чем возили. Помнишь, дед, какая в тот год зима снежная приключилась? Чугунка тогда мертвая стояла, сугробами заметенная. Грузы — сплошь драгоценные: хлеб, горох. И всё — по путям сбилось, по отстойникам, ждет отправки. Ждет месяцами — паровозы топить нечем, дров нет, про уголь уж и не говорю. И людей нет, кто бы пути от завалов расчистил, впору самому лопату в руки брать, — но метели такие, что не одна нужна лопата, а по сотне на каждый эшелон. Главное же — нет машинистов, поубивало войной. А воров хоть отбавляй.

Что ни ночь — какая-нибудь крыса да вылезет на пути, с мешком пустым за плечами и фомкой в руке, чтобы замки с вагонных дверей сшибать. Кто в одиночку, а кто кодлой. Мы их даже не окликали: видели, что крадется меж вагонов тень, — и стреляли наповал. Простым людям тогда на железку хода не было: кто нарушал, тем полагался лагерь. Или пуля от нас.

В Казани тогда еды не осталось — совсем. Людей на улицах не видать, одни мертвяки из сугробов торчат, и тех убирать некому. И вот стоишь всю ночь у вагона, в котором тонна гречи или пшена, и думаешь: а почему бы не раздать это пшено городу? Если уж вышло так, что не может оно добраться до места назначения, то почему бы не накормить тех, кто рядом? Но такой команды не поступало.

Стыдно признаться, дед: нас кормили из тех вагонов. Караулу полагался паек из охраняемого эшелона. А также тем, кто после этот эшелон сопровождал, — машинистам с кочегарами и рабочим, которые снег на путях гребли. Чтобы не воровали.

А я бы крысятничать не смог, даже если бы и без кормежки. И тех, кто по вокзалам крысятничал, не жалею: поделом свою пулю в спину получили.

К лету стало чуть полегче — не с едой, а с погодой: снега растаяли, и чугунка ожила, эшелоны начали разъезжаться. Смотрел я на каждый такой состав, что с запасных путей на главную трассу вылезает и в дорогу отправляется, — и сердцем теплел. Значит, едут сейчас эта греча или это пшено — спасать людей. Значит, не зря мы всю зиму их стерегли: конец весны и начало лета — самое голодное время, когда все припасы уже съедены, а новых взять неоткуда, и сейчас еда в подмогу нужнее всего.

Только ведь и в Казани самое голодное время началось. И вот провожаешь взглядом эти растекающиеся во все стороны эшелоны, считаешь вагоны, кукурузой и маслом набитые, и думаешь: а почему бы не оставить пару тех вагонов городу? Почему не раздать? Лежачим, что по вокзальной площади, как мусор, валяются. Малышне в детприемниках. Пацанью беспризорному, которого в городе уже едва ли не больше, чем жителей. Но такой команды не поступало.

Тогда-то он и случился, тот самый поезд. Его пригнали к вечеру — запихнули в отстойник поглубже, меж пустых составов спрятали, утром обещали забрать. Агитационный поезд, всего-то на пяток вагонов. Сами вагоны телячьи, без окон, а стены картинками разрисованы: знамёна, колосья, солнечные лучи. И надписи, надписи, аж в глазах рябит.

Никто не знал, что внутри. И мы не знали, только догадывались, что не листовки и не плакаты с лозунгами. Уж больно тяжело те вагоны по рельсам катились — как под завязку груженные. Да и зачем иначе было такую охрану выставлять? Четверо конвойных из транспортного и я над ними. Велено было смотреть в оба, чтобы муха не проскочила. И мы смотрели: два конвоира по одну сторону поезда и два по другую, а я — одиночным патрулем, по окрестностям да вокруг состава.

Охраняли всю ночь. Под утро, в самый темный и сонный час, показалось мне, что в одном вагоне кто-то шебаршится. Стал я стены вагонные щупать, замки дергать — все в порядке, все на месте. И тихо опять внутри. Может, померещилось? Влезаю на крышу, шарю по верхам — и там ничего. Вдруг осенило: если катались в том вагоне агитаторы — непременно дырка отхожая должна быть в полу прорублена.

Спрыгиваю на землю, корячусь под состав — так и есть! Есть дырка! Сую в нее руку — не прикрыта ничем изнутри. А кто сказал, что она прикрыта должна быть? Нужник — он и есть нужник. Это буржуи пускай сортиры крышками прикрывают, а советский агитатор — он простой человек, ему деликатничать без надобности. Может, и не имелось никогда у этого сортира покрышки, так что все мои волнения зря. Да и узкая та дыра, никому не пролезть.

И успокоиться бы мне, отойти — а свербит, не могу уняться. Хватаюсь за края дыры — пол дощатый, пара досок плохо пригнана. Упираюсь ногами в землю, а плечом в те доски, жму вверх, жму — и выломал одну. Ничего, думаю, утром залатаем, никто и не заметит.

Конвойные мои всполошились, подбегают. Двоих отсылаю обратно на посты, в разные концы эшелона (вдруг вся эта катавасия — приманка, чтобы нас отвлечь?), а двоим велю остаться. Сам лезу в пролом. В каждой руке — по нагану. В каждом нагане — по семь патронов, полный барабан.

Лезу аккуратно — темно же внутри, как у черта в брюхе. Дерьмом воняет. А еще воняет чем-то сладким, душным, аж во рту слипается. И тихо, что в твоем в гробу. Чую — есть кто-то внутри. Не слышу, не вижу — просто чую. Они-то меня слышат — как доски выламывал, как лезу сейчас внутрь, штанами по доскам шкрябая. А я их — нет. Они-то знают, что я один торчу сейчас из говенной дырки, как репка из земли. А я про них ничего не знаю. Сколько же вас, думаю, крысы гальюнные, успело в вагон заползти? Одна гадина? Или пяток? И как только просочились в такую-то узёхонькую дыру, змеюки?

Я бы на их месте не медлил: саданул бы непрошеного контролера по башке прикладом или пырнул ножом, пока тот не успел в вагон забраться. А эти трусы затаились по углам — не шелохнутся. Встаю я на дощатый пол, распрямляюсь. Дышу едва, лишь бы воздух в ноздрях не шумел, а сердце-дура о ребра колотится — верно, и снаружи слыхать. Отступаю два шага в сторону — медленно, чтобы не шорхнули штаны и не скрипнули доски под башмаками. Рассуждаю: если кинутся крысы к выходу — а кинутся непременно, больше никак из вагона не уйти, — тут-то их моя пуля и встретит.

Вокруг тьма египетская: что и где, с какой стороны — ничего не видно. Стою и тишину слушаю. Сладким воняет — не продохнуть, чуть живот не выворачивает. Но терплю. Теперь-то уж, думаю, точно не шелохнусь: издай хоть звук — они на этот звук и шмальнут. А сейчас мы с ворами на равных: я не знаю, где они, но и сам от них в темноте спрятался. Сейчас уже — кто кого перетерпит.

На крышу вагонную птаха какая-то села, скачет по жестяным скатам и клювом долбит. А кажется, что долбит по темечку: ток-ток… ток-ток… — хоть пали в нее сквозь потолочные доски, лишь бы прекратила. Сдерживаю себя: время-то на меня работает, скоро утро. То скачет птаха, а то нет — и долбежка треклятая то ускоряется, а то замедляется. То туда, то сюда. Туда, сюда… Вдруг — оборвалось. И вновь — беззвучие. Улетела? Долби уже, птица окаянная, сил нет больше тишину терпеть! Ну же!

А тут — шорх! — по самому полу, к дырке.

Стреляю на звук — попадаю: кто-то валится на пол, не добежав до нужника.

И начинается: шуршит со всех сторон, трясется, вскрикивает — будто и правда крысиное гнездо разворошили. Я стреляю. Стреляю.

А они в ответ — нет. Не бросаются с ножом, не лупят фомкой — просто бегут-спасаются. Трусы!

Я стреляю.

Самая возня — у отхожей дырки. Ее, видно, чьим-то телом заткнуло, и воры по очереди пытаются вытащить затычку, но сами там же от моих пуль и валятся, затор увеличивая.

Я стреляю.

Щелкает пустой барабан — в одной руке, затем в другой: кончились патроны.

Стою, жду.

И снова тихо вокруг — даже птаха проклятая не долбится в темя. И воздух воняет не сладостью, а порохом.

Конвоиры мои уже снаружи помогают — вытаскивают по очереди все тела на улицу.

Я в вагонной темноте заряжаю наганы — вслепую, давно научился.

— Командир, — зовут снаружи.

— Лампу сюда! — командую. — Может, внутри еще кто остался.

— Командир, — повторяют настойчиво.

Бестолочи!

Вылезаю и вижу: уложены тела вдоль поезда, головами к вагону, ногами к вокзалу. Не больше десятка. Все неподвижные: раненых нет.

— Что пялитесь? — ору. — Лампу несите!

Скоро несут. Но не в руки мне дают, а почему-то ставят к изголовью убитых.

У тех морды — грязью заляпанные, словно их башками в глину макали, и лиц не разглядеть. А конвойные таращатся на меня, будто чего-то ждут. Остолопы!

424

Хватаю лампу и возвращаюсь в вагон. Шарю по углам, по закоулкам, проверяю каждый закуток — но никого там не осталось, всё крысьё уже снаружи лежит, успокоенное. А вагон и правда битком набит какими-то ящиками, парочка раскурочены ворами. Я даже смотреть не стал, что внутри: мое дело — охранять, а не нос в грузы совать.

Когда вылезаю — светает уже.

— Молоток с гвоздями несите, — командую. — Сами-то не догадались? Выломанную доску заделать надо, иначе неловко получается.

Конвойные исполняют послушно: инструмент несут, дырку отхожую чинят. И зыркают на меня как на привидение.

А я сажусь напротив, на соседние пути, и труды их контролирую — смотрю, как солдаты мои поврежденное имущество починяют. На лежащие тут же крысиные трупы — не смотрю.

Прибегает начальник вокзала, обещает скоро подводу прислать и убитых забрать. И тоже пучит на меня глаза, как щука на плотву. Злюсь на взгляды эти особенные, но спрашивать первый не хочу.

Скоро уже и вовсе светло — утро. И замечаю я тут, что у одного из убитых ступня босая, — видно, потерял башмак в суматохе. А ступня эта неправильная какая-то, странная. В чем странность, не могу понять.

Подхожу ближе, сажусь на корточки рядом и рассматриваю. Пять пальцев, одна пятка — все на месте, как полагается. Ступня грязная, шершавая. И — маленькая. Вот что странно-то! Крошечная совсем. Подношу к ней свою ладонь, а рука моя рядом с той ступней — как великанская.

И лодыжка бледная, что из той ступни растет, под грязную штанину прячется — и та узёхонькая. И нога под штаниной — тонкая, палочкой. И куртка поверх штанов — едва над землей приподымается, до того плоское внутри нее тельце. И шея, что из куртки торчит, — цыплячья, в один ладонный обхват. А лицо над шеей — юное совсем. Детское. Даже не подросток лежит на земле — ребенок.

И другие тела рядом — тоже детские. Второе, третье… четвертое… девятое. Девять детей…

Девять детей лежат передо мной. Над ними, на вагонной стене, — ярко намалеванное солнце и надпись аршинными буквами: "Даешь бесплатное образование!" А над вагоном — настоящее солнце восходит. Смотрю я на это солнце — не сощурившись даже, в упор смотрю — и удивляюсь, что глазам не больно.

А когда опускаю глаза — детей уже нет. Унесли, говорят. Как унесли, если были только что рядом, я даже моргнуть не успел? Давно унесли, говорят. И вагона того, солнцем разрисованного, тоже нет. И эшелона агитационного. Давно отбыл, говорят. А что же в нем было, спрашиваю. Так шоколад же, отвечают. Пять тонн. У убитых лица этим шоколадом и были перемазаны. Куда же увезли все эти тонны, спрашиваю, из голодного-то города? Почему хотя бы часть не раздали здесь? И почему везли тайно, за маскарадом спрятавшись? На это уже не ответили.

Милиция позже дозналась: это была детская шайка. Жили на заброшенных профессорских дачах, а за главаря — старый нищий-туберкулезник. У него ног не было, одни обрубки, и даже тележку, на которой по папертям ездил, в первый же голодный год своровали. А дети его подобрали и в отцы себе назначили. Кормили, табаком-самогоном снабжали. Он ими руководил: учил воровать и побираться.

Чаянов потом сказал, что пострелял я той ночью будущих бандитов и воров. Правильно, говорит, что пострелял: они бы все равно в преступников повырастали и по тюрьмам-лагерям сгинули, а до того сколько бы еще вреда добрым людям принесли. И потому — правильно, говорит, что пострелял их. Очень правильно.

Да-да, так и сказал. Всё — правильно!

Правильно, дед.

Сладкое с тех пор не могу есть. Не то что шоколад, а любые сласти, даже сахар, — сразу наизнанку выворачивает. Ем только соленое.

✦

Фатима, ты?

Кто-то гладит сонного Деева по щеке, согревает уютной ладонью. Гладь, Фатима! Как долго я не решался просить об этом. А вот же — само случилось.

Деев лежит в саксаульной роще, вывернув шею, щекой в песок. Ветер поднимает нагретые солнцем песчинки и сыплет на скулу.

Нет, не ветер вовсе — Фатима. Только она и умеет ходить по земле бесшумно, как по воздуху. И успокаивать — любым касанием, без слов. Вот и пришла тихонько, пока он спал, и успокаивает. Слов ее Деев не понимал никогда и вряд ли уже научится, и потому сейчас она все делает молча — только улыбается и ласкает.

Как я устал, Фатима. Не помню отчего. Что делал, куда шел, чего хотел — ничего не помню. Как выпотрошили. А тебя — помню. Утешь.

Он приподнимает голову, чтобы стать ближе к круглому и прекрасному лицу. Она смотрит на него с нежностью: отдыхай, раз устал. И столько тепла в ее глазах, что тепло это перетекает в Деева, наполняет силами бездвижные конечности. Он опирается о саксаульные лапы одной рукой, второй. Напруживает мышцы, вытягивая себя вверх — к солнцу, что палит вовсю, к Фатиме, что глядит на него безотрывно, — и встает. Она ведет бровями — ну же, еще! — и он переставляет затекшие ноги, как костыли. Еще и еще — шагает по лесу.

Бедра и голени — как столетние, еле в силах мышцы сопрягать, хорошо, туловище не роняют. Колени сгибаться разучились. Но ковыляет Деев — чуркой нестроганой, коряжиной саксаульной, а ковыляет. Древесные тела мертвы по-прежнему, а он — ожил.

Деев с усилием распрямляет спину, окидывая взглядом верхушки деревьев: дебри без конца и края, во все стороны. Сколько же брел он вчера, что оказался в такой чащобе? И сколько будет выбираться обратно? А сколько бы ни было! С тобой, Фатима, век бы шагал.

Ее полное и гибкое тело мелькает впереди — извивается, как саксаульный ствол, исчезает за окорёнными спинами и появляется вновь. Не спеши, просит он. Ловит пальцами длинные косы — крепкие, как ветви, — всегда хотел и не смел, а тут вдруг расхрабрился. Изящная голова не оборачивается, не ждет ковыляку Деева — и косы выскальзывают из его неловких пальцев.

Думаешь, не смогу догнать? А вот посмотри-ка! Он тоже прибавляет ход — разошедшиеся ступни перебирают увереннее и несут, несут его за быстроногой женщиной. Наконец они идут вровень — долго, молча, огибая коряги и изредка улыбаясь друг другу.

А дед наш влюблен в тебя. Знаешь про то, Фатима? Он, когда с тобой разговаривает, еще держит суровость. А чуть ты отвернешься и уходишь — вслед тебе глядит и румянцем покрывается, как школьница-первогодка. Даже шея краснеет — не ярким румянцем, а нежным, под загаром едва видать. И если спросить его о чем-нибудь в такой момент — непременно вздрогнет и переспросит: ничего не слышит, когда на тебя глядит. Я проверял, много раз…

Лицо у женщины гладкое и спокойное — сразу и не поймешь, что думает. И кожа гладкая, еле смуглая, как древесная мякоть, сияет на солнце. И стволы саксаулов сияют, ей под стать.

Я его жалею как брата, Фатима. Куда ему любить, у него же не то что голова — волосы в носу и те седые! Уши за семьдесят лет огромные отросли, как грибы. А может, зря жалею. Может, оттого он и сильный такой до сих пор, что любовь его держит. Не ест, не спит уже которую неделю, а силища — прежняя. Самый сильный в эшелоне…

Деев шагает ходко, только хворост под башмаками хрустит. От этого быстрого движения, и от яркого солнца, и от близости дорогого человека такая вдруг внутри образуется смелость, что он говорит из самого сердца — все говорит, до последнего.

Наверное, и я влюблен в тебя. Только чувство это чистое — чище не бывает, поверь. Назвал бы другим словом, да не нахожу. Хочу на коленях перед тобой стоять и обнимать. Хочу лицом в тебя упасть и дышать тобой. И чтобы ты меня по голове гладила, как нынче утром. А больше мне от тебя ничего не надо…

Саксаульные кроны жидкие, метелками, и оттого тень в роще тоже жидкая — падает на лицо женщины легкими серыми штрихами и тотчас исчезает. Деев любуется этой мимолетной игрой, на ходу неотрывно глядя Фатиме в лицо, до того осмелел. А ноги несут сами, не спотыкаются и не скользят.

Смотрю на тебя — и хорошо мне, Фатима. Когда ребенка какого-нибудь по макушке треплешь — будто меня. Когда Кукушонка тетешкаешь и к груди прижимаешь — будто меня. Все, что ты делаешь и что говоришь, — будто для меня. А когда голову наклоняешь, то все твои сединки в проборе видно, — и такие они красивые, что пальцем тронуть хочется.

Маленькая ты. Уж на что я невысокий, а и для меня ты — маленькая. Поднял бы на руки и нес. Наверное, и дед о том же мечтает, когда вслед тебе смотрит: рядом с ним ты и вовсе синица возле медведя, он тебя на одном плече унесет…

Саксаульная толпа приседает, редеет — деревья мельчают и разбегаются друг от друга, все дальше. Вот уже и опушку видать.

Думаешь, юбочник я и сволочь последняя, если в постели с одной женщиной кувыркаюсь, а слова нежные другой говорю? Нет, не так все, Фатима. Не сволочь, а большой дурак. Когда Белую обнимаю — и о ней, и о тебе думаю. В одно и то же время — о двоих. И в самую горячую свою минуту никого другого в сердце иметь не могу — только женщину, которую обнимаю, и тебя. Вас двоих.

Комиссар — она же нож, лезвие бритвенное: чуть что — и порезался до крови. Ее любить нельзя, только желать.

А ты, Фатима, — вода. В тебе купаться можно. Тебя пить можно. Тобою чище делаешься. От тебя и уйти нельзя, потому что ты — везде…

Не в силах более сдерживаться, Деев останавливается и ловит Фатиму за кисть, целует в ладонь.

Смотреть на тебя хочу. Голос твой слушать хочу. Песню твою слушать хочу. Спой, Фатима! Мне одному спой. Не Искандеру твоему, не Кукушонку, не деду — мне.

Фатима улыбается, соглашаясь, — вот-вот запоет. Да только в этот миг замечает Деев, что не женскую руку держит — держится за дерево, старое и корявое.

Такое будет хорошо ломаться.

Эй! — кричит он радостно. Сюда! Ко мне! Тут саксаула до самого Самарканда хватит! Тендер забьем с лихвою за пару часов!

Не дождавшись подмоги, ломает сам — пока хватает сил. А хватает ненадолго — скоро он устает и отступается, так и не сумев одолеть ствол. Да и зачем ему дрова? Эшелона-то нет. И рельсов тоже. Все забрал треклятый песок.

Отдай рельсы! Отдай эшелон!

Губы от крика треснули, сочатся кровью. Пить хочется так, что язык уже не язык — наждак. Оставив недоломанное дерево позади, Деев бредет вперед…

Кто-то вывел его из оцепенелого леса и проводил до опушки. Кто же? Или он выбрался сам?

Никогда не видел столько людей, как в августе двадцать первого. Ты тогда в Казани жил, дед? Помнишь, как на улицах ступить негде было: беженцы, беженцы, арбы с тюками, дети… Кантонами же целыми с мест снимались и — в столицу. Будто в Казани сытнее.
Дурачье.

Милиция беспризорников и воров ловить перестала —
нет мест ни в приемниках, ни в тюрьмах. И в больницах
нет мест. Про ночлежки уж и не говорю. Ночью идешь в общежитие — вся улица белая, как снегом покрытая, от со-
рванных афиш. А под афишами теми — люди: укрылись
бумагами-одеялами и спят.

Вокруг питательных пунктов — очереди круглосуточ-
ные. Питания в пунктах нет и в помине, а очереди стоят —
просто так, на всякий случай. Люди и ночевали в тех очере-
дях: вечером укладывались на землю, один за другим, как
стояли, — и лежали до утра. Благо лето жаркое.

Из-за этой жары смердело в городе, что в твоем аду.
Шутка ли, тысячи пришлых по тротуарам расселились
и живут. А как их выгонишь? Куда? Тиф скоро жахнул. Ба-
раков тифозных на такую-то орду не напасешься — некоторых больных ссылали за город и клали в сосняке, под
деревьями.

На колоннах университета какой-то умник написал
углем: "Дайте хлеба!" Буквы в человеческий рост, аккурат
по одной на каждую колонну, а на последней колонне —
восклицательный знак. Долго не могли закрасить — побел-
ки не было или работников. Я каждое утро мимо ходил по
дороге из общежития и смотрел. Весь август университет
орал: "Дайте хлеба!"

И люди орали. Сбивались в толпы под окнами учреждений — у горсовета, у военной академии, даже у пожарной

части, — и выли хором: "Хлеба!" В то время часто в стаи сбивались: когда вместе, голодается легче.

А самый улей — на вокзале. Тогда в Татарию только-только продуктовые эшелоны пошли — от Наркомпрода, от Красного Креста, от Нансена, — и все ждали *грузы*. Слово это было вроде молитвы, общей для всех: татар, чувашей, немцев. Пока шагаешь от одной двери до другой, услышишь это слово сто раз, на всех языках одинаковое: *грузы, грузы, грузы…*

Лежачие — и те на вокзал тянулись. Ходить уже не могли, а как-то все же оказывались на привокзальной площади. Родные, что ли, их по ночам приносили?

На краю площади толпились пустые извозчичьи телеги, которые зимой без лошадей остались. На эти телеги лежачие и укладывались, плечом к плечу. Днем садились и раскачивались, как трава в поле, из стороны в сторону. Говорить уже разучились, одно слово шептали: *грузы, грузы…*

Я те грузы принимал. Чаянов тогда слег от тифа, и я за него целый месяц транспортным командовал — целый август. Справлялся. Спать почти перестал, но справлялся. Главное — не про людей думать, а только про дело. Стоит задача распределить по кантонам — значит, распределяешь: весь груз, до последнего пуда, отправляешь вон из города. На толпу, что непременно соберется вокруг при разгрузке и стенать начнет, внимания не обращаешь. Охрана, штыки, в случае чего — стрельба на поражение. Вот и всё.

Всё — да не всё. Стал я замечать за собой мысли дурные — и все поперек того, что делаю. То вспомнится агитационный поезд, в котором тайно ехал шоколад, — кого накормили тем шоколадом? где? То замечу, что беженцев на вокзале по головам считаю, — иду по перрону, а губы шепчут, сами счет ведут, уже и за тысячу перевалили… В общем, смута была на душе большая, характера не хватало для ответственной работы. Характер-то у меня — тряпка.

Откуда-то люди знали, что я "всем грузам начальник", — не те, кто на вокзале ошивался, а вообще все в городе. Смотрели на меня как на бога. Идешь где-нибудь по базару или в кремль по делам — а они таращатся, не то со страхом, не то с мольбою. Все таращатся: крестьяне-беженцы, пацанье бездомное, прохожие горожане. Какой из меня бог? У меня самого тогда с недоеда судороги в животе пошли: голова ясная, а желудок бьется, как сердце.

И стали люди со мной разговаривать: останавливать на улице или в кабинет ко мне стучаться — и разговаривать. Что удивительно, дед: ни один еды не попросил, не сказал "накорми!". Просили только совета.

Мужики — больше о том, что можно и нельзя пускать в пищу: опилки, бумагу, скорняжные отбросы. Женщины — больше о детях.

Одна рассказала, что сын ее годовалый отгрыз себе с голодухи два пальца. Интересовалась: если оставшиеся отгрызет — останется жить?

Другая спрашивала: если не выходит спасти детей — как ускорить их смерть, чтобы не мучились?

Третья пришла требовать справку с печатью — о том, что имеет право съесть своего ребенка. Он же, говорит, мой собственный, я сама его родила.

Я их прогонял — не знал, что отвечать. Один раз хотел сбежать сам — просто выйти из кабинета и шагать прочь из города, пока силы есть. Не сбежал.

Очень скучал по Чаянову, через день его навещал. Тот уже на поправку шел, но отощал и ослаб, едва шевелился. А при виде меня всегда улыбался: мы, говорит, с тобой на пару два пугала стали, и кто из нас тифом переболел, по виду и не поймешь. Подбодрить меня хотел.

В конце августа ждали очередной питательный поезд. Мука, горох, сахар и масло, общим весом аж тысяча пудов. Слух разнесся мгновенно: состав едва из Москвы тронулся, а вся Казань уже слюной истекала. Беспризорные по всем улицам песню горланили про горох, а на вокзал все больше скитальцев прикочевывало, целыми деревнями — площадь привокзальная стала уже не площадь, а огромный табор, извозчики еле-еле проезжали.

Я засел в кабинете, как мышь в норе, — не мог больше взгляды людей терпеть. Они же теперь еще пуще смотрели! Жгли меня этими взглядами, хоть замертво падай. Как поняли, что я на улицу носа не кажу, стали в окна таращиться. Пришлось газетами стекла залепить.

Утром того дня, когда должен был прибыть чудо-поезд, народ с рассветом на перроны высыпал и расселся — ждет. Ну, думаю, если придет команда груз опять по кантонам разослать — быть бунту. Люди оголодавшие и слабые, много вреда не учинят, но постреляет их милиция почем зря. Да и у меня самого нет больше сил масло и сахар мимо голодных ртов проносить и неизвестно куда отправлять.

А команда приходит еще дурнее: поставить состав на запасные пути и ждать до особого распоряжения. Лечу в горсовет. До какого такого распоряжения, кричу. Да эшелон ваш питательный и часа в отстойнике не простоит — штурмом возьмут. Вы же мне восстание на вокзале разжигаете — на смерть подписываете и бунтарей-голодающих, и солдат, что во время штурма полягут. А у меня люди и так мрут, кричу, без вашей помощи — каждое утро с вокзала подвода с трупами лежачих уходит.

Они мне в ответ: прекратить истерику. Груз огромный, решение о его распределении принимают на самом верху. И пока что не приняли. Вопрос-то политический. Сами, говорят, распоряжения ждем. А до тех пор приказываем обеспечить сохранность, на то ты и начальник транспортного. Если подкрепление требуется — дай знать, пришлем кавалеристов из военной академии, хоть по дюжине на охраняемый вагон.

А я им: какие такие кавалеристы? Война давно закончилась. Мы ж людей кормить хотим, а не головы им рубить.

У меня ж одних только детей по вокзалу бегает не меньше двух тыщ.

В том-то и дело, говорят. У тебя на вокзале столпотворение вавилонское, порядка никакого. Раз допустил такое — расхлёбывай. В грязь расшибись, а поезд охрани.

И как долго, спрашиваю, мне расшибаться? Когда же оно таки придёт, это ваше политическое распоряжение?

Не можем, говорят, знать. Но сразу тебя уведомим.

А я вас прямо сейчас уведомляю. Ставить поезд в отстойник и провоцировать беспорядки не стану. Если к приходу эшелона не будет решения, я сам такое решение приму: открою вагоны и раздам пищу людям.

И завтра же по этапу пойдёшь, кричат, за преступное самоволие и вредительство на служебном посту.

Эшелон к вечеру придёт, отвечаю (спокойно очень отвечаю, и голос не дрожит, хотя внутри колотит всего, как от лютого мороза). Поторопите этих, которые на самом верху.

И иду вон.

В шесть часов пополудни санитарно-питательный поезд прибывает в Казань. А распоряжения окаянного — нет.

И вот стоят вагоны на первом пути — крытые жестью вагоны третьего класса, с красными крестами на боках — длиннющий состав. Вокруг состава — солдаты со штыками. Вокруг солдат — голодающие, плотным кольцом. Смотрят на вагонные окна. А из тех окон смотрят на них испуганно санитарочки в белых халатах. И все ждут.

И я жду — у телеграфа. Но нет от горсовета ни решения того политического, будь оно трижды неладно, ни вообще каких-то вестей. Ничего нет.

Поглядываю на улицу — сначала каждые пять минут, потом уже каждую минуту: волнуются люди. Сперва просто покрикивают в одиночку, затем хором начинают выть. Вой тот гуляет по толпе, как ветер, — вдоль эшелона, туда-сюда. Гляжу, уже и палки в руках замелькали, и булыжники. Как полетит первый камень в окно — считай все, не остановить, дальше само покатится.

А от начальства так ничего и не пришло.

Вышел я тогда из кабинета и санитару главному сказал наоборот: мол, поступило наконец распоряжение — питание людей развернуть прямо на вокзале и сегодня же организовать массовое кормление голодающих.

Объявили народу. И тотчас умолкли крики — словно срезало. И палки с булыжниками куда-то исчезли. Все, кто на вокзале жил, — а были их многие тысячи — выстроились в очередь: без гвалта и драки, встали друг другу в затылок, детей к себе прижали и стоят, послушные.

Очередь та начиналась у первого вагона, где раздаточный стол установили, тянулась вдоль всего поезда через весь вокзал, на задворки, затем изгибалась петлей и обратно на вокзал возвращалась, шла по привокзальной площади и утекала на городские улицы, к кремлю. Конца у нее не было — в хвост постоянно вставали новые люди, которые на слухи о будущем кормлении из города прибегали.

Санитарочки метались по путям: таскали воду, дрова, посуду с местного питательного пункта. Из привезенного гороха варили в эшелоне похлебку — с солью, маслом и сахаром. Дух стоял такой, что у меня голова кружилась. Про очередь и не говорю, едва перрон слюной не залили.

Два часа кашеварили — и два часа люди стояли, как в землю вросли. Дед, они даже не разговаривали меж собой — стояли и покорно ждали, пока их накормят. Некоторые молились. И куда весь гнев испарился? Я боялся одного: что за эти два часа доползут слухи до горсовета, и набегут на вокзал начальники, трапезе помешают; и уж тогда заварушка начнется — никому мало не покажется… Не набежали и не помешали.

И вот — готова похлебка. Побольше будем порции делать или поменьше, спрашивает главный санитар. А мне уже все едино, за произвол-то по-любому отвечать. Побольше, говорю. Самые большие порции, какие в тарелку влезают.

Так и кормили людей — полными мисками. Детям, кто ниже раздаточного стола, давали полпорции, а кто дорос или выше — по полной. Ложек ни у кого не было, и пили суп через край, прихлебывая. Миски вылизывали за собой так, что мыть не приходилось.

Пока один бак раздавали, на плите уже булькал следующий — и так один за другим, до темноты. А как стемнело, я велел фонари на перроне зажечь (обычно-то обходились без света, керосин берегли) — и дальше пошла кормежка, до самого рассвета. К утру очередь не уменьшилась, но санитарок в эшелоне было много — первая смена ушла отдыхать, вторая подменила.

Я не спал той ночью и спать не хотел. И даже супа того не хотел, дед. Просто ходил вдоль выстроившихся к раздаче людей и смотрел на них — впервые за тот август смотрел им в глаза без тоски и злобы, словно занозу из меня вытащили. Мне хотелось их всех обнять — всех, до последнего лежачего на телеге. Какой-то старик встал передо мной на колени, а какая-то баба кинулась целовать мои башмаки — я даже не рассердился на них, веришь? В ту ночь не мог сердиться.

Думал, последняя моя вольная ночь: завтра разберутся — и загребут меня. На тюрьму надежды нет — тюрьмы-то забиты до отказа. Значит, лагерь. И веришь ли, дед, страха не было. На сердце — тихо и радостно, будто праздник завтра. Только руки с ногами отчего-то заледенели, хотя и жара стояла. А страха — не было.

Утром пришло-таки распоряжение, которого ждали: весь груз санитарного эшелона оставить в городе. Распределить по питательным пунктам и обеспечить кормление людей.

Я только усмехнулся и выкинул бумажку в ведро: уже обеспечили. Усмехаюсь, а у самого слезы катятся, как у бабы. Благо окна в кабинете газетами заклеены, никто не видит.

Скоро прискакало начальство из горсовета (донесли им, наконец, что на вокзале творится). Орало и грозилось, но не сильно: как ни крути, а приказ сверху был исполнен — хоть и на день раньше, чем получен, и не во всех питательных пунктах, а в одном-единственном. Повезло мне.

Мы кормили город неделю — не прерываясь ни на минуту, пока не закончился последний горох и последний мешок сахара. Все прибывающие поезда отправляли на задние пути, а первый путь на это время стал непроездным — превратился в столовую. Раздали девяносто тысяч порций. Очередь как была с версту, такая и оставалась до последнего часа: съев положенную миску, люди вновь брели в хвост очереди, чтобы через сутки опять оказаться у раздачи. Когда и как спали — не знаю. Думаю, питали мы таким образом тысяч десять–двенадцать народу.

За эту неделю полторы сотни умерло: желудки отвыкли от пищи и с горохом не справились. Может, и справились бы, если порции поменьше давать. А может, и нет. Мы со второго дня паек урезали, но люди все равно умирали. Лежачие погибли все. Полторы сотни погибших против двенадцати тысяч накормленных — много это или мало? Как считаешь?

Вокзал заблевали — по самые окна. И всё по той же причине: животы пищу разучились принимать. Жаль было впустую потраченной похлебки, а что поделаешь. Ну и грянула из-за грязи несусветной холера, перекинулась в город — полгода справиться не могли. Сколько в эпидемию погибло, не знаю. Но и там счет на сотни шел. Тоже, выходит, я виноват?

На слух о бесконечном супе, что на вокзале день и ночь раздают, пришли в Казань еще три деревни. А беспризорников с окрестных районов собралась целая рать, тысяч пять, не меньше, — они еще долго после того времени в городе околачивались и по тифозным баракам валялись. Этих-то уж точно не я без крыши над головой оставил. Но в город-то холерный приманил — я.

Матери понесли к вокзалу грудных детей: оставляли ночью у колес или на ступенях чудо-эшелона, сами сбегали. Шестьдесят сосунков за неделю. По утрам я отвозил их в Дом малютки. Заведующая меня уже проклинала, а детей брала; я ей каждый раз взятку давал — миску супа. Шестьдесят младенцев остались без материнской груди — тоже из-за меня?

Я об этих цифрах много думаю, дед. Может, не стоило мне тогда самовольничать и кормежку начинать? Ну побунтовали бы голодающие, потрепали бы солдат. Их бы постреляли — одну-две дюжины, не больше. Но не полторы же сотни! Не пять тысяч!

А потом думаю: нет, все равно бы не смог по-иному. Я с цифрами не дружу — не могу единицей жертвовать, чтобы сотню спасти. Одно слово: характер — тряпка.

***

Деев шел по пустыне четыре дня. Не знал, что четыре, — просто шел, падал, вставал и опять шел, снова падал.

Видел скачущего по коряге желтого воробья, стрелял в него — выпустил три пули, но промахнулся.

Видел ящерицу, стрелял в нее — растворилась в песке.

Видел такыр — глиняное поле, треснутое на мелкие черепки. Зачем-то считал эти черепки, но, не дойдя до тысячи, сбился и перестал.

Видел русло сухой реки — видно, высохший приток Сырдарьи. Хотел спуститься и шагать по песчаному дну, но побоялся, что не сумеет выкарабкаться обратно.

Опять видел Фатиму.

На склоне какого-то холма нашел солонцовую корку и лизал ее.

Шел на юг, высматривая горы, — не высмотрел.

***

Шел на зов горлицы, что пролетела над ним и крикнула, — горлица обманула, никуда не привела.

Нашел чьи-то следы — обрадовался, но то были его собственные.

Нашел мертвого верблюда, уже почти ставшего песком, — есть его было нельзя.

Дважды видел вдали яркую синюю гладь — добежать до воды так и не сумел, оба раза терял из виду.

Ночью мерз, и сильно. Иногда приходил дед, в беседах с ним черное ночное время шло быстрее.

По утрам лизал росу: сырь мимолетно проступала на рассвете на гладких камнях, и Деев сторожил заветную минуту, просыпаясь загодя.

Одним таким утром приоткрыл веки и увидел Смерть. Вот и встретились.

Мелкая, всего-то размером с ребенка, она жалась к ногам Деева и смотрела на него — таращилась безотрывно, словно ела глазами. Губы вывернуты, как у верблюда, и ноздри вывернуты. Лобастая, как летучая мышь, и такая же морщинистая. А в морщины набилась пыль, и оттого морда — как сморчок. Уродище.

Он положил руки на ее тощее горло и принялся душить. Сил в пальцах уже не оставалось, но Деев знал, что душит не за себя, — страха-то не было вовсе, — а за всех, кого она уже забрала или только собиралась. И силы откуда-то прибыли.

За Сеню-чувашина, кто всю свою куцую жизнюшку убегал от кошмаров, да так и не убежал.

За тринадцать лежачих.

За сорок холерных.

За девять пацанов, что всего-то и хотели узнать вкус шоколада, а вместо сладкого получили пулю в живот.

За сотню баб, сгоревших на ссыпном пункте.

За сорок, погибших под винтами катеров.

За сто пятьдесят. Шестьдесят. Пять тысяч…

За двести двадцать. Семьдесят. Восемьсот.

За шесть сотен. За дюжину. Еще за сто.

За четыреста. За семьсот девяносто.

За полторы тысячи. За девятьсот одного.

За семнадцать тысяч триста шестьдесят.

За восемь тысяч. За пятнадцать и семнадцать.

Душит.

За матерей-кукушек, бросающих сыновей на ступени отходящих поездов.

За отцов-сводников, продающих дочерей в чужеземные гаремы.

За детей, кто ест собачье молоко и глину, одевается в бочки и старые афиши, а матерью зовет приемного отца. Чей дом — дорога, друзья — холера и цинга. Кто оказался в заложниках у мясорубочного времени — у голода, разрухи и войны. За три миллиона таких детей, кем готовы пожертвовать "спасители" вроде Белой.

И за "спасителей", чьи души от подобных решений твердеют и превращаются в чугун…

Когда Смерть перестает дергаться, Деев достает из кармана револьвер, вставляет в распахнутую пасть с вываленным наружу языком и нажимает на курок. Оружие сухо щелкает — барабан пуст.

Сам виноват: все на ящериц расстрелял.

Тогда он перехватывает ствол, размахивается и всаживает, как нож, в мягкую чужую глазницу.

О чнулся от вкуса воды на губах. Прямо перед глазами висело что-то черное и плотное. Смежил веки, провалился обратно в дурноту — убежал от черного. Другой раз опять проснулся. И опять — оно. Облако? Зажмурился, но удрать в забытье не вышло. Черное парило над ним и поило водой. Деевы зубы стучали о край глиняного кувшина. Выпив до последнего глотка, открыл глаза: будь что будет. Но оно уже удалялось, Деев услышал только размеренный стук. Деревянные подошвы?

Женщина. В черном. На голову накинута черная же волосяная накидка.

В следующий приход смог разглядеть руки, что протягивали к его губам пиалу с мясным отваром, — руки старухи, с пятнистой кожей и морщинистыми пальцами. От бульона, первой пищи за много дней, неудержимо потянуло в сон, и ничего больше узнать не сумел.

Она приходила дважды в сутки: когда темнота вокруг редела от дневного света и когда опять сгущалась — утром и вечером. Скоро Деев уже смог ощупать пространство вокруг: лежал на охапке сухой травы, укрытый кошмой из войлока, на каменном полу какого-то подвала. Свет проникал сверху, с высоты многих ступеней из скрепленных глиной больших камней. Кажется, в убежище имелся еще один обитатель: черная гостья во время визитов сначала копошилась в дальнем углу, где кто-то изредка шевелился и вздыхал, и только после направлялась к Дееву.

Когда сон и явь перестали мешаться в голове, а веки — склеиваться от усталости, Деев сполз со своего лежбища и вскарабкался по ступеням, пересчитав их сперва локтями, затем ребрами и коленями. Наконец уткнулся лицом в толстые, покореженные от старости доски: дверь. Из-под двери тянуло холодом, дымом и едой.

Там были люди, много людей, — стучали башмаками о землю, перекрикивались, лязгали железом. Заржал конь, ему ответил второй, где-то близко. А где-то подальше бекнули бараны, сыто и басом. Деревня? Город?

Деев замычал, тоньше и слабее баранов. Хотел потрясти дверь, уткнувшись в нее лбом, но та была чересчур тяжела. Уже на исходе сил, понимая, что обратный путь на лежанку не одолеть, припал носом к щели и торопливо задышал всеми запахами человеческого жилья: вареного риса, помоев, кожи, конского навоза, чая и керосина, — пока не сморил сон.

Пришел в себя на привычном ложе из сена. Старушечьи руки протягивали пиалу с бульоном. Приподнялся на локтях, сел. Взял посудину и принялся пить сам — прихлебывая через край, роняя из непослушных еще губ замешанные в похлебку хлопья крупы и подбирая их пальцами.

Черная женщина что-то сказала одобрительно — сиплым от старости голосом, будто дерево скрипнуло. Деев не понял ни слова.

Напрягая глотку, язык, губы и даже внутренности, выдавил:

— Где я?

В ответ — снова невнятный скрип, коротко.

— Где мой эшелон?

Опять скрип, уже подольше.

— Кто там лежит, в углу?

Старуха забрала пустую миску и затопала по ступеням вверх.

— Мне нужно выйти отсюда, срочно! Меня же дети ждут — голодные, в пустыне. Я везу их в Самарка…

Хлопнула дверь.

Вот и поговорили.

— Эй, слышишь? — позвал, повернувшись в дальний угол.

Деевское лежбище — у самого подножия лестницы, а второе глубже, в тени. Было до него совсем недалеко, всего-то пара шагов, но освещение в подвале такое скудное, что другой угол — сплошная чернота.

Старухино хлебово придало сил. Деев перевернулся на живот и на карачках отправился в черноту. Нащупал сено, много сена, — такая же пышная охапка, как и у него. Войлочное одеяло. Под ним — тело, крошечное и горячее: у человечка жар.

Что это за ребенок? Почему оказался в подвале вместе с Деевым? И что сам Деев делает здесь, взаперти, в этой странной каменной яме (откуда-то из глубин памяти всплыло редкое слово "зиндан")? И как долго он уже валяется здесь?

Деев отчетливо помнил последние голодные дни в эшелоне. И как ждали все гор на горизонте. И как пили тухлую воду из цистерны — по полкружки на нос, а Волчице-капиталистке целую. И как закончились дрова, а через несколько верст оборвались и рельсы. И как сам он, отчаявшись, бросился искать путь — и заблудился.

Дальнейшее вспоминалось хуже. Рыжая земля в толстых трещинах. Выцветы соли по кочкам. Грядки слюды на песчаном склоне. Саксаульные стволы — много, целый лес. Картинки, картинки — всполохами, как на экране кинематографа: видны ясно, а никак не складываются в историю.

Да, бродил бесконечно: искал, искал, искал... Замерзал... Шел на чей-то голос... На чей? Целил в какую-то птицу. Попал? (Он хватается за карман: револьвера и мандата нет, все забрали, паразиты!) Кажется, бредил от голода, вызывая в памяти знакомых людей и беседуя с ними, — о многом вспоминая и о многом думая. Кажется, согревал дурачка Загрейку, что по привычке увязался за Деевым, а позже исчез на просторах пустыни.

Может, это Загрейка и лежит сейчас в темном углу?

С облегчением Деев схватился за пылающее в горячке тельце, пытаясь опознать на ощупь. Губы — да-да, кажется, вывернутые, как у верблюда. Лоб и темя — да-да, кажется, выпуклые, буграми. Уши — кажется, торчком.

— Брат, Загрейка, ты?

Счастьем было бы найти мальчишку — пусть больного и изможденного, но живого. Хоть и не было Деева вины в том, что этот чокнутый отбился от него и сгинул, а вроде как и была. Хоть и не отвечал Деев за странную привязанность к нему дефективного, а вроде как и отвечал.

Хотел было вытащить пацана к дверной щели и увидеть лицо, но тот застонал от боли — и Деев оставил больного на месте.

— Дайте воды, аспирина, льда! — взобрался по лестнице и застучал по двери слабыми руками, а вернее, заскребся. — У ребенка жар!..

Никто не отозвался. Так Деев и провел этот день: то спускаясь в тень, к лежащему без сознания мальчишке, то карабкаясь по ступеням к сочащемуся из щелей свету и требуя — у кого? — лекарства для больного и свободы для себя. Забота о другом взбодрила получше супа: на свою лежанку он так и не прилег.

Дверь открылась только вечером. Вошла старуха. За ее спиной мелькнул внушительный мужской силуэт с ружьем за плечами, и Деев не стал даже пытаться выскочить на улицу, лишь затараторил в распахнувшуюся щель: про пустыню, эшелон, детей… Много рассказать не успел: дверь захлопнулась.

Увидев Деева — вполне даже разговорчивого, а не лежащего пластом, — старая вновь одобряюще заскрипела на своем языке. Горячую его речь поняла вряд ли. С собой принесла еду для взрослого и таз с водой для ребенка. Вода была густого черного цвета, видно, настоянная на травах.

Этим-то настоем Деев и обтирал мальчишку — всю ночь, иногда прерываясь на сон. Ослабелый организм Деева еще требовал покоя, но взбодрившийся мозг отдыхать не давал: будил каждый час и гнал к соседу — щупать пылающий лоб, смывать с тельца пот и плотнее укутывать в одеяла — свою кошму Деев отдал мальчику.

Удивительным образом старуха обходилась без лампы: бесстрашно спускалась по крутым ступеням, поила и кормила пациентов-узников, ухаживала за дитем, хотя в подвале царил даже не сумрак — мрак. Видела в темноте? Деев не видел — и разглядеть лицо соседа за пару проведенных с ним дней так и не сумел.

Решил вот что: еще сутки провести на харчах в зиндане, собирая силы, а следующим вечером — бежать. Притаившись у входа, дождаться стука засова, а едва приоткроется дверь — нырк в щель. Постараться не сбить старуху с ног, чтобы не навредить. Охранника с ружьем наоборот — сбить. Самому утекать в первую же попавшуюся подворотню, а уж дальше — куда ноги вынесут.

За дни в подвале Деев изучил здешнюю жизнь на слух: утром и днем за дверью всегда было людно, и удрать через толпу удалось бы вряд ли. А во время поздних приходов старухи гул улицы стихал, одно только лошадиное ржание раздавалось неподалеку — тогда-то и надо было драпать. Сначала найти отделение милиции. А если нет его в этой аллахом забытой деревушке — отыскать в ближайшем городе покрупнее. Все же находится Деев не в какой-нибудь средневековой Персии, а в советском Туркестане! С помощью милиции снарядить экспедицию на поиски эшелона, а также прийти с инспекцией в этот подвал — мальчишку отправить в больницу, кем бы ни оказался, а хозяев дома судить. Всё.

Ш аги за дверью приближались.

Деев стоял на верхней ступеньке, подобравшись, как боксер, и уставившись взглядом в щель у пола — щель светилась мягким вечерним светом, обещая скорый закат. Шнурки были завязаны накрепко и воткнуты в ботинки, чтобы не мешали при беге. Бушлат — застегнут под горло.

Шаги за дверью приближались, но это были не легкие старушечьи шаги, не ее деревянные сандалии. Несколько мужчин — даже не двое, а больше — топали к подвалу, переговариваясь и бряцая по камням обувными подковами.

С несколькими ему не справиться. Без револьвера, одному, еще слабому от истощения — нет, не справиться.

Лязгнул железный засов.

Щель распахнулась до проема. В нем — три силуэта: показалось — с гигантскими головами, оказалось — в мохнатых лисьих шапках. У всех троих — ружья, наставлены на Деева. Загалдели по-своему, поводя теми ружьями, — обращались к нему.

Сердятся, что у двери стоял? Примирительно подняв ладони, Деев отступил по ступеням назад, но мужчины загалдели громче. Предлагают идти вперед? Он поднялся обратно к выходу и шагнул за порог.

Дернули стволами, показывая направление, каркнули повелительно — и он зашагал, медленно переставляя ноги и оглядываясь на сопровождающих и окрестности.

Низкое двухэтажное строение обрамляло квадратный двор. Над головой, квадратом же, светлело предзакатное небо. В одном углу — свечка мечети. Другой словно выжрало мощным взрывом или бомбежкой: там уже не угол, а одни развалины, один огромный пролом, и простирается за ним до горизонта голая земля — пустыня.

Да и весь этот дом — без окон, с арочными сводами, в которых темнеют дыры вместо дверей, сложенный из плоского рыжего кирпича, наполовину вывалившегося из кладки, когда-то покрытый изразцами и мозаикой, а теперь только пылью и трещинами, — весь этот дом был уже сплошная развалина. Не взрывом перекосило пролеты и разрушило балки перекрытий, а — временем. Не взрывом сорвало бирюзовую смальту со стен, а — временем. Время засеяло мощеный двор полынью, забило комнаты песком и обглодало нарядную некогда мечеть, оставив от нее лишь мертвый остов. Это был заброшенный караван-сарай, и возраст его измерялся не годами, а столетиями.

В караван-сарае жили люди. Признаки их обитания смотрелись чуждо в этом пустынном и почти навеки уснувшем пейзаже. Несколько костров, разведенных на камнях, и сидящие вокруг мужчины с винтовками. Несколько арб и телег с торчащими оглоблями, уставленных сундуками, горшками (повозки перегораживают двор надвое, отделяя половину под загон, где стоят распряжённые лошади). Пара пестрых юрт, расставленных прямо в арках первого этажа. На втором — сохнущие после стирки ковры и белье. Нет, люди не жили здесь — скорее, укрывались. Это был не дом, а прибежище. Кочевая стоянка.

И кочевники эти были не мирные пастухи, а воины. На груди — перекрестья патронташей, бинокли. На поясе — кинжалы. На земле и к стенам прислоненные — ружья, ружья... Женщин почти не видно — либо нет вовсе, либо прячутся. Деев только однажды заметил, как мелькнула на балконе второго этажа фигурка с закрытым лицом, — возможно, уже знакомая старуха.

Его вели по периметру двора. Мимо черными дырами плыли бесчисленные арки — входы в жилища первого яруса. Из дыр тянуло затхлым. В одной сбились в кучу бараны, оттуда неслось полусонное блеяние. В другой что-то светлело неподвижно — повешенное тело в ватном халате. На висельника никто не обращал внимания.

Еще издалека Деев понял, куда направляют его винтовки конвоя. Одна сторона двора была освещена ярче других — в арках пылали торчащие из глиняных кувшинов факелы. Над мостовой возвышался длинный помост, застеленный крупно-полосатой циновкой. На циновке сидели мужчины и ели. Сидели рядком, скрестив ноги и удобно развалившись, пальцами подбирая со стоящих перед ними плоских тарелок еду. Тринадцать человек — не простых, а каких-то очень важных: от каждого веяло гордостью и мощью, словно заняли помост тринадцать племенных быков или тринадцать тигров.

И был это не просто ужин, а какая-то особая трапеза. Уж слишком громко звучали тигриные голоса. Слишком заливисто хохотали. Слишком азартно кричали что-то остальным воинам, рассевшимся у костров, — и слишком исступленно те ревели что-то в ответ. Во дворе не пахло вином или водкой, а только горящей нефтью от факелов и вареной бараниной — люди были пьяны не спиртом, а своей особой радостью. И чем ближе подходил Деев к сотрапезникам, тем ощутимее становилось исходящее от них возбуждение — сам воздух кипел восторгом.

Один из конвоиров, согнувшись почтительно, метнулся к центру дастархана и шепнул что-то председателю торжества. Тот мотнул рукой, и Деева повели на свет, пред очи собравшихся.

Когда-то во дворе были вырыты фонтаны, теперь от них остались только неглубокие воронки со следами лазурной смальты. Одна такая голубела аккурат напротив помоста. В нее-то конвоир и ткнул стволом. Не понимая, что от него хотят, Деев слегка замешкался и второй тычок получил уже в спину. Туда? Шагнул вниз.

Оказался на дне сухого фонтана и утонул по щиколотку в песке, гнилых огрызках и рыбьих костях. С одной стороны удивленно смотрели на него участники застолья, с другой — ружья конвоиров.

Деев распрямился — лицо достигло уровня полосатой циновки. Заглянуть в тарелки ужинавших он не мог, а вот рассмотреть их самих — вполне: располагались недалеко, в паре саженей. Только высоковато чуток.

Зубы у всех были крепкие, как на подбор. Белые, серые, желтые — клыкастые улыбки щерились отовсюду, еще более хищные в обрамлении темных усов и бородок. Одежда разномастная: от шерстяного халата до английского военного кителя, надетого поверх шелковой рубахи-пеструшки. Все в головных уборах, некоторые в двойных: тюбетейки поверх платков, тюрбаны, фески. Все видные, крупные, могучие: едва на помосте помещаются и друг друга на землю не спихивают. Рокочут по-своему, хохочут и на предводителя с вопросом поглядывают: что, мол, это за чудак в бассейне?

А предводитель не смеется. Этот — из тех, кто смеется мало. У него взгляд чугунный и губы сомкнуты, как запаяны. Халат самый скромный, лицо тощее, бороденка жидкая — а сотоварищи на него глаза поднять боятся: поворачиваясь в его сторону, смиряют зычные голоса и взгляды почтительно в циновку утыкают. Этот единственный не ликует со всеми — устал от чувств, уже давно. Лет ему не больше сорока, а смотрит бесстрастно, как аксакал.

Послышалось, или остальные называют его Буре-бек? Нет, не послышалось.

Он берет с тарелки что-то и бросает в фонтан. К башмакам Деева падает баранья лопатка, почти обглоданная. "У-у-у-у!" — гудят сотрапезники. Так вот для чего нам нужен шут! Уже хватают со стола недогрызенные ребра и позвонки, уже замахиваются, но бек роняет что-то коротко, и мужчины послушно кладут кости обратно.

Надо просто смотреть в сторону — не под ноги, откуда жирно пахнет едой, не вверх, как верующие в минуту страха, и не в лицо беку-издевателю, — надо смотреть в сторону, это разумнее всего и позволит продержаться дольше. А Деев смотрит — в лицо.

В глазах бека — выцветших глазах старика на гладком еще лице нестарого мужчины — нет радости, какая бывает у низких людей в момент чужого унижения, а только равнодушие и тоска. Не для своего удовольствия затеял он эту игру, а для удовольствия других — и потому доведет до конца.

Снова кидает в фонтан — уже не кость, а чистое мясо. Деев не видит кусок, что шлепнулся ему прямиком на ногу и сползает сейчас по ботинку, оставляя жирный след, а только чувствует запах — свежая, хорошо проваренная с травами баранина.

И еще один кусок летит в Деева — уже не под ноги, а в грудь.

И еще один — в лицо.

Больше всего хочется поднять этот шмат и запулить обратно. Но будет это, пожалуй, последнее, что Деев сделает в жизни. А ему нужно — спасти детей.

— Если встречу тебя в бою — убью, — говорит Деев отчетливо, утирая с лица жирные разводы.

Говорит негромко, и за гомоном других голосов его слова слышны едва ли.

Ан нет, слышны — обнаружив, что шут подал голос, басмачи балабонят восторженно: экий выискался! Квакают и каркают на все лады, перекрикиваются, шлепая друг друга мясистыми пятернями по плечам. Делают ставки?

От костров подтягиваются зрители — посмотреть на представление изблизи. Толпятся на земляном краю фонтана рядом с конвойными, тарахтят на своем языке.

Деев поднимает ладонь — высоко поднимает, а все равно как из погреба к зрителям тянется, — и на мгновение гвалт стихает изумленно.

— Но сегодня я не воин, — продолжает в тишине. — Сегодня я везу пять сотен сирот в Са…

Не дослушав, зрители галдят вновь.

И бек не слушает. Подманив пальцем юнца на подхвате, распоряжается о чем-то, и тот кивает усердно, едва голова с шеи не падает.

Один из тринадцати, в шерстяном кафтане на персидский лад и клетчатом тюрбане, кричит зычно в собравшуюся толпу — и та отвечает ему дружным ревом. Как стая птиц перекликается в воздухе. Или гудят духовые в оркестре. Но — о чем гудят?

Все, что остается Дееву, это продолжать говорить, надеясь, что хитрый бек только делает отрешенное лицо, а на деле понимает по-русски хоть малость. И вникает — хотя бы чуть-чуть. И Деев торопится, говорит, пока не внесли по приказу начальника бочку соляной кислоты или еще какую гадость, чтобы усмирить болтливого пленника:

— Сироты эти умирают от голода. Половина их мусульмане, как и ты. Можешь им рубахи задрать и на концы обрезанные полюбоваться. Еще половина такие же крестьяне, как и...

Снова радостный рев: бек вытирает о полотенце руки, жирные после мяса, а полотенце-то — и не полотенце вовсе, а красное знамя!

— Еще половина такие же крестьяне, как и твои дехкане. А многие говорят на языке, похожем на твой. Их всех родили женщи...

Брезгливо смяв полотнище, Буре-бек бросает его перед собой. Остальные тянутся к знамени, едва на куски не рвут, — вытирают руки, самые догадливые сморкаются; возня, хохот, ликование.

— Их всех родили женщины, такие же, как твои жены. А лет этим детям столько...

Истерзанное знамя летит в фонтан, к недоеденному мясу и недоглоданным костям.

Не смотреть на поруганный флаг! Продолжать говорить!

— А лет этим детям столько, что все они могли бы быть твоими детьми.

Чего же хочет от него издеватель? Какая роль отведена Дееву в этом первобытном театре? Очевидно, роль без слов.

За дастарханом балагурят, возбужденные расправой над знаменем. И еще один из тринадцати, в черном турецком кафтане и желтой чалме, вздымает руки и кричит что-то воинственное — и толпа опять отзывается, опять ревом.

Уж не удачный ли бой сегодня отмечают? И не в нем ли добыто это знамя?

— Я долго думал и все понял, — настойчиво долдонит из ямы Деев, словно безумец, что сам с собой разговаривает. — Мы сбились с пути где-то в районе Арыси, ушли не на ту ветку. Ты же знаешь наверняка, где мы ошиблись, Буре-бек, твои янычары уже доложили. И про то, что взять у нас нечего, тоже знаешь. Ты ничего не сможешь взять, Буре-бек. Ты можешь только дать. Дай же! Последние годы ты отнимал жизни, и много. А теперь можешь жизнь подарить. Спасти...

Но все уже вновь тонет в ликующем гуле: по короткому знаку бека прежний юнец выводит к дастархану большого пса. А надета на пса рубаха советского бойца, с красными нашивками у вóрота и красной же звездой на рукаве. А на башке у пса фуражка с такой же звездой, веревкой потуже примотана, чтобы не падала. И даже тощее пузо обернуто несколько раз ремнем с пряжкой — одет по форме, только галифе с ботинками не хватает. Озирается пес на гогочущих людей, бьет лохматым хвостом и радуется всеобщей буйной радости.

— Спасти сироту — богоугодное дело. Спасти пять сотен сирот — это пять сотен богоугодных дел. Когда еще тебе выпадет такой случай, Буре-бек?

Устав от непривычного снаряжения, пес садится на задние лапы, передними пытается содрать фуражку с кудлатой башки.

— Хо-о-о-о! — воют от смеха басмачи.

А бек швыряет собаке мясо — не в морду, а подальше, к борту фонтана. Хапнув подачку едва не на лету, пес чует и еще мясо — под ногами у Деева. Прыгает к нему и принимается жадно глотать извалянные в пыли куски.

Деев отступает назад — и тотчас щелкают курки наставленных в спину винтовок: не двигаться! Деевские башмаки, и галифе, и бушлат, и лицо — все перемазано бараньим жиром, и вот уже голодная псина тычется ему и в башмаки, и в галифе, ведет носом по бушлату и, встав на задние лапы, а передние положив Дееву на плечи, теплым языком вылизывает щеки.

— Спасти детей легко, я все продумал. — Деев отворачивается от горячего собачьего дыхания, но оно везде. — Нужно приказать твоим людям переложить рельсы — выложить петлей до обратного соединения с веткой. — И слюна собачья уже везде, забила ноздри и залила губы, слепила ресницы. — Для твоих янычар день работы, не больше.

Похоже, слышит его только пес.

Сидящие за дастарханом изнемогают — уже не хохочут, а стонут надрывно и лупят ладонями о циновку, опрокидывая тарелки. Зрители тоже корчатся беззвучным смехом, хватаются друг за друга, чтобы не свалиться от веселья. Конвоиры целятся в узника, но едва удерживают оружие — стволы и животы ходят ходуном.

Облизав Деева, пес обнаруживает у деевских ног баранью лопатку и хочет уже уволочь, но — выстрел! — падает наземь. Короткая конвульсия. Простреленная светлая фуражка набухает кровью.

Буре-бек откладывает револьвер.

На той стороне двора в загоне ржут и поднимаются на дыбы кони. Блеют бараны в закутке.

Песье тело последний раз дергает лапами и замирает под армейской рубахой.

Смолкнувшие сотрапезники оправляются и подбирают рассыпанную по скатерти еду. Храбрецы, что осмелились подобраться ближе к начальственному пиру, ретируются торопливо к своим кострам.

На Деева уже никто не смотрит — похоже, представление окончено. Или та его часть, где шуту была отведена роль.

И тут из пустыни налетает внезапный шквал ветра, трется, густо замешанный с песком, о пролом в углу караван-сарая, наполняет пустые комнаты и воет в каждой — здание вздыхает на многие голоса. Дырявая мечеть свистит флейтой. Огни факелов и костры вытягиваются в тонкие языки, исходя дымом. Еще миг — и шквал стихает.

Деев вдруг понимает, что наступила ночь, — давно стемнело и давно происходящее видится в неровном свете пылающей нефти и пакли.

И теперь, в этот серьезный и темный час, наступает время для самой главной партии. Буре-бек поднимается на ноги и обозревает своих бойцов, суровым взглядом требуя внимания. Бойцы смирнеют и тянут к командиру шеи, кто-то успокаивающе оглаживает напуганных коней… Наконец, довольный наступившей тишиной, бек призывно вскрикивает.

Из-под черной арки позади дастархана появляются трое — уже знакомый юнец и еще двое, почти мальчишки. Каждый несет на плече большой поднос с высокими краями. На каждом подносе что-то высится. Арбуз? Человеческая голова.

Три головы в остроконечных войлочных шлемах со звездами выплывают из темноты и медленно приземляются на дастархан.

Выждав минуту и дав своей орде разглядеть принесенное, Буре-бек начинает говорить. Голос его негромок, но, отражаясь от стен, слышен хорошо и у дальних костров. Глаза по-прежнему холодны, но блестят в свете факелов — и кажутся страстны. Жесты скупы, но, повторенные черными тенями, кажутся размашисты. На пояснице повязан войлочный платок — видимо, от прострела. И эта немужественная деталь — полное равнодушие к чужому мнению — придает его фигуре больше значительности, чем все богатые халаты его сотрапезников.

Буре-бек говорит.

Деев смотрит на три мертвые головы, что стоят на подносах вровень с его головой, близко. А те глядят на него. Деев смотрит безотрывно и никак не умеет понять: это — как?

Нет, понять это — невозможно. И понять чужую речь, стрекочущую над головой, — невозможно. Понять этих людей — нельзя.

Закончив речь, бек утыкает в небо сухонький палец и вопрошает о чем-то призывно.

— Ы! — отвечают утвердительно бойцы — хором, как один.

И еще один вопрос.

— Ы!

И еще.

— Ы!

Затем тишина.

Медленно Деев переводит взгляд на то место, где стоял Буре-бек.

Того уже нет — ушел.

Убьют или нет?
Деев думал об этом всю ночь, сидя на ступенях подвала.
Хотел бы бек — пристрелил бы вместе с собакой. Да и тратить на пленника еду-питье не стал бы. И старуху — служанку? кормилицу? мать? — гонять не стал бы. И охранника к двери приставлять.

Значит, нужен ему Деев для чего-то. А для чего? Заложник из него никудышный — не стоит Деева жизнь ни гроша. Вся его сила и ценность — револьвер и мандат — из кармана вытащены. Властью не облечен. Знаниями ценными не обладает. Покровителей не имеет. Ноль Деев, пустышка без веса.

Почему же вчера бек не дал сотоварищам поглумиться над ним? Сам кости в Деева швырял — соратникам своим не разрешил. Сам пса убил, головы на подносах приказал вынести — а про Деева словно позабыл? Значит, нужен беку Деев — хоть и не понимает он в здешних языках ни бельмеса, хоть и слабый после пустыни, еле ногами перебирает — а нужен очень. Так нужен, что кормит его старуха крепким бульоном с мясом и густой крупой.

Нет, не убьют.

Вчерашний пес, должно быть, тоже так думал, когда баранину духмяную жрал...

Утром пришли те самые, в лисьих шапках. Долго трындели и сердились, поводя ружьями, пока Деев не сообразил: требуют на выход, и вместе с мальчишкой. Нащупал в темноте мелкое тельце, горячее уже который день, и понес на улицу.

Да, это был Загрейка. Но не тот, почти родной уже Загрейка, кого Деев знал и укачивал по ночам, а уродливый слепок со знакомого тела: шея вздута и пошла багровыми пятнами; руки-ноги, наоборот, отощали так, что впору за лежачего принять. Но главное — лицо. Не лицо, а яйцо всмятку: нос, губы, брови — все пучится, оплывает лиловым тестом, а вместо глаз — шматы сохлой крови.

Кто тебя так, мальчик?

Потому и бьешься в лихорадке столько дней, что организм твой крошечный с увечьем справиться не может. И нужен тебе не темный подвал и не бабкин черный отвар, а фельдшер Буг, самый настоящий и самый лучший из всех докторов, с самым большим на свете сердцем.

Деев нес искалеченное дитя и чувствовал, как горячими волнами поднимается в нем гнев. И бессилие: ни узнать виновника, ни наказать — невозможно. Смотрел угрюмо на конвойных: уж не вы ли постарались? Не ваши сотоварищи? Те и сами косились настороженно, озадаченные видом ребенка, которого будто с поля боя принесли.

Посадили Деева на арбу, с мальчиком в руках. Оглянуться не успел — получил мешок на голову, да еще и веревку поверх мешка, чтобы ветром не сдуло.

Поехали.

И ехали, полдня или больше, — арба с двумя пленниками и двое же конных сопровождающих. Деев слушал скрип колес по земле и шорохи пустыни: песка по песку, песка по полыни, песка по камням. Держал на коленях Загрейку, что едва шевелился от слабости, и думал одно: только не умри.

Если везут нас, мальчик, — долго везут, на ходкой арбе да ходовитыми конями, — не убьют, наверное. Может, на другую кочевку везут, или в деревню, или в город, а даже если и в горы, да куда бы ни было, — ты только не умри…

Заслышав запахи костра и звуки далеких голосов, понял: прибыли. Голосов этих было много, очень много, — тонкие, звонкие. Дети?

Его — Деева — дети?

Позабыв о конвоирах с винтовками, он принялся на ощупь сдирать с головы мешковину. Никто не мешал ему, не кричал сердито. Накрученная вокруг шеи веревка норовила затянуться и едва не душила, но он рвал ее во все стороны, как завязший в паутине комар, еще рвал и еще, драл узлы ногтями и наконец отшвырнул. И мешок отшвырнул — по глазам резануло ярким светом, а звонкие голоса зазвучали громче.

Где? Что?

Посреди пустыни.

Далеко впереди темная полоса — поезд. Вокруг муравьиная стая — люди.

"Гирлянда".

Не в силах больше сидеть на арбе, Деев спрыгнул и побежал. Оставляя позади Загрейку на повозке и конвоиров, едва ли быстрее самой повозки — побежал.

До "гирлянды" была еще добрая пара верст, но уже виднелась возле нее отчетливо белая россыпь — дети в рубашках. Деев перебирал ногами, едва отрывая башмаки от земли и не разгибая колен, — экономил силы. Силы все равно скоро кончились, но остановиться он уже не мог: тело само бежало вперед как заведенное.

Задыхался. Спотыкался. Но не падал. Бежал, бежал, пока впереди не раздалось истошное:

— Деев! Де-е-е-е-ев! А-а-а-а-а-а-а!

И все белое потекло к нему: все, что было у вагонов, и далеко от вагонов, и внутри вагонов, — сначала медленно, затем быстрее, приближаясь и оглушая:

— Де-е-е-е-ев! А-а-а-а-а!

И Деев бежал, пока текущий навстречу и ликующий белый поток не врезался в него десятком лиц, и еще десятком, и еще, облепил — руками, ногами, телами, рубахами — и завихрился вокруг, бурля и ширясь и с каждой секундой ревя громче:

— Де-е-е-е-е-ев!

Оглушенный, он тонул в этом водовороте, а со всех сторон говорило, смеялось, шевелилось и звало:

— Де-е-е-е-ев!

Мелькали по краю темные фигуры — сестры. Не лезли в поток — потому как перейти его вброд не получится, а надо ждать, пока схлынет, — и кричали ему что-то, и зажимали рты ладонями. Что ли, плакали? Одна фигура покрупнее — дед.

— Де-е-е-е-ев!

Гладил и обнимал — руки, лица, плечи, выбритые макушки, какое же все маленькое! — и прижимал к себе, и отпускал, и гладил новые, долго — пока они не отпустили его. Поток поредел и начал растекаться, еще горланя его имя, свистя, хохоча, скача и размахивая руками. И лишь тогда прорвались к нему сестры.

— Славный вы наш, дорогой, хороший человек! — приникли со всех сторон мокрыми щеками, лбами, тощими ключицами — к его к плечам, груди, спине. — Господи! Живой, целый! — плакали, не скрывая слез и размазывая слезы по его бушлату. — Мы ждали, мы знали! Сынок, товарищ, сыночка!

Деев гладил и обнимал опять — руки, лица, макушки — теперь уже не маленькие, а взрослые, наполовину седые.

Обнимал Фатиму.

Обнимал деда. Вернее, это дед его обнял — сжал по-медвежьи, притиснул к себе и держал, полминуты или даже целую. Деев стоял бы так до завтра — но начал задыхаться и высвободился.

— Там Загрейка, — сообщил фельдшеру.

Подвел к арбе, что уже успела достичь эшелона. Конвойные дожидались около.

— Кто его так? — Буг оглядывал распростертое на тележке искалеченное тельце и белел ноздрями. — Басурмане?

— Не знаю, — честно признался Деев.

— Вот звери. — Буг поднял мальчика и понес в лазарет.

С Белой не обнимались — жали руки. Молча, крепко. Еще смотрели друг на друга пристально. Иных вольностей себе не позволяли — ни поцелуя беглого, ни даже улыбки, — хотя находились в купе одни. По-настоящему одни: Загрейка не таился привычно под диваном, а лежал на лазаретной койке.

Комиссар сразу принялась докладывать начальнику эшелона, что случилось за время его отсутствия, — но докладывала странно: предельно кратко и опуская подробности, словно выдавала скупую стенограмму. Словно Деев и сам уже все знал.

— Дети и взрослые сыты. Как вы успели заметить, вполне бодры. Кормим дважды в день, рисом. Крупу доставили басмачи, пять мешков, и еще телегу винограда. Также доставили воду, питьевую и для паровоза.

Белая строчила словами, как телеграфная машина. Деев едва успевал укладывать факты в голове.

— Рельсы переложены. Эшелон развернут лицом к Арыси.

Когда успели? Еще вчера вечером стоял Деев перед Буре-беком, умоляя о помощи, а нынче уже — сделано? Задать вопрос не успел: комиссар спешила завершить отчет.

— Все умершие похоронены. Лежачих стало больше, но об этом лучше доложит фельдшер. Эпидемий в поезде не случилось, лазарет работает штатно. Также не случилось побегов и прочих чрезвычайных происшествий. Итоговая численность детей на сегодняшнее утро — пятьсот человек, ровным счетом. Если с младенцем, то пятьсот один. Из них триста девяносто восемь — наши, списочные. Остальные — подсаженные. Эшелон к отправке готов.

Все, закончила стрекотать.

Деев сидел на своем диване, водрузив локти на стол и уткнув лоб в ладони. Из последних сил напрягал мутную от усталости голову, но никак не мог сложить услышанное в ясную картину.

— Когда появились басмачи? — спросил наконец.

— В тот же день, когда вы за подмогой в пустыню убежали, — недоуменно дернула плечом Белая. — Сперва привезли воду и пищу. Затем стали перекладывать пути. Дело долго не шло, никак не могли согнуть рельсы для петли. Через пару дней притащили откуда-то уже гнутые — и смогли. А еще через пару дней привезли вас.

Вот оно как.

Пока Деев колобродил по пескам, Буре-бек поил и кормил его детей — рисом и даже чудо-ягодой. Люди Буре-бека несколько дней копали песок и укладывали шпалы, чтобы "гирлянда" могла вернуться на маршрут. Затем разбили в бою красных и отрезали им головы. А после привезли к эшелону Деева — без единой царапины, на персональной арбе.

Именно так.

— Скажите, Деев, — Белая смотрела внимательно, будто собираясь задать давно мучивший вопрос, — как вам удалось убедить этих дикарей и все объяснить? Вы же не говорите по-киргизски. А они не говорят по-русски — ни единого слова.

— Это не я.

— Перестаньте шутить! — рассердилась Белая. — Не смешно.

И правда: как же догадался Буре-бек, чем именно помочь?

А как можно было не догадаться? Если стоит в пустыне паровоз, без воды и угля, уткнув морду в оборванные пути, — что же тут непонятного? И если в вагонах лежат по лавкам дети и от голода превращаются в лежачих — что же тут непонятного? Ясно все, и яснее не бывает. Без слов ясно.

А еще ясно, что ради детей Буре-бек и пощадил Деева — чтобы было кому везти их дальше. Дети были нынче для Деева — его сила и ценность, знание и богатство, его высокие покровители. В Туркестанской пустыне не Деев спас детей — дети спасли Деева.

— Вот что, — сказала Белая строго и окончательным тоном. — В Самарканде я буду ходатайствовать, чтобы ваш состав занимался эвакуацией без надзора Деткомиссии. Вы справитесь один, без комиссара.

— Товарищ начэшелона, — осторожно стукнули в купе. — Там басурмане топливо привезли.

Голос низкий и прокуренный — машиниста. А звучит испуганно, будто не привычные уже басмачи доставили саксаул, а отряд призраков.

Деев идет за машинистом к паровозу. (А глаза у машиниста и впрямь шальные, чуть из орбит не лезут.)

Тендер полон топлива — не до краев даже, а много больше: горой высятся какие-то серые шматы. Не саксаул, не уголь. Тряпки? Шинели.

Порубленные на куски, но вполне еще узнаваемые: воротники с красными нашивками, обрезки рукавов со звездами, красные же нагрудные клапаны, плечи, подолы, спинки. Красноармейские шинели, иссеченные в единое шерстяное месиво. Снаряжение батальона? Целого полка? Рубили саблями, наотмашь, уже сняв с убитых, — специально для эшелона, правильнее сказать, для Деева. И столько же буденовок, также растяпанных надвое и натрое.

— Делать-то что? — напоминает машинист.

Он стоит рядом, стащив с головы форменную фуражку.

— Топи, — приказывает Деев.

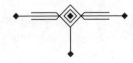

VII. ТРОЕ

Самарканд

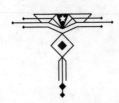

О горы, горы! Камни, камни. Смятыми гигантскими глыбами высятся со всех сторон, обступают. Высоко над ними висит небо — далекое и синее, подернутое легкой облачной взвесью. Сколь жестка и темна каменистая твердь, столь прозрачен и светел небесный свод. Горы и небо — песня в веках.

По низу склоны поросли желтой травой и красными деревьями, по верху — голы и серы, а местами — в снегу. Приглядись — и в серости этой различишь все краски мира, а в строгой геометрии склонов — нежные линии леса и кустарника.

На рассвете острые вершины горят кострами по синему каменному морю, на закате пылают вновь. Само же каменное море оборачивается то золотом в теплом солнечном свете, то серебром в холодном лунном. И только глубокие расселины и днем и ночью остаются исчерна-лиловыми, источая вечный холод и вечную темноту.

Эшелон погремушкой грохотал по склонам. Гулкое эхо скакало по откосам, то и дело норовя обогнать поезд и выскочить из-за угла навстречу. Ни зевак, ни путников, ни даже бродячих собак не встречалось на этом пути, а только камни и камни. Вдали, над ущельями, висели в воздухе беркуты — единственные зрители неуклонно державшей путь "гирлянды".

С крыши штабного вагона Деев смотрел на каменное море, по дну которого пробирался поезд.

До конца пути — сотня верст. Сегодня эшелон дойдет до Самарканда.

В Ташкенте провели почти сутки. Деев сам тормозил отправку, все надеялся найти еще сотню белых рубах. Не нашел.

"Ты пойми, товарищ, — сказал ему глава ташкентского гарнизона. — Права я не имею армию оголять. Аккурат через полмесяца — зима. А солдатам моим этой зимой еще Буре-бека ловить — по горам, по снегам. Что ли, прикажешь без белья? Детям твоим до целевого детдома с молочной кашей — всего-то сутки катить. Уж как-нибудь докатят".

Да, докатят. Только четыре сотни останутся потом под крышей, кашу эту молочную лопать, а одна сотня — на улице. И аккурат же через полмесяца — зима.

Деев придумал достать мануфактуры, сбегал на текстильную фабрику. Но фабрика та лишь называлась текстильной, а оказалась — чесальной: там выдирали из хлопковых коробочек вату и чесали волокно, а само волокно тюками отправляли в далекий Ярославль.

Был в милиции, в таможенном управлении, в ЧК — ничего не нашел: не было во всем богатом Ташкенте сотни белья для бездомных детей.

До Самарканда — девяносто верст…

Сами беспризорники за время в эшелоне уже растеряли весь свой нищенский вид. Были отдраены сестрами до поросячьей розовости и выбриты до блеска. Уши — прочищены и выскоблены. Ногти — острижены. Язвы — прижжены йодом. Словом, пупсы магазинные, а не дети. Только одеты по-прежнему — в лохмотья.

Это рванье не поддавалось латанию и стирке, его нельзя было вывернуть наизнанку или перешить. Оно было — сплошные дырки, нитки и несмываемая грязь. На фоне белых эшелонных рубах казались и вовсе одной грязью.

Если бы не подлог со списками, Деев и думать бы не думал об одежде. Мало ли в каком тряпье детей в при-

VII. Трое. Самарканд

емники сдают! Порой и вовсе безо всякого тряпья. Но подлог имелся, и лохмотья приблудышей просто кричали об этом.

Может, зря волнуется Деев? И заведующая в Самарканде окажется мила и доверчива, как Шапиро, — примет всех и не заметит обмана? А если окажется как Белая?

До Самарканда — восемьдесят верст…

Признаться во всем? Отписать в Казань покаянную депешу — рассказать про сотню умерших в пути и сотню подобранных? Не выкинут же их на улицу, пристроят куда-нибудь. Пусть и не в целевой детский дом, поставленный на особый снабженческий баланс и больше напоминающий санаторий. А куда? Некуда. Нет в Самарканде других детдомов, не дошли еще руки у советской власти.

Но даже если не найдется для приемышей крова — неужели же пропадут в сытом Туркестане? Опытные-то бродяги и скитальцы, каких поискать! Деев провез их через Голодную степь, через мертвые пески и горы в край виноградников и рисовых полей — провез до холодов и снегов, успел. Неужели же этого мало? Мало.

До Самарканда — семьдесят верст…

Шестьдесят…

А когда оставалось не более полусотни, Деев обошел вагоны и велел сестрам собрать всю ребячью одежду — для стирки и дезинфекции. "Какая стирка?" — изумились те. Горы вокруг. А до конца маршрута — пара часов.

Исполнять, приказал коротко. Правило номер четыре — правило начальника эшелона.

Рубахи собрали и сложили в штабном. Они лежали высокими белыми кипами вокруг ванны, а кучками пониже валялось рядом и отрепье беспризорников.

Скоро "гирлянда" выскочила из ущелья и помчалась по самому его краю. А Деев рванул вниз оконную раму и стал швырять бельевые кипы в открывшуюся дыру.

В окно летели ветер и грохот. Из окна — рубахи.

И малышня в штабном, и Фатима, и Кукушонок, и даже Капитолийская волчица смотрели завороженно, как начальник эшелона сражается с ветром. Деев метал белье, как гири, напрягая все мышцы, — воздушные вихри норовили забросить вороха обратно. Одна стопка, вторая, десятая — все вон, вон!

И в других вагонах зачарованно глядели в окна. Там, заслоняя горный пейзаж, металась гигантская стая белых птиц. Или рубах? Они махали крыльями и гладили эшелон — по окнам, по лицам детей, прильнувших к оконным стеклам, — а потом нырнули в пропасть, и было их уже не найти и не собрать, даже если бы кто-то задумал остановить паровоз и отменить содеянное.

—Пойдете босые и голые, — сказал Деев детям. — А кто стыдливый — зимует на улице.

Упреждая возражения, добавил: правило номер четыре.

Возражать и не думали — понимали, для чего затеяно.

Деев уже разыскал детский дом и предупредил о скором приходе эвакуированных. Заведующая — не блаженная, как Шапиро, но и не змея, как Белая, — хотела пойти с ним на вокзал и помочь хлопотать, но Деев отказался: сами придем.

Земля здесь была еще сухая, не успевшая остыть после жаркого лета; да и воздух дышал осенним теплом, да и солнце глядело с неба ласково — одно слово, Самарканд! — и Деев надеялся, что никто не заболеет.

И пятнадцатого ноября двадцать третьего года пять сотен детей вышли из санитарного поезда на перрон — без единой нитки. Самая старшая девочка, беременная Тпруся

тринадцати лет, куталась в казачью шаль. Остальные —
в чем мать родила.

Дети выстроились на платформе, как ехали, — повагон-
но. Тела ребристы и плоски, руки-ноги одинаковой почти
толщины, в один ладонный обхват, головы бриты у всех.
Мальчики и девочки — едва различимые, а со спины и неразличимые вовсе — ждали сигнала к отходу.

Сюда же, к поезду, подъехала нанятая Деевым на привокзальной площади телега, куда усадили малышню из
штабного и уложили лежачих. Возница обоза смотрел на
безодежную детскую армию и молча крестился.

Армия же была удивительно смирна: ни тебе стишков,
ни шуток, ни даже самого короткого смешка — дети были
измотаны дорогой и угнетены предстоящим расставани-
ем. Уже давно были все расцелованы сестрами — и по одному, и по два, и по три раза. Уже и наставления, и пожела-
ния, и обещания произнесены. Но стояли на перроне —
и не могли оторвать взгляды от вагонов, что стали их домом
на полтора месяца. Впереди ждал новый дом, и начальник
эшелона обещал, что в нем найдется место каждому ("нож
мне в сердце, гвозди в глаз!"), — однако покидать "гирлянду" отчего-то было больно.

Над головой синело яркое чужое небо и сияло яркое
чужое солнце, горячее даже в ноябре. Под ногами лежала
чужая земля, клубилась пылью, укутывала ступни и голени. Но одеть бледные тела — не могла.

Сестрам велено было оставаться в поезде и "не разводить сырость" — и те послушно оставались, но справиться
с поминутно подступающими слезами не могли: суетясь
вдоль построения, хлюпали носами и беспрестанно терли
глаза. Деев пригрозил: самых слезливых снимет с маршрута. Понимал, что угроза бессмысленна, — маршрут
окончен.

Он решил вести детей по городу один, без фельдшера
и сестер и даже без комиссара. Впереди — разговор с за-

ведующей детдомом. Сложный разговор. Или бой? Или осада? Как бы то ни было, помочь женщины не смогут, а помешать — очень даже. Потому справится сам. Пусть нынче повезет ему еще раз — в самый последний и важный раз.

И вот оно: Деев поднимает руку и коротко свистит, подавая сигнал "двинулись!". Сам идет впереди. За ним плотными стайками — дети. Замыкает колонну телега с лежачими и бегущая следом старая собака с сосками до земли. Пять сотен мальчиков и девочек молча уходят по перрону. Тысяча босых ног — пять сотен левых и пять сотен правых — бесшумно ступает по земле, удаляясь.

Сестры сделали пару шагов и остановились, будто привязали их к поезду невидимым поводком. Руки тянулись вслед уходящим, тянулись — но дотянуться уже не могли. Дети уходили от женщин, и женщины отпускали детей, понимая, что вряд ли увидятся вновь.

"Гирлянда" стояла на путях — тихая, с пустыми вагонами. Окна и двери раскрыты растерянно, внутри гуляет ветер. Машинист, желая дать последний дружеский знак, потянул рукоятку гудка. Прощального рева не получилось — паровоз уже остыл и сумел только судорожно вздохнуть.

Еще долго попадья шептала молитвы в поднятую ребячьими пятками пыль. Крестьянка сидела на вагонных ступенях, как курица на насесте, — поджав ноги и горестно нахохлившись. Портниха набрала полные ведра воды, чтобы вымыть пол, но почему-то легла на свою койку и лежала, слушая тишину.

А в кухоньке скулил от горя Мемеля. Его никто не ругал за чувства, и потому он мог бы наплакаться всласть. Но охватившая тоска щемила как-то особо — слезами не изольешь. Припав лицом к дверной щели, Мемеля смотрел на пыльное облако, в котором исчезли эшелонные дети, и только скулил.

О
тпусти меня домой, — сказал фельдшер Белой. —
Я старый, больше с детьми не могу.

Он пришел сразу, как опустели вагоны и лазарет, а через несколько минут и перрон. Сестры еще не успели высушить мокрые от недавнего прощания лица, а Буг уже стоял в дверях комиссарского купе.

— Почему не дождетесь начальника эшелона?

Белая сидела на диване и перебирала лежавший на столе хлам. Фельдшер шагнул в помещение и понял: это были предметы, отобранные у детей за время пути, — ржавые железяки, обломки бритв и стекла.

— Он будет меня уговаривать, и я соглашусь.

Все уже знали, что "гирлянду" не расформируют: назначена штатным эвакопоездом Казанской железной дороги. Впереди новые детские рейсы, много.

— А я — не буду? — Взгляд у Белой отстраненный и напряженный одновременно, словно думала о чем-то другом, а разговор вела с большим усилием.

— Даже если и будешь — тебе откажу.

Коротко кивнула: ясно.

— И сбежать в Казань хотите немедля? — не то поинтересовалась, не то сообщила утвердительно.

— Сегодня вечером отходит оренбургский. Дальше — на перекладных.

— Приковать к лазарету я вас не могу. А хотела бы! — Белая с чувством бросила в заплечный мешок пару отобранных со стола гвоздей и, помолчав, добавила, уже тише: — Дееву без вас трудно придется.

Сгребла остальной хлам ребром ладони в совок и отставила к стене.

А Буг возьми да и положи на освободившийся стол мандат: подписывай.

— И сестрам — трудно, — добавила со значением.

И, как будто не замечая бумагу, перебрала содержимое вещмешка. Затем — карманов бушлата. Затем — планшета.

Буг стоял набычившись и молча смотрел на лакированную столешницу, где светлел мятый бумажный лист.

— Послушайте, Буг, — сказала комиссар наконец, впервые за этот разговор глядя на фельдшера внимательно. — У всех бывают минуты слабости. Это не стыдно.

Выждала немного, затем достала-таки из кармана карандаш.

— Если передумаете, возвращайтесь в эшелон. — Подписала мандат. — На рассвете состав уходит в Бухару, забрать изюм и сушеные абрикосы для Поволжья. А затем обратно в Казань, за новыми детьми.

Не отвечая, Буг взял со стола бумагу, кивнул с благодарностью и пошел вон.

И только в коридоре понял, что все это время Белая укладывала вещи, словно тоже собиралась уходить.

∗∗∗

А в коридоре ему встретилась Фатима.

Буга не заметила, хотя коснулась плечом, проходя мимо. Не замечала и того, что прическа ее пришла в негодность, — одна коса выпала из закрученных на затылке узлов и расплелась наполовину. Перекинув через локоть ветхое пальтецо, Фатима шла из вагона со спокойным, непроницаемым лицом — не глядя под ноги, не глядя в окна, да и никуда уже не глядя.

— Сестра! — Буг до сих пор избегал называть ее по имени, хотя с другими женщинами в эшелоне давно был накоротке.

Не слышит.

Нагнал у двери. Взять за плечо не решился — тронул пальто, свисавшее с локтя, и оно вдруг осталось в его руке. Не замечая и потери тоже, Фатима спустилась на перрон — ботинки по железным ступеням цокали мерно, как часы. Пошла прочь.

Знала ли куда?

Шагала твердо, и спину держала прямо, и шею — высоко, словно была закована в корсет. И только выпавшая коса вяло билась по ветру, распускаясь все больше, да локоть еще оставался согнут, будто придерживая невидимую одежку. Шла по прилегающему к рельсам пыльному пустырю куда-то на задворки станции — через кочки и буераки, мимо лежащих в канавах собак и складских заборов. Один пес вскочил и залаял вслед — не обернулась.

Буг забросил пальто в штабной и поспешил за уходящей. Китель его остался в лазарете, так и потрусил в одной рубахе, стянутой под животом форменным ремнем. Нагнал Фатиму, но обогнать или дотронуться не смел — шагал рядом, с высоты своего роста пытаясь заглянуть в ее стеклянные глаза, и все твердил: сестра, ну что же ты, сестра…

Скоро они оказались на каких-то улочках. Справа и слева потянулись бесконечные глиняные стены, из-за которых торчали верхушки древесных крон и доносились тихие звуки жизни. Буг озирался — запоминал ориентиры путаного маршрута; но улочки петляли как пьяные, а тень под ногами то бежала вперед, а то ныряла назад, — и он сдался.

Очередной заулок привел в тупик — Фатима развернулась и с тем же бесстрастным лицом зашагала обратно. Нет, эта женщина не знала, куда шла, — просто переставляла ноги, удаляясь от опустелой "гирлянды", где оставаться ей было невыносимо.

На них сердито косились прохожие. Какая-то старуха, завернутая в темное с головы до пят, принялась браниться из-под своей волосяной накидки, грозя кулаком. Не сразу

Буг понял, что бранила Фатиму, — та шла с непокрытой головой. К старухе присоединился и тощий старик, брызгая слюной от гнева, — и Буг впервые взял Фатиму под локоть: пойдем-ка отсюда, пока не побили. Забрала руку, дальше устремилась.

Буг запыхался от резвой ходьбы, и сердце давало знать, — как вдруг дувалы поредели и разбежались: город кончился. Каменистая дорога рванула вверх, затем упала вниз и снова устремилась вверх, — а женщина все шагала, все быстрее.

— Ты почему Кукушонка себе не взяла, сестра? — не выдержал наконец. — Предлагал же тебе начальник эшелона. И в Самарканде с детьми остаться предлагал. Сама не захотела. А раз решила, то нечего себя изводить.

Нет, не так он все говорил и не то — не ругать ее сейчас нужно и не жалеть, а просто обнять за плечи, чтобы выплакала горе. Но не решился. Не осмелился.

Под тяжелыми фельдшерскими шагами хрустели и осыпались камни, да и сам он то и дело поскальзывался на подъеме, а женщина даже не смотрела под ноги. Верно, и не замечала, что идет в горы.

А горы уже мелькали в просветах меж холмов, едва прикрытых желтой травой, местами в россыпи огромных валунов. Где-то внизу шуршал ручей, и там, вблизи от влаги, желтело и зеленело гуще — росли кусты.

— Думаешь, не понимаю, почему убегаешь? — дышал тяжело и говорил медленнее. — И почему в вагоне спряталась, когда дети уходили, и даже из окна на них смотреть не стала. Все понимаю. Кажется тебе, пока не попрощалась — твои они, не отдала ты их и твоими же останутся.

По тому, как резвее застучали по дороге женские ботинки, едва не срываясь на бег, он понял, что прав. А еще понял, что она его слышит. Лица Фатимы теперь не видел — только затылок с одной распущенной косой и прямую спину.

— А они и так уже твои! — втолковывал этой спине, стараясь рубить мысли коротко, потому что на длинные фразы не хватало воздуха. — Ты же их выкормила — не хлебом, как Деев, а лаской. Они же тобой спаслись! Любовью твоей. Поцелуями твоими. Улыбками. Поэтому — твои… — Речь рвалась вместе с дыханием. — Даже если забудут тебя… и меня забудут… и Деева, и весь эшелон… и все свое проклятое детство… все равно твои они, Фатима!.. Этого не изменишь.

Вот и назвал ее по имени — и сам не понял, как случилось.

Больше всего хотел присесть на один из валунов, что темнели вдоль дороги. Или опереться руками и постоять рядом, отдыхиваясь. Хотя бы остановиться на пару секунд.

— А сколько их еще осталось, Фатима! Сколько их осталось… в Казани… в Татарии… по всей Волге… по всей стране… маленьких, испуганных, без матерей… Им-то кто поможет?.. Их кто обнимать будет?.. Целовать?.. Утешать?.. Колыбельную петь?.. Им ты нужна… Ты!

От этого последнего "ты" из позвоночника ее будто вытащили железный прут — плечи поникли, вновь обретая естественные очертания, а голова чуть наклонилась вперед. Женщина еще шагала, и по-прежнему стремительно, но это был уже не механический ход куклы, а живая человеческая поступь.

— Как ты их встретишь-то, Фатима! Представь только! Как ты их в ванне отмоешь… кипятком выпоишь… слезы со щек утрешь… — Сердце грохало по ребрам, как камнем в бочке. — А, Фатима? Как они все под руки тебе забьются… точно птенцы под материнские крылья… И за юбку ухватятся — не оторвешь!.. И всё, снова твои… Пока и этих не выкормишь и в мир не отпустишь… как птица…

Деревья вдоль дороги качали прямыми ветками. Или это его качало на ходу?

— А как ты им споешь-то, а, Фатима? Споешь: спи-и-и-и, мой сы-ы-ын… спи и просыпайся мужчи-и-и-и-иной…

Мысли закончились, и воздух в груди закончился, но умолкать было нельзя — надо было говорить, отвлекать, чтобы не дать ей опять унырнуть в тоску. Или петь. И Буг пел.

— Уже оседлан ко-о-о-о-онь… и натянута тетива-а-а-а-а…

Слуха у него не было, и часто попадал мимо нот, да и текст помнил не весь, да и татарский знал плоховато, но тянул и тянул строчки, взбираясь по уклону вверх.

— Времена зову-у-у-у-ут… и народы жду-у-у-у-ут…

В груди сипело, будто ее прострелили и из отверстия со свистом выходит воздух — одновременно с пением.

— Все наполнено тобо-о-о-о-ой… как наполнено во-до-о-о-о-ой… морское дно-о-о-о-о…

Ему подпевало немощное эхо — блеяло слабо и не в такт.

— Я рыба, ползущая по песку-у-у-у… Птица в волна-а-а-ах…

Буг пропел все, что помнил из песни, и пошел по второму кругу.

— Спи-и-и-и-и эту последнюю нашу но-о-о-о-очь… а я буду жда-а-а-ать… за всех матерей ми-и-и-и-ира…

Седой старик, задыхаясь от одышки, ковылял по горной дороге и пел. Понимал, что нет ничего нелепей этой картины и противней его срывающегося голоса. Но Фатима слушала, и только это было важно. Фатима слушала, он знал наверняка — потому что с каждой строчкой, с каждым шагом закаменевшая фигура женщины оживала: движения становились привычно плавными, а поступь — мягче и тише.

— Так и есть, Фатима. — Буг с удивлением обнаружил, что она шагает медленно, едва бредет, а он все равно не успевает, отстает. — Ты в этом эшелоне… за всех матерей мира… Потому и тяжело.

Сердце было уже не сердце, а чугунный кулак, молотящий изнутри, и Буг понял, что сейчас упадет. Упав — не сумеет подняться.

— А теперь — остановись, — приказал он женщине впереди.

И она остановилась.

Стояла, маленькая, опустив плечи и голову.

Буг смотрел на нее — хватая воздух ртом и уперев ладони в ребра, чтобы удержать рвущееся наружу сердце, — смотрел и не знал, что дальше.

Подошел и взял ее на руки — лишь бы опять не убежала в горы.

Говорить уже не мог, и петь не мог, и дышал, как раненое животное, с ревом и свистом. А стоять и держать на руках эту женщину — мог. И стоял — минуту, или десять, или сто, — пока горло перестало жечь и губы вновь научились произносить слова.

— Плачь, — попросил тогда. — Плачь, Фатима. Никому не скажу.

Но Фатима не плакала.

— У всех бывают минуты слабости, — кажется, мысль была не его, а услышанная. — Это не стыдно.

Она лежала у него на руках с открытыми глазами и не плакала.

Буг развернулся и понес маленькую женщину обратно в город.

Дети стояли во внутреннем дворе большого здания с мазаными стенами и занимали его весь — и земляную площадь в центре, и мощенный камнем широкий периметр. И даже на деревянных лестницах, что вели из каждого угла на второй этаж, стояли дети: девочки и мальчики, от двух до двенадцати.

Телега с лежачими еле влезла во двор — теснилась в арке ворот, закупоривая вход. Лошадь беспрестанно тыкалась мордой в бритые детские макушки и фыркала, но возница не давал тронуться с места, и та терпеливо ждала.

С деревянной балюстрады, опоясывающей весь второй ярус бывшей медресе, смотрела на собрание заведующая Давыдова. Это была хорошая и некрасивая женщина — с толстым носом, редкими волосами, со старомодным пенсне в роговой оправе, торчащим из нагрудного кармана. И пенсне, и суконная блуза, и суконный же сарафан поверх — все это старое и многажды чиненное, а оттого неуловимо уютное. Лет ей могло быть и сорок, и все шестьдесят — для таких возраст не имеет значения.

Деев стоял рядом с заведующей и старательно глядел в сторону.

А на саму Давыдову глядела тысяча детских глаз — карих, рыжих, черных, синих, цвета травы — снизу вверх. Да еще облезлая от старости собака (какой-то пацан держал ее на руках, чтобы в тесноте не отдавили лапу).

Минуту назад, когда Деев только раскрыл створку ворот и голые дети потекли во двор нескончаемым потоком, Давыдова сумела вымолвить лишь одно — изумленное "Господи!". Сначала стояла внизу, растерянно улыбаясь входящим, затем поднялась на лестницу, чтобы лучше обозреть картину и уступить пространство детям, а после и вовсе забралась на второй этаж.

— Сколько вы довезли из пяти сотен? — спросила, когда телега с последними прибывшими показалась в воротах, а детский поток перестал бурлить и замер, запертый стенами со всех четырех сторон.

Деев набрал воздух в легкие и ответил — как в воду нырнул:

— Всех.

— Так не бывает, — еще больше растерялась Давыдова. — На перегоне длиной в четыре тысячи верст и в шесть недель — не бывает.

Смотрела на него пристально, и пришлось ответить на взгляд. Глаза у нее были — блюдца с водой, круглые и светлые. Наивные, несмотря на смятое морщинами лицо и большое старушечье тело.

— А у меня случилось. Теперь и у тебя случится.

— Что же ваш эшелон — заговоренный?

Она все глядела на Деева с высоты своего немалого роста, а казалось, это он смотрит на нее сверху — так обескураженно звучал ее голос и так жестко — его. Но Деев знал, что ошеломили бедную Давыдову не его слова, а вид пяти сотен детей без нитки одежды.

— Просто повезло. Люди хорошие в дороге попадались, помогли.

— Бросьте! Даже у самых опытных эвакуаторов убыль есть, всегда. Сколько детских рейсов вы совершили?

— Это первый.

Блюдца с водой потемнели — взгляд женщины стал строже.

Не верит, понял Деев.

— Говорю тебе, убыль нулевая, — твердил упорно, пытаясь сохранить взятый уверенный тон. — Имеется даже прибыль: один человек, новорожденный, найден в пути. Молоко для него есть, не переживай, мы его вместе с кормилицей привезли.

Ошеломленное лицо Давыдовой стремительно подбиралось: плотнее смыкались губы, выше поднимался подбородок.

Не верит.

Она выцепила из кармана пенсне, насадила на нос и пару секунд изучала детскую толпу сквозь окуляры. А затем подобрала юбку — нелепым старомодным жестом, какой встретишь разве что в кино, — и пошла по ступеням вниз.

Деев потянулся было следом — защитить детей! укрыть от зоркого стеклянного взгляда! — но понял всю нелепость намерения и остался на ступенях.

Давыдова шла через молчаливую толпу, разглядывая прибывших. Протискиваться не приходилось — дети сами расступались перед ней. Большие руки Давыдовой гладили проплывающие мимо головы и плечи, кого-то трепали по щеке. Добрая женщина, невесело отмечал Деев, и детям будет с ней хорошо. Тем, кого примет.

Сделала круг — обошла двор.

— Вы меня обманываете, товарищ, — сказала очень спокойно. — Кого вы мне привезли? Детский дом — для детей из Поволжья. А это Кавказ, — она провела ладонью по затылку бровастого Чачи Цинандали. — Это Алтай, — улыбнулась Жабрею. — Эти с севера... А эти вообще местные! Что же я, по-вашему, детей не видела? Я всю жизнь с детьми!

— Это дети Поволжья, — сказал Деев сухими губами. — Ровно пять сотен, в соответствии со списками. Так что не сочиняй демагогию, принимай.

Лицо заведующей сделалось не строго даже — сурово. (Была в этот момент похожа на Белую, как старшая сестра.) Отвечать не стала, только вздернула гневно подбородок, а после наклонилась к стоявшему рядом Чаче:

— Как тебя зовут, мальчик?

Обращаясь к ребенку, говорила с выражением, а глядела спокойно и проницательно — словно и не она минуту назад по-коровьи хлопала на Деева ресницами.

Да только не помогут все эти штучки: еще в эшелоне Деев строго-настрого запретил детям открывать рты, пока не примут их в детский дом окончательно и не расселят по комнатам.

Вот и молчит сейчас Чача — лупит на Давыдову испуганно черные глазищи и молчит.

— А тебя? — оборачивается к Жабрею.

Как язык проглотил.

— А тебя? Тебя?..

Все клювы захлопнули — все хотят под крышу.

Отчаявшись победить это соборное молчание, Давыдова двинулась к телеге с малышней — знала, где искать слабину. И ведь найдет, с тоской понимал Деев. Мелюзга — народ ненадежный, за ласковое слово самих себя продадут.

— Ну а ты, кроха, будешь мне отвечать? — улыбнулась мальцу-двухлетке, что сидел на краю воза, свесив ноги и терпеливо жуя кулак — дожидаясь окончания проверки.

Это был калмыцкий мальчик, из приемышей. Монгольские глаза его были так узки, что казались двумя углем наведенными черточками, а лицо — плоское как блин. Деев не знал, умел ли мальчишка говорить до эшелона, — тот заговорил уже в "гирлянде", по-русски.

Ответил на улыбку Давыдовой — немедля. Она протянула к нему ладони — потянулся в ответ. Взяла на руки — прильнул к ней в то же мгновение.

Как шло этой женщине держать на руках дитя! Нескладная и непригожая, вряд ли знавшая когда-нибудь мужскую любовь и счастье материнства, с ребенком у груди она внезапно становилась выше всего суетного и плотского. С ребенком у груди она сама была — материнство, мудрое и вечное.

— Как тебя зовут? — продолжала улыбаться.

И малец улыбался — робко и с надеждой, все еще глодая от смущения пальцы.

Сдаст, понял Деев.

— Как же? — подбодрила Давыдова.

Малец вынул руку изо рта и тихо ответил:

— Искандер.

Поблагодарив его ласковым кивком и не спуская с рук, Давыдова повернулась к другому — тоже сидящему на телеге, с пухлыми южными губами и глазами-сливами.

— А тебя?

— Искандер.

К третьему:

— Тебя?

— Искандер.

— Искандер.

— Искандер.

— Искандер…

Когда заведующая, ссадив маленького калмыка на телегу, вернулась к Дееву, лицо ее было бледно от возмущения.

— Как не стыдно! Еще и детей подговорили!

— Не стыдно, — честно сказал Деев. — Не подговорил.

— Пройдемте-ка на минуточку, товарищ, — желая продолжить без свидетелей, мотнула головой к ближайшей двери.

За дверью обнаружилась одна из спален: среди гладких глиняных стен, разделенных редкими окнами, лесом стояли трехэтажные нары. Нижние ярусы деревянные, а верхние тряпичные, наподобие гамаков, — на все не хватило дерева. Печки видно не было, а тепло в комнате — было. Пахло мылом и свежей стружкой.

— Дети умирали в пути, и вы подсаживали беспризорников на освободившиеся места, — объявила Давыдова, как наотмашь хлестнула.

— Одного ребенка подсадил — младенца новорожденного, — уперся Деев. — Это я тебе уже рассказывал.

— Все врете! А я не умею. И должна доложить в Деткомиссию.

— Докладывай! — тогда уже и Деев — наотмашь. — Как ты их проверять-то собралась, хорошая моя? Родителей с Волги выпишешь, чтобы прокатились они из своих деревень к тебе в Самарканд и личности детей подтвердили?

Давыдова стояла, спиной прижавшись к прикрытой двери, освещенная косым вечерним светом. На покрасневшем от волнения лице ее Деев читал досаду и гнев. А еще — сомнение. Она понимала, что детей нужно взять, что из Самарканда зимой никуда им уже не уйти и что зима в горах и без крыши над головой — смерть. Боялась чего-то, бранилась, грозилась — но знала, что должна. И не с Деевым она сейчас спорила, а сама с собой.

— Ваш обман все равно раскроется, — сказала тоскливо, уже не нападая, а защищаясь, — при обратной эвакуации, весной.

— Нет никакого обмана! — Деев подступил так близко, что чувствовал запах ее тела: сухая трава и черное мыло, которым были выстираны занавески в комнате. — Да если бы и был, а через тот обман пять сотен детей зиму в тепле и сытости провели бы, разве ж это таким дурным словом называется?

— Именно это и называется демагогия! — Слова говорила суровые, но говорила с отчаянием и вжималась в дверь, будто падала без опоры. — В нее Деткомиссия не верит. И тройки судебные не верят.

Корчилась у двери, как приговоренный у стены.

Сейчас нужна была последняя капля — какое-то верное слово, или просительный взгляд, или иной душевный толчок, — чтобы заведующая сдалась.

— Ну а если бы и был тот обман, — тихо сказал Деев, словно сообщал на ухо доверительно, — это ж мой обман, мне и отвечать. Ты — никого не обманываешь. А вот ошибиться можешь.

Уже и не говорила ничего, только головой трясла мелко: нет, нет!

Как хотелось Дееву схватить женщину за рыхлые плечи и встряхнуть изо всех сил, чтобы голова эта трясучая о дверь хрястнула и перестала отнекиваться! Но нельзя было сейчас поддаваться гневу, а только уговаривать ласково, как испуганного ребенка, — и он крепился изо всех сил.

Плохо крепился.

— Ты зачем детьми занимаешься? — хотел еще добавить "курица", едва сдержался. — Разве можно с таким заячьим сердцем — к детям? С ними же характер нужен — тверже, чем на войне. А ты даже ошибиться боишься.

— Это вам, пролетариям, ошибаться дозволено, — ответила неожиданно жестко. — А мне — нет. Происхождение не позволяет.

Миг сомнения прошел — она все решила: лишних не возьмет.

И он решил: без ее согласия не уйдет.

Впечатал руки в дверь — аккурат с двух сторон от испуганного женского лица — и приблизил к нему свое.

— Родная моя, я привез тебе детей, — прошептал в дрогнувшие губы — отчетливо, по слогам. — Не козлят, не ягнят, не змеят — детей. — А под носом у нее мелкие усики, уже седые. — Это те самые дети, которых ты ждала. — В подглазьях лиловые жилки. — Они голодны и продрогли. Согрей их и накорми. — Белки за толстыми стеклами пенсне кажутся желтыми. — Прими их, пожалуйста, они теперь твои.

Слова закончились. Да и не было уже таких слов, какие могли бы рассказать, что у него внутри. Все слова уже были шелуха и прах. Не зная, что еще сделать, как ему все же убедить и победить эту женщину, Деев сжал ее голову, будто намереваясь расплющить в ладонях, и поцеловал в дергающиеся губы. На вкус они были — опавшая листва, сухая и вялая. А целовал он их так, словно была перед ним самая близкая и дорогая женщина, — нет, одновременно все женщины, которых когда-то любил и желал: и Белая, и Фатима, и бесстыжая кормилица из Тюрлемы, и добрая проститутка с Мокрой улицы в Казани, и жены мастеров из паровозного депо, за которыми подглядывал во время купания.

Наконец отнял губы. Отступил.

Вот оно как вышло.

Какой же я дурак.

Сделал еще шаг назад, и еще. Надо было что-то сказать обиженной им женщине — но просто сел на нары и спрятал лицо в ладонях. Надо было стыдиться мерзкого поступка — но стыда не было. Была только усталость — огромная, как воздух, — не этого длинного дня, а всех полутора месяцев пути. Придавленный этой усталостью, Деев сидел на лавке и не умел пошевелиться.

Давыдова стояла у двери, вытирая тыльной стороной ладони рот. Щеки ее при этом сминались крупными складками.

— Прости, — сказал Деев. — Прости… Я заберу всех, кого подсадил. Сто три человека, всех заберу.

Надо было вставать — за дверью ждали продрогшие дети, и возница с лошадью, и вся остальная жизнь, — но Деев продолжал сидеть, облепив череп скрюченными пальцами.

А Давыдова продолжала стоять. Подобрала болтающееся на шнурке пенсне, надела на нос и тут же снова стянула, убрала в карман.

— Все ты верно говоришь. — Деев решился поднять взгляд, но она смотрела куда-то мимо, в окно или в никуда. — За такой подлог лагерь схлопотать — проще некуда. Не имел я права тебя принуждать. Да еще и обманом. Прости. Но когда подбирал их по пути — верил, что здесь непременно возьмут. Умные товарищи говорили, что нет. А я же дурак, я верил, что да. Все, кто нам за эти полтора месяца повстречались, — а была их немалая армия, — все говорили "да". Не оттого, что я такой настырный или везучий, а оттого, что как-то же нужно людьми оставаться. Хоть и в кутерьме этой мясорубочной — а людьми.

Зачем говорил ей то, что она заранее отвергала? Но сейчас, когда обман раскрылся, почему-то стало очень важно сказать правду — и не просто сказать, а достать из себя сокровенное.

— Еще умные товарищи говорили, что я в этом поезде не детей спасаю, а самого себя. Что же, пусть и так. По мне, так лучше и не найти способа. По мне, так все, кто нам за эти полтора месяца повстречался, — все то же делали. Себя спасали. А ты женщина славная, хоть и с происхождением, больших грехов не имеешь, — тебе оно не нужно.

Давыдова так и не взглянула на него — как не было Деева в комнате.

Где-то в городе пели муэдзины, возвещая предвечерний намаз. Песнь была тягучая и унывная.

— Пойдем детей делить. — Превозмогая усталость, Деев поднялся с нар. — Они там босые, мерзнут.

— Что же вы будете делать с вашими? — спросила Давыдова в пустоту, замороженным голосом.

— Повезу обратно. Я добычливый, в пути прокормить сумею. А в Казани одну заведующую детприемником знаю, она приютит.

— Не надо обратно. Я возьму всех.

Давыдова пригладила волосы, поправляя сбившиеся пряди, оправила сарафан. Провела ладонями по лицу, снимая оторопь недавних минут. Сильная женщина. Зря ее Деев курицей мысленно обзывал.

— Если сегодня возьмешь, а завтра одумаешься и за дверь выставишь — лучше и не хлопочи, — предупредил. — Не отдам.

— До обратной эвакуации их дом здесь, — посмотрела на него строго, по-воспитательски, и голос имела уже не мерзлый, а вполне решительный. — Для всех пяти сотен. И этого вашего младенца прибавочного — тоже. У нас триста пятьдесят коек. На верхние места уложим по одному, а на нижние по двое — разместимся.

Да и вся она уже была — собранная, деловитая, как во время недавнего обхода во дворе. Вот оно как вышло: Деева расквасило в тюрю, а Давыдова напротив — бодра и командует.

Он не стал спрашивать, почему коек для прибывающих в Самарканд на треть меньше, чем количество выезжавших из Казани. Просто мотнул головой: согласен.

И они пошли к детям.

Те и правда замёрзли стоять. Вечерело. Косые солнечные лучи согревали уже только часть двора, а другая часть была покрыта голубой тенью. Обхватив себя и друг друга ладонями, мальчики и девочки жались в кучки и пританцовывали — ждали.

— Товарищи! — закричала Давыдова громко и с выражением. — Добро пожаловать в ваш новый дом! Спальные комнаты на втором этаже. Приглашаю подыматься и занимать места.

Но дети не двигались — ждали команды от начальника эшелона.

— Скажите им, — негромко попросила Давыдова.

Отсюда, с балюстрады, обращённые вверх детские лица казались маленькими, будто все ребята стали вдруг на пару лет младше. Деев смотрел на эти лица и понимал, что знает каждое поимённо. И списочных из Казани, и подсаженных в дороге — всех.

Ржавый Профессор. Железный Пип. Зозуля. Грига Одноух. Тощая Джамал. Петька Помпадур. Овечий Орех. Вар-пыш. Казанова. Лилька-Пипилька. Чешуя. Блудливая Ларка. Федя Фрейд. Булат Баткак. Хазя Гайно. Юзька Аспид. Сладкий Борщ. Гильмутдин. Махмут Китаец. Ива Колымба. Борза и Бурлило, близнецы. Абрау Дюрсо. Сраный Цезарь. Яшка Брязга. Гога Быченька. Гилязи. Лорд Фаунтлерой. Шакирзян. Садри. Кодя Пионэр. Гринька Цибуля. Хаджи-Мурат. Сёма Баттерфляй. Сейфулла. Дорофей без друзей. Мишка Морфий. Ямиль Мамай. Корючелка. Евгений Онегин. Ёшка Чека. Айседора Дунканиха. Ксана. Тришка Монте-Кристо. Байрам Дели Ровно. Зигфрид. Гера Чайковский. Раиса. Ыркыя. Филеас Фогг.

Вера Холодная. Шняга Шакир. Ванечка. Еся Елда. Проша Голодец. Анвар Всем Вилы. Бахмар. Клава Каппель.

Мишка Гузно. Мося Попова Дочка. Виконт де Бражелон. Растепеля. Стёпа Рёх-рёх. Тришка Выстрел. Додик без бодряжки. Алька Контрибуция. Юлдуз. Рахим. Скулёма. Салтанат. Эмилия Галотти. Рома Кикер. Жасур. Селедкино Ухо. Ящерица. Трясучка. Абдраган. Зека с нюхом. Факт Григорьевич. Хади Форсила. Лаврушка на чистуху. Моджид. Муха Люксембург. Фатхулла. Кадир. Отабек. Маха Сопли. Дылда Полвершка. Фатхулла. Кадир. Дуся Молочко. Габбас Лохмотник. Ченгиз Мамо́. Лысая Гульфия. Ваня Пиквик. Юлька Добро. Саня с Астраха́ни. Нояна Три Баяна. Туся Держиморда. Ватный Ватсон с Капитолийской волчицей на руках.

Гена-Гигиена. Юрок Юродивый. Зинка Язва. Филька Лотоха. Аслан Мосольник. Питишка. Дуля с маслицем. Зойка Змея. Кожа Брысь. Хлебушек. Наполеон на подхвате. Тупая Бану. Гоша Вшивый и Гоша Мытый. Немой Максум. Зига. Моня без закона. Драник с изюмом. Харитоша Чахоточный. Гаян Коммунар. Паганель. Артемидка. Кира с Армавира. Зуля Безладица. Машка Не замай. Ссаный Саня. Айвенго Меченый. Тамара. Гульчехра. Молотый Желудь. Леночка. Цыца. Капитан Немо. Мишка Мориарти. Карлёнок. Таня. Варлам — Никому не дам. Бастер Китон. Сявка Тачечник. Ириска. Сазон Горлохват. Юся Трахома. Буйный Геласка. Фурункул. Настя Прокурорша. Гной Гордей. Каюм Безглазый. Лаврушка Выкидыш. Гришка Судорога. Король Артур.

Шерлок Холмс. Чача Цинандали. Клёка за чудом. Волька Воронеж. Тверской Кондрашка. Родя Архангельский. Пелагеша. Сильва Псковитянин. Кляпыжка. Жопа с Майкопа. Атос Пулеметчик. Ростов на крови. Ларик Тасуй Чаще. Мухаббат. Голый Вассер. Ниточка. Янис на стрёме. Алишер. Пуля на цинку. Гоголь-моголь. Вовка Аборт. Саримсок. Рахит Рахитыч. Фарида. Лэйла. Саранский-Засранский. Азалия и Амалия. Кика Мертвенький. Иудушка Шупашкар. Аполлон без панталон. Бажанка. Горбуся. Фока Щекотун. Грильяж Гнилые Зубы. Вотяк без глаза. Тюменный Амба.

Юшков. Сургутишко. Чура. Шавкат. Энвер. Гульшат. Маркел
Три Гроба. Тюрябек. Ника Немец. Айка. Гайдамак.

Жадный Чижик. Элька Сухоляда. Жанка-Лежанка. Ага-
фон. Платоша Вологжанин. Ангина. Риголетто. Лида Проститутка. Гульдже. Ося Сифилитик. Модя Прозектор. Джан-
гатар. Дурь Глазастая. Клава из канавы. Аня Дели на два.
Сережа Я тоже. Коля Камамбер. Довлет. Ягмыз. Фома Обушник. Полонез. Рита Кереметка. Знобиха. Соня Солнце. Дуня
Дай Сахару. Аскар Отъёмыш. Курдюк. Беня Брызгай. Типун.
Хромой Вольфганг. Черемис. Джува. Штефан Баварец. Гер-
ман Щедрота. Гимназист. Веня Грипп. Фрол, который зол
и Фрол, который не зол. Дёма — Всем зёма. Тискало. Феня
Фарт. Обжора Калязинский. Вадя Несыть. Фима Пей Помои.
Гога. Мамлюк. Зина Тухлоед. Красный Джонец. Арамис По-
моечник.

Якут Стоячий Хрен. Игнашка Сплю. Юнус. Якобинец.
Лишай. Глеба Дай Хлеба. Шиворот-Навыворот. Бей Гордей.
Тёма Самара. Софо. Ждан из могилы. Маркеша. Багдасар.
Калмык. Рокфор. Жигулевский Жора. Тоша Чирей. Маля-
рийный Лука. Казюк Ибрагим. Рашит-Дифтерит. Эрик Блат.
Аза. Богдаша Биток. Орест Базарник. Рахат-лукум. Ширмач
Не в масть. Грашка Слепота. Паралич. Юлик Оренбург. Аш-
хен. Жора Кагор. Ирма. Жало. Егор-Глиножор. Ардатовский
Петя. Коклеванец. Парфушка из Алатыря. Комоха. Марат
Крымчак. Сарацин. Профитроль. Саша Клим. Бодя Демон.
Ися Мало Годно. Зебло. Ищаул. Голубятник Даут. Пломбир
на мушке. Кастет Ефремыч. Лудик Пердун.

Шахер-Махер. Ждан Поездушник. Шагане. Смит-Вессон.
Леся Коцаные Стиры. Афоша Паршивый. Брюхоня. Оспа
Юсуп. Егор с прибором. Грек Питерский. Спирька с Ахтубы.
Киргиз Два Рыла. Зинка Портвейн. Башкурт Гали. Мыло. Ка-
рачун. Вова Симбирь. Корых. Вера Кострёнок. Паня с упир-
кой. Жора Порнохват. Стендаль. Кошеляй. Грязный Уд.
Петька Птифур. Фадя Умри Завтра. Колчак. Ульфат Уфим-
ская. Кривая Салиха. Фирдаус — В жопе ус. Блохастая Ле-

люк. Слабачка Сакка. Марьям. Гюго Безбровый. Фаллос. Елёха Воха. Жабрей. Дэвид Копперфильд. Жила. Глухая Нухрат. Мансур Мастырка. Пес на шмоне. Дриста Портяночник. Ильза-Гильза. Ева с припевом. Яся Девочка. Трюфель. Питька на баса. Харис Богомол. Дикий Диккенс.

Тымба с режиком. Дохлый Насыр. Тараска. Суррогат. Христя. Марта. Спирт со Ржева. Загит Припадок. Боня Полдень. Гашиш. Ланцет. Гекльберри. Митя Майн-Рид. Гоша Гонорея. Омар Асфальт. Афоня с подходцем. Таня Продразверстка. Дрюша Лизала. Арька Верти Вола. Бен Ганн с Шихран. Толя Герпесный. Рамзес Второй. Болгарин Баязит. Удмурт без глаза. Хруст Хасан. Макака с домзака. Жора Шпарь. Гайдар Балалаечник. Дилар из Бугульмы. Гера без хера. Дёма Глот. Зеро. Фармазонщик Абу. Покер. Бренди. Кот Лаврентий. Ханжа. Ларик Политура. Тася Не шалава. Ира Папироска. Ерошка Жмых. Гека Пыточник. Орина. Ия Два Кия. Шарашик Пензенский. Викеша. Санёк Денатурат. Фая Говно. Чехонь с прискоком. Офелия со стрюжкой.

Пляшу Горошком. Рябый Щорс. Шамиль Абляс. Фордыбач. Тима Конферанс. Шанкр. Дура Бабура. Федя Грянь. Конокрад Гафар. Назар Онанист. Врангель из Одесты. Бура. Бенька Бласлет. Лиза Ляжка. Веня Марафон. Мотя Купи Чердачок. Травиата с махоркой. Нюта Прости Господи. Манана Абречка. Коля Чесотка. Юрдон Полштофа. Костя Анархист. Хиромант. Илья Могильщик. Веня Плашкетка. Мухтар Дегенерат. Корнилов Двадцать Шесть. Зося Зрятина. Тпруся. Оля Клюквенник. Буся Бешеные Гро́ши. Теймур. Боря Буча. Богдан Жми. Нансен. Сиська Срам. Кондрат Бегун. Лука Окусывала. Коля Струмент. Бибинур. Клара Безголовая. Ася Бомба. Муся Оторви Мне Хвост. Валя Кармен. Турчанка Халима. Лёва Поводырь. Буденный. Митя Ложкарь. Коська Шарап. Сима — Выпей керосина.

Бобик Валявка. Хамза. Шнапс Иванович. Устя. Баба. Яшка Христос. Ильфат. Славка Ижевский. Мишаня Сервелат. Витя Винторез. Богдаша. Вика с клифтом. Бахыт. Кося в шкарах. Клим Щекотно. Эдя Подгогуля. Ахатка. Гэтсби. Данька Прах. Филон — Выйди вон. Горбач Махмут. Тёма без уёма. Салим. Ким Помой по-шустрому. Кося Жебрак. Ося Ворёнок. Мордвин. Клей Кадыр.

На телеге — лежачие и мелюзга. Пчелка. Суслик. Бумажный. Сипок. Леся Еле Жив. Чарли Чаплин. Сморчок. Одуванчик. Золотко. Мурлыка. Глина. Кукушонок Искандер. Тоня. Манюся. Гланя. Мархум. Баир. Дидим. Фиса. Янгул. Жуся. Юдик. Ленька Янычар. Макарик. Мироша. И Загрейка, уже переставший пылать жаром…

— Да скажите же им! Скажите, что можно идти в дом.

Деев понял, что все еще стоит на балюстраде рядом с Давыдовой и смотрит на ребят.

А те — на него.

Сказать им ничего не сумел, просто кивнул: разрешаю.

И дети ринулись по лестницам вверх — в ожидающие их теплые спальни…

На вокзал вернулся уже затемно. Зачем-то долго мерз на скамейке в привокзальном сквере, слушая далекий лай собак. Затем бездумно бродил по путям и таращился на мутную луну. Наконец вынырнул у перрона, где разместили на ночь "гирлянду".

Пошел вдоль непривычно пустого поезда. Перрон был высок, и Деев без труда заглядывал в вагонные окна — да только окна эти были темны. Не было никого в лазарете (эх, жаль, вот бы сейчас побеседовать с дедом!). Не было никого в четырех пассажирских, и только в пятом вагоне теплился свет.

Деев заглянул туда. На детских лавках сидели сестры — уютным кругом, все до одной — и беседовали. Верно, о чем-то хорошем: глаза были светлы, лица спокойны, а притулившийся рядом поваренок временами даже прыскал смущенно, утыкая губы в плечо.

Пошел дальше. В штабном тоже никого не было. Он вошел в свое купе и, не скидывая бушлата, сел на диван.

В окно падал мерклый свет луны, и лампу можно было не зажигать. На столе стоял кулек. Деев раскутал тряпки и покрывала, много слоев, — обнаружил котел с рисовой кашей, еще теплой. Спасибо, Мемеля.

В котле была даже ложка. Он взял ложку и продолжал сидеть, слушая, как на улице, где-то далеко, воет пес.

В дверь легонько стукнули.

Не ответил.

Дверь открылась — Фатима.

— Что же вы не идете к нам? — спросила ласково. — Мелькнули в окне и исчезли, как привидение. Вы не думайте, мы сырость уже не разводим, настроение бодрое — всё как вы велели.

Не ответил.

— Доедайте и приходите, — попросила настойчиво.

Деев послушно зачерпнул из котла и сунул в рот. Но проглотить не умел — так и сидел со скользким шматом каши на языке, сжимая ложку как нож.

Тогда Фатима вошла, села на диван и обняла его мягкими руками. А он ткнулся в нее и заплакал, роняя из дрожащих губ непрожеванную кашу.

"Гирлянда" уже давно стояла под парами — ждала команды к отбытию в Бухару. А Белая никак не давала сигнал: фельдшер Буг пропал.

Не уехал вчера, как обещал, а оставил все вещи в купе: и чемодан с инструментами, и белый халат, и вещмешок, и даже китель, — а сам пропал. Еще оставил на хирургическом столе бутыль французского коньяка — пустую. Граненую крышку от флакона Белая подобрала на полу.

Весь состав эвакопоезда был на местах. Сестры запаслись кипятком в дорогу и маячили по вагонным площадкам, ожидая отправки. Из кухонной трубы вился дымок — Мемеля готовил завтрак. В штабном купе крепко спал Деев, уткнувшись лицом в сидящую на диване и спящую же Фатиму, — через гармошку комиссар слышала, как та всю ночь пела колыбельную, и лишь сейчас ее сморил сон. Только Буга не было.

Белую ждало срочное дело в Шахрисабзе: там обнаружили подпольный притон с детьми, и необходимо было разобраться. "Гирлянда" отправлялась в дальнейшие рейсы уже без комиссара. Белой оставалось только дать команду к отправке и покинуть эшелон. А Буга все не было.

Она стояла у поезда и слушала утреннюю перекличку муэдзинов на минаретах: всходило солнце. Когда призыв на намаз отпели, хотела уже отправить вещи пропавшего на хранение вокзальному начальству — но Буг объявился сам.

Вернее, объявилось его могучее тело. Оно вплыло на перрон, несомое четырьмя солдатами, — как тяжеленное бревно, которое не смогли вскинуть на плечи, а волокут, едва приподымая над землей. Солдаты запыхались, но перемещали ношу бережно — шагали мелко и плавно, стараясь не раскачивать.

— Сестра! — обратился к ней издалека старший. — Начэшелона Деева где найти?

— Он пока не может к вам выйти.

Белая подошла к носильщикам и заглянула в лицо фельдшеру — тот негромко сопел, подергивая во сне усами. Даже не наклоняясь, Белая ощутила крепкий коньячный дух.

— Дело тут до Деева… прибыло, — извинительным тоном сообщил старший.

— Заносите сюда, — показала в штабной.

Велела класть Буга на свой бывший диван. Стариковское тело было так огромно, что едва уместилось на ложе.

На всякий случай Белая открыла гармошку — мало ли что учудит с пьяных глаз, пусть будет под присмотром. Ни Деев, ни Фатима не проснулись.

— Это вы его... накачали? — спросила у старшего, провожая солдат на улицу.

— Да он к нам уже пришел такой! — тот все извинялся перед Белой, словно была она Бугу жена или кто-то близкий. — Только ногами еще шевелил и языком. А как перестал шевелить — мы его сразу сюда.

— Откуда же вы узнали, куда нести?

— Так вот, — недоуменно дернул плечами солдат и достал из кармана мятый лист, сложенный вчетверо. — Как тут ошибешься?

Белая развернула — тот самый мандат, что подписывала утром. На обороте крупным фельдшерским почерком было выведено указание: "Мертвецки пьяное и потому обездвиженное тело мое прошу транспортировать на железнодорожный вокзал, в санитарный поезд. Передать тело начальнику эшелона Дееву".

— Спасибо вам, товарищи. — Белая пожала руку каждому.

— Ему от нас спасибо, — неожиданно с чувством произнес старший. — Мы эту ночь никогда не забудем.

— Буйствовал?

Четверо только переглянулись странно.

— Бранился?.. Тогда что?

Старший помялся, подбирая слова, но так и не сумел подобрать — сказал как есть:

— Лошадей целовал. Всю ночь в конюшне — морды им целовал и слова говорил, такие ласковые, такие трепетные... Захочешь, девке не придумаешь, как сказать, а здесь — лошадям. У нас пол-эскадрона его послушать собралось. Ротный наш за ним в тетрадочку записывал. А повар слезы утирал. Вот какие слова... Поэт!

— Он фельдшер, — сухо сообщила Белая.

— И поэт, — с улыбкой подытожил тот. — Бывает же…

Солдаты ушли.

Белая сняла с подножки штабного давно ожидавший ее вещмешок, забросила за спину и отмахнула машинисту: трогай!

Эшелон заревел басом, объявляя отправку. Пыхнул трубами, грохнул колесами и двинулся вперед. Не провожая взглядом уходящий поезд, Белая зашагала прочь — у вокзала уже ждала повозка. С вагонных площадок махали и кричали что-то сестры — с ними она так и не попрощалась, — но не стала оборачиваться.

"Гирлянда" покидала просыпающийся Самарканд.

Трое уезжали в одном купе. Деев спал так сладко, как никогда еще за время пути, а проснувшаяся Фатима гладила его по волосам и слушала трубный храп фельдшера. Мужчина, женщина и старик уезжали в семейном купе — и каждый был каждому близок и дорог.

Трое разбредались по свету в разные стороны — мужчина, женщина и мальчик. Деев катил поездом на запад. Белая тряслась в повозке на юг. Слепой Загрейка ощупью полз по рельсам обратно на север — искать брата — и знал, что будет искать всегда.

С востока смотрело на всех, поднимаясь по небу, молодое красное солнце.

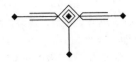

Комментарии
автора

При написании романа автор обращался к воспоминаниям партийных и советских работников — тех, кто занимался ликвидацией беспризорности и борьбой с голодом в 1920-е годы. Это сборники "Беспризорные" под реакцией А.Д. Калининой (1926); "Особый народ. Рассказы из жизни беспризорных" Ю. Добрыниной (1928); "Рассказы беспризорных" под редакцией А. Гринберг (1925); "Книга о голоде" врачей Л.А. и Л.М. Василевских (1922); "Голгофа ребенка" Л.М. Василевского (1924); "Коллективы беспризорных и их вожаки" (1926) и "Болшевцы" (1936); статьи из газеты "Красная Татария" (подшивка за 1926 год). Многие подсмотренные в этих книгах реплики беспризорных детей перенесены в роман без изменений ("Больно важно вы едите, сестрица, ну прямо как Ленин!", "Я его научу насчет картошки дров поджарить!", "Правда ли, что буржуи хлебом паровозы топят?", "Я тебе сворочу рыло и скажу, что так и было!" и другие), как и описания бродяжьих "профессий", как и некоторые ситуации (отъем любимого ножа при эвакуации) и герои (сюжет о Сене-чувашине и преследующей его Вши).

Очень помогли при создании романа труды историков: "Советская деревня глазами ВЧК—ОГПУ—НКВД. 1918–1939. Документы и материалы" под редакцией А. Береловича, В. Данилова (1998–2012); докторская диссертация В.А. Полякова "Голод в Поволжье. 1919–1923. Происхождение, особенности, последствия" (Волгоград, 2009); сборник писем "Голос народа. Письма и отклики рядовых советских граждан о событиях 1918–1932 гг." (редактор А.К. Соколов, составитель С.В. Журавлев и др.); "Голод в СССР", сборник архивных документов; "Книга о голоде" — сборник литературно-художественных материалов (Самара, 1922). Также были использованы архивные материалы из Национального архива Республики Татарстан (фонд Р-1251 "Отчёты о работе детских домов") и Государственного архива Российской Федерации (фонд Р-1058).

Глава про экспедицию детского комиссара Белой в голодное Поволжье основана на материале мемуарной книги А.Д. Калининой "Десять лет работы по борьбе с детской беспризорностью" (1928).

Две фамилии — заведующей казанским эвакоприемником Шапиро и заведующей самаркандским детским домом Давыдовой — отсылают к одному и тому же реальному человеку — Асе Давыдовне Калининой, в девичестве Шапиро. Она была активным борцом с детской беспризорностью и голодом; во время голода 1920–1923-го открывала в Чувашии социальные столовые и эвакуировала 5744 голодающих ребенка в Москву, за что ее называли "матерью чувашских детей".

Сюжет о катерах, смоловших винтами сорок бойцов-красноармейцев, — реальный исторический факт. Показательный расстрел струсивших во время боя солдат Петроградского рабочего полка с последующим сбросом тел в Волгу и утюжкой их военными катерами устроил в августе 1918-го Лев Троцкий во время боев у Свияжска с войсками генерала Каппеля. Об этом пишут в мемуарах "Свияжские дни" С.И. Гусев (журнал "Пролетарская революция". 1924. № 2 (25)) и "Моя жизнь" Л.Д. Троцкий (глава 33 "Месяц в Свияжске"). Это первая в истории Красной России децимация; некоторые историки называют ее первым актом политических репрессий.

Кратко изложенная в диалоге Фатимы и Деева история гибели Казанского ботанического сада соответствует реальности.

Идея беспрестанной войны в голове Загрейки как ядра прогрессирующего аутизма подсмотрена в книге лечебного педагога Алексея Мелии "Мир аутизма. 16 супергероев".

Давая прозвища и клички пассажирам эшелона, автор обращался к нескольким источникам: к упоминаемым в архивных документах и мемуарных книгах именам уличных детей; к русским народным говорам; к тюркским языкам — татарскому, узбекскому, киргизскому и пр.; к просторечной и блатной лексике. Ниже поясняются некоторые детские прозвища, которые могут быть непонятны современному читателю. Они даны по главам, по мере появления в тексте.

I. ПЯТЬ СОТЕН

Мархум — так заведующая Шапиро ошибочно называет слепую девочку, полагая, что это имя. На самом деле слово "мархум" переводится с арабского и, соответственно, татарского как "тот, кого помиловал Аллах" и используется для обозначения покойника.

III. ЧЕРТОВА ДЮЖИНА

Кукленок — равнодушный человек.
Пыжик — о гордом, надменном человеке.
Тараканий Смех — из позабытой сегодня присказки "мух-мех, тараканий смех".
Вздыхалка — кладбище (изначально слово произносилось как "издыхалка").

V. ВЫЧИТАНИЕ И СЛОЖЕНИЕ

Казюк Ибрагим. Казюк — шутливое прозвище жителей Казани.
Мустафа Бибика. Бибика — скудная пища.
Голодный Гувер. Герберт Гувер — основатель и руководитель Американской администрации помощи, которая активно работала в России в 1920-х годах.
Елдар Сгайба. Сгайбать — сгребать.
Исрек Юсуп. Исрек по-татарски — "пьяный".
Муслим без пальца — т.е. без мужского полового органа.

Касим с бана. Бан — вокзал или место сбора блатных преступников.

Мазурик Фирс. Мазурик — плут, мошенник, вор.

Маганя — слово употреблялось в значении "вот ведь какой!".

Ахма — эмоциональная присказка в татарском, наподобие "эх!".

Козетта Кокс. Козетта — героиня романа Гюго "Отверженные".
    Кокс — блатное название кокаина.

Муса Кряшен. Кряшен — крещеный татарин.

Троцкий на ша́ру. На шару — на удачу.

Иблис Меня тоже. Иблис по-татарски — "дьявол".

VII. ТРОЕ

Вар-пыш — конопля.

Лилька-Пипилька. Пипилька — женский половой орган.

Булат Баткак. Баткак по-татарски — непролазная грязь.

Ива Колымба. Ива — сокращение от имени Иветта. *Колымба* —
    голубка.

Борза — борзый, наглый.

Бурлило — очень активный, от "бурлить".

Яшка Брязга. Брязга — бранчливый человек.

Гога Быченька. Быченька — ласковое обращение к упрямому человеку.

Гринька Цибуля. Цибуля по-украински — луковица.

Корючелка — скрюченный (к примеру, полиомиелитом), от
    "скрючить".

Ёшка Чека. Чека — так в народе называли ЧК (Чрезвычайную комиссию).

Ыркыя — татарское женское имя.

Шняга Шакир. Шняга — нечто неприятное, дурное, мелкое.

Еся Елда. Елда — мужской половой орган.

Клава Каппель. Генерал Каппель — один из лидеров белого движения.

Мишка Гузно. Гузно — нижняя или задняя часть человека или животного.

Растепеля — разгильдяй, небрежный человек.

Стёпа Рёх-рёх. Рёх-рёх — аналог "хрю-хрю".

Додик без бодряжки. Бодряжка — дешевое вино.

Скулёма — от "скулёмить": плохо выполнить какую-то работу.

Рома Кикер. Кикер — кокаин.

Трясучка — падучая болезнь.

Абдраган — по-татарски "испуганный".

Зека с нюхом. С нюхом — с чуйкой, интуицией.

Хади Форсила. Форсить — модничать.

Муха Люксембург. Люксембург — в честь Розы Люксембург.

Туся Держиморда. Держиморда — грубый, тупой, жестокий.

Филька Лотоха. Лотоха — не в меру суетливый человек.

Аслан Мосольник. Мосольник — прозвище нищих или бурлаков, которые часто глодали мослы.

Питишка — мужской половой орган.

Зуля Безладица. Безладица — несчастье, нелады.

Машка Не замай. "Не замай!" — значит "Не трожь!".

Цыца — от выражения "цыца поперла", что означает "испугался".

Сазон Горлохват. Горлохват — налетчик, грабитель.

Голый Вассер — ничего не вышло, все усилия впустую.

Пуля на цинку. На цинку — то же, что и на стрёме.

Тюменный Амба. Амба — конец, кирдык, погибель.

Гайдамак — смутьян, разбойник, бунтарь.

Элька Сухоляда. Сухоляда — очень тощая женщина.

Фома Обушник. Обушник — вор.

Рита Кереметка. Кереметка — болезнь с припадками.

Знобиха — лихорадка.

Аскар Отъёмыш. Отъёмыш — тот, кого отняли у матери от груди или забрали у родителей.

Типун — воспаление языка. Известно выражение "типун тебе на язык!" — то есть "лучше помолчи и не кликай беду!".

Черемис — устаревшее обозначение марийцев.

Мамлюк — солдат-невольник.

Богдаша Биток. Биток — хулиган.

Орест Базарник. Базарник — тот, кто промышляет, ворует на базаре.

Ширмач Не в масть. Ширмач — вор; "в масть" и "не в масть" — карточные термины.

Коклеванец — ядовитое растение.

Комоха — лихорадка.

Зебло — прозвище крикливого.

Ищаул — притворщик.

Шахер-Махер — недобросовестная сделка, обман.

Паня с упиркой. С упиркой — тот, кто сильно упирается.

Ждан Поездушник. Поездушник — вор в поездах.

Леся Коцаные Стиры. Коцаные стиры — стертые, ветхие игральные карты.

Карачун — внезапная смерть.

Корых — коровья лепешка (говно).

Вера Кострёнок. Кострёнок — молодой осётр.

Кошеляй. Кошелять — нищенствовать.

Колчак — белогвардейский адмирал, участник Гражданской войны.

Елёха-Воха. "Елёха-воха!" — эмоциональный возглас, по типу "Да твою ж мать!".

Жабрей — растение, типа шалфея.

Жила — жадина.

Мансур Мастырка. Мастырка — причинение себе увечья.

Пес на шмоне. На шмоне — то же, что на стрёме.

Дриста Портяночник. Дристать — просторечное "срать". Портяночник — от "портянка".

Питька на баса. Взять на баса — испугать громким криком.

Тымба с режиком. Тымба — просто смешная кличка. *Режик* — нож.

Суррогат. Слово "суррогат" (пищевой) очень часто использовалось в прессе в голодные годы.

Дрюша Лизала. От "лизнуть" — напиться алкоголя.

Арька Верти Вола. Вертеть вола — ничего не делать.

Хруст Хасан. Хруст — деньги.

Макака с домзака. Домзак — дом заключения, тюрьма.

Жора Шпарь. От "шпарить" — делать что-то быстро и много, активничать.

Дёма Глот. Глот — здоровенный пацан, авторитет.

Фармазонщик Абу. Фармазонщик — мошенник, сбытчик фальшивых драгоценностей.

Кот Лаврентий. Кот — сожитель девочки-проститутки, который существует на ее деньги.

Ханжа — дешевый самогон.

Ларик Политура. Политура — техническая жидкость, используется в столярном деле; алкоголики пьют ее вместо самогона.

Шарашик Пензенский. Шарашик — налетчик.

Санёк Денатурат. Денатурат — техническая спиртовая смесь; алкоголики употребляют ее внутрь.

Офелия со стрюжкой. Офелия — персонаж Шекспира; *стрюжка* — тюремный срок.

Пляшу Горошком. Плясать горошком — унижаться, пресмыкаться перед кем-то.

Рябый Щорс. Щорс — герой Гражданской войны, красный командир.

Шамиль Абляс. Абляс по-татарски — лысый.

Фордыбач. От "фордыбачить" — упрямиться, дерзко отвечать.

Врангель из Одесты. Врангель — генерал, один из главных лидеров Белого движения в годы Гражданской войны; *Одеста* — искаженное Одесса.

Бенька Бласлет. Бласлет — браслеты, наручники.

Веня Марафон. Марафон — бродяжья профессия; тот, кто бегает по трамвайным остановкам и собирает оброненные копеечки.

Мотя Купи Чердачок. Купить чердачок — обокрасть.

Юрдон Политофа. От "проюрдонить" — прокутить все. *Штоф* — четырехгранная бутылка для вина или водки.

Илья Могильщик. Могильщик — бродяжья профессия; тот, кто крадет цветы и угощения с могил на кладбище.

Веня Плашкетка. Плашкетка — преступный мальчик.

Корнилов Двадцать Шесть. Корнилов — генерал, участник Гражданской войны; *двадцать шесть* — предупредительное выражение из воровского жаргона.

Зося Зрятина. Зрятина — напрасное, лишнее.

Тпруся — от возгласа "Тпру!", которым управляют лошадью.

Оля Клюквенник. Клюквенник — вор, который обчищает церкви.

Буся Бешеные Гро́ши. Бешеные гроши — огромные деньги.

Боря Буча. Буча — заварушка, драка, бунт.

Нансен — в честь Фритьофа Нансена, много сделавшего для спасения голодающих жителей Поволжья.

Кондрат Бегун. Бегун — тот, кто идет по пятам за жертвой.

Коська Шарап. Шарап — тот, кто открыто крадет у уличных торговок.

Бобик Валявка. Бобик — собачья кличка. Валявка — неопрятный человек, лентяй.

Витя Винторез. От "винта нарезать" — сбежать.

Вика с клифтом. С клифтом — в хорошей одежде.

Кося в шкарах. В шкарах — в брюках.

Эдя Подгогуля. От "подгогулить" — украсть.

Горбач Махмут. Горбач — бродяжья профессия; тот, кто побирается с сумой.

Ким Помой по-шустрому. Помыть по-шустрому — быстро обворовать.

Кося Жебрак. Жебрак — по-польски "нищий".

Клей Кадыр. От "клеить" — врать.

⟫⟫⟫ Благодарности ⟪⟪⟪

Роман "Эшелон на Самарканд" создавался два с половиной года. Как герой романа Деев повстречал на пути очень разных людей и только благодаря их поддержке добрался до цели, так и я за тридцать месяцев работы просила о помощи очень многих — и каждый сказал "да". Моя глубокая, искренняя благодарность всем, кто поддержал написание и издание этой книги:

дорогим маме и мужу — за многие подаренные недели уединения, без которых работа над романом была бы невозможна;

моей любимой дочери — за долготерпение;

Елене Костюкович — за настоящее понимание, за наши бесценные беседы в эпоху локдаунов и самоизоляций;

Юлии Добровольской, дорогому товарищу и спутнику, — за все наши разговоры и письма, за поддержку в трудные минуты (а их было не счесть);

Елене Данииловне Шубиной — за бесконечную мудрость и доверие;

Галине Павловне Беляевой — за филигранную редактуру и бережное отношение к тексту;

Татьяне Стояновой и Веронике Дмитриевой — за энергию и всеобъемлющую помощь;

писательской резиденции *La Villa Marguerite Yourcenar*, ее директору *Marianne Petit* и всем замечательным сотрудникам.

Автор воспользовалась пребыванием в *La Villa départementale Marguerite Yourcenar, Departement du Nord* (Франция), и это была большая поддержка в написании этого романа. Спасибо любезному *Guy Fontaine*, а также издателю *Fanny Mossiere* (*"Noir sur Blanc"*) и переводчице *Maud Mabillard* — за содействие в организации поездки на виллу;

отцу Иоанну Привалову из Архангельска — за долгие и плодотворные заочные беседы о христианском учении, за ценные советы и духовную поддержку;

Сергею Дорожкову — за консультации об устройстве паровозов;

Анвару Ходжаниязову — за детальные сведения о ландшафтных особенностях степей Казахстана и гор Узбекистана;

Асии Кирамовне Махниной — за зеленый свет в архиве периодических изданий Национальной библиотеки Республики Татарстан;

Артему Силкину и Людмиле Анатольевне Елисеевой — за незабываемые экскурсии по Свияжску и беседы о его истории;

Русине Шихатовой — за помощь на просторах социальных сетей;

первым читателям Виктории Альбертовне Куприяновой, Вере Костровой, Иветте Литвиновой и Салтанат Ермырза — за важные замечания;

литературному агенту в Германии *Christina Links*, переводчику *Helmut Ettinger*, редактору *Marlies Juhnke* и издателю *Constanze Neumann* (*"Aufbau"*) — за горячую поддержку нового романа еще на стадии написания;

моим дорогим переводчикам — за роскошь общения, ставшую бесценной во времена пандемии, и за преодоление выросших внезапно границ между странами;

дорогим читателям во всем мире — за интерес и искреннюю поддержку, без которой автору не быть.

ГУЗЕЛЬ ЯХИНА

ЭШЕЛОН
НА САМАРКАНД

РОМАН

16+

Главный редактор *Елена Шубина*

Художник *Андрей Бондаренко*

Литературный редактор *Галина Беляева*

Ведущий редактор *Вероника Дмитриева*

Корректоры *Ольга Грецова, Надежда Власенко*

Компьютерная верстка *Елены Илюшиной*

 http://facebook.com/shubinabooks

 http://vk.com/shubinabooks

Подписано в печать 11.02.2021. Формат 60x90/16.
Печать офсетная. Усл. печ. л. 32.
Тираж 75 000 экз. Заказ № 1381.

Отпечатано с готовых файлов заказчика
в АО «Первая Образцовая типография»,
филиал «Ульяновский Дом печати»
432980, Россия, Ульяновск, ул. Гончарова, д. 14

Издательство просит правообладателей, чьи работы
не атрибутированы в книге или их использование не было
согласовано, связаться с редакцией по телефону:
+7(499)951-60-00 (доб. 171).

Общероссийский классификатор продукции
ОК-034-2014 (КПЕС 2008); 58.11.1 — книги, брошюры печатные

Произведено в Российской Федерации
Изготовлено в 2021 г.

ООО "Издательство АСТ"
129085, г. Москва, Звёздный бульвар, дом 21, строение 1, комната 705, пом. 1, 7 этаж
Наш электронный адрес: www.ast.ru
Интернет-магазин: www.book24.ru

"Баспа Аста" деген ООО
129085, Мәскеу қ., Звёздный бульвары, 21-үй, 1-құрылыс, 705-бөлме, 1 жай, 7-қабат

Біздің электрондық мекенжайымыз: www.ast.ru
E-mail: astpub@aha.ru
Интернет-магазин: www.book24.kz
Интернет-дүкен: www.book24.kz
Импортёр в Республику Казахстан ТОО "РДЦ-Алматы".
Қазақстан Республик сындағы импорттаушы "РДЦ-Алматы" ЖШС.
Дистрибьютор и представитель по приему претензий на продукцию
в Республике Казахстан: ТОО "РДЦ-Алматы"

Қазақстан Республикасында дистрибьютор және өнім
бойынша арыз-талаптардықабылдаушының екілі
"РДЦ-Алматы" ЖШС, Алматы қ., Домбровский көш., 3 "а", литер Б, офис 1.
Тел.: +8(727) 2515989, 90, 91, 92, факс: +8(727) 2515812, доб. 107
E-mail: RDC-Almaty@eksmo.kz
Өнімнің жарамдылық мерзімі шектелмеген.

Өндірген мемлекет: Ресей